PLAZA & JANES

P & J

EXITOS

New York, New York

New York

Conquistaré Manhattan

Judith Krantz

PLAZA & JANES EDITORES, S. A.

Título original:

I'LL TAKE MANHATTAN

Traducción de

JOE SHMIT

Portada de

IBORRA & ASS.

Primera edición: **Octubre, 1987**

Copyright © 1986 by Falk Publishing Co.
Copyright de la traducción española: © 1987, PLAZA & JANES EDITORES, S. A.
Virgen de Guadalupe, 21-33. Esplugues de Llobregat (Barcelona)

Este libro se ha publicado originalmente en inglés con el título de
I'LL TAKE MANHATTAN
(ISBN: 0-517-56110-7. Crown Publishers, Inc. New York. Ed. original.)

Printed in Spain — Impreso en España

ISBN: 84-01-32219-7 — Depósito Legal: B. 36.837 - 1987

A Steve, que sabe por qué sigo dedicándole libros.

Con mi amor de siempre.

Deseo expresar mi agradecimiento a estos amigos, que me dijeron cosas que necesitaba saber:

Helen Gurley Brown, de *Cosmopolitan*
Alexandra Mayes Birnbaum, de *Good Food*
Amy Gross, de *Vogue*
Cathy Black, de *USA Today*
Mark Miller, de *Hearst Magazines*
Ellen Levine, de *Woman's Day*

1

Maxi Amberville, con su impaciencia característica y su invariable desprecio de los reglamentos, se levantó de un salto del «Concorde», que todavía rodaba por la pista de aterrizaje, y corrió a lo largo del estrecho pasillo en dirección a la salida delantera. Los demás pasajeros permanecieron sentados, con la tranquilidad y el distanciamiento de quienes han pagado el doble del precio de un billete de primera clase para viajar de París a Nueva York y no tienen necesidad de apresurarse. Varios pares de cejas se arquearon a su paso, ante la visión de una joven de tan descarada belleza que se apresuraba con tan poca discreción.

—¿Por qué tardamos tanto? —preguntó a las azafatas.

—Todavía no hemos llegado, señora.

—¿Llegado? ¡Claro que hemos llegado! Estos malditos cacharros pasan más tiempo en el suelo que en el aire.

Maxi se estremeció furiosa, y todo su cuerpo, rebosante de energía nerviosa y de intensa resolución, expresó su desaprobación hacia «Air France».

—¿La señora sería tan amable de volver a su asiento?

—De ninguna manera. Tengo prisa.

Maxi se mantuvo en sus trece, plantada en el pasillo con las botas de tacón bajo que llevaba siempre en sus viajes. Sus cabellos cortos y oscuros se hallaban revueltos; unos estaban tiesos, otros cubrían parte de su frente con gruesos mechones que caían sobre su rostro indignado. Habría llamado la atención en un salón lleno de mujeres hermosas, pues hacía que a su lado, la simple belleza careciera de importancia y de interés. A la amortiguada luz de la cabina, se veía en su cara un brillo de expectación, como si estuviese a punto de entrar en una sala de baile. Maxi llevaba una vieja chaqueta de ante de color coñac, con cinturón apretado, y unos viejos tejanos remetidos en las botas. Un bolso de bandolera con aire de cartuchera iba de uno de sus hombros a la cadera opuesta. Con impaciencia, apartó de su frente el flequillo. Al hacerlo, quedó al descubierto un grueso mechón de cabellos blancos, naturales, que caía sobre su ojo derecho.

El «Concorde» zumbó al detenerse al fin y la azafata observó con desdén cómo antes de que la puerta de salida acabase de abrirse, Maxi la cruzaba llevando en su mano libre un pasaporte americano.

Maxi se detuvo en seco ante la cabina de *Inmigración* y arrojó el pasaporte al inspector, el cual lo abrió, miró distraídamente el retrato y luego la contempló a ella con atención.

—¿Maxime Emma Amberville? —preguntó.

—La misma. ¿Verdad que esa foto es horrible? Bueno, tengo prisa. ¿Quiere sellar el pasaporte y dejarme pasar?

El inspector la miró indiferente. Después pulsó con calma algunos botones de su computadora.

—¿Quién es —preguntó al fin— Maxime Emma Amberville Cipriani Prady Kirkgordon?

—Lo sé. Lo sé. Un nombre difícil. Pero no está prohibido por la ley.

—Lo que quiero saber, señorita, es por qué no figura su nombre completo en este pasaporte.

—El antiguo caducó durante el verano y lo renové en la Embajada de París. Puede usted ver que es nuevo.

—¿Cambió legalmente su nombre?

—¿Legalmente? —preguntó Maxi ofendida—. Todos mis divorcios fueron perfectamente legales. Prefiero mi nombre de soltera y por eso lo adopté de nuevo. ¿Quiere que le cuente la historia de mi vida? Todos los que han viajado en ese maldito avión van a pasar antes que yo. ¡Y ahora tendré que esperar en la aduana!

—Todavía no han descargado los equipajes —observó el hombre.

—¡Aquí está la cuestión! Yo no llevo equipaje. Si no estuviésemos perdiendo el tiempo con mi espeluznante pasado, me encontraría ya en un taxi. ¡Oh! ¡Maldita sea! —se lamentó furiosa.

El inspector siguió estudiando el pasaporte. La fotografía no reflejaba la vitalidad eléctrica de aquella mujer, y aunque estaba acostumbrado a las fotos malas, no se hallaba todavía muy convencido de que aquel retrato fuese auténtico. Destacaban en él el flequillo y una boca que sonreía con indiferencia. En cambio, la indignada mujer que estaba plantada ante él, y cuyos cabellos parecían las plumas de un pájaro irritado, tenía un descaro y una audacia, que le habrían obligado a fijarse en ella, como si de pronto se hubiese encendido un foco delante de su nariz. Además, no parecía lo bastante mayor como para haber tenido ya tres maridos, a pesar de que la fecha de su nacimiento revelaba que había cumplido veintinueve años.

El inspector selló de mala gana el pasaporte con la fecha de aquel día, 15 de agosto de 1984, y se lo devolvió, pero no sin poner una nota especial e ilegible en el dorso de su declaración para la Aduana.

Maxi, moviéndose con esa agilidad de renacuajo propia de las neo-yorquinas, dejó su bolso sobre una mesa de la aduana y miró impaciente a su alrededor, buscando un inspector. A aquella hora temprana, estaban todavía reunidos en un rincón de la espaciosa sala, terminando su café de la mañana y no muy afanosos de empezar la jornada de trabajo. Varios aduaneros vieron a Maxi al mismo tiempo y dejaron bruscamente su taza. Uno de ellos, joven y pelirrojo, se separó de los demás y echó a andar en dirección a Maxi.

—¿Por qué tanta prisa, O'Casey? —preguntó otro inspector, asiéndole de un brazo.

—¿Quién es el que tiene prisa? —dijo él, desprendiéndose de la mano que lo agarraba—. Esa palomita es mía —declaró, dirigiéndose rápidamente a Maxi y cogiendo una considerable delantera al compañero que le seguía más de cerca.

—Bien venida a Nueva York —dijo—. La condesa de Kirkgordon, si los ojos no me engañan.

—Apee el tonto tratamiento de condesa, O'Casey. Sabe usted que abandoné al pobre Laddie hace algún tiempo.

Lo miró con cierta inquietud, poniendo los brazos en jarras. Era mala suerte haber caído en manos del engreído pecoso y nada repelente Joseph O'Casey, que se imaginaba ser una especie de reencarnación de Sherlock Holmes. Tendría que haber una ley que impidiese que funcionarios como él molestasen a los ciudadanos honrados.

—¿Cómo he podido olvidarlo? —se extrañó él—. Se divorció antes de pasar por aquí con un vestuario nuevo de «Saint Laurent»... Nunca fue usted buena costurera, Miss Amberville; aquellas etiquetas de «Saks» con que sustituyó las originales no habían sido cosidas por una profesional. ¿Acaso no sabe que nosotros estudiamos los modelos europeos en cuanto son presentados?

—Le felicito, O'Casey —Maxi asintió solemnemente con la cabeza, en señal de aprobación—. No lo olvidaré. Y ahora, ¿podría hacerme el favor de examinar mi bolso? Tengo mucha prisa.

—La última vez que tuvo usted prisa llevaba veinte frascos de «Shalimar», de los de doscientos dólares, y la vez anterior era un «Patek Polo», que llevaba visiblemente en la muñeca, pensando sin duda en el cuento de *la carta robada*. Era de oro de ley y valía al menos ocho mil dólares. Y además, veamos, no hace mucho tiempo que se suscitó aquel pequeño problema de un visón de «Fendi», teñido de rosa, que usted me dijo que era de imitación y que lo había comprado en un mercadillo por menos de trescientos dólares. Y le había costado quince mil pavos en Milán, si no recuerdo mal.

Sonrió satisfecho. Tenía buena memoria para los detalles.

—El «Shalimar» era un regalo —replicó Maxi—. De una amiga. Yo nunca uso perfumes.

—Pero hay que incluir los regalos, según se expresa claramente en el impreso de la declaración —dijo con suavidad O'Casey.

Maxi le miró. No había compasión en aquellos ojos irlandeses. Sonreían, sí; pero no ingenuamente.

—O'Casey —confesó ella—, tiene usted toda la razón. Soy una contrabandista habitual. Siempre lo he sido y, probablemente, siempre lo seré. No sé por qué lo hago y quisiera dejar de hacerlo. Es una neurosis. Estoy enferma. Necesito ayuda. Y la buscaré cuando tenga ocasión. Pero le juro que esta vez, esta única vez, no traigo nada conmigo. He venido por asuntos de negocios y tengo que ir rápidamente a la ciudad. Ya debería estar allí. Por el amor de Dios, registre mi bolso y déjeme pasar. Por favor —concluyó en tono suplicante.

O'Casey la observó con atención. Aquella atrevida dama era tan bonita que, con sólo verle la cara, los dedos de los pies se contraían dentro de sus zapatos. En cuanto al resto de su persona, no delataba nada, a pesar de que de momento, él, como todos los inspectores de aduana, había aprendido a interpretar el significado del lenguaje del cuerpo. Pero sabe Dios qué llevaría a pesar de aquel aire de inocencia.

—No puedo hacerlo, Miss Amberville —dijo, sacudiendo tristemente la cabeza—. El hombre de Inmigración conoce su historial; ha puesto una nota en la declaración, y no puedo dejarla pasar sin más ni más. Tendremos que hacer un registro corporal.

—Al menos examine mi bolso. ¡Maldita sea! —exigió Maxi, olvidando su actitud suplicante.

—Evidentemente, no hay nada en él. Tiene que llevarlo encima, sea lo que sea —replicó O'Casey—. Tendrá que esperar a que llegue una matrona. Estará aquí dentro de una hora o dos, y me encargaré de que la atienda la primera.

—¿Un registro corporal? ¡No lo dirá usted en serio! —exclamó Maxi con sincero asombro.

Veintinueve años de hacer su voluntad en casi todo le habían otorgado la convicción de que las normas ordinarias no regían para ella. Y ciertamente, nadie hacía nada a Maxi Amberville sin su permiso. Nunca. ¡Nunca jamás!

—Completamente en serio —dijo con tranquilidad O'Casey, asomándole a los labios un atisbo de sonrisa.

Maxi lo miró con incredulidad. Aquel bastardo ebrio de poder hablaba en serio. Pero todos los hombres tenían su precio, incluso Joe O'Casey.

—Joe —dijo ella, suspirando profundamente—, hace años que nos conocemos, ¿no es cierto? Y nunca he sido una mala ciudadana, ¿verdad? El Erario de los Estados Unidos ha salido ganando con mis multas mucho más que si hubiese pagado simplemente los aranceles.

—Es lo que le he dicho cada vez que la he pillado; pero usted no quiere hacerme caso.

—Nunca he traído drogas, ni queso no pasteurizado, ni salchichones de un animal enfermo. ¿No podíamos hacer un trato, Joe?

Su voz pasó del tono zalamero al de un delicado e inconfundible soborno.

—Yo no acepto propinas —replicó él.

—Lo sé —suspiró ella—, lo sé muy bien. Ése es, precisamente tu problema, Joe. Eres de una honradez neurótica. Pero te propongo un trato.

—¿Qué tontería está diciendo Miss Amberville?

—Llámame Maxi. Estoy proponiendo la entrega real y honrada de un cuerpo, a cambio de un registro corporal innecesario.

—¿Un cuerpo? —repitió él, como si no comprendiese, aunque veía muy claras las intenciones de ella, y la posibilidad de un regalo tan inesperado le hacía olvidar el uniforme que llevaba.

—Un cuerpo, el mío, libre de impuestos, acogedor, cálido, en toda su integridad, para ti, Joe O'Casey —dijo Maxi, pasando casualmente la punta del dedo entre los de él, sin apartar los ojos de su cara.

Le dirigió una mirada que había inventado Cleopatra; pero que Maxi había perfeccionado. Y el hombre se dio por vencido. Estaba segura de ello, pues había enrojecido tanto que casi no se notaban sus pecas.

—¿Esta noche a las ocho, en «P. J. Clarke's»? —preguntó ella, casi en tono casual.

Él asintió con la cabeza, sin decir ninguna palabra. Con aire soñador, marcó con tiza el bolso y la dejó pasar.

—Yo soy siempre puntual —dijo Maxi por encima del hombro al alejarse—. Por consiguiente, no me hagas esperar.

Dos minutos después empezó a relajarse, retrepada en el largo automóvil azul que la estaba esperando y era conducido por su chófer Elie Frank, conocido como el más hábil y veloz de la ciudad. No hacía falta decirle que se diese prisa, pues nada sobre ruedas era capaz de alcanzar a Elie, salvo los policías de tráfico, y era demasiado listo para caer en sus trampas.

Mirando rápidamente su reloj, Maxi comprendió que, a pesar de la insoportable lentitud de los trámites de los aeropuertos, llegaría a tiempo a su destino. El día anterior por la mañana estaba en Bretaña, en Quiberon, tomando un baño de agua de mar caliente, régimen indicado después de un verano muy agitado, cuando recibió una llamada telefónica de su hermano Toby, diciéndole que volviese inmediatamente a Nueva York para una inesperada reunión del consejo de administración de «Amberville Publications».

Su padre, Zachary Amberville, fundador de «Amberville Publications», había muerto repentinamente hacía poco más de un año, a causa de un accidente. La compañía que había dejado era uno de los gigantes del negocio de revistas en América, y las reuniones del consejo solían convocarse con mucha antelación.

—Esta prisa me pone nervioso, Goldilocks —había dicho Toby—. Me huelo algún problema. Yo me enteré de la reunión por casualidad. ¿Cómo no nos lo notificaron? ¿Puedes venir en tan poco tiempo?

—Desde luego. En cuanto me haya duchado para quitarme la sal, tomaré el avión en Lorient hacia París, pasaré allí la noche y embarcaré en el «Concorde» mientras vosotros estáis todavía durmiendo en Nueva York. No hay problema.

Y, si no hubiera sido por el retraso que le había impuesto O'Casey, habría llegado antes de la hora en vez de hacerlo con el tiempo justo.

Por primera vez desde que había aterrizado el «Concorde», Maxi advirtió que, si bien el día era fresco para finales de agosto, el calor aumentaba a cada minuto. Al quitarse la chaqueta, sintió que algo frotaba su cintura, debajo del cinturón con que sujetaba los tejanos. Con mirada perpleja, hurgó entre su ropa y sacó una fina cadena de platino que había prendido allí hacía menos de seis horas, en su suite predilecta del «Ritz» de París. Pendía de la cadena una enorme perla negra coronada por dos plumas de diamante de «Cartier». ¡Qué extraño!, pensó mientras colgaba la joya de su cuello. Era muy barroca, opulenta y conspicua. ¿Cómo podía haberse olvidado de ella? En fin, un penique ahorrado es un penique ganado, se dijo con el regocijo triunfal del que ha ganado en un juego haciendo trampas.

2

Elie detuvo el coche en seco delante del nuevo Amberville Building, en la esquina de la Calle 54 y Madison. Maxi no esperó a que diese la vuelta y abriese la portezuela. Consultando de nuevo su reloj, saltó del automóvil y cruzó la puerta de cristales, que tenía una altura de cuatro pisos, sin fijarse en la docena de árboles, cada uno de los cuales había costado tanto como un coche pequeño, y sin mirar los centenares de macetas de orquídeas y helechos. La botánica le importaba un bledo. Subió en el rápido ascensor hasta el piso en que se hallaba el salón de juntas del imperio fundado por su padre, en 1947, con una pequeña revista comercial. Abrió la pesada puerta y se quedó plantada en el umbral, observando a los reunidos, con los brazos en jarras y los pies separados tres palmos, en una actitud que asumía a menudo desde que había aprendido a sostenerse en pie. Con bastante frecuencia, los propósitos de la gente disgustaban a Maxi lo suficiente para justificar un escepticismo radical.

—¿Por qué estamos aquí? —preguntó al grupo de directores, editores y administradores, en el momento de silencio que precedió a sus exclamaciones de sorpresa y de bienvenida.

Lo ignoraban tanto como ella. La mayoría habían interrumpido sus vacaciones de verano para correr a la ciudad y asistir a la reunión. La diferencia radicaba en que ellos habían sido convocados oficialmente, en tanto que Maxi se había enterado por casualidad. La joven había dejado de asistir a muchas reuniones a las que había sido reglamentariamente invitada; pero era inaudito que no la hubiesen convocado esta vez.

Un hombre menudo, exquisito, de cabellos blancos, se separó de los demás y se acercó a ella.

—¡Pavka! —exclamó entusiasmada Maxi, abrazando a Pavka Mayer, director artístico de las diez revistas Amberville—. ¿Qué sucede? ¿Dónde están mi madre y Toby?

—Ojalá lo supiese —respondió Pavka—. No me gustan los viajes urgentes desde Santa Fe, y menos haberme perdido la ópera de la noche pasada. Tu madre todavía no ha llegado.

Conocía y quería a Maxi desde que ésta había venido al mundo, y comprendía que dedicase su complicada vida a sacar del planeta Tierra toda la diversión que podía brindar a los humanos. La había observado mientras crecía, y la comparaba a uno de esos buscadores de oro que iban febriles de un lado a otro, encontrando aquí y allá una onza o dos del precioso metal, entre muchos pedruscos sin valor; pero que continuaban adelante, buscando eternamente la veta de oro puro (de pura *diversión*) que, por lo que sabía él, se le escapaba siempre. Pero ella sabía que existía, y Pavka Mayer estaba seguro de que, si alguien tenía que encontrarla, sería Maxi esa persona.

—Todo esto me parece un poco raro —murmuró la recién llegada.

—A mí también. Pero dime, ¿qué has estado haciendo este verano, pequeña? —preguntó él.

—¡Bah! Lo de siempre: romper corazones, hacer locuras, codearme con *playboys;* jugar pero nunca limpio, acelerando para mantenerme a la altura de la juventud dorada. Mi querido Pavka, tú ya conoces mis acostumbrados juegos de verano; unas veces ganando en el columpio, y otras perdiendo en el tiovivo; un poco de seducción de vez en cuando… pero nada serio.

Pavka la observó con sus expertos ojos de artista. Aunque la conocía bien, siempre le sorprendía un poco su presencia física, que le producía el efecto de una pequeña descarga eléctrica; pues, en cierto modo, Maxi era más real que las demás personas; se destacaba entre ellas. Aunque era de mediana estatura, no llegaría a un metro setenta, y no ocuparía mucho sitio con su elegante y esbelto cuerpo de estrecha cintura, que hubiérase dicho la de una reina de la *Belle Époque*, creaba sin embargo un ambiente vibrante en torno suyo, gracias a una extraña energía hipnótica. Para quien supiese ver el cuerpo a través de la ropa, tenía bellos senos, suntuosos muslos y redondas caderas. Pero en conjunto, no era demasiado voluptuosa. El aire fanfarrón y masculino de su indumentaria servía tan sólo para acentuar su femineidad. Sus extraordinarios ojos verdes, como el jade imperial, frescos, brillantes y puros, no aparecían nublados por la menor preocupación.

Pavka sabía que ningún fotógrafo captaría jamás la esencia de Maxi, porque carecía de la desafiante estructura ósea que necesita la mujer para ser fotogénica; pero nunca se cansaba de mirar aquellas cejas negras y rectas, alzadas siempre en una expresión de débil sorpresa sobre unos ojos maliciosos. La delicada nariz habría sido clásica si no hubiera tenido la punta ligeramente respingona, que le daba un aire de vivacidad astuta. Y aquel mechón blanco sobre la frente hacía que la mata de cabellos cortos y siempre revueltos pareciese más oscura por contraste. Sin embargo, para Pavka, el rasgo más atractivo era la boca. El labio inferior tenía una curva que esbozaba siempre una sonrisa, y el superior presentaba la forma precisa de un arco, con una peca diminuta a la izquierda de la marcada hendidura central; la boca de una hechicera, decía para sus adentros aquel hombre, que era un buen conocedor después de más de cincuenta años de amar a las mujeres y ser correspondido.

Pavka estaba todavía admirando a Maxi cuando se abrió de nuevo la puerta de la sala de juntas y entró Toby Amberville. Maxi corrió hacia él.

—Toby —exclamó con voz suave antes de llegar hasta él.

El recién llegado se detuvo en seco y abrió los brazos, obligándola a acercarse. Durante un largo y silencioso instante, permanecieron abrazados, levantando ella la cara para que pudiesen tocarse sus narices al agachar él la cabeza.

—¿Qué pasa, Toby? —murmuró.

—No lo sé. No he podido hablar con nuestra madre desde hace varios días. Es un misterio; pero supongo que pronto lo descubriremos. Estás magnífica, pequeña —añadió al soltarla.

—¿Por qué lo dices? —preguntó Maxi.

—Lo huelo en tus cabellos. Tienes las mejillas tostadas por el sol de alta montaña, no el de Southampton. Y has engordado, unos trescientos gramos, más o menos, precisamente aquí, en el trasero. Te queda muy bien.

La empujó delicadamente y ella le observó desde la puerta mientras él avanzaba por el salón. Era su hermano mayor. Le llevaba apenas dos años; pero con sólo tocarle las palmas de las manos o escucharle decir tres palabras, podía conocer más de ella que ninguna otra persona.

Toby Amberville era un hombre alto y, al parecer, incansable; tenía un aire reflexivo que le hacía parecer mayor de su edad. A primera vista, no presentaba ningún rasgo en común con Maxi; sin embargo, se parecían en la manera en que ambos ocupaban plenamente el sitio en que se encontraban. Los labios de Toby, suaves y gordezuelos, parecían contradecir la energía de su mentón, la obstinada resolución que intimidaba a tantas personas, a pesar de su risa fácil y su robusta y sana gallardía. Alrededor de los ojos, de un castaño marino, empezaban a aparecer unas arrugas que, para un observador casual, habrían sido señal de que solía fruncir los párpados por ser, probablemente, corto de vista y negarse, por presunción a llevar gafas.

Maxi se quedó atrás para observarle, mientras él avanzaba tranquila y confiadamente y se sentaba en el sillón que le había estado reservado, por orden de su padre, desde que cumplió los veintiún años; un sillón que le esperaba en todas las reuniones y que él ocupaba cada vez más de tarde en tarde, a medida que progresaba la retinitis pigmentosa que limitaba crecientemente su visión. ¿Era todavía su capacidad visual relativamente estable?, se preguntó Maxi. Nunca era fácil saber lo que

Toby veía o no veía, ya que una de las características de su dolencia era que su visión variaba de un día a otro, según las condiciones en que se hallaba, la distancia y el ángulo desde el que miraba algo, el brillo de la luz, y otras muchas variantes de enloquecedora inconsistencia, ya que a veces tenía momentos de aguda visión que sólo servían para que el retorno a la casi ceguera fuese más difícil de soportar. Pero él lo había soportado, había aceptado su condición como habría podido hacerlo el hombre más resignado, pensó Maxi, escuchando cómo saludaba a los que se hallaban en la sala al reconocerlos inmediatamente por sus voces. Por un momento, Maxi se olvidó del lugar en que se hallaba, perdida en la devota contemplación de su hermano.

—Maxime.

Su nombre había sido pronunciado por una voz que tenía un ligero acento británico, una voz argentina que hizo que Maxi se estremeciese. La voz de su madre era la única en el mundo que podía sobresaltarla. Sin embargo, sonaba como si nunca la hubiese levantado para dar una orden o pedir un favor, y mucho menos para expresar irritación. Tenía un tono tan firme y gracioso, un encanto tan fresco y sutil, que le había servido a su dueña para todo, o casi todo, lo que había deseado. Maxi, sobreponiéndose, se volvió para saludar a su madre.

Lily Amberville, que había vivido los tres últimos decenios envuelta en la aureola que rodea a las pocas grandes bellezas ricas y poderosas del mundo, abrazó a su hija con majestuosa dignidad; un abrazo al que Maxi se sometió, como siempre, con una mezcla de resentimiento y de añoranza.

—Hola, madre. Estás espléndida —dijo sinceramente.

—Habrías podido anunciarnos tu llegada —replicó Lily, sin corresponder ni darse por enterada del cumplido.

Maxi se dio cuenta de que casi parecía nerviosa; aunque nunca se le había ocurrido emplear esta palabra para referirse a Lily. Nerviosa y un poco tensa.

—Creo que ha habido alguna confusión, madre. Nadie me habló de esta reunión. No habría tenido idea de ella si Toby no me hubiese telefoneado...

—Evidentemente, ha habido algún problema de comunicaciones... Pero, ¿no será mejor que nos sentemos? —propuso Lily Amberville, dejando a Maxi plantada en el umbral.

Pavka se acercó a ella.

—Siéntate a mi lado, diablillo. ¿Cuántas veces se me ofrece esta oportunidad?

—¿Has dicho «diablillo»? Hace dos meses que no me ves —protestó Maxi riendo de nuevo—. En ese tiempo puedo haberme corregido.

—Diablillo —insistió Pavka mientras ella le seguía por el salón.

¿De qué otro modo, pensó él, podría describir la quintaesencia que destilaba? Cómo definir aquella capacidad viva, agresiva, inquisitiva

y deliberada que poseía para causar problemas, unos problemas fasci-
nadores, que ella no podía y no quería remediar.

—¿Corregido? ¿Mi Maxi? —la desafió—. ¿Debo presumir que los
siete enanitos te regalaron esa maravillosa perla negra porque eres tan
inocente, tan intocable, tan pura, tan parecida a Blancanieves?

—En realidad sólo fue uno, y su estatura era la de un enanito —re-
pusó Maxi sin ruborizarse y ocultando rápidamente debajo de la blusa
la perla, que de nuevo había olvidado.

No era una joya para ser llevada durante el día.

Antes de acomodarse en su silla junto a la de Pavka, una mano la
agarró del brazo con fuerza. Ella se volvió disgustada y con los nervios
en tensión. Su tío, Cutter Dale Amberville, hermano menor de su padre,
se inclinó y la besó en la frente.

—Cutter —dijo fríamente Maxi—, ¿qué estás haciendo aquí?

—Lily me pidió que viniese. La verdad es que me sorprende verte.
Estaba convencido de que nos abandonarías, prefiriendo otros lugares
más interesantes. Me alegro de tenerte en casa, Maxime.

Su voz era cálida y afectuosa.

—¿Dónde creías que estaba, Cutter? —preguntó ella, esforzándose
por disimular la antipatía que sentía hacia él.

—Todos creíamos que estabas esquiando en Perú o en Chile, donde
no pudiésemos alcanzarte. En algún lugar relacionado con helicópteros
y glaciares.

—¿Es ésa la causa de que no me informasen de que hoy había
reunión?

—Naturalmente, querida. Parecía inútil intentarlo. No teníamos ningún número de teléfono al que llamarte. Pero me satisface ver que estaba equivocado.

—No debes hacer caso de los rumores, Cutter. Toby sabía dónde
me encontraba. Se os podía haber ocurrido preguntárselo. Pero, por lo
visto, tampoco él fue convocado. La verdad es que me parece muy extraño. Aunque hubiese estado en el amazonas, tendríais que habér-
melo comunicado —dijo ella con cierto ardor.

—Te prometo que nunca volverá a ocurrir.

Cutter Amberville sonrió, con una sonrisa que se pintaba incluso
en lo más hondo de sus ojos azules y juveniles, una sonrisa que compensaba la insoportable distinción de sus facciones, una sonrisa tan amplia que descubría un diente torcido y transformaba su elegante cabeza
de embajador en la de un hombre vulgar. Debía su fortuna al innegable
poder de aquella sonrisa, y hacía tiempo que había olvidado los días
de estudiante en que solía ensayarla delante de un espejo, infundién-
dole calor y sinceridad, haciéndola subir de los labios a los ojos median-
te sutiles alteraciones de los músculos faciales.

Cutter Amberville había pasado los tres últimos años en Manhattan,
adonde había regresado en 1981 después de una ausencia de ·más de

veinticinco años, solamente interrumpidas por unas pocas y breves visitas. Era sorprendente lo poco que había cambiado durante ese tiempo, sin perder nunca la buena forma de su soberbia condición de atleta. Llevaba cortos los cabellos todavía rubios; su mirada era como un destello azul, y sus modales desarmaban siempre a sus interlocutores. Era un hombre terriblemente atractivo, que había hechizado a muchas mujeres; sin embargo, había en sus maneras algo que sugería la sombra de un propósito escondido, un atisbo de algo oculto. Parecía poder prescindir del humor y de aquellas personas a las que no consideraba útiles. Durante toda su vida, Zachary Amberville había querido profundamente a su hermano.

Cutter siguió mirando a Maxi con el arma infalible de su sonrisa. Su mano todavía agarraba el brazo de ella con firmeza, en una actitud protectora. La chica se desprendió bruscamente y, aun a riesgo de parecer descortés, se arrimó más a Pavka. Cutter, sin darse por ofendido, le acarició los cabellos con un ademán ligero, pero claramente íntimo, que hizo que Maxi frunciese con disgusto la nariz. ¿Por qué diablos asistía Cutter a la reunión?, se preguntó. Era la primera vez que lo hacía.

Observó a su madre al dirigirse ésta a la cabecera de la mesa con el andar ligero y la inconmovible y orgullosa distinción de la bailarina que había sido antaño. Lily se sentó al lado del sillón que había permanecido vacío desde la muerte de Zachary Amberville, un sillón diferente a los demás que había en la estancia, un sillón desgastado y estropeado que a todos les recordaba dolorosamente aquel hombre alegre, atrevido, afanoso, enérgico y práctico, tan súbitamente desaparecido.

Maxi se dijo con irritación que no debía permitir que se le saltasen las lágrimas. Cuando veía el sillón vacío de su padre, sentía tan vivamente su presencia que, a pesar de todos sus esfuerzos, se echaba a llorar. Durante el último año, había llorado muchas veces a un padre al que adoraba; pero siempre trató de hacerlo en privado. La expresión manifiesta del dolor ajeno molestaba a la gente, y estaba fuera de lugar en una sala de juntas.

Conteniendo el aliento y haciendo acopio de valor, consiguió mantener su compostura. Le brillaban los ojos; pero no cayeron lágrimas de ellos. Segura ahora de no manifestar en público su profundo dolor, observó a Cutter, que seguía a Lily. ¿Dónde pensaba sentarse?, se preguntó Maxi. No había sillón para él. Y entonces vio, con incredulidad, que su madre hacía un ademán asombrosamente preciso. Con su delicada mano, indicó a Cutter que ocupase el sillón en el que, hasta entonces, sólo se había sentado su marido.

¡Cómo podía...! ¿Cómo se atrevía a permitir que Cutter se sentase allí?, gritó Maxi para sus adentros, palpitándole el corazón. Oyó a su lado una ahogada exclamación de incredulidad que salía de los labios de Pavka, y sonaron alrededor de la mesa otras expresiones de disgusto rápidamente sofocadas. La atmósfera de la estancia vibró con el efecto de este acto inesperado de Lily, y todos cambiaron miradas subrepticias y asombradas. Sin embargo, Cutter pareció no advertirlo y se sentó sin cambiar en absoluto de expresión.

Zachary Amberville había gobernado la compañía de que era propietario, ayudado por el grupo de personas que hoy se hallaban en la sala. Después de su muerte, su viuda había empezado a participar en las reuniones, cosa que no había hecho nunca en vida de su marido. Ahora era accionista mayoritaria de la compañía. Había heredado el setenta por ciento de las acciones con derecho a voto de la corporación; el otro treinta por ciento había sido dividido entre Maxi, Toby y su hermano menor, Justin.

Maxi, y ocasionalmente Toby habían tratado de asistir a aquellas reuniones cuando se encontraban en la ciudad. Sin embargo, Maxi no había oído nunca a su madre expresar una opinión o tomar parte en las decisiones, y ella tampoco lo había hecho. Los directores de cada revista, los editores y los administradores del negocio, encabezados por Pavka Mayer, habían seguido dirigiendo la gran empresa como en los tiempos de Zachary, con devoción, competencia, gran experiencia e inquebrantable celo.

Hubo un momento de silencio. Nadie conocía el orden del día de la reunión, y esperaron a que Lily Amberville lo revelase. Pero Lily no decía nada y permanecía con los ojos bajos mirando la mesa. Maxi observó asombrada y tan sorprendida que no podía ni respirar, cómo Cutter apartaba un poco el sillón de su padre y se retrepaba cómodamente en él y, con toda naturalidad, se disponía a presidir la sesión.

—Mrs. Amberville me ha pedido que sea yo quien hoy les dirija la palabra —empezó pausadamente—. En primer lugar, lamenta haber tenido que hacer venir a algunos de ustedes a la ciudad con tanta precipitación; pero tiene que declarar algo que cree que ustedes deben conocer cuanto antes.

—¿Qué diablos...? —dijo Pavka en voz baja, volviéndose a Maxi. Ésta sacudió la cabeza, apretó los labios y miró fijamente a Cutter. ¿Qué había inducido a su madre a pedirle que se dirigiese al consejo? ¿Por qué no hablaba Lily por su cuenta, en vez de hacerlo aquel banquero de inversiones, ajeno al grupo y que no tenía derecho a participar en los trabajos de «Amberville Publications»?

Cutter continuó sentado tranquilamente y habló en tono mesurado y autoritario.

—Como todos ustedes saben, Mrs. Amberville no ha introducido ningún cambio en la estructura de «Amberville Publications» después de la inesperada y trágica muerte de mi hermano, acaecida hace un año. Pero ha hecho un profundo estudio del futuro de la compañía, de sus diez revistas y de su verdadera situación. Ahora creo que ha llegado el momento de enfrentarnos al hecho de que, si bien seis de las revistas son indiscutiblemente las mejores de su género, las otras cuatro están en dificultades. —Se interrumpió para beber un sorbo de agua, y el corazón de Maxi latió todavía más de prisa. Su tortuoso tío estaba adoptando la actitud de un general. Había dicho «creo» y todos los que estaban alrededor de la larga mesa permanecían silenciosos, esperando el prometido anuncio, que no había hecho aún.

—Todos sabemos —siguió diciendo pausadamente Cutter— que mi hermano disfrutaba más creando una revista que celebrando su éxito; prefería curar los males de una publicación enferma que explotar hasta el máximo las posibilidades de una sana. A él, esto le daba mucha fuerza; pero ahora que se ha ido, se ha convertido en el punto flaco de la empresa. Sólo otro Zachary Amberville podía tener la tenacidad necesaria, la capacidad para soportar años de pérdidas y, sobre todo, la fe en su propia creatividad, indispensables para seguir vertiendo las ganancias de nuestras seis revistas triunfales en las hambrientas bocas de las cuatro débiles.

Nuestras, pensó Maxi indignada. ¿Desde cuándo tienes tú participación en «Amberville Publications»? ¿Desde cuándo tienes derecho a decir *nuestras*? Pero guardó un aprensivo silencio y esperó, sintiendo que se le contraía el estómago ante aquella actitud de ominosa dominación.

—Tres de nuestras revistas más recientes, *Wavelength, Garden* y *Vacation*, han estado perdiendo dinero a un ritmo francamente inaceptable. *Button and Bows* tiene un valor que, desde hace años, ha sido puramente sentimental...

—Un momento, Mr. Amberville —dijo al fin Pavka Mayer, interrumpiendo el sereno y cortés discurso de Cutter—. Estoy oyendo las palabras de un hombre de negocios, no de un editor de revistas. Yo conozco todos los detalles de los planes que Zachary tenía para *Wavelength, Garden* y *Vacation*, y puedo asegurarle que no esperaba que rindiesen todavía beneficios. Sin embargo, sólo se necesita tiempo para que lo hagan. En cuanto a *Buttons and Bows*, creo que...

—Sí, ¿qué tienes que decir de *Buttons and Bows*, Cutter? —interrumpió Maxi, poniéndose súbitamente en pie—. Probablemente no lo sabes, porque nunca habías intervenido en el negocio; pero mi padre siempre la llamaba su niña mimada. En realidad, había fundado la compañía sobre ella.

—Un lujo, querida —respondió Cutter, haciendo caso omiso de lo que había dicho Pavka Mayer—. Fue un lujo mantener una revista que antaño tuvo éxito; un lujo que tu padre podía permitirse.

—¿Y qué diablos ha cambiado? —gritó Maxi—. Si él podía permitírselo, ¿por qué no podemos *nosotros*? ¿Quién eres tú para decirnos lo que podemos y lo que no podemos permitirnos? —dijo temblando de rabia.

—Mi querida Maxi, estoy hablando en nombre de tu madre, no en el mío propio. Pareces haber olvidado que ella *controla* «Amberville». Naturalmente, te choca que el aspecto desagradable del negocio sea expuesto por alguien ajeno a él.

La miró un tanto inexpresivo, volviéndose un poco en dirección a ella, como enfocando sus palabras:

—Mientras vivió tu padre, esta corporación estaba en manos de un solo hombre, como incluso tú, mi querida e impetuosa Maxi, tienes que reconocer. Pero hoy Zachary Amberville no está aquí para tomar las decisiones difíciles. Tu madre es quien tiene este derecho, sólo tu madre goza de este poder. Y cree que su deber es llevar el negocio de un modo práctico, ya que no tenemos el genio de tu padre para orientarnos. Su deber es considerar la cuenta de pérdidas y ganacias y observar el resultado.

—Yo también observo esa cuenta, Cutter. Y lo mismo hacen Toby y Justin. El año pasado, nuestras ganancias superaron los cien millones de dólares. No lo negarás, ¿verdad? —preguntó Maxi es son de reto.

—Claro que no. Pero no tienes en cuenta la terrible competencia con que nos enfrentamos todos los meses para conservar nuestro puesto en el mercado de las revistas. Es un poco frívolo ignorar el hecho de que, gracias a una difícil y penosa decisión, una decisión necesaria, Maxi, que tu madre ha *decidido tomar*, las ganancias de «Amberville» pueden aumentar de modo considerable.

—¡Frívolo! Espera un momento Cutter. Me niego a aceptar esta clase de...

—Ha sido una palabra desafortunada, Maxi. Te pido disculpas. Pero, ¿verdad que te das cuenta de que tu madre no tiene que responder ante nadie en absoluto?

—Lo sé. Sin embargo, te diré que «Amberville» no está en dificultades financieras —insistió Maxi, rebelde, tercamente resuelta a que no cambiase nada de lo que su padre había dejado.

Pavka Mayer, sentado a su lado, se sentía presa de idéntica resolución. Al escuchar las palabras de Cutter Amberville le había asaltado el recuerdo de Zachary dirigiendo el grupo editorial con inquebrantable valor y sobrados recursos en tantos períodos difíciles del negocio. Zachary, su amigo, que nunca había tratado de disimular sus verdaderos motivos o sentimientos, como hacía su sutil hermano; Zachary, que había presidido siempre las reuniones de manera que sus colegas se sintiesen sus iguales, sus compañeros en los desafíos del negocio editorial. Pavka sabía mucho mejor que Maxi que «Amberville Publications» no se hallaba en dificultades; pero, a diferencia de ella, no tenía la autoridad inherente a la posesión de acciones de la empresa. Observó con tristeza cómo rechazaba Cutter las protestas de Maxi, como si su sobrina se hubiera vuelto invisible, y miraba a los que estaban sentados alrededor de la mesa, cruzando brevemente su mirada con la de cada miembro del grupo.

—«Amberville Publications» —dijo— se halla en una situación en la que sería intolerable que se permitiese la continuación de pérdidas previsibles. Mrs. Amberville ha decidido dejar de publicar, lo antes posible, las cuatro revistas que han estado perdiendo dinero. Lamenta la necesidad de esta decisión; pero no puede discutirse.

Se retrepó tranquilamente en el sillón, acorazado e impasible, sabiendo la reacción que, a pesar de todo lo que había dicho, producirían sus palabras en aquella sala llena de hombres y mujeres, muchos de los cuales veían súbitamente destrozadas sus vidas de trabajo. Sonaron voces de espanto y de incredulidad. Maxi se había levantado furiosa y se había puesto al lado de Toby, murmurando algo a su oído. De pronto, se hizo el silencio en la estancia, cuando Lily Amberville, asombrada por la oposición general y encontrándose a la defensiva, por una rara y casi inconcebible vez en su vida, levantó sus adorables manos pidiendo calma.

—¡Por favor! ¡Por favor! Creo que tengo que decirles algo. Ahora comprendo que no le he hecho ningún favor al pedirle a Mr. Amberville que les diese esta desagradable noticia. No preví... no comprendí del todo lo desconcertante que iba a ser... lo consideré una simple decisión mercantil... Pero hubiese debido hablar con cada uno de ustedes por separado. Sin embargo, lamento decir que me sentí incapaz de hacerlo. Por favor, no culpen a Mr. Amberville de mi decisión y no piensen que él no tiene derecho a anunciarla a este grupo. Ni siquiera he podido explicar a mis hijos la razón de que le haya pedido que hable por mí hasta este momento... Yo...

Lily dirigió una mirada implorante a Cutter y se calló. Él le asió una mano y de nuevo miró a los presentes con perfecto aplomo, como un domador de leones afirmando su supremacía en una jaula.

Maxi les observó, en un estado de rebeldía incoherente. ¿Qué motivo podía tener Cutter para hablar en nombre de su madre? Sin querer, pero sin poder evitarlo, recordó una noche, cuando tenía ella quince años, en que Cutter había hecho una de sus raras visitas a Nueva York y ocupaba una habitación de invitados en la casa de sus padres. Ella estaba tumbada en la cama, preparándose para un examen, y él había entrado en su habitación, en albornoz, buscando algo para leer. Le había preguntado qué estaba estudiando y se había acercado a la cama para ver el libro de texto. De pronto, ella había sentido su mano debajo de la chaqueta del pijama, palpando su pecho desnudo, acariciando los pezones. Se había apartado violentamente, boquiabierta por la impresión, presta a gritar, y él se había retirado, sonriendo y murmurando una plausible disculpa. Pero Maxi había comprendido, en aquel momento, lo que él quería, y él había comprendido que ella lo sabía. Nunca se había repetido aquel intento; pero, desde entonces, Maxi no podía encontrarse en la misma habitación con él sin recordar aquella fracción de segundo de un contacto maligno. ¿Por qué asía ahora Cutter la mano de su madre?

—Ayer —informó él, mirando directamente a Maxi, tan seguro de su triunfo que parecía indiferente—, Mrs. Amberville y yo contrajimos matrimonio.

3

Zachary Anderson Amberville no tenía nada de los Anderson, se había lamentado a veces su madre, Sarah Cutter Anderson, de Andover, Massachusetts. El muchacho era evidentemente un salto hacia sus antepasados Amberville, hugonotes franceses que habían venido con Lafayette para luchar por la independencia americana, en el regimiento del marqués de Birón, y habían decidido establecerse en Nueva Inglaterra. En cada generación, más o menos, había nacido un niño o una niña de cabellos negros, que sólo alcanzaría una estatura mediana y que tendría una desgraciada tendencia a la obesidad en la edad madura. Su hijo mayor era uno de ellos, decía la madre, para disimular un orgullo que habría sido inadecuado expresar.

Sus antepasados Anderson eran suecos cabales y los Cutter eran... bueno, los Cutter eran Andover. Desde luego, ninguna de las dos ramas de la familia tenía dinero; pero los Amberville se habían desenvuelto bien con sus propios medios, habida cuenta de cómo habían empezado en relación con el resto del país. Todos habían podido ser considerados un poco chapados a la antigua decididamente provincianos, de no haber sido por que Zack tenía tanto dinamismo, tanta ambición y toda la resolución que podía esperarse en una familia numerosa de recientes inmigrantes.

Había nacido en 1923, varios años después de casarse Sarah Anderson con Henry Dale Amberville, joven director de un modesto periódico provinciano cerca de Andover. A los siete años, Zack trabajaba ya en el oficio, repartiendo el periódico de su padre todos los días al amanecer. Trató con valentía de aumentar sus ventas, incluyendo en ellas el *Saturday Evening Post*, pero no le sonrió la suerte, porque la Depresión había empezado a dejarse sentir en los Estados Unidos y la gente empezaba a suprimir todos los gastos innecesarios.

El segundo hijo de las Amberville fue una hembra llamada Emily, conocida después por el apodo de *Minnie Mouse* y, finalmente, como *Minnie* a secas. Cuando nació el último hijo, Cutter en 1934, la Depresión había eliminado casi por completo las ya pequeñas ganancias del periódico de Henry Amberville. Zack fue a la escuela pública local en vez de ir a Andover, como habían hecho varias generaciones de Amberville; y, al salir de ella, se las apañaba siempre para conseguir algún trabajo remunerado, como hacer de camarero a ratos, repartir paquetes de comestibles, cortar leña o hacer recados para los tenderos de la población. No le importaba realizar cualquier cosa, con tal de contribuir a los ingresos de la familia. Pasaba los veranos trabajando en el periódico familiar, aprendiendo el oficio, tratando de conseguir anuncios y ayudando a su padre en las muchas tareas que éste tenía que atender, ya que, al agravarse la depresión, se había visto obligado a despedir a su exiguo personal.

Zachary era un estudiante brillante, que se había saltado el quinto y el octavo grado, así como el segundo año en el Instituto. En la primavera del último curso, cuando aún no tenía quince años, había solicitado una beca para varios colegios universitarios. Su sueño era ir a Harvard, pues en Cambridge hubiese podido estar más cerca de su familia. Pero su sentido de responsabilidad respecto a sus padres, a *Minnie* y sobre todo a su hermano de cuatro años, Cutter, era tan fuerte que pensó que lo mejor era ponerse a trabajar al terminar la segunda enseñanza y olvidarse de la Universidad. Los Amberville no quisieron permitirlo.

—Podremos apañarnos, Zachary, si no tenemos que pagarte los estudios; pero si piensas que voy a consentir que un hijo mío no reciba una educación universitaria...

Su padre no terminó la frase, horrorizado por la atrocidad de semejante idea.

Columbia, en Morningside Heights, fue la única Universidad que ofreció a Zachary Amberville una beca completa, incluidos los libros, el alojamiento y la manutención. Desde luego, los Amberville, los Cutter, los Anderson y los Dale habían visitado Manhattan a lo largo de los siglos; pero ninguno de ellos había pasado más de una noche en una ciudad que todos ellos consideraban demasiado ruidosa, superpoblada, muy cara, llena de extranjeros, en exceso comercial y que alguno llegó a definir como «una ciudad que no tenía nada de americana».

A los quince años, Zachary Amberville, de complexión robusta, pero todavía en período de crecimiento (le faltaban cinco centímetros para alcanzar su estatura definitiva de un metro setenta y nueve), y tres años más joven que la mayoría de sus condiscípulos, poseía la mentalidad propia de un joven de más edad. Había sido independiente durante tantos años, impulsado por la necesidad de ayudar a su familia, que tenía un sentido íntimo de autoridad que raras veces tienen los recién ingresados en la Universidad. Inspiraba respeto a primera vista, aunque siempre llevaba la ropa arrugada y solía ir desgreñado, por su manía de pasarse la mano por los negros cabellos y de tirar del mechón blanco cuando algo le preocupaba en ese momento. Era descuidado en el vestir y, evidentemente, no se preocupaba por su aspecto. Era volubre, siempre dispuesto a correr una aventura; parlanchín, muy curioso acerca de todo el mundo y de todas las cosas nuevas, y tenía una risa fuerte que podía oírse de un extremo al otro del dormitorio. Nunca bebía, nunca decía palabras groseras y nunca pasaba una noche fuera de casa; pero aquel adolescente tenía una audacia y una amplitud de miras que escapaban a las reglas según las cuales solía juzgarse a los estudiantes universitarios. Zachary Amberville poseía una boca grande y agradable, la nariz roma, y unos ojos verdes vivarachos y divertidos, bajo unas cejas gruesas y arqueadas. El moreno Amberville no era guapo; pero tenía una capacidad que hacía que los demás simpatizasen con él en cuanto lo conocían y le siguieran en sus muchas y entusiastas iniciativas.

Zachary Amberville se enamoró en seguida de la ciudad de Nueva York. «Conquistaré Manhattan, el Bronx y también Staten Island», cantaba para sus adentros, mientras estudiaba en la Biblioteca Low la letra de la inmortal canción escrita por Rodgers y Hart en 1925. La tenía siempre a flor de labios. «¡Conquistaré Manhattan, sí, la conquistaré y la guardaré!», se juraba cuando tenía unas horas libres y tomaba el Metro hacia el centro de la ciudad, la cual había recorrido a pie desde la Battery hasta Harlem, desde un río a otro; conocía los puentes y los parques, las avenidas y las calles laterales. Lo conocía todo; pero, sólo por fuera, a excepción de los museos. Sabía el precio de un viaje en Metro y el de los mejores perros calientes que se vendían en un puesto ambulante de Delancey Street. El dinero para el Metro, los perros calientes y otras pequeñas necesidades, procedía de lo que ganaba con su trabajo eventual de camarero en el «Lion's Den», la sandwichería del campus. Todo lo demás que ganaba lo enviaba a casa, pensando que no podía permitirse el lujo de abandonar el trabajo en «Lion's Den» para intentar colaborar en *Spectator*, el diario de Columbia. No representaba ningún sacrificio hacer la elección, pues asumir la responsabilidad de trabajar por su familia era una función natural de su personalidad.

Zachary Amberville había proyectado su futuro. Cuando se graduase en Columbia, obtendría un empleo de mozo en el *New York Times*. Seguramente, se decía mientras pasaba los veranos dirigiendo el diario de su padre, pues la salud de éste iba de mal en peor, podría persuadirles de que le diesen un empleo... Conocía todos los aspectos del negocio, desde la impresión hasta el reparto. La Escuela de Periodismo de Columbia, pensaba, sería, la pérdida de un tiempo precioso, y él no podía permitírselo en modo alguno.

Había aceptado la oportunidad que le ofrecía el *New York Times*, consiguiendo introducirse en los grupos de estudiantes que eran bien recibidos en las infernales profundidades del edificio, donde podían ver funcionar las grandes prensas. De mozo de recados a reportero, de reportero a... Aquí se detenía su imaginación, pasmada por la riqueza y la variedad de oportunidades que ofrecía el mejor periódico que jamás se había publicado.

Pero el mundo tenía otros planes para los miembros del curso de 1941 de Columbia. Al día siguiente de la declaración de guerra, Zachary Amberville, de dieciocho años y estudiante de último curso, se incorporó a los Marines. Habría podido esperar a que le llamasen y, probablemente, casi con toda seguridad, le habrían permitido graduarse; pero estaba demasiado impaciente, quería contribuir a que terminara la guerra cuanto antes y volver al *New York Times*. «Decidme qué calle puede compararse a Mott Street en julio», cantaba a voz en grito, entre el ruido de los motores de su avión de caza Marine «P-47», en el que realizó innumerables misiones en el Pacífico. Héroe de guerra, era comandante al cumplir los veintiún años, teniente coronel al lograrse la victoria y, seis meses después, bizarro coronel en Hawai.

—¿Por qué diablos no puedo irme todavía a casa? —preguntó indignado—. Habrían tenido que licenciarme hace meses, señor. Disculpe, señor.

—Lo siento, coronel, pero el general le necesita.

—¡Maldita sea, señor! ¿No dicen que «el primero en entrar es el primero en salir»? El general tiene docenas de oficiales. ¿Por qué diablos me necesita a mí?

—Parece que tiene usted unas extraordinarias dotes de organización, coronel.

—Yo soy un piloto de caza, señor, no un escribiente. Disculpe, señor.

—Sé lo que siente usted, coronel. Hablaré de nuevo al general acerca de su caso; pero no creo que vaya a servir de mucho. Me dijo: «Dígale a Amberville que, si tantas ganas tiene de marcharse, hubiese debido ingresar en las Fuerzas del Ejército del Aire.»

—¡Eso es un insulto, señor!

—Lo sé, coronel, lo sé.

Hacía diez meses que había terminado la Segunda Guerra Mundial cuando volvió al fin el coronel Zachary Amberville a la ciudad de Nueva York. Su padre había muerto en 1943; pero Sarah Amberville vivía en la casa familiar cerca de Andover. El seguro de vida de su marido era muy mezquino; menos mal que la paga de su hijo como aviador, que éste mandaba regularmente a casa y era cuidadosamente ahorrada, contribuía en gran manera a la educación de los hijos menores.

Lo primero que hizo, en su nueva condición de paisano, fue ir a «J. Press». No podía presentarse en el *Times* con su uniforme y sus medallas. Habría parecido ridículo. Los muchachos de la Prensa debían vestir

como muchachos de la Prensa, se dijo, anudándose la primera corbata
elegida personalmente por él en más de cinco años; una corbata roja
con lunares blancos, que expresaba el júbilo que bailaba en sus ojos.
Tampoco quería parecer demasiado distinguido, aunque el único traje
que podía ofrecerle «J. Press», dentro de sus posibilidades, era de un
tweed rígido y peludo que habría sido adecuado en Harvard, si le hubiese caído bien y hubiera tenido veinte años más. Lo único que parece
bueno y nuevo, pensó Zachary Amberville, observando su extraña figura
en un espejo de cuerpo entero, es un cepillo de dientes.

—No lo comprendo —dijo a la recepcionista—. Sencillamente no lo
comprendo.

—Tenemos todos los mozos que necesitamos, y hay además una
larga lista de espera —respondió ella con paciencia.

—Pero yo tengo años de experiencia como periodista. He dirigido un
periódico. Y lo único que pretendo es un empleo modesto; no pido un
puesto de jefe de redacción.

—Escuche, Mr. Amberville, el *Times* prometió a todos sus muchachos reservarles las plazas para cuando volviesen del servicio militar.
No todos han vuelto; pero los que lo han hecho, han sido empleados los
primeros. Después había ex militares que se habían graduado en escuelas de periodismo. En realidad tenemos modestos empleados que *enseñaron* en aquella escuela. Es una lástima que no se graduase usted en
un colegio universitario. Y desde luego, hay otros ex oficiales...

—¿Algún coronel de Infantería de Marina?

—Tenemos un ex general, Mr. Amberville; sólo uno, pero *era* general.

—¿De las Fuerzas Aéreas?

—¿Cómo lo sabe?

—Me lo imaginé. Esos jodidos... ¡*Perdone*, señorita!

—¿Quiere usted que le incluya en la lista de espera? —le ofreció ella,
conteniendo una risita.

—No tengo tiempo para esperar. Pero gracias de todos modos.

Al salir del *Times*, Zachary Amberville se cruzó con un afanoso grupo de colegiales a punto de iniciar el *tour*. Se apartó a un lado, y, por
primera vez en su vida, compró un ejemplar del *Daily News* y lo abrió
por las páginas de anuncios.

La «Five Star Button Company» había prosperado mucho durante
una guerra en que los metales, los tejidos y el cuero estaban racionados;
pero podían fabricarse botones con casi toda clase de materiales no
esenciales. «Cambie sus botones y cambiará su aspecto», había sido su
lema publicitario, y vendieron muchos millones de botones hechos de
plumas, borlas y lentejuelas. Fabricaban un botón superior, explicó
Mr. Nathan Landauer a Zachary, un botón de toda confianza, un botón
que uno debía sentirse orgulloso de llevar.

—Estoy seguro de ello, señor —respondió Zachary, mirando las paredes del despacho, de las que pendían cartulinas en las que se habían prendido modelos de centenares de botones diferentes.

—Sólo que el trabajo parece un poco... Bueno, no exactamente lo que yo esperaba que buscase un hombre como usted —siguió diciendo Landauer, admirando el uniforme de coronel de aviación de la Marina, las cuatro hileras de medallas y el corte de pelo militar.

—Se trata de dirigir un periódico, ¿no es verdad, señor?

—Sí... Si llama usted «periódico» a un órgano interior de una compañía de botones. Francamente, nunca lo había considerado eso... sino solamente un servicio a nuestros clientes, coronel, y una manera de hacer que nuestros empleados se sintiesen miembros de una gran familia.

—Pero ustedes lo publican todos los meses, tienen un impresor fijo en New Jersey, una oficina y un secretario que trabaja media jornada. El salario es de sesenta y cinco dólares a la semana, ¿no es cierto?

—Exacto.

—Me gusta este trabajo, señor. Muchísimo.

—Pues el empleo es suyo, coronel.

—Llámeme Zack. Volveré dentro de una hora. Sólo voy a ponerme una ropa más cómoda. Cambiando de botones, cambiará mi suerte.

Nathan Landauer lo miró con aire soñador. Aquéllos eran los botones más bonitos que había visto en muchísimo tiempo. Aunque estaba orgulloso de su hijo Nathan éste había pasado tres años en la Marina, como simple marinero, y si había llevado algún botón decente en su uniforme, nunca lo había mostrado a su padre.

—Nat —dijo Zachary Amberville a Nathan Landauer, Jr., mientras comían unas tajadas de carne de buey sazonada y regada con whisky de centeno—, ¿quieres pasarte toda la vida fabricando botones, por muy provechoso que sea este negocio?

—¿Qué otra cosa podría hacer? Es un negocio familiar y papá espera que le suceda al frente de él cuando se retire dentro de cinco años. Soy el único hijo varón de la familia y él lo creó partiendo absolutamente de nada. Es el más importante negocio de botones de la Séptima Avenida. Estoy atrapado, Zack. No puedo destrozarle el corazón a mi padre. Es un buen hombre.

—Es un gran hombre. Pero tú no estás atrapado. Puedes dirigir el negocio con una mano atada a la espalda, y con la otra...

—Con la otra, ¿qué?

—Puedes convertirte en socio de una revista.

—El indio dice: «No inviertas nunca en un negocio de espectáculo.»

—¿A qué viene esto?

—¿No has visto *Annie Get Your Gun*? Ethel Merman pregunta al jefe Toro Sentado cómo se ha hecho tan rico, y él le dice: «El indio no invierte nunca en un negocio de espectáculo...», que es lo que son las revistas para mí. Maldito lo que entiendo de ellas.

—Pero sabrás lo que es un cinturón. Sabrás lo que es un lazo. Sabrás lo que es un galón, sabrás lo que es un corchete y un ojal y flores artificiales y adornos bordados y...

—No se puede pasar por la Calle 46 sin captar alguna idea de todo esto, Zack; todo forma parte de la Séptima Avenida... Una prenda de vestir tiene que tener algo además de botones, aunque papá se niegue a reconocerlo. Sí, claro que entiendo un poco de todo eso. ¿Por qué lo dices?

—*Trimming Trades Monthly.* Una nueva revista.

—Me dejas pasmado. Tú no eres Condé Nast, amigo mío.

—Podría ser muy útil. Millares de confeccionistas de este país hacen miles de prendas de vestir de diferentes clases, y ninguno de ellos sabe lo que es nuevo, lo que está de moda, lo que puede hacerse en el negocio de adornos del vestido.

—Parece que se desenvuelven muy bien sin estar al día. ¿No lo has advertido?

—Desde luego; pero el hombre tampoco usó la rueda hasta que a alguien se le ocurrió inventarla.

—*Trimming Trades Monthly...* ¿Habría fotos en color de muchachas bonitas sin más atuendo que un gorrito de punto?

—No, Nathan, no habría nada de esto, aunque le moleste a tu sucia mentalidad de marino. Publicaría información, anuncios, artículos sobre lo que ocurre en la Séptima Avenida, que es donde están los negocios del ramo; sobre lo que proponen los diseñadores para este mes o para el próximo, lo que sucede en París, lo que están haciendo las diversas compañías, los cambios de empleos, los ascensos en las empresas, y anuncios y más anuncios. En blanco y negro, en papel de mediana calidad, para que la tinta no manche los dedos; pero que no sea demasiado lujoso, y, en la cubierta, un gran retrato de tu padre.

—Ahora, mientras el sol se pone lentamente sobre el hermoso centro de la indumentaria en el distrito comercial, empiezo a ver lo que pretende usted, mi coronel, señor. ¡Y yo había pensado siempre que me amabas!

—Serías dueño de la mitad.

—¿Cuánto costaría?

—Según mis cálculos, necesitaríamos unos quince mil dólares antes de empezar a ganar dinero. Creo que tendríamos que esperar al menos seis meses a tener suscriptores suficientes para obtener un beneficio y, desde luego, yo tendría que renunciar a mi empleo en *Five Star* para dedicarme a conseguir anuncios y a escribir la revista; por consiguiente, he incluido mi salario en los gastos.

—¿Qué parte pondrías tú de estos quince mil dólares?

—La idea y mi salario. No cobraría hasta que tuviésemos beneficios.

—¿Y de qué vivirías?

—Hay espacio sobrado en tu apartamento: por el precio de uno pueden comer dos; las muchachas están dispuestas a pagar a escote, y yo iría a pie a mi trabajo.

—Y yo pondría *todo* el dinero, ¿eh?

—¿Y quién, si no?

—¿Y serías *tú* el director?

—¿Y quién, si no?

—¡Jesús! Sé que soy fácil de convencer... Pero, ¿qué sacaría de esto, aparte de la mitad de un beneficio inexistente?

—Serías el editor. Todas las revistas lo tienen, Dios sabe por qué. Y serías dueño de la mitad de la revista, serías más que un fabricante de botones, y cuando te presentasen a una chica y ésta te preguntase cómo te ganabas la vida, podrías decirle: «Soy editor, querida.»

—¿Y si ella me preguntase el nombre de la revista?

—Tendrías que decidirlo tú. Podrías decirle lo que te pareciera... Y si encontrases al fin una chica que te quisiera de veras, podrías decirle la verdad. Pero no puede cambiar el nombre, Nat; éste tiene que expresar la intención de la revista, o nadie la compraría.

—*Playboy*. Les diré que se llama *Playboy* —dijo Nathan Jr. con aire soñador.

—Es un nombre fatal para una revista, Nat. Pero haz lo que quieras. Vayamos a tu Banco antes de que cierre.

Trimming Trades Monthly cubrió gastos en cuatro meses, y pronto pudo Zack Amberville pagarse un sueldo de cien dólares a la semana. Como todavía vivía en casa de Nathan hijo, enviaba la mayor parte a su madre.

Minnie estudiaba primera año en el Dana Hall Junior College, y Cutter, que tenía dieciséis, iba a Andover. Sarah Amberville había encontrado un empleo en una tienda de regalos, y, con su modesto sueldo y lo que ganaba Zachary, podían enviar a los hijos menores a los mejores colegios, ya que ninguno de ellos había logrado obtener una beca. En realidad, *Minnie* tuvo suerte al ingresar en Dana Hall, que difícilmente podía considerarse un centro de desarrollo intelectual; pero era tan bonita, alegre y divertida que a nadie le importaba que no mejorase la nota de aprobado que alcanzaba por término medio, a pesar de todos sus esfuerzos. Cutter tenía una mente despierta aunque perezosa, y además había resuelto no esforzarse demasiado en sus estudios, porque los muchachos muy brillantes corrían el riesgo de hacerse impopulares, y él deseaba la popularidad por encima de todo.

Cutter Dale Amberville había mostrado, desde la cuna, que saldría a los Anderson. Había crecido de prisa, convirtiéndose en un muchacho alto y excepcionalmente rubio, con los ojos azules suecos de sus antepasados; era un joven apuesto, con un maligno y feo gusano viviendo y creciendo en su corazón. Siempre le había repugnado criarse al borde de la pobreza. Hasta donde alcanzaba su memoria, siempre había sabido que era uno de los Cutter pobres, de los Anderson pobres, de los Dale pobres y de los Amberville pobres, en una pequeña comunidad donde las cuatro familias estaban emparentadas hasta cierto grado y donde las distinciones de riqueza eran observadas de cerca y nunca mencionadas.

Cutter miraba con desdén la elección de carrera que había hecho su padre. ¿Por qué poner todo su corazón en un periódico que evidentemente, nunca daría dinero? ¿Cómo era posible que un hombre fuese capaz de semejante elección? Pero la falta de respeto que sentía por su padre no era nada en comparación con la animadversión total que sentía por su hermano, al verse obligado a reconocer que Zachary le mantenía. Sin embargo, se consideraba demasiado superior para buscar un empleo. Estaba relacionado con las mejores familias de la ciudad; era inconcebible que le viesen repartiendo comestibles o plantado detrás de un mostrador sirviendo refrescos. Y su madre nunca se lo había sugerido, pues quería que Cutter no supiese el esfuerzo que Zachary había tenido que hacer.

Sarah Amberville jamás sospechó lo que Cutter sentía por su hermano; no supo que, a su hijo menor, Zachary le había parecido siempre asqueroso y terriblemente poderoso. Cutter pensaba en él con desprecio, mezclado a un miedo infundado. Zachary era como un viento violento, insoportable, quizá peligroso, que soplaba en la tranquila casa siempre que encontraba tiempo para acudir a ella, y la llenaba de su ruidosa, reidora y tosca presencia, convirtiéndose inmediatamente en el centro de atención de sus padres. A Cutter le parecía que el orgullo que sentían por este hermano vocinglero, audaz, casi un extraño, que no había vivido en casa desde que él tenía cinco años, hacía que sus padres se olvidaran de que él, Cutter, existía y que no se interesasen por él.

Una y otra vez, evocaba con amargura muchos recuerdos de su infancia, que se desgranaban como cuentas de un rosario. Una vez, cuando tenía ocho años, había hecho el primer papel en una comedia representada en el colegio; pero sus padres sólo pensaban en su hermano, que se había ido a luchar en la guerra. Durante los cuatro años siguientes, por mucha que fuese su popularidad en el colegio, y aunque hubiese conquistado el título de campeón juvenil de tenis de Massachusetts, sus padres sólo estaban pendientes, día tras día, minuto tras minuto, de tener noticias de su otro hijo, el héroe de guerra, el piloto combatiente. Y cuando terminó la contienda, ¿volvieron su atención a él? No. Nunca. Ni una sola vez. ¿Podía un adolescente mostrar a sus padres algo capaz de compararse con una carta de Zachary hablándoles de la nueva revista que estaba creando en Nueva York, e incluso con un ejemplar de la propia revista?

Cutter Amberville estuvo siempre tan seguro de que Zachary se había adueñado de todo lo que valía la pena, que se volvió hosco y reservado, sin dar a sus padres la menor oportunidad de intervenir en su vida. Se hallaba convencido de que la sombra espesa y poderosa de su hermano le había privado de un amor y unos cuidados que por derecho le pertenecían. Había sido apartado a un lado, marginado de la vida de sus padres, e interpretaba la generosidad de su hermano como los huesos que se dan a roer a un perro. Cuanto más le daba Zachary, más estaba en deuda con él, y cuanto más debía Cutter a su hermano, más le odiaba, con ese rencor apasionado y permanente, más profundo que ningún amor que sintiera jamás. Era el rencor que sólo puede inspirar la temprana e indecible envidia de un hermano hacia otro.

En Andover, Cutter hablaba lo menos posible de su familia. No estaba dispuesto a confesar que su enseñanza era pagada por una madre que trabajaba y un hermano que publicaba una revista cuyo título le avergonzaba. Dedicaba todos sus esfuerzos a fomentar su popularidad personal dentro del colegio, empleando la lisonja como arma predilecta. Cultivaba la habilidad de hacer preguntas sutiles que hacían resaltar las cualidades de los otros muchachos y, a una edad en que predominaban la jactancia y el egocentrismo, había aprendido el poder de la persona que sabe escuchar y admirar. El gusano que moraba en su corazón se había convertido en su maestro. Aunque poseía excelentes cualidades para el deporte, sus marcas eran mediocres por propia decisión. Se convirtió en seguida en un adulador cabal que sólo cultivaba la amistad de muchachos cuyos padres fuesen ricos y poderosos. Era francamente guapo, estaba dotado de una distinción auténtica y natural, y tenía una energía que brotaba de lo más profundo de su ser. Sus cabellos bien cortados cubrían un cráneo bien formado; sus ojos azules podían sostener cualquier mirada con una expresión tranquila y sincera, y había aprendido a no abusar de aquella estudiada sonrisa que parecía encantadoramente natural.

Zachary estaba orgulloso de aquel serio y apuesto adolescente, aunque, para su propia sorpresa, no sabía qué decirle en las raras ocasiones en que estaban juntos; pues, ahora, su hermano pasaba siempre las vacaciones y los fines de semana en casas de amigos donde era siempre bien recibido como invitado.

Un lunes de otoño de 1948, Nathan Landauer Jr. entró en la oficina que había alquilado Zachary, mostrando en su simpático semblante una mezcla de temerosa alegría y profunda confusión.

—He conocido a una muchacha, Zach —farfulló—. El sábado, en un partido de fútbol. Estaba con un tipo que conoce a tu familia de Andover; a ella le importaba un bledo, y le convencí de que se largase.

—Hay un millón de chicas en Nueva York y has conocido a la mitad de ellas... ¿Qué tiene ésta de particular? —preguntó Zachary, poniendo los pies sobre la mesa.

—Lo tiene todo. Es perfecta. Incluso le dije el nombre de la revista, el verdadero nombre.

—¿Y no se cayó de espaldas, mondándose de risa?

—No, nada de eso. Dijo que le parecía muy interesante; no sólo interesante, sino raro, teniendo en cuenta que soy el editor de *Trimming Trades*, y tú el director, que ella y yo no nos hubiéramos visto nunca. Dijo que sin duda nos habías mantenido apartados deliberadamente. ¿Es verdad, Zack? Y a propósito, ¿por qué no nos presentaste?

—¿Presentaros?

—Presentarme a *Minnie*.

—¿*Minnie*? ¿Qué *Minnie*?

—*Minnie*, tu hermana. La más hermosa, la más adorable, la más... ¿Cómo no me hablaste nunca de ella? Creía que yo era tu mejor amigo.

—No se me ocurrió. No es más que una chiquilla, tiene dieciocho años... y tú eres un ex marido libidinoso que sólo piensa en la cama.

—Era un ex marido libidinoso. Pero he cambiado. Escucha, Zack, ¿por qué no compras mi mitad de *Trimming Trades*? Te la daré prácticamente de balde.

—¿Te has vuelto loco? ¿Por qué quieres venderla? Entre los anuncios, las nuevas suscripciones y el bajo coste de la producción, está produciendo un montón de dinero.

—Lo sé; pero no creo que sea conveniente hacer negocios con la familia... Es la manera clásica de perder un amigo.

—¿La familia? Espera un momento. ¿No te parece que das por hechas muchas cosas? ¿Es que *Minnie* no tiene voz ni voto en esto?

—Después del partido, fuimos a beber algo. Luego, cenamos juntos. Y, durante la cena, decidimos casarnos. Dentro de dos semanas, serás mi cuñado.

Nathan Jr. dijo esto con el aplomo de un hombre maduro de veinticinco años.

—¡Dios mío! Hablas en serio, marinero Landauer.

—Hay cosas que se saben en seguida. Yo descubrí inmediatamente a *Minnie* y ella me conoció a mí. Ésta es la ventaja que me proporciona mi experiencia.

—Estabais hechos el uno para el otro. *Minnie* nunca necesitó experiencia.

Zachary se levantó y dio un fuerte abrazo a su socio.

A continuación le preguntó:

—¿Cuánto pides por tu mitad?

—Págame lo que consideres justo. Te prestaré el dinero para hacerlo.

—Cuando nos enamoramos, todos hacemos el primo —gritó Zack,

mientras bailaba con Nat dando vueltas por el despacho—. ¡Felicidades, primo!

El hecho de poseer una revista como único propietario desencadenó en Zachary Amberville todas las ambiciones que no se había atrevido a tener hasta entonces. Había sido marcado por la depresión más de lo que se había imaginado, y cierta prudencia natural reprimió siempre el ardiente deseo de crear, de arriesgarse, de dominar.

Poco después de la boda de su hermana *Minnie*, lanzó su segunda revista, *Style*. Por lo mucho que había aprendido de la industria del vestido y las revistas de modas, sabía que faltaba una publicación para las mujeres que no podían permitirse el lujo de comprar los trajes que se exhibían en *Vogue* y en *Haper's Bazaar*, que eran demasiado viejas para *Mademoiselle* o demasiado refinadas para *Glamour*, con sus modelos de colegialas de rosadas mejillas.

Acudió a los Bancos en busca del dinero para lanzar *Style* y se lo prestaron en vista del balance de *Trimming Trades Monthly*. Los últimos años cuarenta y los primeros cincuenta fueron prósperos para el negocio editorial, pues el país entró en una economía floreciente de posguerra y los americanos, hambrientos de las cosas materiales que podía ofrecerles la vida, compraban revistas con el mismo afán con que adquirían coches nuevos.

Style dio dinero casi desde el primer número, Zachary Amberville tenía el inestimable don de descubrir y promocionar los nuevos valores, y el éxito inmediato de *Style* se debió en buena parte al talento de un ilustrador desconocido hasta entonces, Pavka Mayer, a quien Zack había contratado en un principio para hacer bocetos en blanco y negro con destino a *Trimming Trades*.

Pavka había llegado a los Estados Unidos en 1936, cuando tenía dieciocho años. Era un berlinés cuya familia fue lo bastante prudente para huir de Alemania. Había pasado la guerra en el Ejército, desembarcando en Utah Beatch el Día D, oficialmente como intérprete; y, oficiosamente, mientras las tropas avanzaban hacia París, como proveedor de leche, sidra y carne fresca, que obtenía a cambio de mantas, jabón y azúcar. Incluso se había dado algún caso en que todo un jeep había desaparecido como consecuencia de las operaciones de trueque de Pavka.

—Adelante, Pavka —había dicho Zachary Amberville a aquel hombre menudo y vivaracho que sólo tenía tres años más que él—. Emplea los fotógrafos, las modelos, el papel y los impresores que quieras. Tenemos demasiada competencia. No podemos quedarnos rezagados; hemos de dar a los lectores más que ninguna otra revista.

Pavka trabajó conjuntamente con la directora, otra desconocida llamada Zelda Powers. Zachary la había descubierto trabajando en una trastienda de «Norman Norell's» (pues ni siquiera el gran Norrell podía prescindir de los botones) e inmediatamente le había llamado la atención su estilo excéntrico, brillante y muy personal. Procedía de Chicago, estudiaba la moda con pasión y era capaz de trabajar en cualquier cosa, con tal de estar cerca del mundo en que se creaban las prendas de vestir.

—Escucha Zelda, tú no tienes idea de lo que es dirigir una revista de modas —le dijo Zachary—. Precisamente por eso, quiero que trabajes para mí. Dame una revista distintas a todas las que se han publicado. La revista que tú quieras, sin imitaciones..., algo original. Haz *todo* lo que te parezca, con tal de que los anunciantes estén contentos; aunque sin prodigar la exhibición de sus prendas. Recuerda cuál es tu público... y dale lo que sueña y está *a su alcance*, pero preséntaselo a tu manera.

Según las personas que observaban la marcha de las revistas de modas, Pavka y Powers eran los únicos artífices del inesperado auge de *Style*, con su fuerza y personalidad. Pero los que conocían a Zachary Amberville pensaban de otra manera.

En 1951, Zachary había ganado su quinto millón. El primero lo había conseguido con *Trimming Trades* y *Style*; los otros con *Style* y, sobre todo con *Seven Days*. Fundó el semanario en 1950, con el tamaño y el formato de *Life* y *Look*. Pero con una diferencia: había estudiado los hábitos de lectura de la mujer americana y se hallaba convencido de que no había una hembra, por intelectual que fuese, que no leyese en privado una docena de revistas de cine, si estaba segura de que nadie la veía. Comprendió el gran atractivo de las columnas de chismorreos y de hombres que, como Walter Winchel, parecían interesar al público fuera del escenario. Se dio cuenta de que siempre tenía que haber una columna de sociedad en todos los periódicos, por mucho que algunos lo deplorasen.

La gente corriente, que era la inmensa mayoría, quería conocer a los que destacaban, deseaba saberlo *todo* acerca de ellos, se dijo Zachary mientras recorría las calles de Manhattan. Se imaginó una revista semanal grande y brillante, con muchas fotografías en color; con poco texto, sus largos artículos editoriales; que no se preocupase de los problemas agrícolas ni del fútbol ni de América Central; indiferente a las miserias del mundo. No tenía que inclinarse ni ligeramente a la derecha como *Life*, ni un poco a la izquierda como *Look*, sino que fuese apolítica e intrascendente. Una revista que dijese lo que había pasado en los últimos siete días en las vidas de personas atractivas, excitantes y famosas, y lo contase al público americano de un modo distinto o como se había hecho hasta entonces; de forma indiscreta, que no guardase los secretos que, según los abogados, se tienen que guardar, que no considerase a nadie intocable; pero que comprendiese que las estrellas de cine y la realeza eran lo que más interesaba a todos aunque los Estados Unidos fuesen una democracia. *Especialmente*, porque eran una democracia.

Zachary contrató a los mejores escritores de América que pudo encontrar, para que redactasen los breves artículos que acompañaban a las muchas fotografías. «No me den literatura —les dijo—, denme textos llamativos, de primera clase y con agallas... Como habrán advertido ustedes, no somos una nación de intelectuales. Es una pena; pero es así. Quiero algo espectacular, al rojo vivo, y lo quiero ayer.»

Pavka Mayer se encargó de la dirección artística de *Seven Days* y lo hizo con tanta elegancia que ningún lector se dio cuenta de que trataba de apelar a sus más finos instintos. Los mejores fotógrafos del mundo estaban encantados de buscar por todos los rincones escenas que serían pagadas a precios más altos que los ofrecidos por *Life* o por su rival europea, *Paris Match*. *Seven Days* fue un clásico *hit*, llamativo y extraordinario, que conquistó a toda la nación casi de la noche a la mañana.

A finales de 1951, Zachary Amberville decidió visitar Londres. Había trabajado con demasiada intensidad y, al inaugurarse cada una de sus sucursales europeas, no pudo tener la satisfacción de contratar a sus jefes y observar sus primeros pasos. Londres era su más importante agencia extranjera, después de la oficina de *Style* en París, por lo que decidió pasar primero por allí. Su secretaria le sugirió que aprovechara el viaje a Inglaterra para que le hicieran un buen corte de cabello y se comprara algunos trajes a medida.

—¿Es una indirecta, querida?

—No he pretendido que lo sea, Mr. Amberville. Un hombre de su posición debe cuidar su aspecto. Todavía no ha cumplido usted treinta años, y podría ser un guapo mozo si se lo propusiera —dijo resueltamente Miss Briny.

—Me baño, llevo la camisa limpia, y mis zapatos están brillantes. ¿Qué es lo que encuentra mal?

—La distinción de una secretaria está en relación directa con la de su jefe. Usted está rebajando mi categoría en el Lunch Club de Secretarias, Mr. Amberville. Los jefes de todas las demás compran sus trajes en «Saville Row» se cortan el cabello en «St. Regis» al menos cada diez días y encargan sus zapatos a medida en «Lobb»... y usted ni siquiera va a «Barney's» —se lamentó amargamente ella—. No pertenece a ningún club selecto, come bocadillos en la mesa de su despacho en vez de ir a los mejores restaurantes, nunca le fotografían en un local nocturno en compañía de jóvenes hermosas... No le *comprendo*.

—¿Ha dicho alguna vez a sus compañeras lo que gana?

—Pagar espléndidamente a la secretaria no es lo que hace parecer elegante a un hombre —dijo Miss Briny frunciendo la nariz.

—Invierte usted la escala de valores, querida. Pero pensaré en lo del corte de pelo.

Zachary se negó a justificar su vida privada ante su secretaria. No era de su incumbencia. Consideraba que la única ocupación de un soltero conocido en la ciudad era no hacer nada. Y él no tenía tiempo para esto, ni le interesaba. Conocía a muchas-mujeres, todas ellas muy atractivas; pero, por alguna razón, nunca se había enamorado. ¿Demasiado egoísta? ¿Demasiado preocupado por su trabajo? ¿Demasiado cínico? No. ¿Por qué tratar de engañarse? Era un romántico. En algún lugar, en lo más recóndito de su mente, estaba la joven de sus sueños, y si eso no era una tontería, ¿qué era entonces? Pensaba en una muchacha amable, pura, idealista; muy diferente del tipo predominante en Manhattan. La veía tan irreal como hermosa. Pero algún día la echaría de su mente y buscaría una chica guapa, sensata y con cierto sentido del humor. Necesitaba una esposa, aunque no fuese más que para protegerle de su secretaria.

4

Nadie, en su noble familia, podía alardear de comprender a la honorable Lily Davina Adamsfield; pero todos estaban tan orgullosos de ella como si hubiese sido un raro retrato pintado por Leonardo da Vinci y devotamente transmitido de generación en generación, como un tesoro familiar. Era hija única del decimonono barón y segundo vizconde Evelyn Gilbert Basil Adamsfield y de la vizcondesa Maxime Emma Adamsfield, de soltera honorable Maxime Emma Hazel. Sus muchos primos, varones y hembras eran todos honestos, sanos y distinguidos, y hacían lo que se esperaba de ellos. Cuidaban de las haciendas familiares, cazaban, pescaban, coleccionaban cosas, eran aficionados a la jardinería, se interesaban en buenas obras y se casaban con adecuados y jóvenes miembros de su propio mundo, con los que tenían hijos satisfactorios y adecuados.

¡Pero Lily...! Como muchas amigas suyas, había empezado a ir a la escuela de baile a la edad de cuatro años. La academia de Miss Vacani era, y sigue siendo, la digna institución a la que, por rutina, son enviados los jóvenes miembros de la Familia Real y las pequeñas aristócratas, para aprender el vals y la polca. Pasar por la institución de Miss Vacani era para casi todos ellos algo tan obligado como aprender a montar a caballo. Pero Lily resultó ser una de las pocas e imprevisibles alumnas que se sintieron atraídas de verdad por el ballet, desde el primer momento. Contra esta pasión, nada pueden hacer los padres, según el tiempo les había enseñado; a menudo muy a su pesar.

A los ocho años, Lily ingresó en la Royal Ballet School, a la que asistía tres veces a la semana al salir del colegio. Se entregó al ballet como a una vocación que le hubiera sido revelada.

—Si fuésemos católicos —había dicho su madre a su padre—, esta niña estaría contando los días hasta que pudiese entrar en un convento.

—Desde luego, no es muy habladora —había gruñido su padre—. Parece que pertenece ya a una de esas órdenes que hacen el voto de silencio.

—No eres justo, querido. Lo que le sucede a Lily es que tiene dificultad para expresarse; nunca ha sido de palabra fácil. Tal vez por eso la danza es tan importante para ella —había replicado su esposa en tono apaciguador.

A los once años, Lily hizo una demostración y fue admitida en la «Royal Ballet Upper School», donde pudo combinar sus estudios académicos y de ballet. El trabajo absorbía por completo su vida y, al correr de una clase a otra con sus condiscípulas, ni siquiera pensaba en que tenía que renunciar a las actividades tradicionales de las demás muchachas de su condición. Sus únicos contactos humanos eran con sus padres, sus profesores y sus compañeros de estudios; pero incluso éstos se limitaban al mínimo indispensable. Lily no estaba en la «Royal» para hacer amistad con sus rivales, pues desde los ocho años tenía una comprensión casi de persona adulta acerca de la competencia feroz que impera en el mundo del ballet, una competencia de toda la vida, que sólo se interrumpe cuando la bailarina se retira definitivamente.

Durante años, su mayor temor fue el de crecer demasiado para poder bailar. Si alcanzaba un metro setenta y cinco de estatura o, Dios no lo quisiera, un metro setenta y siete, vería arruinado su futuro. Sus discusiones con otras bailarinas se reducían a este terrible problema de la estatura y, en segundo lugar, a la posibilidad de lesionarse, terrible y continuo temor que todos sentían.

Cuando terminó sus estudios en la «Upper School», sus profesores estuvieron de acuerdo en que prometía tanto que debería estudiar otro año en la escuela dirigida por Sir Charles Forsythe, gran bailarín y maestro, que había sido formado por Anthony Tudor y Frederick Aston. Aquel año de instrucción adicional le daría el toque definitivo que le permitiría actuar con éxito en cualquiera de las grandes compañías de ballet del mundo.

Lily Adamsfield se había convertido en una muchacha de belleza excepcional, de ojos cambiantes, como el ópalo, azules, verdes y grises, unos ojos lunares que nunca se cansaban de admirar ante el espejo. Sólo tenía que realzarlos con el estilizado maquillaje negro que llevaba en escena. Sus manos adorables de largos dedos, le servían para que esos ademanes lánguidos y frágiles, que requieren la fuerza de un estibador, parecieran realizados sin esfuerzo. Tenía los senos menudos, los hombros anchos y bien formados, y unos brazos y unas piernas casi demasiado largos en relación con su torso; pero perfectos para las exigencias del baile. Era ligera, no le sobraba carne en parte alguna, tenía la espalda recta y un cuello de gracia excepcional; un cuerpo que parecía hecho exclusivamente para la danza. Sus pies descalzos hubiérase dicho que tenían mil años.

Nunca se le ocurrió pensar que se perdía la satisfacción de sentirse admirada por los jóvenes, pues los únicos varones en quienes pensaba eran sus compañeros de clase: y sólo los juzgaba por sus elevaciones, por el número de saltos y por la seguridad con que le asían la cintura al levantarla. Cuando establecía algún contacto ocasional con muchachos de su propio mundo social, no sabía qué decirles. Fuera del claustro del mundo de la danza, hablaba con una voz de argentina dulzura; pero temblorosa y tímida.

Cuando no llevaba su ropa de ensayo, las queridas y gastadas mallas, los calentadores de piernas, lo leotardos y los jerséis que hacían que pareciese un montón de trapos movedizos, no sabía qué ponerse. La vizcondesa Adamsfield, que era una mujer de buen gusto, elegía todas las prendas para ella. Lily no poseía dotes de conversadora, ni sabía darse postín, ni tenía nada que decir acerca de deportes, películas, automóviles o caballos. Cualquier muchacho de su edad que se sintiese atraído por su ingenua belleza, abandonaba pronto todo intento de obtener respuesta, incluso de llamar un poco su atención, y se marchaba en busca de otra chica más animada.

Sin embargo, sus padres y sus muchos primos no se inquietaban por el extraño cisne que habían criado. Si era maravilloso y diferente, ¿qué importaba que no fuera una adolescente triunfadora en el mundo social? Por supuesto, sería presentada en la corte. Sería muy raro que no hiciera la necesaria reverencia, no se dejase fotografiar por Lenare y no entrase en el mundo de los adultos. Pero hacía cruz y raya a las presentaciones en sociedad, a las fiestas, a las largas vacaciones. No tenía tiempo para este ritual, pues se hallaba destinada a la gloria. Todo su mundo sabía que la joven Adamsfield tenía que convertirse en otra Margot Fonteyn. Su devota familia estaba tan convencida como ella de su brillante futuro.

No se atribuía ningún mérito por el cuerpo con que había nacido; pero sabía que, si no se sometía a la esclavitud de un trabajo tan duro que casi resultaba insoportable, si no mostraba una decisión inquebrantable, la simple posesión de un cuerpo de bailarina no significaría nada. Sus músculos, tendones y articulaciones, la longitud de sus miembros, eran cualidades accidentales que poseía desde que nació. Sin embargo la carrera de una primera bailarina no dependía sólo del cuerpo; requería algo más, incluso más que talento, algo que se llevaba en el espíritu y que ella sabía de cierto que tenía, fuese lo que fuese.

Nadie que observase a aquella niña tímida que no se maquillaba, que llevaba los largos y rubios cabellos flotando descuidadamente alrededor de su cara, que vacilaba al entrar en una habitación, que evitaba las conversaciones, que caminaba con una gracia espontánea pero con los ojos fijos a media distancia, habría adivinado la afanosa ambición que jamás se apartaba de su pensamiento. Era orgullosa, en extremo su orgullo rayaba en el vicio; pero llevaba su vigorosa raíz tan escondida en su interior como un ser recién concebido.

—Es una artista completa y excepcional —dijo la voz familiar—. Seguro que la aceptarán en el «Royal».

Lily, que se disponía a salir del edificio de la escuela e iba ya retrasada para la cena, se detuvo vacilante en el pasillo. Sir Charles estaba hablando con alguien detrás de la puerta entornada. ¿Quién era? —se preguntó angustiada—. ¿Qué otra chica de su clase, qué competidora, tendría tan fácil el ingreso en el «Royal Ballet»? A ella le habían dado los principales papeles femeninos durante el último año; pero, por lo visto, tenía una rival. ¿Jane Broadhurst? ¿Anita Hamilton? ¿Eran lo bastante buenas para el «Covent Garden»? Consideraba a ambas magníficas bailarinas; pero *¿tanto?* Permaneció inmóvil, esperando oír algo más.

—También podía probar en otras compañías... incluso en el «New York City Center».

Lily apretó los puños. La segunda voz era la de su profesora de ballet, Alma Grey.

—O tal vez en Copenhague... Necesitan bailarinas desde que Laura y las otras dos se marcharon, atraídas por Nueva York.

¿El «Royal» de Dinamarca?, repitió Lily para sus adentros, con incredulidad. Era imposible. A nadie podía caerle esa breva si no era a ella.

—Sí, mi querida Alma —oyó que decía Sir Charles—, no hay en el mundo una sola compañía de primera clase que no aceptase de buen grado a Lily. Hace quince años, incluso diez, yo habría temido que fuera demasiado alta; pero ahora eso no es problema, con tal de que no crezca más. Lo único que siento es que, siendo tan buena...

—¡Ay! —suspiró la profesora de ballet—. Es algo que parte el corazón. Llegar tan cerca, tan cerca... Este año, casi... Sí, Charles, sí, casi cruzó la barrera. Te aseguro que había momentos en que rezaba por ella mientras la observaba, y entonces... yo me decía: no; no va a suceder. Es muy hermosa y no tiene ningún defecto técnico Sin embargo... le *falta*... esa *otra* cosa, ese algo indefinible, pero que el público reconoce en seguida y le hace ponerse en pie.

—Muchas veces he pensado que es una cuestión de personalidad —murmuró Sir Charles.

—Yo prefiero llamarle magia —replicó Alma Grey.

—Puede representar todos los segundos papeles en cualquier compañía internacional de primera clase —dijo sentenciosamente Charles Forsythe— y primeros papeles en compañías menos importantes.

—¿Primera bailarina? No estoy de acuerdo. Lily no será nunca una primera bailarina. Mi querido Charles, tienes que reconocer que casi no hay primeras bailarinas —dijo Alma Grey con viveza.

—Hay primeras bailarinas indiscutibles y otras todavía más grandes a las que se les da a veces el calificativo de «únicas», para consolarlas cuando envejecen; pero eso es una cosa ficticia... «Casi» no hay primeras bailarinas... Tengo que reconocerlo aunque me pese.

—Bien mirado, Charles, es un extraño oficio, diríase que anormal, y hasta creo que terriblemente injusto. Por muy dura que sea nuestra enseñanza, por mucho que se esfuerzen los alumnos, nadie puede estar seguro de lo que serán *hasta* que han gastado en ello su juventud... Desde luego, hay excepciones, que se perciben inmediatamente; pero Lily nunca fue una de ellas.

—¿Y cuántas has visto tú en tu vida, querida?

—Solamente cuatro, Charles, como sabes muy bien. Estoy esperando la quinta. Tiene que aparecer otra el día menos pensado.

—¿Tal vez el año próximo? ¿O el siguiente?

—Así lo espero.

Envidiosa, pensó Lily, lanzándose a la calle tan ciegamente que a punto estuvo de ser atropellada por un taxi. Vieja, una pobre vieja, seca, vil, despreciable, ignorante y sobre todo *envidiosa*, envidiosa de su juventud, de su talento, de un talento que nunca habían tenido aquellos dos vejestorios que desvariaban sobre algo que ellos mismos confesaban que no eran capaces de definir. Vertían lágrimas de cocodrilo, refocilándose interiormente, atreviéndose a juzgarla. Se hallaban tan confusos que eran capaces de decir que ella no era lo bastante buena y, al mismo tiempo, se veían obligados a reconocer, que cualquier compañía de ballet del mundo se alegraría de tenerla.

Envidia. Conocía la envidia desde que había empezado a bailar, pensó furiosa Lily, mientras se dirigía a casa lo más de prisa posible. Había visto la envidia en sus condiscípulas cada vez que era distinguida o encomiada y siempre que le daban un primer papel. La envidia significaba que ella era la mejor; era una señal infalible, la única emoción que no se podía disimular, el único tributo que hacía que se sintiese segura de sí misma. La envidia era su aliada. Pero le repugnaba comprobar que ni Sir Charles ni Alma Grey eran inmunes a ella... Ellos, como maestros, debían guiar y cuidar a sus discípulos, no establecer competencia con ellos, no sentir envidia; pero resultaba que esto era esperar demasiado de la naturaleza humana. Se irían a la tumba envidiándola, apergaminados, marchitos, roídos por la envidia, pues, ¿qué otra cosa podía ser? Le daban náuseas; casi habría podido compadecerse de ellos si no hubiesen sido tan repugnantes. Apretó el paso, casi corriendo, tratando de borrar de su mente las palabras que había escuchado. ¿Por qué perder el tiempo pensando en algo que no podía ser verdad? Caminó con la cabeza alta, erguidos los hombros, con la arrogancia de una primera bailarina, con el porte más orgulloso que puede adoptar el cuerpo humano.

—Llegas muy tarde, Lily. ¿Estás bien? —preguntó su madre desde el salón.

—Claro que sí. Siento haberte hecho esperar. No tardaré un minuto.

¡Maldita Miss Briny!, pensó Zachary Amberville. Hubiese debido traerla con él o no hacer caso de sus escrúpulos en lo referente a indumentaria. Se hallaba plantado, sin chaqueta, delante de una maciza mesa de madera en la que se amontonaban, resbalando unas sobre otras, piezas y más piezas de las mejores telas de seda y de algodón que se fabricaban en el mundo para hacer camisas: de colores lisos, a cuadros, a rayas, escocesas; una asombrosa colección. El departamento de confección a la medida de «Turnbull and Asser» no era lugar adecuado para un hombre que aborrecía ir de compras y que ni siquiera tenía una idea muy clara de lo que buscaba. El cortés dependiente había resuelto al fin dejarle solo, para que se decidiese, después de una hora de inútiles sugerencias y desplegar diversas telas sobre el hombro de Zachary. También le había traído docenas de muestrarios. Pero cuanto más tenía para elegir, más le costaba decidirse.

¿Azul pálido? Ésta parecía ser la única idea sensata y segura, pero Zachary se negaba a encargar camisas a medida del mismo color liso que había comprado durante años. Ni podía marcharse sin comprar nada, después de haber hecho perder tanto tiempo al dependiente. Empezó a eliminar las telas que le parecían impropias de él, apartando las piezas a un lado. Aquel sábado por la mañana había aprendido algo sobre los británicos: que las camisas chillonas eran sumamente apreciadas. Nunca había visto unos contrastes tan escandalosos de rayas, cuadros y diseños escoceses, unas camisas tan agresivas que sólo un gángster se había atrevido a llevarlas en América.

Abstraído, resuelto, eligió al fin cuatro posibles telas y, como le había enseñado a hacer el dependiente, las desplegó y se envolvió en ellas. Se miró al espejo y sacudió tristemente la cabeza. Casi no había luz, ni eléctrica ni natural, en la pequeña habitación, y todas las rayas finas que había elegido parecían casi idénticas. Su aspecto le pareció el de un beduino dedicado a la venta ambulante.

—Discúlpeme, pero, ¿podría usted aconsejarme? —preguntó dirigiéndose a una figura femenina que, desde hacía un rato, había advertido vagamente, sentada en un pequeño sofá, mientras el hombre mayor con el que había entrado en la tienda se hallaba sumido en profunda conversación con el dependiente.

—¿Perdón? —dijo ella, sorprendida, como despertando de un sueño.

—Aconsejarme. Necesito el consejo de una mujer. ¿Le importaría levantarse y echar un vistazo? Decirme lo que piensa de estas telas de rayas. Sin cumplidos... Si no le gustan, dígalo francamente. Yo me acercaría a usted; pero, si lo hiciese, todas esas piezas se desplegarían sobre el suelo. Estoy anclado a esta mesa y el dependiente ha dejado de atenderme.

—Iré a buscarlo.

—No se moleste, me ha abandonado. Necesito otra opinión.

Lily Adamsfield se levantó de mala gana y se acercó a él. Aquel hombre tenía unos modales muy extraños, pero, ¿qué podía esperarse de un americano?

¡Qué joven es! Pero no importa, pensó Zachary, en un destello de absoluta certidumbre que no dejaba lugar a dudas. Le había bastado una mirada a Lily para enamorarse de ella, para quedar prendado de su cara ovalada, enmarcada por gruesos y lisos mechones de cabello rubio; de sus ojos grises y profundos con destellos irisados, de su boca expresiva y dulce, con una sombra de tristeza deliciosa, que parecía estar allí para ser borrada a besos. Se enamoró para siempre. Era una chica. ¡Y tan vulnerable! Si hubiese sabido que existía realmente la joven de sus sueños, habría venido en su busca mucho antes. Zachary dejó que las telas cayesen de sus hombros y tomó una mano de Lily en la suya.

—Salgamos y vayamos a almorzar —le dijo.

La honorable Lily Davina Adamsfield, de dieciocho años, reina de las ninfas, con su vestido de rica blonda de Norman Hartnell, y Zachary Anderson Amberville, se casaron un mes después en enero de 1952, con el asombroso beneplácito del vizconde y la vizcondesa Adamsfield, en St. Margaret's Westminster, en presencia de cuatrocientas cincuenta personas, entre ellas la recién coronada reina Isabel y el príncipe Felipe, Miss Briny, Pavka Mayer, toda la familia Landauer y Sarah Amberville. Sólo faltaba Cutter, que estaba en plenos exámenes. Lily había colocado a Sir Charles, a Alma Grey y a todos sus compañeros estudiantes de ballet en la segunda fila, directamente detrás de la reina y de sus padres.

Quería que viesen bien, con todo detalle y detenimiento, lo feliz que se sentía, aunque sacrificase su carrera, una carrera de primera bailarina que nunca hubiesen debido discutirle. Ella bailaría siempre. La danza era en su vida algo esencial; pero no actuaría en público. La difícil, abnegada y exclusiva existencia que debía llevar una primera bailarina no era compatible con la vida triunfal que se extendía radiante y segura ante ella, como esposa de aquel americano enérgico, un hombre que la adoraba y tenía absoluta fe en ella.

Como había dicho a su asombrada madre, no habría sido justa con Zachary si hubiese tenido que actuar en funciones nocturnas. Ya no había que pensar en ingresar en el «Center Ballet» de la ciudad de Nueva York.

—Tendré lo mejor de ambos mundos... Sólo renunciaré a un título, a dos palabras, «primera bailarina». ¿Qué sería de mí si diese toda mi vida por ser estas palabras, madre? No puedo casarme con Zachary y llevar la vida que pensaba que quería. Tengo que crecer, y para crecer hay que elegir. Sí, es un sacrificio, en esto no te equivocas; pero es un sacrificio que debo y quiero hacer. No pierdo nada, te lo aseguro. Todos estos años no han sido inútiles. Pertenecen a una vida que he dejado atrás. Puedes creerme, madre, sé lo que hago.

Él la había enseñado a besar, pensaba Zachary en el estado de delirante euforia en que parecía hallarse desde el día en que vio por primera vez a Lily. Ella no sabía besar, nunca la habían besado, y él habría apostado todo lo que tenía a que, si no hubiese venido a Inglaterra, habría pasado el resto de su vida en los Estados Unidos sin encontrar una muchacha parecida a Lily y que nunca hubiese sido besada.

Y ahora tenía que enseñarle a hacer el amor. ¡Dios mío! Ojalá hubiese pasado un año y estuviesen instalados en la casa grande que elegiría ella en la calle de Nueva York que más le gustase; ojalá pudiesen acostarse en la cama de una habitación familiar y llena de todas las cosas bellas que ella compraría, en una cama con sábanas que no tuviesen la fría, inmaculada y elegante pulcritud de las de la *suite* nupcial del «Claridge». Unas sábanas amigas, ¡maldita sea!, podrían ser de gran ayuda. O incluso un hotel francés. El «Claridge» era demasiado majestuoso y británico. Mañana estarían en París, pero mañana no era esta noche.

Ojalá fuese él uno de los Amberville de siglos pasados ante una noche de bodas tradicional con una virgen en Nueva Inglaterra, algo que habría sido lo único posible y natural, exactamente lo que podía esperar de la educación recibida. Tradición era lo que él necesitaba. Unos valores tradicionales, ordinarios y anticuados. Tal vez el año próximo votaría a los republicanos.

De pronto recordó su primera experiencia, con una de las estudiantes de enfermera del St. Luke's Hospital, cuya ventana de la residencia estaba frente a las de su dormitorio en «Columbia's Hamilton Hall». Él tenía entonces quince años y ella era también muy joven; aunque algo menos. Fuese cual fuese su edad, sabía exactamente dónde y cuándo y sobre todo cómo tenía que hacer las cosas. Conocimiento..., era lo único que se requería. Todas las chicas con quien se había acostado desde aquella noche memorable habían tenido cierto grado de experiencia, no había habido una sola virgen entre ellas.

Pero él no se había enamorado antes de ahora. Por consiguiente, era también una especie de virgen a su manera, un hombre de veintinueve años emocionalmente virgen, un piloto de Marina virgen, un propietario de tres revistas y un multimillonario virgen, aunque había estado con más mujeres de las que podía contar.

—Deja de pensar —se dijo Zachary en voz alta, en su cuarto de vestir—. No te servirá de nada.

Le tranquilizó momentáneamente la visión de Lily delante de la fogata que ardía en el inmeso dormitorio artesonado. Cuando la tomó en sus brazos y sintió la frescura de su piel, no se dio cuenta de que, envuelta en su salto de cama blanco de seda y encajes, tenía la sublime compostura que había adoptado en cientos de ensayos de *Giselle*, o cuando trataba de recordar *Coppelia*, o las noches en que había representado el papel de Odette en *El lago de los Cisnes*. La postura adquirida por los danzantes durante ciento cincuenta años de ballet clásico es mantenida por ellos en cualquier situación, antes de levantarse cualquier telón. Pero cuando Zachary y Lily yacieron juntos en la ancha cama y hubo dejado ella su bata sobre una silla, quedando únicamente con una camisa de dormir de satén con finos tirantes, se dio cuenta él de que, a pesar del calor de la habitación, estaba temblando.

—Vamos, pequeña, todo esto es muy enojoso —declaró.

La levantó junto con las mantas, la llevó a un mullido sillón delante del fuego y la sentó sobre él.

—Tengo la impresión de que deberíamos invitar a los camareros y a las doncellas a observar... como según he leído, se hacía, en las noches de bodas reales de los viejos tiempos, donde todos se dedicaban a meter en la cama a los infelices novios, a abrir mucho los ojos y, sin duda, a decir chistes obscenos.

—Cuéntame un chiste verde —pidió Lily, tratando de sonreír.

—Los que sé no los entenderías. Y, además, nunca recuerdo las frases más graciosas. Es uno de mis fracasos pero, gracias a él, soy un buen oyente, porque todos los chistes son nuevos para mí.

—¿Cuáles son tus otros fracasos? —preguntó ella muy seria.

—No sé jugar al golf; siempre pierdo dinero en las carreras de caballos, pero me gusta apostar; no puedo recordar los años de los vinos, ni siquiera sé distinguir un burdeos de un borgoña; no pude conseguir aquel empleo de amanuense en el *New York Times*...

—Me refiero a fracasos verdaderos, importantes, irremediables —dijo ella, sin sonreír.

—No creo haber tenido ninguno. Y creo que no lo tendré nunca.

—Es lo que pensé el día en que nos conocimos... Tú no eres de los que fracasan en la vida.

—Pareces muy enérgica, querida.

Miró asombrado a Lily, a su misteriosa, timorata e inexperta esposa, todos cuyos movimientos parecían una caricia y al mismo tiempo una petición de cariño, pero cuya expresión tenía una súbita gravedad que él veía por primera vez.

—En realidad, no me conoces, Zachary. Soy enérgica —dijo ella.

Su voz era tan natural y angelical que él se echó a reír y la besó en los labios. Ella le correspondió de buen grado pero todavía con aquella torpeza que él encontraba tan conmovedora. La rodeó con los brazos debajo de las mantas. Ella había recobrado el calor, estaba más relajada, había dejado de temblar. Él deslizó los dedos sobre la columna del cuello de su esposa, tocando con asombro la maravillosa curva con la que se unía a los hombros. Después, la mano llegó hasta la clavícula, sintiendo la fuerza y el poder ocultos debajo de los músculos de aquellos hombros tan finos. Pudo rodear el brazo con una de sus manazas. Había allí una delicada rigidez que le hizo ver, con aprensión, la diferencia que existía entre los dos. Ella era como acero forrado de seda; él no era más que carne, carne vulgar.

Una fuerte excitación fluyó a lo largo de sus venas, avanzando como un incendio forestal provocado por el rayo en doce puntos diferentes; pero se mantuvo bajo un control absoluto. Sabía que sólo una cosa era esencial para enseñar a Lily a hacer el amor, y era tomarlo con calma, proceder con la mayor lentitud y ternura que fuesen humanamente posibles. Y si no eran posibles para un ser humano, haría un esfuerzo sobrehumano para mostrarse dueño de sí mismo. Transcurrieron los minutos, mientras Lily, con los ojos cerrados, sentía cómo se deslizaban las puntas de los dedos de Zachary, con ligerísima presión, desde el hombro hasta el codo. El tirante de su camisa de dormir era una fina cinta de satén, y se deslizó del hombro dejando al descubierto uno de los menudos y redondos senos, con un pezón pequeño y plano, de un color de rosa tan pálido que apenas contrastaba con la blancura de la piel. Zachary vio aquel pecho a la luz del fuego, apretó con fuerza los muslos y mantuvo la mano alejada del seductor montículo. Todavía no estaba ella en condiciones de ser tocada, se dijo, pasando los labios ligeramente por su cuello, justo debajo de los cabellos. Lily no decía nada permanecía inmóvil, casi ingrávida sobre las rodillas de él; pero Zachary se daba cuenta de que se mantenía rígida, casi sin atreverse a respirar.

—Relájate, querida; no haré nada que tú no quieras, pequeña; no hay prisa, tenemos todo el tiempo por delante —le murmuró al oído, pero ella pareció no oírle.

Entonces él le soltó el codo y sus dedos se deslizaron acariciadores a lo largo del antebrazo, llegaron hasta la muñeca y se abrieron para cubrir la mano. Ella, con un movimiento rápido que le sorprendió, volvió la palma hacia él, le agarró la mano y la apretó sobre su pecho.

—No querida, no; no tienes que hacer esto; todo va bien —dijo él en voz baja, apartando la mano.

Pensó que Lily hacía lo que creía que se esperaba de ella. Sin decir palabra, ella le besó en la boca, apretando los fríos labios sobre los de él; más que una mujer, parecía una niña en busca de protección. Él apretó los dientes para no tocar sus labios con la lengua. Durante el mes de noviazgo, le había enseñado a besar con los labios entreabiertos; pero ella había retirado la lengua con frecuencia y él no quería iniciar aquella noche nada que pudiera no agradarle.

Lily, sacudiendo bruscamente el otro hombro, hizo que el otro tirante del camisón resbalase de su cuerpo. Con las piernas todavía cubiertas con las mantas, se irguió desafiadoramente sobre las rodillas de Zachary, desnuda de cintura para arriba, sin abrir los ojos, pero con el torso enteramente descubierto, un torso en el que la combinación de sus senos infantiles con la anchura casi varonil de sus hombros creaba un contraste furiosamente erótico. Desde el pecho hasta la cintura parecía tallada en marfil, pensó Zachary. Podía contar sus costillas, podía ver latir su corazón, las venas de su pecho trazaban, bajo la pálida piel, un dibujo inolvidable. Resiguió con el índice las venas más grandes encima de los senos, cuidando de no tocar éstos, para no arriesgarse a un atrevimiento prematuro. Tuvo que cruzar las piernas para impedir que el pene alborotado se abriese paso entre los muslos, pues por mucho que se esforzase en mantenerlos juntos, el glande tenía vida propia y nada podía contenerlo.

Lily pareció estremecerse. ¿Era todavía de frío o empezaba a impacientarse?, se preguntó Zachary, atreviéndose ahora a tocar ligeramente un pezón, con la punta del dedo. Fue sólo un roce, esperando a ver si experimentaba alguna reacción. Ella no se echó hacia atrás ni hacia delante; pero Zachary tuvo la impresión de que el pezón se había levantado, de que se destacaba claramente del pecho; y, cuando tocó el otro, comprobó con alegría que también respondía a su caricia.

—Sí, sí; así está bien; esto es bueno —murmuró entre dientes, no queriendo asustarla ahora que ella estaba empezando a disfrutar.

Continuó acariciando los pezones durante varios minutos, trazando pequeños círculos a su alrededor, volviendo una y otra vez a aquellas puntas ahora claramente firmes, y por fin inclinó la cabeza y aplicó la boca a uno de los duros brotes, resiguiéndolo con la lengua durante un largo instante antes de atreverse a chuparlo. Lily pareció ponerse tensa y él se detuvo, pensando, con una emoción casi reverente, que era la primera vez que la boca de un hombre toca su cuerpo, sus puntos íntimos; pero al fin, con otro súbito y resuelto movimiento, atrajo ella su cabeza hacia el pecho con una mano, mientras levantaba el seno con la otra y se lo ofrecía, murmurando:

—No te detengas.

Pronto estuvieron húmedos ambos pezones, tensos y convertidos en pequeños islotes de tejido dilatado. Cuando Zachary vio lo que habían aumentado, levantó a Lily, cuya camisa resbaló a lo largo de su cuerpo al cruzar él la habitación. La tendió con delicadeza sobre la cama y se tumbó a su lado, manteniendo una cierta distancia para que no sintiese la rigidez de su pene, erguido sobre el bajo vientre con violenta impaciencia. Se incorporó apoyándose en un codo y con la otra mano, resiguió insinuante la pequeña cintura, las estrechas y elegantes caderas, los ágiles, firmes y bien desarrollados muslos, aprendiendo la forma de un cuerpo de mujer diferente a cuantos había visto hasta entonces. Pensó que Lily desnuda era una diosa. Parecía la estatua de una deidad de otra civilización más refinada. Aumentó su veneración, dolorosamente mezclada con el más loco deseo jamás sentido, al ver el vello del pubis, rubio, ligeramente rizado y mucho más espeso de lo que esperaba. Sobre la elevación del monte de Venus, aparecía el vello de una mujer, no el de una niña. Ella se estremeció ligeramente bajo su mano, volviendo la cabeza a un lado y a otro, con los ojos todavía cerrados. Si bien no le apartó, tampoco extendió las manos para tocarle. Era casi como si estuviese dormida, pensó él, como si quisiera que la hiciese suya en medio de un sueño.

Cuando Zachary hubo reseguido todo el cuerpo que Lily le ofrecía y no pudo resistir ya el afán de acercarse a ella, después de tantas caricias, la atrajo hacia sí y deslizó un brazo debajo de su cabeza. Se introdujo en la boca un dedo de la mano que tenía libre y lo mojó a conciencia. Con aquel dedo amable separó cuidadosamente el vello del pubis y encontró la entrada oculta de la vagina. Lentamente, milímetro a milímetro, introdujo el dedo en el pasadizo, escrutando ansiosamente la cara de ella por si veía alguna señal de dolor o de miedo. Pero su expresión no cambió, aunque mantenía los labios cerrados con fuerza y la mandíbula apretada.

Zachary se humedeció una y otra vez el dedo, volviendo cuidadosamente al cálido túnel, sin encontrar resistencia, ni siquiera cuando el dedo no pudo ir más lejos. No sabía si la humedad que encontraba ahora se debía a ella o a la operación de él, pero en todo caso comprendió que había llegado el momento de penetrarla. Apoyándose en las rodillas y los codos, bajó el cuerpo con cuidado, aplicando cuidadosamente la hinchada punta del miembro a la entrada de la delicada abertura. Entonces la penetró. Al principio, sólo unos centímetros y después un par de centímetros más. Lenta, muy lentamente, siguió su avance, inundada la frente de sudor, siempre observando la cara de ella para saber el momento en que tendría que retirarse para no hacerle demasiado daño; pero Lily permaneció inexpresiva, aunque respirando un poco más de prisa. Por último, después de largos minutos, y viendo su aceptación, la penetró enteramente, estirando las piernas sobre el colchón, apoyándose en los codos para no oprimirla. Podía sentir la progresiva hinchazón de su miembro, aunque no movía un músculo. El suave, cálido y tenso interior de la mujer era demasiado para él. Eyaculó sin una sola sacudida, con unos espasmos tan brutales, tan fuertes, tan imposibles de controlar después de la frustración de la última hora, que vertió el semen en torrente, con una rapidez animal.

Durante un minuto, Zachary, perdido en las palpitaciones de su corazón, se olvidó de Lily; pero en cuanto se hubo recobrado se desprendió de ella, la tomó en brazos y cubrió su cara de besos de gratitud salvaje, una granizada de besos mezclados con lágrimas que no podía dejar de verter. No había esperado que ella se excitase. En días venideros, gradualmente y con infinito cuidado, le enseñaría a gozar del sexo; pero ahora estaba asombrado de su valor infinitamente conmovido por haber evitado que se sintiera brutal, emocionado por la buena voluntad que había mostrado al permitirle poseerla sin dar más señales del esfuerzo que estaba haciendo que mantener los ojos cerrados.

—¿Te he hecho daño, querida? —preguntó él al fin.

—No, claro que no.

Lily abrió los ojos y le sonrió. Él no sabía que aquel cuerpo había sido adiestrado para aceptar el dolor, para recibirlo de buen grado. ¿Cómo podía comprender que las nuevas sensaciones que acababa ella de descubrir no eran nada en comparación con romper un par de zapatillas de ballet? Durante muchas horas diarias, desde la edad de ocho años, había vivido en constante dolor, un dolor que había aprendido a sufrir sonriendo, un dolor que la bailarina, como cualquier atleta, considera parte inevitable de la vida.

Lily había esperado algo diferente de su noche de bodas, algo rudo, excitante y desconocido, algo mucho más salvaje que lo que había sentido cuando una robusta pareja de baile la levantaba más que de costumbre. Esperaba el duelo de dos cuerpos que acabarían magullados, doloridos, sudorosos y agotados, como después de una gran representación. No esta caricia prolongada, no la cautelosa exploración de un cuerpo que, desde hacía tiempo, consideraba ella sólo como un instrumento, un cuerpo acerca del cual no tenía el menor conocimiento. Pero, ¡cuánto había deseado y necesitado ser *tomada*, usada, poseída, lanzada de cabeza a un mundo que nunca había conocido, un mundo que había oído comentar a otras estudiantes con risitas disimuladas, un mundo que la había fascinado aunque lo rechazase!

No podía *hacer* más de lo que había hecho, pensó Lily; no conocía los movimientos adecuados, las posiciones que debía adoptar; pero su inmovilidad debió indicar claramente a su marido que podía hacer lo que quisiera con ella. No soportaba sentirse torpe, no ser dueña de sus músculos; sin embargo, nadie podía adiestrarla salvo Zachary. Él era, de los dos, el único que tenía experiencia, pensó al adormecerse. Él era el único que había logrado que esto tuviese importancia. Ella lo había hecho lo mejor que había podido. Ahora dependía de él convertirlo en algo maravilloso; sí, maravilloso, incluso más que los aplausos.

Los Amberville regresaron a Manhattan después de diez días de luna de miel en París. Zachary no había estado nunca tanto tiempo lejos de su oficina. Habían transcurrido casi seis semanas desde el día en que salió para Londres, y aparte de unas fugaces visitas a sus agencias de allí y de París, no había hecho la gira de inspección que tenía proyectada. Pero era demasiado feliz para que esto le inquietase.

Diez noches seguidas había hecho el amor a Lily; dedicándole varias horas, unas horas calladas, sublimes; unas horas que eran para él como la lenta exploración, centímetro a centímetro, de un nuevo paisaje iluminado por la luna. Ella era como una melodía, pensaba, una exquisita melodía en clave menor que nadie más podía oír.

Lily nunca le había negado nada, salvo la noche en que, por primera vez, él acercó la boca entre sus muslos. Ella se había cubierto el pubis con las manos. Después, las apartó; pero él había comprendido que no estaba preparada para aquella intimidad final y no había vuelto a intentarlo. Estaba seguro de que, con paciencia y con ternura, un día no lejano encontraría la manera de hacer que ella sintiese su propio placer. No era que le repugnase el sexo, se dijo Zachary, sino que todavía no había aprendido a dejarse llevar de sus instintos. Era cuestión de tiempo y de no olvidar nunca lo que debía ser para una muchacha de dieciocho años, apenas más que una niña, verse súbitamente casada con un hombre de veintinueve. Saber que Lily se le ofrecería cada noche, le permitía reprimir toda brusquedad, toda prisa, toda acción que pudiese parecer animal, brutal y atemorizadora, a una muchacha de su sensibilidad.

Después de aquella primera noche, Zachary descubrió que siempre necesitaba poseerla por segunda vez: su propia inmovilidad le excitaba como el más poderoso afrodisíaco, y después de alcanzar la primera satisfacción, podía prolongar el coito, yaciendo inmóvil, oyendo su respiración, besándola suavemente mientras el miembro se endurecía sin fricción, y con sólo un ligerísimo movimiento de la pelvis contra la de ella al alcanzar el clímax, para no herir a aquella criatura tan delicada, silenciosa y complaciente que era su esposa.

5

Cutter Amberville decidió ir a estudiar en California en vez de pasar cuatro años en un colegio del Este. Quería poner la mayor distancia posible entre él y su hermano, dejar atrás aquella parte del mundo en que el nombre de Amberville hacía que la gente le preguntase inmediatamente si era pariente de Zachary. En Stanford, o «La Granja», como le llamaban los estudiantes de Berkeley, desde su puesto tradicionalmente intelectual a la vista de San Francisco, burlona referencia a su rival elitista, encontraba un compañerismo que no era diferente del que había cultivado en Andover: muchachos ricos, muchachos que tenían algo que él quería.

En Stanford, Cutter tenía que esforzarse más en sus estudios que en Andover; pero pronto aprendió el arte de no hacer más que el mínimo necesario, reservando todo el tiempo posible para continuar aquellas actividades en las que destacaba: tenis, squash, navegación a vela, polo y esquí. Eran sin discusión deportes de caballeros, deportes de ricos; requerían años de práctica para realizarlos bien. Un joven capaz de dominarlos todos despertaba admiración e inspiraba confianza. Exigían habilidad, coordinación, resistencia y, en particular el polo y el esquí, una decidida voluntad de llegar al límite en el valor físico. No había riesgo, dentro de lo razonable, que Cutter no se atreviese a correr montando a caballo o esquiando, ya que la valentía, según deducía con su regla de cálculo tan cuidadosamente oculta solía aceptarse como sinónimo de valor absoluto. Su hermano, su enemigo, nunca había aprendido a practicar bien ningún deporte.

Cutter dedicaba sobre todo su habilidad al tenis y al squash. Las otras actividades deportivas que había elegido exigían que compitiese contra un animal o contra los elementos, mientras los deportes de la raqueta eran competiciones de hombre a hombre. Ganar requería esfuerzo, pero éste no era nada en comparación con la habilidad y la técnica con que aprendió en definitiva Cutter a perder algunos juegos cruciales, juegos brillantemente disputados con algunos padres de sus amigos bien elegidos; hombres que jugaban de forma excepcional para su edad; hombres que tenían cargos importantes en Bancos de inversiones, y que algún día estarían en condiciones de darle un empleo en negocios en que los contactos representaban a menudo comisiones. Perder en el tenis, y perder sin enfadarse, de manera convincente y sin despertar la menor sospecha, se convirtió en uno de los triunfos particulares de Cutter Amberville, tan importante como sus exquisitos modales y su buena presencia, e incluso más importante que su indiscutido valor.

—Ayer fui de compras con la primera Mrs. Amberville —dijo agriamente Zelda Powers a Pavka Mayer mientras tomaban un aperitivo antes del almuerzo.

—¡Ah! Eres tan maliciosa como pareces, querida. A fin de cuentas, Zelda, tienes que recordar que es muy joven y muy británica y que ha estado protegida, casi desde el día en que nació, según me ha dado a entender Zachary, por su total dedicación al ballet. Si no sabe vestirse, salvo con un tutú, no debería sorprenderte.

—Pero la honorable Lily no sabe cómo vestirse... ahora —dijo Zelda, mirando a Pavka de soslayo y con rencor.

—¿Mal gusto? ¿Quizás un gusto vulgar y provinciano? Las inglesas no se distinguen por su habilidad en ataviarse.

—Fuimos a «Bergdorf's», fuimos a «Saks», fuimos a «Bonwit's», fuimos a todas las tiendas elegantes de Nueva York, porque Zachary no me permitió que la llevase a los grandes almacenes, y ella observó los vestidos de nuestros mejores diseñadores con el mismo interés que habría prestado a una exposición de lombrices —declaró Zelda con tono cruel—. Ni siquiera mostró deseo de probarse nada, nada en absoluto. Y necesitaba ropa, Pavka, porque su madre no tuvo tiempo de comprarle un *trousseau* completo antes de la boda, y ni ella ni su hija tenían la menor idea de lo que llevan las recién casadas en Nueva York. Con su vestido de *tweed* color pastel parecía una mezcla de *Alicia en el país de las maravillas* y de joven princesa en una visita oficial a un país no amigo.

—Pero es hermosa, muy hermosa —dijo pausadamente Pavka.

—No niego que sea hermosa... Yo sólo quería ayudar... Ya sabes que haría cualquier cosa por Zachary. Como último recurso la llevé a «Mainbocher». Allí se animó un poco y, cuando salimos, había encargado treinta y siete conjuntos diferentes, casi toda la colección. La primera prueba será dentro de una semana.

—Bueno, ¿qué hay de malo en ello? Resuelve tu problema, ¿no es cierto?

—Me revuelve las tripas. ¡«Mainbocher» a su edad! Prendas a la medida, los trajes más caros de los Estados Unidos... Muy discretos, Pavka, muy distinguidos, y tan perfectos que podrían llevarse del revés. Las damas que compran esos trajes son las más ricas de Nueva York, son miembros de una élite muy cerrada. Hay que *subir* mucho para llegar a «Minbocher», ¡maldita sea! Y apostaría a que ninguna de ellas ha encargado tantas cosas en una sola visita. Y esa... esa adolescente ni siquiera preguntó el precio... No le pasó por la cabeza preguntarlo.

—¿Y qué? Zachary puede permitírselo.

—No es el dinero, es su actitud lo que no puedo soportar. ¿Te ha hablado él de la casa que va a comprar? Es la única casa de toda la ciudad que a su esposa le gusta.

—Mencionó algo acerca de esto; pero no le presté mucha atención.

—Ella me llevó a verla. Tú sabes, Pavka la clase de hombre que es Zachary. Sencillo, práctico, enemigo de toda exhibición. ¿Crees que va a gustarle vivir en un palacio de mármol gris pálido que ocupa media manzana y tiene tres plantas, con un salón de baile, querido, y un enorme jardín en la parte de atrás. Y sólo para dos personas. Mide la mitad que el «Frick». No es una casa, es una mansión.

—A él le gustará, si la hace feliz —dijo Pavka, gozando con su papel de abogado del diablo.

—Pero, por el amor de Dios, ¿por qué una chiquilla como ella necesita un palacio para ser feliz? ¿Quién vive hoy de esta manera? No piensa más que en las innovaciones, en la decoración interior, en la servidumbre que se necesitará allí. Además de alguien que le diga al personal lo que tiene que hacer, porque ella no lo sabrá o no querrá que la molesten. Piensa en los jardineros. ¡Jardineros en Nueva York! No tienes la menor idea de lo que va a costar.

—Es cierto. Pero ambos sabemos que Zachary puede permitirse esto y cien veces más. Yo no soy quién para decidir cómo han de gastar otras personas su dinero, Zelda, y creo que tú tampoco... Nunca lo hiciste hasta ahora.

Suavizó sus palabras con un cariñoso y bien colocado pellizco.

—Quieres decir que estoy celosa, ¿verdad, querido Pavka?

—¿Y no es así?

—Claro que lo estoy. Debería avergonzarme. Pero no me avergüenzo.

—Incluso Zelda Powers se permite una reacción femenina absolutamente normal. Ten cuidado; podrías perder tu sello personal. Y sería malo para el departamento de *estilo*.

—No apuestes nada.

—No lo haré. Y deberías tomar otra copa. Te invito.

En la época en que estaban solteros, poco después de terminar la guerra, Nat Landauer y Zachary Amberville pasaron muchas tardes en el hipódromo con Barney Shore, un amable joven pelirrojo de unos veinticinco años, que había sido compañero de habitación de Nat en Syracuse. De la misma manera que Nat estaba destinado a dirigir la «Five Star Button Company», Barney era el presunto heredero del negocio de su familia, al que llamaba desdeñosamente «las perchas».

—¿Perchas para colgar ropa? —le preguntó un día Zack.

—No; para colgar revistas.

—¿Las hacéis vosotros?

—No; nosotros las llenamos —dijo secamente Barney, reacio a abandonar su estudio del *Programa de Carreras*, devoto ejercicio que no le beneficiaba más que a Zachary.

Hasta que empezó a publicar *Style* no comprendió Zachary la importancia de una institución llamada «Crescent», fundada por Joe Shore, el padre de Barney, que, junto con «Curtis», «Warner», «Select» y «NICD», era uno de los principales distribuidores de revistas de la nación.

Sin estos poderosos distribuidores, el negocio de publicación de revistas no habría podido existir. Mientras Zachary sólo poseyó *Trimming Trades Monthly*, vendió sus ejemplares por suscripción; pero cuando creó *Style*, firmó con Joe Shore un contrato de distribución por tres años, que estableció una pauta para el futuro. Durante el primer año de *Style*, pagó a «Crescent» el diez por ciento del precio de cada ejemplar vendido, y durante el segundo y el tercero, el seis por ciento. A cambio de ello, «Crescent» actuaba como banquero de *Style*, pagándole según el número de ejemplares impresos.

Joe Shore, hombre de modales suaves y engañosos, podía hacer prosperar o arruinar una revista decidiendo el número de ejemplares que enviaría a los diversos distribuidores locales, quienes los repartían entre los vendedores individuales, los cuales (ojalá fuese pronto, pensaba el editor) debían colocarlos en un lugar destacado de sus puestos de venta.

Zachary Amberville en seguida le cayó en gracia al duro y tranquilo Joe Shore, cuya simpatía no se ganaba con facilidad; pero, una vez obtenida, no se perdía si se jugaba limpio en el negocio. El asesinato, el incendio provocado, los abusos deshonestos, ninguno de estos delitos haría cambiar la opinión de Joe Shore sobre un hombre que le hubiese caído en gracia y que cumpliera su palabra.

Un día de 1953, mientras almorzaban juntos, Zachary le dijo:

—Joe, deseo que conozcas a Lily. ¿Quieres venir a cenar con nosotros el martes de la próxima semana, con tu mujer, Barney y la chica con la que sale ahora?

—Nos encantaría, Zack. Pero espera un momento. ¿Has dicho el martes?

—Este martes no, el de la semana próxima.

—Cualquier otro día, aceptaría con mucho gusto, Zack; pero no el martes, *ningún* martes. Mi mujer me mataría.

—¿A un gatito como tú? Pensaba que erais el matrimonio ideal.

—Zack, no le gastes bromas a un bromista.

—Vamos, ¿qué pasa el martes por la noche?

—Milton Berle. En el programa del martes a las ocho.

—¿Y qué?

—¿Cuántos artículos has publicado tú sobre Milton Berle en *Seven Days*?

—No lo sé... Siempre salen esos malditos artículos y me pregunto por qué; pero el director de la sección de televisión me dice que confíe en él. Como doblé su salario para llevármelo de *Life*, no he querido ponerle en tela de juicio. Personalmente, nunca me sobró tiempo para ver la televisión, y a Lily no le interesa en absoluto. Tal vez —dijo sonriendo Zachary— es para ella un problema de lenguaje.

—¡Qué lástima! No sabes lo que te pierdes —dijo Joe meneando la cabeza asombrado—. Apuesto a que ni siquiera tienes televisor.

—Una vez estuve observando el de Barney, y lo único que vi fue unos desfiles de enanitos. Tendrían que hacerlo mejor. A mí dame una película a una revista en Broadway. ¿Quieres café?

Mientras volvía a pie por las bulliciosas calles, Zachary pensó que Joe Shore, un hombre que tenía un poder tan grande, no podía asistir a una cena los martes por culpa de Milton Berle. ¿Lo verían también Eisenhower y Mamie? ¿Lo verían el senador Joseph McCarthy y Estes Kefauver? Él, personalmente, era demasiado inquieto para permanecer tanto rato sentado; salvo en algún partido de fútbol. La única importancia que podía tener la televisión era como competidora en la lucha por los dólares de los anunciantes y, en ese sentido, le preocupaban más las otras revistas. Entonces, se detuvo de pronto en la esquina de la Quinta Avenida y la Calle 52. ¿Acaso se inmovilizaba todo el mundo los martes a las ocho? Quizá sí, y probablemente lo hacía también para ver a Lucille Ball y a Sid Caesar y a The Honeymooners, y Dios sabía qué otros espectáculos. Y él, Zachary Amberville, era corto de vista, era un imbécil que había cometido el error fatal de pensar que podía juzgar al público americano por sus propios gustos. Pero no tan estúpido como para no ver que lo había sido y no hacer algo para remediarlo. ¿Cómo podría llamarse la revista? ¿*Television Week*? Demasiado comercial. ¿*This Week on Television*? Demasiado largo. ¿*Television Weekly*? Había algo francamente intelectual en este nombre, olía a *Harper's* o a *The Atlantic*. ¿*Your T.V. Week*? También demasiado largo. *T.V. Week*. Esto estaría bien. Cruzó la calle, imaginándose claramente el primer número. Un formato cuadrado, de veinte por veinte con muchas fotos, con textos y, naturalmente, con los programas de Televisión, y, en la cubierta, una gran fotografía en color de Milton Berle. Al apretar el paso para volver a su oficina, Zachary Amberville era ya, aunque no se daba cuenta, decenas de millones de dólares más rico que cuando había salido para almorzar.

Meses antes de acabar de realizar sus planes para decorar la gran casa de mármol gris de la Calle 70 Este, Lily descubrió que estaba embarazada. Su reacción inmediata fue de miedo. ¿Qué consecuencias tendría para su cuerpo? Después sonrió. Era la típica reacción de la bailarina, y ella había abandonado su carrera por una vida normal. Su hijo sería la prueba de que ella era libre, dueña de sí misma, un doble rechazo de aquel hermético y pequeño mundo que había apartado a un lado. Todas las mañanas hacía ejercicios de barra durante una hora en la *suite* de «Waldorf Towers», donde se habían instalado temporalmente los Amberville, pero no había asistido ni a una sesión de ballet desde que llegó a Manhattan. La barra era una costumbre, una manera de mantenerse en forma, nada más.

¡Sus maravillosos vestidos nuevos! Se llevó una mano a la boca, desolada. Dentro de poco, no podría ponérselos. Bueno, era algo inevitable. Iría a «Mainbocher» aquella tarde y encargaría un guardarropa completo adecuado a su estado. ¿Tenía que escribir inmediatamente a su madre, o incluso llamarla por teléfono? Sabía que, en cuanto se lo dijese, empezaría a buscar una niñera competente para guiarla desde Inglaterra. El doctor Wolfe le había dicho que vigilase su peso... Era un buen médico, pensó, pero su observación había sido muy tonta. ¿Cuándo había dejado ella de vigilar su peso? Todo aquello empezaba a parecerle divertido. Inevitablemente, sus pequeños senos de bailarina se volverían voluptuosos. ¡Qué guapa estaría con su vestido escotado! Diría a «Mainbocher» que quería vestidos de escote pronunciado para la noche. Magníficos vestidos de falda de vuelo, ceñidos debajo de los pechos al estilo Imperio. Le agradaba lucir un buen busto mientras pudiera, pues desde luego no criaría a su hijo. Todas sus primas lo habían hecho, y a ella le había parecido una espantosa pérdida de tiempo; horas y horas de estar pacientemente sentada, de día y de noche, para que la criaturita se sirviese de la madre como de una vaca humana, una criatura que después no recordaría si había sido amamantada o no y que, en todo caso, no lo agradecería.

Tomó nota mentalmente de que debía decir a los decoradores el lugar donde habían de instalar la *nursery*. Tendría que hallarse lejos de su dormitorio, para que, en ninguna circunstancia, le molestase el ruido que hiciera el bebé. El llanto de un niño era sin duda el ruido más irritante del mundo, y ella no estaba dispuesta a soportarlo, pues lo consideraba una tortura china.

¡Ser madre a su edad! Bueno, sería mejor que pasase por este trance siendo muy joven, a semejanza de lo que hacía la realeza, sobre todo habida cuenta de que no tenía más remedio. Pero era una lástima que esto ocurriese cuando acababa de llegar a Manhattan y empezaba a saber lo que era tener todo lo que quisiera y cuando lo quisiera, a la menor manifestación de su deseo. Sin embargo, un bebé sólo significaba tener que demorar unas horas sus satisfacciones. En Londres se había enterado de que Zachary era inmensamente rico; y ahora se daba cuenta de que lo era mucho más de lo que ella había imaginado y también más generoso que ningún hombre de los hombres que había conocido. Al pensar en ello, veía que su padre había sido bastante tacaño, creía que los hijos tenían que criarse con una disciplina estricta en cuanto al dinero para sus gastos. Ella no necesitó nunca este dinero, pues no había tenido interés en gastarlo; pero, desde que renunció, al ballet, parecía haber muchísimas cosas que le gustaba comprar. Las tiendas de Manhattan eran tentadoras e irresistibles. Resultaba muy agradable saber que no había nada en ellas que no pudiese obtener, nada que Zachary no estuviese dispuesto a darle.

«Acaudalada...», era una palabra muy desagradable. Rica. Era la única manera lisa y llana de expresar la idea. Rica. Muy rica. Tal vez, cuando el pequeño estuviese presentable, dejaría que *Style* publicase fotografías suyas. La honorable Mrs. Zachary Amberville y su hijo. No, *Style* no. No era una revista dedicada a los muy ricos. Tal vez por eso se vendía tanto. Sería mejor en *Vogue*, o mejor aún en *Town & Country*. Ahora que pensaba en ello, tenía cierto *cachet* hacer su primera aparición, en las revistas de sociedad que se leían en toda Nueva York, como una madre joven y no simplemente como una joven esposa más.

Desde luego la sociedad de Nueva York era una broma. En Londres, se estaba en sociedad o fuera de ella. Si una era hija de un vizconde, sería siempre hija de un vizconde, sin importar el hombre con quien se casara. Tenía sus parientes, tenía sus antepasados, tenía su lugar en la constelación. Una chica podía casarse con un noble o con un provinciano, incluso con un americano, pero todo el mundo recordaría siempre lo que había sido antes de su matrimonio. Pasarían generaciones antes de que esto dejase de importar, o tal vez importaría siempre, quizá dentro de varios siglos la gente aún diría: «Oh, sí, Lady Melinda... Su tatarabuela era hija de un banquero, y se casó con el conde de X.» Esnobismo, puro esnobismo, pensó. Sin embargo, era así.

¡Pero Nueva York! Muchas de sus «grandes damas» distaban tres generaciones, cuatro como máximo de magnates ladrones, y los magnates ladrones no eran más que ladrones con éxito. Desde luego había descendientes de los que llegaron en el *Mayflower*. Y de aquella Sociedad del Cincinnati, descendientes de oficiales del Ejército de Washington. Dicho en otras palabras, eran descendientes de colonizadores que se habían rebelado contra un rey bastante bueno, hacía menos de doscientos años. Por lo visto, se consideraba algo importante ser miembro de esta sociedad, aunque Zachary, que habría podido ingresar en ella, no se hubiera preocupado nunca de hacerlo. Como le había dicho su madre pocas semanas antes de la boda, aunque cincuenta familias alardeaban de pertenecer históricamente a la «Vieja Nueva York», sólo

había unos cuantos que pudiesen jactarse de tener auténticos antepasados del Viejo Mundo. Los Van Rensselaer, cuyo escudo procedía del
Príncipe de Orange se habían quedado sin tierras. En cambio, los Livingston prosperaban, y se remontaban a la noble casa escocesa de los Callender. Los Pell también habían sido aristócratas en Inglaterra, y los Duer
y los Rutherford tenían árboles genealógicos que no podían ser más satisfactorios. El culto a los antepasados tenía su mérito, pensó burlonamente Lily; pero, ¿no deberían tener los antepasados un poco más
de pátina en sus tumbas? Pocos años antes de la Revolución Americana,
Luis XIV de Francia había vendido títulos por seis mil seiscientas libras (ignoraba su equivalencia en moneda actual), dejando en blanco
el espacio en que el nuevo noble francés escribiría su nombre. En realidad muy pocos resistirían una inspección que se remontase más allá
de unos pocos siglos. Incluso los Adamsfield sólo habían sido señores
rurales hasta el siglo XIV. Enorgullecerse de un título era mala cosa, y
ella estaba por encima de eso.

Sin embargo... iba a vivir en Manhattan y su propia dignidad exigía
que se le prestase la debida consideración. En cuanto su hijo dejase de
obstaculizar su camino, conocería a las pocas personas realmente distinguidas y trabaría amistad con ellas. Le habían pedido muchas veces
que ingresase en comités caritativos, que era el nombre que daban a la
beneficencia, y que parecía una manía de Nueva York. Ella había elegido cuidadosamente algunos. Su madre siempre le había dicho que era
una imprudencia hacer amistades con demasiada rapidez en un país
nuevo. Después se necesitaban diez años para librarse de ellas.

Lily se estiró satisfecha. La casa, las soberbias antigüedades que
estaba comprando para llenarla, los innumerables vestidos nuevos, el
reinado sobre Manhattan a su alcance, los criados, los viajes que realizarían cuando en Nueva York hiciese demasiado calor o demasiado
frío, las joyas que empezaba a contemplar y comparar en las grandes
joyerías de Manhattan... Todo se confundía en un cómodo y animado
círculo de satisfacciones. Debía de estar completamente loca para haber
pasado la mayor parte de su vida encadenada a una disciplina que no
le permitía ningún placer, salvo el gozo fugaz de una representación
excepcional. Los danzarines de ballet, y en especial las primeras bailarinas, eran verdaderos *esclavos*, reflexionó, meneando la cabeza: esclavos de su propia escala de valores, esclavos de sus maestros, de sus
cuerpos, y, sobre todo, del público que, por haber comprado una entrada, exigía una perfección cuyo precio no podían imaginarse. Los
bailarines eran como animales adiestrados para pasar por los aros; pero
que, a diferencia de éstos, habían escogido la esclavitud. Ella tenía la
suerte de haber escapado a tiempo. Pues si se hubiese convertido en
primera bailarina, cosa que habría ocurrido indefectiblemente, le habría sido mucho más difícil abandonar aquella vida obsesionante.

Sonó el teléfono, interrumpiendo las reflexiones de Lily.

—¡Oh! Sí, querido, he dormido muy bien —dijo a Zachary—. No, nada de particular; sólo otro día de hablar con los tapiceros y los decoradores... No seas tonto, querido me estoy divirtiendo mucho.

Pensó que debía haberle llamado en el momento en que descubrió que estaba embarazada. Pero no se le había ocurrido hacerlo. Bueno, podía decírselo a la noche. Él comprendería que pronto tendrían que dejar de acostarse juntos. Pronto, muy pronto. Colgó el teléfono y lo levantó de nuevo. Telefonearía a Miss Verney, la dependienta de «Mainbocher», y concertaría una cita para mañana. No. Para esta tarde. ¿Por qué esperar?

—¿No criar a *mi hijo*? No, querido, es imposible que dijera tal cosa.

—Vamos, Lily, querida, ¿no te acuerdas? Oí claramente cómo le decías a *Minnie* que todo eso de los anticuerpos en la leche de la madre era una manía de los americanos y que el aire puro y una buena nodriza eran lo único importante.

—Tal vez lo dijera. Sí, creo que tienes razón. Pero, ¿qué importa si he cambiado de idea? ¿Dónde está la enfermera que se ha llevado a mi hijo? Tendría que haber vuelto hace cinco minutos. ¿Quieres ir a buscarla, Zachary? Me asusta que la gente del hospital le dé un biberón de uno de esos preparados a los que son tan aficionados... Odian a las madres lactantes. Aunque aquello les dé más trabajo.

Mientras Zachary recorría los pasillos del hospital en busca de una enfermera, de cualquier enfermera, Lily se agitó impaciente en la cama. Tobias había nacido hacía tres días, un parto fácil, y en cuanto ella lo vio, con su cabecita cubierta de rizos rubios, sus mejillas gordezuelas y su cuerpo perfecto, se dio cuenta de que nunca había amado realmente hasta entonces. Ni a sus padres, ni el ballet, ni a Zachary ni a ella misma. Lo último que había esperado era ser pillada por sorpresa por una ola de emoción maternal. Pero se había pasado el primer día llorando porque su hijo no estaba a su lado, sino en la *nursery* con los demás recién nacidos. Era suyo, parte de su cuerpo, ¿cómo podían llevárselo si le pertenecía a ella? Su médico le había explicado que era demasiado tarde para preparar un *rooming-in*, es decir, para tener el pequeño en su propia habitación, en una cunita. Por lo visto, las otras madres del hospital habían obtado por este sistema, y no quedaban cunas suficientes para la mitad de ellas. Si lo hubiese pedido unos meses antes, había dicho el médico como si unos meses antes hubiese podido ella *saber* que su hijo sería Tobias.

Había sido un varón. ¡Qué tontería, cuando la gente dice que no le importa el sexo del bebé con tal de que goce de buena salud! Todo el mundo sabe, en el fondo de su corazón, que el primogénito debe ser varón. Lo sabían los hombres de las cavernas y todos los seres humanos que les sucedieron hasta hoy.

—¡Aquí está! —exclamó Zachary abriendo la puerta para que entrase la enfermera—. Y parece que tiene hambre. Lo descubrí por el ruido que hacía.

—Tiene que llorar; es bueno para los pulmones —dijo Lily hablando como una experta, lo mismo que había hecho su madre, y extendiendo afanosamente los brazos.

—¿Tengo que dejarles al padre y a usted a solas con el pequeño? —preguntó la enfermera.

—No la necesitaré, enfermera, muchas gracias. Zachary, querido, ¿te importaría salir? Esto es nuevo para mí... Creo que preferiría un poco de intimidad. Vuelve dentro de... digamos una hora. A él le gusta tomarse las cosas con calma.

—¿Estás segura? —preguntó Zachary tratando de no parecer demasiado contrariado—. ¿No necesitarás nada?

La miró cariñosamente, arregló la media docena de almohadones, con fundas de seda adornadas con puntillas doradas, lo mismo que las sábanas y la colcha que había traído ella de casa. Lily no había tenido nunca un aspecto tan angelical como en aquel instante, con los cabellos sueltos sobre los hombros. Lucía en las orejas los enormes zafiros orlados de brillantes que él acababa de regalarle, comprados en «Van Cleef and Arpels». Zafiros porque el bebé era varón. El estuche que había contenido el collar y los brazaletes que completaban el juego estaba abierto sobre la mesita de noche y las joyas se hallaban amontonadas junto a la lámpara, como sueños capturados de una noche de verano.

—Si necesito algo, querido, tocaré el timbre, te lo prometo. Ahora marchaos, antes de que mi hijo despierte a toda la ciudad.

Mientras continuase la eterna discusión sobre las influencias del medio ambiente y de la herencia, nadie podría negar que Tobias Adamsfield Amberville estaba destinado a criarse como un monstruo. Era inconcebible que el hijo nacido de un padre que le adoraba y de una madre que lo consideraba una prolongación de sí misma, de su propio ser al que nada negaba, no estuviese excesivamente mimado.

—Debe ser su sangre Anderson —observó su abuela Sarah Amberville—. La ética protestante del trabajo, ¿sabes?

Lily, embarazada de seis meses de su segundo hijo, se echó a reír.

—De momento, no trabaja mucho, Sarah.

—Mira de qué forma tan seria y metódica cava en el jardín. Se diría que le pagan por cada paletada de tierra. No ha llorado una sola vez desde que he venido a visitaros; se deja meter en la cama sin protestar, a su debido tiempo, y según dice la niñera, no le desagrada. Come todas las verduras que le dan, cosa que ni siquiera Zachary hacía. Espero que tu próximo pequeño sea tan tranquilo como éste.

—El próximo pequeño será el compañero de juegos de Tobias. Ser hijo único es mala cosa; por eso he querido tener otro con tanta rapidez. Pero, si no hubiese sido así, también me habría sentido muy feliz viendo crecer a mi hijo.

Sarah Amberville no dijo nada. No se había acostumbrado a su nuera y nunca se acostumbraría. En realidad, le daba bastante miedo, porque sabía que, si se indisponía con Lily, no podría ver a su nieto, y muy poco a su propio hijo. *Minnie* había sido apartada durante meses, porque se había atrevido a comentar que, si se hacían en los Estados Unidos unas prendas tan buenas para niños, parecía un poco exagerado hacerlas traer de Londres, sobre todo habida cuenta de que Toby crecía con tanta rapidez.

—Mira, ya vuelve. Debe estar preparado para el almuerzo —dijo Sarah.

—Ya verás cuando venga mañana el jardinero —comentó Lily riendo entre dientes.

—¿Se sorprenderá?

—Tobias ha arrancado todos los tulipanes, no ha dejado ni uno. Tenían que florecer la próxima semana. El jardinero plantó cuatrocientos bulbos el pasado otoño.

—Vaya, vaya —murmuró Sarah Amberville.

Hasta entonces no se había dado cuenta de que Lily sabía, desde el primer momento, que Toby estaba cosechando los tulipanes a punto de florecer. Hacía dos horas que permanecía sentada, mordiéndose los labios y rezando para tener valor de guardar silencio. Bueno, tal vez era fácil encontrar buenos jardineros en Manhattan. En Andover no existía este problema. Ser abuela no era tan divertido como había pensado. Pero, ¿acaso había algo que lo fuese?

Maxime Emma Amberville era una criatura tan poco atractiva como Lily podía imaginar: parecía un pollo desplumado, sin un solo cabello, patizamba, y con un sarpullido que había persistido desde el primer día. Tenía cólico, chillaba cuando estaba hambrienta, y también chillaba cuando no tenía hambre. Era, con toda evidencia, la criatura más difícil de la *nursery*, según había dicho la jefa de las enfermeras, a Lily.

—Supongo que le dirías que se fuese al diablo —dijo Zachary cuando su mujer le informó de aquella observación.

—¡Zachary! ¿Cómo iba a decírselo? La pobre mujer estaba desesperada. Le he asegurado que mañana nos llevaremos a la niña a casa. Lo que me preocupa es la niñera. ¿Qué pasará si se marcha? ¡Está tan acostumbrada a Tobias!

—La niñera tiene poco trabajo y un buen sueldo.

—Llamé a la agencia de colocaciones y contraté una segunda niñera. Tenían una mujer de grandes prendas, una tal Miss Hemmings, especializada en casos difíciles. Vendrá con nosotros cuando salgamos del hospital y empezará en seguida su trabajo. Por fortuna la habitación de Maxime no está cerca de la de Tobias; así no lo despertará.

—¡Dios mío, Lily! La niña no padece más que un cólico corriente, no la lepra. Tiene un carácter endiablado, y su aspecto me gusta. ¡Caray, se me parece a mí!

—No seas tonto, querido. Sabes que eres muy atractivo.

—No has vistos mis retratos de cuando era pequeño —dijo él haciendo un guiño.

—Tengo la esperanza —murmuró Lily— de que mejore con el tiempo. Es difícil que se vuelva más fea.

El cólico y el sarpullido de Maxime desaparecieron al mismo tiempo. A los seis meses había engordado lo bastante para que sus flacas piernas apareciesen rollizas y rectas; sus cabellos, cuando empezaron a crecer, eran lisos y espesos y, para satisfacción de Zachary, la niña tenía un mechón blanco exactamente en el mismo sitio que él. En cuanto a su carácter, consiguió, en veintidós meses, quebrantar el de la enfermera especializada en casos difíciles.

—Señora —dijo Miss Hemmings, casi con lágrimas en los ojos—, he tenido niños enfermos, niños tan quietos que saltaba a la vista que algo andaba mal en ellos; he cuidado niños hiperactivos que se metían en todas partes, incluso en los albañales; he estado al cargo de niños que trepaban un árbol antes de cumplir un año; he atendido niños a quienes, en cuatro años, no pudieron enseñar a hacer sus necesidades en el retrete; he tratado con todas las clases de niños imaginables; pero Maxi... Tengo que tomarme un descanso, señora, o sufriré una crisis nerviosa.

—¡Oh, no! Por favor, no haga eso, Miss Hemmings. ¡No se vaya! —suplicó Lily.

—Tengo que hacerlo, señora. Quiero demasiado a Maxi. ¡Es, al mismo tiempo, tan adorable y tan mala, que no puedo castigarla! Y eso es malo para ella.

—Yo creía que era usted capaz de resolver esta clase de problemas —dijo fríamente Lily, viendo que la mujer estaba resuelta a marcharse—. Temo que Maxi ha sido muy mal criada. Quiere tener lo que le apetece y cuando le apetece... Usted debió haber hecho algo para remediarlo.

—Lo intenté, señora; pero...

—Pero fracasó. Ésa es la realidad.

—Si quiere usted mirarlo de esta manera, sí.

El tono de Miss Hemmings era el de la persona que se niega dejarse sonsacar, y Lily sintió una fuerte irritación.

—La hago a usted responsable de la indisciplina de Maxi, Miss Hemmings, y lamento no poder dar buenas referencias de usted.

—Como quiera, señora. Pero dudo que resuelva los problemas de Maxi con sólo cambiar de niñera.

—¡Ya lo veremos! Estoy segura de que otra persona hará perfectamente su trabajo —exclamó Lily furiosa.

—No me gusta culpar a los padres —dijo Miss Hemmings, herida en su orgullo profesional—; pero lo que puede hacer una niñera tiene sus límites. Y ahora, si me disculpa...

—Un momento. ¿Qué quiere usted decir exactamente con eso de culpar a los padres, Miss Hemmings?

—Maxi está mal criada porque su padre le da todo lo que quiere y usted dedica a Toby todo su tiempo disponible. Ella está tratando con todas sus fuerzas de atraer la atención de su madre y, ya que usted me ha preguntado, tengo que decirle que emplea a su padre como sustituto.

Antes de que Lily pudiese replicar, Miss Hemmings salió de la habitación y subió a recoger sus bártulos. En su larga y honrosa carrera, nunca había expresado con tanta claridad lo que pensaba y, por mucho que lamentase separarse de Maxi, se sentía bastante satisfecha de sí misma.

La niñera inglesa de Toby, Mrs. Browne, estaba hecha de una madera más dura que Miss Hemmings. Se encargó de Maxi, llamándola «nuestra niña de dos años» en un tono que lo explicaba todo. Lily, herida por las observaciones de Miss Hemmings, se creyó en la obligación de leer cuentos a la niña casi todas las tardes antes de cenar, así como de dejar que Maxi jugase media hora con sus joyas las mañanas de domingo, descalza en medio de aquella cama antigua de Lily que parecía un pastel de boda. Nadie podrá acusarme de ser una madre negligente, pensaba, mientras leía en voz alta, con un tedio lleno de resentimiento.

Tobias empezó a caerse de la cama poco después de cumplir los cuatro años. Desde hacía dos, se había despertado algunas veces por la noche y había ido al cuarto de baño, si era necesario, recorriendo con sigilo el conocido camino para no molestar a nadie.

—¿Podrías tener la luz encendida por la noche, madre? —preguntó un día a Lily.

—¡Oh, querido! No la has tenido desde que eras pequeñín. ¿Has sufrido alguna pesadilla? ¿Es por eso?

—No; es que cuando me despierto no veo nada. No sé en qué sitio estoy de la cama, si no palpo a mi alrededor, y si me encuentro cerca del borde, me caigo. Y no puedo encontrar la lámpara de la mesita de noche en la oscuridad. Me ha pasado varias veces y, cuando me caigo, me hago daño.

—Tal vez tu habitación es demasiado oscura.

—Pero... no lo era. Me bastaba la luz de la calle para ver... Sin embargo, ahora no veo nada en la oscuridad.

—Bueno, estoy segura de que no tiene importancia —dijo Lily, palpitándole con fuerza el corazón—; pero te llevaré a que te vea el doctor Stevenson. Probablemente tienes que comer más zanahorias, hijo mío.

El pediatra hizo un reconocimiento completo a Toby.

—Es un chico estupendo, Mrs. Amberville. En cuanto a eso de caerse de la cama, estoy seguro de que no es nada grave; pero para mayor tranquilidad, creo que debería hacer que le examinaran los ojos.

—Acaba usted de mirárselos —exclamó Lily.

—Quiero decir por un especialista. Sólo para estar tranquilos.

—¿Para estar *tranquilos*?

—Por favor, no se preocupe. Los niños tienen toda clase de síntomas pasajeros, sobre todo cuando crecen con tanta rapidez como ese jovencito; pero siempre es mejor observarlos, aunque resulte innecesario.

El famoso oftalmólogo doctor David Ribin, recomendado por el doctor Stevenson, examinó a fondo los ojos de Toby. Lily estaba sentada en la sala de espera, tratando de leer una revista para pasar el rato. De pronto levantó la cabeza y vio a Zachary de pie a su lado.

—¡No! —exclamó.

Al ver a su marido, comprendió en seguida que el médico le había telefoneado pidiéndole que viniese.

—Lily, Lily —dijo Zachary, abrazándola—. Sea lo que fuere, la medicina podrá curarlo. La oftalmología está muy adelantada. Hoy se puede hacer lo que se quiera con los ojos. No temas, Lily. Vamos, el doctor está esperando para hablarnos. Una enfermera distrae mientras tanto a Toby.

—Lamento infinito tener que decirles esto —dijo el doctor Ribin, cuando se hubieron sentado delante de él—. Pero su hijo padece retinitis pigmentosa. No conocemos la causa de esta dolencia. La ceguera nocturna suele ser el primer síntoma.

—Dolencia... ¿qué clase de dolencia? —preguntó Zachary, asiendo la mano de Lily.

—Ante todo, Mr. Amberville, tienen ustedes que saber que la retina es una fina membrana que recubre el interior del ojo. Contiene conos y bastoncitos, que son las estructuras sensibles a la luz. Los bastoncitos son los receptores que actúan cuando la luz es débil, y por esto la alteración de sus funciones, como en el caso de Toby, produce la ceguera nocturna en primer lugar.

—¿Y cuál es el tratamiento que se emplea en estos casos, doctor Ribin? —preguntó Lily, enloquecida por la larga explicación del médico.

—No tenemos tratamiento, Mrs. Amberville. Las células nerviosas de la retina no pueden sustituirse si están lesionadas.

—¿No hay tratamiento? ¿Quiere usted decir que no existe remedio?

—Lamento tener que decirlo pero así es.

—Entonces, ¿la cirugía? ¿Tendrán que operarle? —gritó Lily.

—No hay técnicas quirúrgicas para la retinitis pigmentosa —dijo gravemente el doctor Ribin.

—¡No es posible! ¡No puedo creerlo! ¡Todo el mundo es tratado! Y él sólo tiene cuatro años, es un niño, un niño pequeño —dijo Lily furiosa, rechazando lo que decía el médico con una energía superior incluso a su dolor.

—¿Qué va a pasarle a Toby? —preguntó Zachary, apretando la mano de ella con tanta fuerza que le hacía daño.

—Es una dolencia progresiva, Mr. Amberville. Los lados de la retina son generalmente afectados al principio, y aunque la visión central de Toby puede permanecer bastante estable durante muchos años, habrá un progresivo estrechamiento del campo visual a medida que se haga mayor. En definitiva, no sabemos con exactitud cuándo, sólo sabemos que quedará un punto de visión. Pero esto puede ocurrir dentro de muchos años. Espero que el plazo sea muy largo para él, pero no me es posible determinarlo.

—Discúlpeme doctor, pero, ¿no podría ser otra cosa? —se atrevió a preguntar Zachary, aunque la expresión del médico le daba de antemano la respuesta.

—Ojalá pudiese serlo. Para su propia seguridad, les aconsejo que recabasen otra opinión. Por desgracia, esta enfermedad, aunque rara, es inconfundible y fácil de diagnosticar. Hay grupos de pigmentos desparramados en la retina, y los vasos sanguíneos de ésta se han estrechado. Lamento estar tan seguro. Ojalá pudiese pensar que estoy equivocado, Mr. Amberville.

—Pero, ¿cómo puede haber contraído esta enfermedad? —gritó angustiada Lily—. Dígame, por favor, ¿cómo ocurrió?

—A diferencia de lo que sucede en la degeneración senil, cuando un niño tiene retinitis pigmentosa sólo puede atribuirse a un factor hereditario, Mrs. Amberville.

6

Cutter Amberville estuvo tentado de quedarse en California después de graduarse. En Stanford, había trabado muchas amistades influyentes y aceptado la superstición local de que Harvard venía después de Stanford por sus méritos. Sarah Amberville visitaba a su hijo menor varias veces al año; pero Cutter pasaba los días de fiesta y las vacaciones de verano en la costa occidental. Asistió a la Escuela de Estudios Empresariales de Stanford y, después de graduarse, trabajó varios años en «Booker, Smity y Jameston», empresa bancaria de inversiones de San Francisco, cuyo presidente era el padre de su compañero de habitación Jumbo Booker, un hombre delgado, bajito y en plena forma, apasionado jugador de tenis que había disfrutado mucho al ganar unos cuantos juegos al joven Amberville.

Sin embargo, en los primeros meses de 1958, cuando tenía veinticuatro años, Cutter decidió trasladarse a Manhattan. Había descubierto que, incluso en California, no había nadie que, al serle presentado, no le preguntase por su hermano. Cutter pensó que tal vez, si se trasladaba a China, podría eludir la inevitable pregunta. Parecía que no había modo de evitar aquella asociación. Y, puesto que existía, lo mejor que podía hacer era aprovecharla, pues el centro de toda la Banca de inversiones estaba en la ciudad de Nueva York, y ser un Amberville no podía perjudicar su carrera. Pretendía ganar muchísimo dinero. Zachary no tenía por qué ser el único Amberville rico.

A Cutter le habían inculcado en Stanford los modales y la cultura tradicionales y, además, una actitud aristocrática que se extendía al mundo de los negocios. Por esto le resultó difícil adaptarse al frenesí colectivo de Manhattan. ¿Quiénes eran todas aquellas gentes? ¿Por qué corrían en vez de caminar? ¿Por qué no podían sostener una conversación a un nivel civilizado de decibelios? ¿Es que no había de todo para todos? ¿A qué se debía que actuasen como si no lo hubiera?

Al cabo de una semana, decidió prescindir de la mayor parte de la ciudad, renunciando a tratar de comprender sus desagradables manifestaciones. Había descubierto que, a fin de cuentas, vivía gente de su clase en ciertas calles, y sus amigos de Andover, Stanford y San Francisco le habían facilitado la entrada en los hogares de las únicas personas de Manhattan con quienes podía sentirse a gusto.

Cutter Amberville era recibido con los brazos abiertos dondequiera que fuese. Era alto, un metro ochenta y siete, su cuerpo había sido moldeado por los deportes, formando esos músculos largos y elegantes que encantan a los sastres. El aspecto distinguido que le había hecho destacar de muchacho había madurado al hacerse mayor, y ahora era Cutter un hombre extraordinariamente apuesto. Tenía la piel tostada y los cabellos decolorados por el sol del verano de California. Su nariz era grande y bien formada, y sus ojos azules como el mar de Sicilia, y fríos como el agua de un fiordo. Poseía una boca ascética y de fino diseño, que a ninguna mujer podía pasar inadvertida. No era corpulento, pero sí vigoroso, y cuando entraba en un salón, producía la impresión de lo que Byron llamó *el torero de ágiles miembros*. A pesar de ser rubio, tenía la gravedad y la sombría resolución de un matador de toros, y se movía con un aplomo y una prestancia tan naturales que nadie habría creído que eran estudiados, fruto de la misma fuerza de voluntad con que había infundido calor y sinceridad a su sonrisa.

El innegable encanto de sus modales era ahora total, formaba parte de su ser, constituía su esencia; poseía el agradable, lisonjero y *necesario* atractivo del hombre envidioso que dedica su vida a atraer la atención y ganarse el afecto que cree que le han sido injustamente negados en su infancia.

Los once años que separaban a Cutter de Zachary habían llegado a parecerle más de una generación. Nada podía ocurrir que le hiciese renunciar al profundo y corrosivo rencor que sentía hacia su hermano por haber eclipsado su juventud. Todos sus éxitos personales logrados en su propio mundo, no podrían nunca compensar la pérdida definitiva de lo que sabía que le era debido. Su odio había llegado a serle tan familiar que, de vez en cuando, casi podía dejar a un lado su letanía de injusticias y permitir que se durmiese el gusano que llevaba en el corazón.

Sin embargo, si Zachary y sus enormes triunfos, los cuales se sucedían para tormento de Cutter, podían ser temporalmente olvidados, era en cambio imposible darlos por buenos, resignarse a ser el hermano menor de Zachary Amberville. Cutter no podía sentir, en lo más profundo de su ser, que los éxitos de Zachary no *restaban* algo esencial de su propia vida. Se consideraba postergado para siempre, injustamente postergado, y la culpa era sólo de Zachary. Cutter, con su singular atractivo, con una prestancia que lindaba en belleza, era un hombre que llevaba su amargura invisible con la misma permanencia que si hubiese sido tatuada en su frente. Alimentaba y mimaba su odio; si éste hubiese desaparecido, habría tenido que restructurar su mundo, explicarlo de alguna otra manera. Pero esto era imposible mientras las publicaciones Amberville apareciesen cada semana y cada mes en los puestos de periódicos, con sus brillantes cubiertas llamando la atención y aumentando siempre el número de páginas con los anuncios; mientras *T. V. Week* fuese comprada automáticamente por millones de americanos todas las semanas y se exhibiese junto al televisor en todas las salas de estar en que entraba Cutter.

Cuando Cutter llegó por primera vez a Nueva York, hacía un año que había sido diagnosticada la enfermedad de Tobias. Sin embargo, a excepción de su ceguera nocturna, parecía ver tan bien como siempre, o al menos ésta era la impresión que tenía Lily. Ni ella ni Zachary habían contado a nadie, ni siquiera a la abuela, su visita al doctor Ribin. Habían consultado a otro especialista, que confirmó el diagnóstico. Como no había nada que hacer, guardaron silencio. No podían soportar ningún comentario, ni siquiera entre ellos dos, sobre el futuro de Tobias.

Los dos médicos habían estado de acuerdo en que la enfermedad era «hereditaria». No había ningún caso de ceguera en la historia familiar de los Amberville, ni en la de los Anderson, los Dale o los Cutter. Pero había existido un marqués ciego, abuelo materno de Lily, y un tío ciego, también en la rama materna de la familia. No, no podían discutir el caso de Toby, pues las únicas palabras que acudían a su mente no las pronunciarían nunca. Sus genes, pensaba Zachary. Mi culpa, se atormentaba Lily. Ambos sabían que aquellas ideas eran injustas; pero no podían dejar de pensar en ellas.

El enorme silencio, y el gran vacío que creaba, iba penetrando hasta lo más hondo de su vida en común, y ambos tenían una conciencia tan clara de aquellas palabras no dichas como si fuesen palpables; eran como un glaciar que avanzase inexorable amenazando su siempre frágil intimidad.

Lily, a sus veinticuatro años, fue reconocida como la mujer más imponente que había surgido en varias generaciones de la sociedad de Nueva York. Mujeres treinta años mayores que ella, mujeres ricas, cultas y de altísima posición, se valían de todos los medios para conocerla, pues no era tan sólo hija del vizconde y la vizcondesa Adamsfield, sino también Mrs. Zachary Amberville, esposa del hombre que acababa de de donar un millón de dólares para la colección de pinturas americanas del Metropolitan Museum y otorgado dos millones a la Universidad de

Columbia para el fondo de becas; donativos que había hecho en nombre de Lily.

Ella recibía a sus amistades con generosidad pues gastaba montones de dinero, pero de un modo que los periódicos no se ocupaban de ello. Sin embargo, cuando salía de Nueva York para viajar a Inglaterra o a Francia, se notaba su ausencia, como si se empañase el brillo de Manhattan. A su regreso, todas las floristerías elegantes recibían docenas de encargos de cestas de flores de bienvenida. Tenía derecho a este homenaje, y el ritmo de la vida social de la ciudad cobraba una celeridad que hacía que su amplio círculo de amistades sintiese que todo volvía a estar en su sitio, que había empezado una temporada de gala.

Lily era mecenas generosa de toda compañía de ballet, y ella misma pasaba una hora en la barra todas las mañanas sin excepción. Llevaba la voz cantante en los grandes acontecimientos culturales que unían a los neoyorquinos de cierta clase; sin embargo, raras veces era miembro de un comité. Su simple aparición en una noche de estreno o en una función benéfica, delicadamente dominante como una luna naciente, vistiendo siempre trajes de «Mainbocher», recogidos los cabellos hacia atrás en un moño compacto, era suficiente para dar importancia a una velada.

Los vivos neoyorquinos, fáciles de palabra, rápidos en el cálculo de los pesos y medidas sociales, apreciaban la calidad de la timidez inicial de Lily y comprendían, con su aguda percepción natural, que representaba la clase de superioridad que estaban dispuestos, incluso deseosos, de reconocer. Su superioridad incrementaba la de ellos. El mero hecho de que hubiera decidido no usar el tratamiento de «honorable» a que tenía derecho por su título, les permitía decir con satisfacción a los no iniciados que era hija de un vizconde, y barón. Pero muy pronto, el hecho de *no* decirlo se convirtió en motivo de orgullo para los que la conocían (para los que creían conocerla) mejor.

Mucho antes de que Toby hubiese mostrado síntomas de su enfermedad, Lily había olvidado que existía un placer físico y apasionado que tenía que experimentar. Creía que estaba hecha por la Naturaleza de manera que no necesitaba esa clase de relación sexual para la que algunas mujeres parecían vivir. A fin de cuentas, todo tenía sus grados, y algunas damas vivían para los bombones y otras para los martinis. Lily no se rebelaba contra su falta de deseo, ya que la vida contenía muchas cosas deliciosas y asequibles, por las que sentía un voraz apetito, por muchas que fuesen las que adquiriera.

Zachary, por su parte, había llegado a pensar que la frigidez de Lily era incurable. No perdía nunca su amable paciencia; pero nada parecía capaz de despertar en ella la sexualidad. Nunca le había rechazado; sin embargo, la pasión que Zachary sentía por ella decreció al comprender que no podía ser correspondida. Su amor sólo se hizo más profundo en el sentido de que estaba matizado de compasión por su maravillosa niña que nunca se quejaba.

—Éste —dijo Maxi, señalando un nombre en el *Programa de Carreras*.

Los cuatro hombres, sentados con ella en un palco de Belmont Park, dirigieron a la niña una mirada interrogadora.

—¿Sabe leer esa pequeña, Zack? —preguntó divertido Barney Shore.

—¿Sabes leer, Maxi? —la interrogó su padre.

Todo era posible en aquella niña de tres años. Tal vez había aprendido sola.

—Éste —repitió ella.

—¿Por qué éste, Maxi? —quiso saber Nat Landauer.

—Me gusta éste, tío Nat —respondió Maxi.

—¿*Por qué* te gusta éste, jovencita? —preguntó Joe Shore a media voz.

Los cuatro hombres guardaron un silencio expectativo.

—Sólo me gusta, tío Joe —dijo imperturbable Maxi—. Éste.

—¿Cómo se llama, Maxi? ¿Puedes decir su nombre al tío Joe? —insistió él.

—No, pero me gusta.

—La jovencita no sabe leer —declaró Joe Shore, con autoridad.

—Pero tal vez sabe elegir un caballo... Tal vez es una..., ya sabéis, como esos jodidos sabios que pueden decir cuándo será jueves dentro de mil años —dijo Barney Shore, con entusiasmo.

—Por favor, un poco de respeto para la señorita —le ordenó su padre—. ¿Cómo puedes emplear esa expresión delante de una niña?

—Lo siento, papá. Maxi, ¿te gusta alguno de los otros?

—No, tío Barney; sólo éste.

—¿Como ganador, colocado o en tercer lugar? —insistió Barney.

—Ganador —respondió inmediatamente la niña, que no sabía que había juegos en que se podía elegir al que no era ganador.

—Vamos, Barney, no te tomarás esto en serio, ¿verdad? —protestó Zachary, sin mucho entusiasmo.

—Nada perdemos con escuchar a Maxi. Los cuatro juntos no damos nunca en el clavo. Tal vez necesitamos un nuevo punto de vista. Intuición femenina, Zack. Tú siempre has creído en ella.

—¿Y cuánto podría costarnos? —planteó Nat Landauer—. Dos dólares cada uno no serían una pérdida importante... Creo que el año pasado tiré diez mil.

—Dos dólares cada uno a ganador —propuso Zachary.

Al fin y al cabo, él era el responsable de Maxi.

—Iré a comprar los boletos —ofreció Barney.

—¿Puedo comer un perro caliente? ¡Por favor, papaíto! —pidió Maxi.

Zachary la contempló, tranquilamente sentada en su asiento, como una muñequita japonesa con su flequillo negro sobre la frente y sus espesos cabellos recortados en círculo en la nuca. Llevaba un vestido amarillo con cuello blanco, adornado con punto de nido de abeja en el canesú y en los puños de las mangas cortas, calcetines blancos y zapatos de charol. Su vivaracha y divertida cara le asombraba siempre, por mucho que la mirase.

—¡Papaíto! ¡Un perro caliente, por favor!

El ama lo mataría si se enteraba.

—No, querida. Lo siento, pero los perros calientes no son buenos para las niñas pequeñas.

—Huelen muy bien —dijo ella, con una sonrisa tentadora.

—No saben tan bien como huelen.

—Otras niñas los comen.

La sonrisa de Maxi se hizo más suplicante y hasta patética; la sonrisa de alguien que comprende por qué no puede beber un vaso de agua cuando se está muriendo de sed; la sonrisa de quien perdona a la persona que se lo niega.

—Maxi, es una imprudencia comer perros calientes en el hipódromo —alegó Zachary.

Maxi le asió una mano y se acurrucó contra él.

—Está bien, papaíto. Quisiera... Quisiera...

—¿Qué, querida?

—Quisiera haber comido más cuando almorzamos —dijo ella con paciente tristeza.

—¿Tienes hambre?

—Sí, pero no importa, papaíto. No me importa —declaró mirando a Zachary, con una lagrimita brillando en cada ojo—. De veras, no me importa nada.

—Esto es insoportable —declaró Nat Landauer—. No puedo aguantarlo, inhumano y cruel hijo de perra. El tío Nat te comprará un perro caliente, Maxi.

—No, gracias, tío Nat. Papaíto dice que no puedo comerlo.

Se hizo un silencio. Joe Shore pareció compungido y lanzó un profundo suspiro. Zachary Amberville miró furiosamente a su cuñado. Nat Landauer respondió a su mirada. Maxi los miró a todos, conteniendo el aliento. Rodó una lágrima por cada una de sus mejillas.

—¡Está bien, está bien! ¡Pero sin mostaza! —gritó Zachary.

—La mostaza es lo mejor, imbécil —dijo Nat, rechinando los dientes.

—¿Te gusta la mostaza, jovencita? —preguntó Joe Shore, sonriendo de nuevo.

—Me gusta la salsa de tomate en los perros calientes.

—La salsa de tomate es perfecta —se apresuró a decir Zachary.

Los niños adoraban la salsa de tomate; incluso al ama le gustaba.

Levantó a Maxi en brazos para que pudiese ver la carrera. Ella comió con cierto remilgo el perro caliente, mientras su caballo llegaba a la meta en primer lugar.

Barney Shore fue a cobrar los boletos. Volvió muy satisfecho y sacó del bolsillo una asombrosa cantidad de dinero.

—Aposté cien a ganador por cada uno y otros cien por Maxi. Sois unos tacaños. Alguien podría decirme: «Gracias, Barney.»

—Gracias, tío Barney —dijo Maxi.

Realmente, le gustaba aquel juego. Resolvió dar un beso a tío Barney, para recompensarlo por haber sido tan amable.

—Naturalmente, a vosotros no hace falta que os presente —dijo Pepper Delafield, apartándose de Lily y de Cutter para saludar a un nuevo grupo de invitados.

—Parecería raro que nos diésemos la mano —dijo Cutter, tomando la de Lily y reteniéndola—. Debería besarte en la mejilla, pero esto sería aún más raro entre dos desconocidos.

—Lo más raro es que nunca nos habíamos encontrado hasta ahora. Siempre que Zachary y yo visitábamos San Francisco, tú estabas ausente de la ciudad. Y nunca viniste a Nueva York...

La voz de Lily se extinguió y ella retiró la mano. No tenía la menor idea de que, siempre que Cutter había visto fotografías de ella en *Vogue* o en *Town & Country*, había vuelto rápida y furiosamente la página, desdeñándola como una inglesita típicamente insulsa con la que su hermano se había casado probablemente por su título, como quien compra un dulce porque tiene encima una cereza. Desde luego, había visto a Zachary, porque su hermano había pagado todas sus facturas hasta que había empezado a ganarse la vida; pero no había querido representar el papel de cuñado joven frente a la honorable Lily.

—Ahora estoy aquí... por fortuna —dijo.

A su alrededor, la fiesta había adquirido aquel murmullo que tranquiliza a todas las anfitrionas por muy expertas que sean, el murmullo de las conversaciones fáciles, animadas, salpicadas de risas, ininterrumpidas, constantes como el borboteo de la olla a la temperatura adecuada, un murmullo que llenó la embarazosa pausa que se había producido entre Lily y Cutter. Ella le había dejado estupefacto; era una mujer de la que no podría librarse, como no podía librarse de la ley de la gravedad. Hasta aquel momento, sólo había conocido a muchachas americanas, debutantes o poco más que debutantes, en la sociedad de la costa del Este o del Oeste; muchachas que, según comprendió inmediatamente, habían tratado, consciente o inconscientemente, de parecerse a la mujer ideal. Pero la mujer ideal era Lily. La halló formidable. Tenía una cualidad muy singular: todos los detalles de su cara aparecían acentuados, como si él la viese en una fotografía ampliada, y sin embargo, el conjunto era simple, como sólo puede serlo la pura belleza.

Necesaria. Aquella mujer incandescente le era necesaria; precisamente aquélla, que era la esposa de su hermano. Pensó que era imposible que amase a Zachary. Lo supo en seguida, con toda seguridad, porque, si hubiese amado a su hermano, no le estaría mirando, *no podría* mirarle como lo estaba haciendo ahora, con tremenda curiosidad, con miedo, un miedo que le hacía sentir el fuerte redoble de los tambores triunfales, un miedo que veía temblar claramente en sus labios, extinguiendo su sonrisa social, forzándola a bajar los ojos, a ponerse rígida para disimular su temblor. Sólo podía haber una razón para aquel miedo, una razón que Cutter comprendió perfectamente, porque él también la sentía. Era el miedo de una persona cuya vida ha cambiado para siempre en el lapso de un minuto.

—¡Cutter! ¡Al fin te encuentro! Te he estado buscando por toda la casa. Pepper me dijo que estabas aquí. ¡Caray, Cutter, me alegro de verte!

Zachary le abrazó, en un rápido y embarazoso apretón, cediendo a un impulso irresistible. Hacía tiempo que estaba dolido por la actitud fría y distante que su hermano mostraba hacia él. Pero no podía hacer que cambiase, por mucho que se esforzase en conseguirlo. En su relación, siempre había existido una tensión que no había podido comprender. Por último, en vista de la inutilidad de sus esfuerzos, resolvió atribuirlo a los diez años que les separaban, al tópico de la diferencia de edad. Pero ahora le encantaba ver al chico. No, se corrigió en seguida, al hombre, pues Cutter era ya indiscutiblemente un hombre de veinticuatro años y, salvo por la edad, la figura más sobresaliente del salón.

—También yo me alegro de verte, Zack —dijo Cutter, con su sonrisa automática.

¿Cómo se había atrevido, cómo había tenido la monstruosa desfachatez de casarse con esta muchacha? No tenía derecho a ella. ¿Acaso no se daba cuenta? Podía cubrirla de brillantes y zafiros y llamarla lo que quisiera, pero ella no le había pertenecido nunca. Miró fijamente a Zachary, observando unos kilos de más en su cintura, que se hacían más visibles porque no había tenido tiempo de comprar un esmoquin nuevo en varios años, y contemplando las hebras grises que empezaban a entremezclarse con sus negros cabellos. Además, la cara de Zachary tenía unas arrugas que eran nuevas para Cutter, unas arrugas que habían aparecido durante el último año, durante las largas noches que había pasado en vela junto a la habitación de Toby, donde ahora había siempre una lámpara encendida.

—¡Estás magnífico, Cutter! ¿No crees que está magnífico, querida? Escucha, ¿has encontrado ya un apartamento? Porque, si no lo tienes, puedes estar con nosotros hasta que lo encuentres.

—Hoy he alquilado uno, Zack, en la Calle 67 Este, a pocas manzanas de vuestra casa. Un apartamento amueblado, en subarriendo- temporal hasta que encuentre un lugar donde instalarme, pero perfectamente adecuado.

—Estupendo. Eso significa que vendrás a vernos... ¿Te parece bien mañana, Lily? ¿Cenaremos en casa mañana por la noche?

—Sí.

—¿Qué dices, Cutter?

—Acepto encantado.

—Ven temprano, para que puedas ver a los niños. Cenaremos a las ocho, pero si vienes a las seis y media podrás verlos a los dos antes de que el ama se los lleve.

—Muy bien. Lo tendré en cuenta.

—Supongo que no vais a estar todo el rato plantados ahí, hablando en familia —dijo Pepper Delafield, acercándose a los tres y distribuyéndolos estratégicamente entre los demás invitados, como sólo él sabía hacerlo.

Lily no durmió en toda la noche y, por último, a las cinco, se levantó y vagó por la mansión, tocando los muebles barnizados, levantando pesadas cajas de plata y dejándolas de nuevo, mullendo los cojines de terciopelo. Cuando vio que destruía metódicamente un ramo de flores, arrancando un pétalo tras otro del corazón de las rosas y estrujándolos con los dedos hasta que se volvían fláccidos y húmedos y los tiraba irritada sobre una mesa, decidió ir al salón de baile, que había sido convertido en estudio de danza. Se puso a trabajar en la barra. Era un remedio infalible contra cualquier idea inquietante, un ritmo que se adentraba en el cuerpo y en la mente y que no le había fallado nunca. Sin embargo, al romper el día, rompióse también su disciplina de bailarina y, por primera vez en su vida, no terminó sus ejercicios en la barra. Ni le importó en absoluto. Estaba esperando; escuchaba en silencio, como aguardando que algo ocurriese, algo que no podía definir, y comprendió que no estaba en condiciones de atender a sus compromisos del día. Los cancelaría y se quedaría en casa.

Pasó la mañana en la sala de estar, hojeando distraídamente un montón de revistas. Desde hacía dos años, Zachary y ella tenían habitaciones separadas, y la servidumbre estaba acostumbrada a que, de vez en cuando, Lily rompiese la fatigosa rutina y, como ahora, pidiese que le llevasen el almuerzo en una bandeja. Pero permaneció sentada, contemplando el servicio intacto y contando las horas que faltaban hasta las seis y media. A cada momento, se levantaba para mirarse al espejo y sólo veía unos ojos que parecían extrañamente aterrorizados y unas mejillas encendidas. Trató de hacer unas llamadas telefónicas, pero se detuvo en el acto de marcar, porque no sabía de qué hablar a sus amigas.

Nada parecía importante, nada significaba nada. Era como si ella no tuviese pasado ni un futuro. Se llevó una mano al cuello y sintió que el pulso latía furiosamente. Empezó a pasear arriba y abajo, repitiendo las pocas palabras que se habían cruzado entre Cutter y ella,

palabras fútiles, salvo cuando él había dicho que estaba en Nueva York...
por fortuna. Desde luego, Lily había visto fotografías de él, fotos familiares que le había mostrado su suegra, pero nada en aquellas imágenes
de un muchacho rubio y de facciones severas y regulares le había hecho
esperar el hombre magnífico que tanto la había impresionado, hacién-
dole sentir un deseo mudo y primitivo. La había dejado temblorosa
y loca de inquietud, hechizada por un sentimiento de horizontes desconocidos que se ofrecían ante ella en un cielo salvaje e inevitable. Una
y otra vez miró su reloj. Todavía faltaban cinco horas y media.

Llamaron a la puerta y entró el criado.

—Mr. Amberville, señora —anunció y cruzó la habitación para llevarse la bandeja del almuerzo.

Cutter permaneció inmóvil después de cruzar el umbral. Ella sólo
se atrevió a mirarle una vez a la cara, sintiéndose impotente para resistir
su mirada. No podía levantarse del sofá en que estaba sentada. Ninguno
de los dos se movió hasta que el criado se hubo marchado y cerrado la
puerta. Entonces Cutter se acercó al sofá y la levantó fácilmente. Ella
se quedó en pie frente a él, temblorosa, muda pero no sorprendida,
aunque esto pudiera parecer asombroso. Él tomó entre sus manos las
ardientes mejillas y, con ostensible deliberación, la besó en la boca
una y otra vez hasta que ambos cayeron de rodillas porque les faltaron
las fuerzas. No intercambiaron palabra alguna, pero pronto estuvieron
ambos desnudos, yaciendo en silencio, sobre la alfombra, jadeantes y
apresurados. Él sólo tenía un objetivo. Ella estaba seria, pero su objetivo era el mismo. Carne contra carne, suspirando y jadeando, se entre-
garon mutuamente. No se habían saludado, no se habían prometido
nada. Habían unido sus soledades separadas, sus *egos* no realizados,
sus almas solitarias y anhelantes. Después, casi inmediatamente, él la
poseyó de nuevo y entonces, cuando el mundo se había transformado
para ella, Lily descubrió el secreto de la pasión humana que nunca
había conocido, descubrió su propio ritmo, el que había oculto en su
cuerpo esperando que llegase este instante. ¡Oh! ¿Qué habría pasado
si él no hubiese existido? ¿Cómo había podido vivir tanto tiempo sin él?

—No sé qué hacer —dijo ella al fin, con abandono, casi incapaz de
formular las palabras.

—Ahora tengo que dejarte, amada mía. Se está haciendo tarde y alguien vendrá a incomodarte. ¿Querrás disculparme esta noche? No
podría soportar verte con él... Lo comprendes, ¿verdad? Volveré mañana a la misma hora, si me lo permites. ¿Me amas, Lily? ¿Me amas?

—¡Oh, sí!

Cutter le hincó los dedos en los brazos con fuerza. Ella estaba dispuesta a entregarse de nuevo. No se había apartado, como suelen hacer
las mujeres cuando están satisfechas.

—Mañana —repitió él.

Y se marchó.

Cuando Cutter se fue, las horas de aquella tarde quedaron en blanco para Lily. Tuvo la vaga sensación de que se había bañado, había leído a sus hijos y estuvo observándolos mientras cenaban; que ella había cenado también y que excusó la ausencia de Cutter. Pero siempre, durante el resto de su vida, recordaría algunos segundos de aquel primer día: el olor de sus manos después de marcharse él; la ropa desgarrada que había escondido en el fondo del armario; las ventanas de la sala de estar que había abierto para que se desvaneciese el tufillo que había quedado en el aire; la crema que había esparcido lentamente sobre sus mejillas, en los lugares que habían sido ligeramente arañadas por la barba; la sensación de la alfombra debajo de sus piernas; la hora que había pasado encerrada en el cuarto de baño, incapaz de contener el llanto, unas lágrimas de furiosa alegría; los murmullos, como de un recién nacido, que escapaban de sus labios.

Después de la cena, sabiendo que no podría comportarse normalmente con los niños y con los criados, dijo a Zachary que tenía necesidad de dar un paseo. Él asintió con la cabeza, sumido en sus pensamientos, y ella le dejó trabajando en la biblioteca con los papeles que había traído de la oficina. Dio hasta tres vueltas a la manzana, preguntándose si podría pasar aquella noche sin llamar a la puerta de Cutter. Por último, se dio cuenta de que toda resistencia era inútil y anduvo casi corriendo las tres manzanas que la separaban de su apartamento. Pulsó el timbre. ¿Qué haría, si él no estaba? Contuvo el aliento hasta que se abrió la puerta con un chasquido y subió tambaleándose los dos tramos de escalera que llevaban hasta su apartamento. No sabía qué iba a decirle. Él estaba plantado en el umbral, envuelto solamente en un albornoz.

—Quería que vinieses —dijo—. No he pensado en nada más desde que te dejé.

Ella entró en la habitación, sin darse cuenta de que estaba amueblada de la manera más anodina, con sillas de raído cuero de color de mostaza. Él la detuvo cuando apenas había dado tres pasos.

—¿Has hecho esto otras veces? ¿Lo has hecho con otros? —preguntó con severidad.

—Claro que no —respondió ella, sorprendida, con el semblante enrojecido por el viento y por el rubor de su propio atrevimiento.

—Es lo que pensaba. Sabía que dirías esto —declaró él, desabrochándole el abrigo y conduciéndola al pequeño dormitorio donde la estaba esperando la cama abierta.

Le levantó la falda hasta la cintura y le bajó las bragas. Llevaba un liguero y medias, que enmarcaron el rubio triángulo del pubis. Él se inclinó y aplicó la lengua lentamente entre los delicadamente cerrados labios. Ella chilló.

—Cállate, querida —murmuró él, repitiendo su acción, esta vez más profundamente, hasta que se abrieron los labios y la lengua pasó una y otra vez sobre el clítoris. Separadas las rodillas todo lo que permitían las bragas, arqueada la espalda, abierta la boca, Lily contenía la respiración, concentrada por entero en lo que él hacía, sabiendo, en un delirio de pasión, que nada en el mundo sería capaz de detenerle. Levantó las caderas sobre el borde de la cama para ofrecérsele más fácilmente y frotarle la cara con el vello; pero Cutter no quiso permitirlo. Era él quien tenía el mando, y la sostuvo inmóvil entre sus codos, retirando la lengua hasta que ella empezó a gemir y suplicar a voces. Entonces repitió su acción, todavía más profundamente, hasta el fondo, frotando cada vez el clítoris hasta que ella cayó al fin.

—¿Me *perteneces*? —preguntó él.

—Te pertenezco.

—¿Y será para siempre? Nada puede cambiar esto, ¿verdad?

—Nunca. Nada. Nadie.

—Tócame —ordenó él.

Ella aplicó la mano sobre su miembro. Estaba tan duro como aquella tarde, cuando la había desnudado por primera vez.

—La noche pasada, cuando te conocí —murmuró roncamente él—, sufrí en seguida una erección. Y continuó durante todo el tiempo, mientras hablábamos cortésmente en la fiesta. Después eyaculé en sueños y, cuando me desperté, pensando en ti, tuve que masturbarme, pues incluso sentía dolor. Ahora quiero tu boca.

—Sí —dijo ella—. Sí. ¡Oh, sí!

Corrieron riesgos que sólo pueden correr los locos. Una vez permanecieron en pie, completamente vestidos, en la cabina telefónica de L'Aiglon, sosteniendo él la puerta cerrada con la mano mientras Zachary y la acompañante de Cutter tomaban otro aperitivo y ella se restregó contra su miembro hasta que quedó satisfecha, sofocando sus propios gritos. Cuando él empezó a trabajar en Wall Street, Lily iba a su oficina y, en cuanto la secretaria salía para almorzar, él se arrodillaba en la alfombra y ella se sentaba en el sofá, echada la cabeza atrás y cerrados los ojos, y lentamente provocaba con los dedos el orgasmo, sin dejar de observar un segundo el rostro de su amada.

Cuando no estaban en su apartamento, él no solía permitir que le tocase por mucho que ella se lo pidiese. Experimentaba un gozo violento al reprimir su propio placer, al crear situaciones en que sólo ella experimentaría el orgasmo. Lily dejó de llevar bragas. Nunca sabía cuándo querría él realizar el coito, y él nunca se lo decía.

Durante una concurrida fiesta, él la asía con naturalidad de un codo y la conducía con deliberada lentitud a un cuarto de baño, cerraba la puerta y le decía que se tendiese en la alfombra. Completamente vestida, le levantaba la ancha falda hasta la cintura y le aplicaba desaforadamente la boca hasta que ella quedaba satisfecha, y entonces se marchaba inmediatamente. A la noche siguiente, en otra fiesta, la apartaba de los demás invitados y, una vez en el cuarto de baño, se desabrochaba el pantalón y la poseía absorto, eyaculando rápidamente y apartándose sin esperar a que ella experimentase el orgasmo. Salía el primero del cuarto de baño y la observaba durante el resto de la noche mientras ella deambulaba por el salón, húmeda todavía debajo del vestido, excitada por su propio deseo, pero conservando la serenidad para evitar sus miradas.

Durante los entreactos de las comedias musicales de Broadway, mientras Zachary hacía cola para comprar refrescos, se plantaban en un rincón, sin mirarse.

—Quiero acariciarte —murmuraba él, lamiéndose el dedo pulgar y apretándole con él la palma de la mano—. Acariciarte despacio durante una hora, despacio, muy despacio, sin que te ocurra nada...

Introducía la mano debajo de la solapa de la chaqueta de noche de Lily, tomaba su seno debajo del escotado corpiño y lo sostenía, frotando el pezón con el húmedo pulgar. Y ella, de pie, experimentaba rápidos y breves espasmos que hacían que sus ojos brillasen más que antes, satisfecha sólo a medias como él sabía que ocurriría, de manera que tendría que pasar todo el segundo acto deseando más, pero incapaz de tocarle.

Lily dejó de usar lápiz de labios, diciendo que le producía alergia; llevaba un pequeño cepillo en su bolso, un frasquito de perfume y hojas de «Kleenex» cuidadosamente plegadas. Llevaba también un cepillito de dientes y un diminuto tubo de pasta dentífrica, y los usaban cuando podían; pero si no estaban cerca de un cuarto de baño, bebían un poco de coñac en cuanto se unían a algún grupo. Ambos estaban locos de lujuria, pero no tanto como para no darse cuenta de que tenían que oler a sexo.

Lily se aficionó a las satisfacciones aplazadas; le encantaba ignorar lo que él iba a hacerle. Se abstenía de toda gratificación por mucho que él la hubiese frustrado, y por esto palpitaba de deseo a todas horas, particularmente cuando se vestía para ir a una de las muchas fiestas a que todos eran invitados, ya que Cutter se había incorporado rápidamente al grupo de personas a quienes veían los Amberville casi todas las noches de aquella temporada de primavera en Nueva York. Siempre que cruzaba las piernas experimentaba un breve y rápido espasmo.

Lily abandonó casi todo su trabajo de comités con vagas excusas, y no aceptó invitaciones para almorzar, a fin de estar siempre libre para poder reunirse con Cutter en el apartamento de éste, si él la telefoneaba. Cutter podía tomar el Metro para ir y volver a Wall Street y tener todavía tiempo para pasar media hora larga con ella en mitad de la jornada, y éstas eran las únicas veces en que yacían juntos en la cama completamente desnudos. Pero él racionaba este placer diciendo que tenía que asistir a almuerzos de trabajo, porque prefería las ocasiones que aprovechaban en lugares públicos. Le agradaba más el dominio que ejercía sobre ella con sólo tocarle un codo, arrancándola de un grupo de personas, sobre todo cuando Zachary formaba parte de aquel grupo. A veces, Cutter permanecía junto a Lily, regiamente vestida de seda, con sus espléndidas joyas, con su mata de pelo suelta sobre la espalda, pues ya no quería peinarse de otra manera, y hablaba de negocios con Zachary durante tres cuartos de hora, sabiendo que ella esperaba su señal. Después, se apartaba casi sin excusarse y empezaba a hablar con cualquier otra persona. Éstos eran los mejores momentos, aquellas noches en que rehusaba el placer para los dos, en que se limitaba a rozarle la mejilla con los labios al terminar la fiesta, sabiendo que, en cualquier instante, durante las últimas horas, habría podido tener a la esposa de su hermano arrodillada a sus pies y presta a recibirle.

7

Desde que nació Maxi, los Amberville tenían una casa de verano sobre las dunas de Southampton, una gran mansión de tejado de madera, con vistas al Atlántico. A Lily le encantaban aquellos veranos de ociosidad. Había algo casi inglés en aquel ocio total: tomar el té, cortar rosas, jugar al croquet, visitar a diario el «Maidstone Club» para jugar al tenis en un ambiente de distanciamiento protegido, discreto y educado, de las multitudes de Nueva York. Tenía más tiempo para sus hijos durante los veranos, en especial los días laborables por la noche, cuando Zachary raras veces podía hacer el trayecto en coche para ir a cenar. Muchas veces, prefería no ver a nadie y comer sola. Después de cenar, solía dar un paseo por la playa, percibiendo bajo sus pies descalzos la arena todavía tibia, sin pensar en nada y sintiéndose casi feliz.

Ahora se enfrentaba con el verano de 1958, unos meses de julio y agosto que la tendrían separada de Cutter salvo los fines de semana, y trataba frenéticamente de encontrar un motivo para quedarse en la ciudad. Pero no hallaba ninguno. No podía enviar a Toby, a Maxi y a los criados a la playa, mientras ella permanecía en la casa de la ciudad, con el personal indispensable, pretextando no querer dejar solo a Zachary... Todo el mundo lo encontraría extraño e innecesario, sobre todo Zachary.

Estaban todavía a mediados de junio, pero ella sólo podía pensar en el angustioso verano que la esperaba. Realizaba los actos de su vida cotidiana sin permitir que se manifestase su preocupación, de la misma manera que antaño había bailado con los pies sangrantes y una brillante sonrisa fija en el rostro, hasta que, en medio de una noche primaveral, despertó alarmada a causa de una pesadilla, que se borró de su memoria un segundo después de abrir los ojos. Su corazón latía con tanta furia que se apretó el pecho con las manos para sofocar su miedo, incapaz de ordenar sus pensamientos. Cuando empezó a calmarse, trató de recordar su sueño. ¿Qué podía ser lo que la había espantado tanto? Yació inmóvil, escrutando su mente, con las manos todavía apoyadas en sus senos, respirando hondo, y de pronto un mensaje pasó de carne a carne y su corazón emprendió de nuevo un ritmo violento. Sólo otras dos veces en su vida había notado así sus senos: sensibles, más cálidos que de costumbre con un atisbo de futura plenitud.

No existía la menor duda acerca de quién era el padre de la criatura. Durante los últimos meses, sólo había permitido a Zachary que le hiciese el amor un número mínimo de veces, las necesarias para evitar toda posibilidad de enfrentamiento, y siempre había tomado las precauciones necesarias para no quedar embarazada. Con Cutter, había olvidado cualquier precaución, como había olvidado temerariamente todo lo demás.

Un inmenso gozo, que rechazaba todos los problemas de la realidad, se apoderó de ella. El miedo que la había despertado se desvaneció por completo cuando, feliz como nunca había esperado que podía ser, se dijo una y otra vez: «El hijo de Cutter, *nuestro hijo*.» Estaba demasiado excitada para quedarse en la cama, aunque todavía no había amanecido. Se dirigió a la ventana y contempló la ciudad que, durante unos pocos minutos, estaba casi en silencio y a oscuras, como ocurría cada veinticuatro horas. No era la ciudadela extraña y solitaria de duras y brillantes torres, sino una ciudad teñida con el color de su amor único y eterno. Aquí había conocido a Cutter, aquí había concebido al hijo de éste, aquí se había convertido en una mujer.

Cutter se sentó en el borde de la cama y, cuidadosamente, con ademán protector, rodeó con un brazo los hombros desnudos de ella. Lily era como una bomba sin desactivar que podía estallar en cualquier instante y destrozar su vida. Desde el momento en que ella le había dicho que estaba encinta, le acometió un pánico tal que apenas era capaz de reaccionar. Mudo por necesidad, dejó que ella diese rienda suelta a su loca alegría, mientras daba vueltas a su mente, considerando la importancia de la noticia que ella acababa de darle.

Desde las primeras palabras, se había encerrado en sí mismo, comprendiendo de pronto, con absoluta certeza, que ella y él pensaban y sentían en dos planos que nunca podrían encontrarse. Cutter amaba a Lily todo lo que él era capaz de amar a una mujer. Ella tenía todas las cualidades que él admiraba, y su sentido innato de aristocracia superior colmaba lo que era en él una necesidad. Parecía haber sido hecho para su placer privado. Significaba para él una maravillosa aventura sensual, y su deseo de ella no se debía únicamente al hecho de que fuese un medio secreto y delicioso de vengarse de Zachary. Pero ante el público, ella era tabú. Lily era su cuñada, una mujer casada y madre de dos hijos. El hecho de que estuviese embarazada por su causa, hacía que los pasados meses de fascinante lujuria se borraran de su

mente. Las únicas emociones que sentía eran un miedo atroz y la resolución de salir a toda costa de aquella situación.

—¿Qué piensas hacer, querida? —preguntó pausadamente.

—¿Qué *pienso* hacer...? Nada. Pensé que tú... que los dos...

—¿Podríamos casarnos de algún modo y vivir siempre felices?

Sus palabras eran amables, pero tenía apretados los puños.

—Sí, supongo que era esto lo que esperaba, más o menos. ¡Oh, Cutter! No puedo pensar... Soy demasiado feliz para hacerlo. Te amo tanto
que no soy capaz de pensar.

—Escucha, querida, al menos uno de los dos tiene que ser sensato.
Deseo tener un hijo tuyo, Lily, muchos hijos tuyos... Pero, ¿y Toby y
Maxi? ¿Has pensado en ellos?

—¿Toby y Maxi? Estarán conmigo, naturalmente. Estaremos todos
juntos... Ellos no sufrirán. Zachary sería incapaz de abandonarles.
Todo se arreglará, como suelen arreglarse las cosas en este país.

Cutter la miró y sintió crecer sus temores. Aquella mujer infantil,
locamente romántica, podía arruinarle a menos que pudiese controlar-
la. Sin embargo, dominó su voz.

—El Zachary que conoces es un marido chalado e indulgente, que
tiene diez años más que tú y te da todo lo que quieres. Sin embargo, es
imposible predecir cómo actuará cuando descubra lo que ha pasado
entre nosotros. Si yo estuviese en su lugar, creo que te mataría. Puedes
estar segura de que tratará de quitarte los niños. ¿Te imaginas que
habría llegado donde está si hubiese permitido que la gente le quitase
lo que es suyo? ¿Crees que se deja tomar el pelo por alguien? En realidad, no conoces a tu marido, querida... Pero yo sí. Conozco a ese
ambicioso bastardo desde el día en que nací. Es posible que acabase
accediendo al divorcio, al ver que no tiene manera de retenerte; pero
esto llevaría mucho tiempo y costaría muchos disgustos.

Lily sacudió violentamente la cabeza. Nada de lo que decía Cutter
tenía sentido. Nadie podía impedir que ella tuviese lo que quería. Cutter
no comprendía a Zachary tan bien como ella. No sabía que Zachary no
había sido nunca capaz de conquistar su amor. *Todo era culpa* de Zachary... Aquellos años sin amor... aquellas noches estériles, áridas, sin
pasión. Ella había sido paciente, inocente. Había dado a Zachary cuanto
podía darle, pensó con amargura; pero ya todo había terminado.

—Escúchame, Lily. Sólo hay dos maneras de que todo marche bien
para nosotros. O esperar a que nazca el niño para pedir el divorcio, o
que abortes en seguida... No, calla, Lily,* calla y escucha. Puedes ir a
una buena clínica, perfectamente legal, en Puerto Rico, en Suecia, o a
una docena de médicos en Park Avenue, los mismos a los que acuden
tus amigas. Sabe Dios, querida, lo mucho que siento que tengas que
someterte a un aborto, pero no hay alternativa.

—No quiero abortar —declaró Lily, con expresión de desdén y desafío

—Comprendo lo que sientes; pero...

—No, no lo comprendes. Si lo comprendieses, no sugerirías esto. Nadie podrá obligarme a hacerlo. Estoy decidida a tener a nuestro hijo.

Cutter se levantó con movimientos bruscos, cruzó la estancia y miró el reloj que había sobre el tocador. Si seguía escuchándola un minuto más, dictando su ley, tan confiada en su egoísta, miope e infantil estupidez, le pegaría. Resultaba imposible adivinar lo que ella sería capaz de hacer, el escándalo que podía provocar, pero de una cosa estaba seguro: Lily podía destruir su carrera sin darse siquiera cuenta de lo que estaba haciendo. Si su empresa se enteraba de esto, le echaría a la calle en cinco minutos. Quedaría deshonrado ante la sociedad entera, todos se burlarían de él y tendría que cargar con la responsabilidad de una mujer casada y de su hijo. A los veinticuatro años, cuando su vida estaba empezando. Y todo porque aquella maldita zorra no había tenido la prudencia elemental de usar un diafragma.

—Querida —dijo—, voy a llegar tarde a mi trabajo. Tengo que apresurarme. Vete a casa, relájate y deja este asunto en mis manos. Encontraré la manera de que podamos estar juntos. Es tan importante para mí, como para ti. Ahora vístete... Tengo cinco minutos para afeitarme y ducharme.

—¿Cuándo nos veremos?

—Esta noche tengo esa cena de negocios de que te hablé, y mañana se celebra la reunión de mi promoción en el «University Club». ¡Caray! El momento no podía ser más inoportuno; pero me he comprometido a pronunciar un discurso. Mira. Saldré lo antes que pueda después de cenar y me reuniré aquí contigo. Zachary estará todavía en Chicago; por consiguiente, podremos pasar la noche juntos. Ven, entra con tu llave y espérame.

Lily saltó sonriendo de la cama. No le importaba aquella separación forzosa. Sería estupendo tener un poco de tiempo para gozar a solas de su dicha. ¿Por qué se preocuparían tanto los hombres de los detalles?

Cuando, a la noche siguiente, entró en el apartamento de Cutter, encontró una carta sobre la cama:

Querida:

Si no te amase tanto, sería capaz de destruir tu vida para que pudiésemos estar juntos; pero no puedo hacerlo. Siempre has estado protegida de una manera que no has llegado a comprender. Fuiste directamente de la casa de tu padre a la de tu marido, sin crear problemas a nadie, y sin tener que enfrentarte con ellos. Has llevado una existencia en la que no se tolera el escándalo y menos la deshonra, y yo no puedo colocarte en esta posición a causa de que me amas.

Yo podría enorgullecerme de la deshonra de haberme enamorado de la esposa de mi hermano, porque sé lo que sentimos de verdad el uno por el otro. Pero a los ojos del mundo, a los ojos de todos tus amigos de Nueva York, serías tú la única culpable. Dirían que habías tomado todo lo que tu marido podía darte y le habías traicionado después. Tus padres, en particular, quedarían destrozados. En estas situaciones, la mujer es siempre considerada culpable, a menos que el esposo sea un bastardo reconocido por todos. No es justo, pero sabes que es así. El hombre es tenido por un tunante con suerte, y la mujer, por una puta. No puedo permitir que te mancillen las habladurías. Y, en tu caso, serían más que habladurías; serían titulares en la Prensa, aquí y también en Inglaterra.

No he dejado de pensar desde que nos separamos. Toby necesitará siempre una instrucción especial y muy cara, que sólo Zachary puede proporcionarle. Sabes lo mucho que Toby quiere a su padre. ¿Cómo podría yo pedirte que arrancases de su vida familiar a un hijo que se está quedando ciego, que lo alejaras de su propia casa, de su propio padre? Maxi podría adaptarse a casi todo; pero Toby es un caso especial, y no puedo hacerle daño a causa de nuestro amor.

Sé que a ti no te importaría vivir con lo que yo gano; sé que estarías dispuesta a prescindir de las casas, de los criados y de todo lo que te da Zachary; pero a mí sí que me importa. Me desesperaría que te vieses obligada a economizar, a cuidar de tres niños, a ayudar en las labores domésticas, a preocuparte por el dinero. Nunca hemos hablado de mi situación económica; pero, en realidad, estoy empezando mi carrera. Algún día, y sé que será pronto, ganaré lo bastante para mantenerte. Pero ahora no podría hacerlo, no podría mantener tres hijos, a menos que dependiésemos de Zachary para nuestros ingresos, lo cual crearía una vinculación morbosa que nos destrozaría.

Lily, amada mía, eres la única mujer a quien querré jamás; pero, ¿has pensado alguna vez que sólo tengo veinticuatro años?

Sabe Dios que daría cualquier cosa por ser más viejo, tener ya una posición, ser capaz de arrancarte de tu marido; poder dártelo todo y mandar al diablo lo que diga la gente. Pero debemos esperar. Si tienes valor para esperar, podremos estar juntos durante todo el resto de nuestra vida. En cuanto al hijo, tú debes decidir. Lo que hagas estará bien hecho.

Yo vuelvo a San Francisco. Cuando leas esta carta, estaré en el avión. Soy demasiado cobarde para decirte todo esto cara a cara, estoy demasiado avergonzado de no encontrar la manera de que podamos estar juntos. Por favor, amada mía, no me odies. Yo me odio por los dos. Siempre te amaré, y llegará el día en que estaremos juntos, si tienes paciencia, valor y fortaleza. Y si me perdonas. Espera, espera.

CUTTER

Lily leyó la carta sólo una vez. La dobló, la metió en su bolso y salió orgullosa de la habitación vacía. Cuánto debía amarla Cutter, pensó, al haber pensado solamente en cómo cambiaría el niño la vida *de ella.* Si Cutter estuviese aquí, podría decirle que no tenía motivo para avergonzarse. ¿Odiarle? ¿Cómo iba a odiarle? Todas las palabras de su carta le decían lo mucho que ella significaba para él. ¿Acaso no se daba cuenta de que su hijo les ataría para siempre? ¡Oh, sí, ella sabía esperar!

Todos los miércoles por la tarde se celebraba una reunión a la que acudían las personas en quienes confiaba Zachary Amberville para dirigir sus revistas. El grupo no tenía un nombre oficial, ya que, como en muchas compañías privadas y no por acciones, no había consejo de administración; pero Zachary lo pensaba muy bien antes de cursar las invitaciones. Se daba por sabido que cualquiera que asistiese a una reunión, asistiría a todas las que se celebrasen en lo sucesivo. En una editorial de revistas, donde los directores son con frecuencia solicitados por la competencia, y se proyectan las ediciones con cinco meses de antelación, es vital mantener en secreto todos los planes. Zachary esperaba mucho tiempo antes de invitar a un empleado a asistir a la sesión de planificación de los miércoles.

Zelda Bowers, directora de *Style,* tenía unas ochenta personas trabajando para ella, de las cuales unas pocas tenían zonas de responsabilidad claramente definidas, entre ellas: moda, belleza, accesorios, zapatos (los importantísimos zapatos cuyos fabricantes proporcionaban tantos anuncios), y crónicas especiales. Estas últimas incluían todos los artículos importantes de *Style* y un resumen, en las primeras páginas, de las novedades que se producían en el mundo del Cine, del arte, de la Televisión, de la música y de los libros, bajo el título de «¿Sabe usted?» Tener un empleo en la sección «¿Sabe usted?» de *Style,* con un sueldo inferior al de cualquier encopetada dependienta de «Macy's», era el equivalente del honor otorgado antaño a Jean Lannes, duque de Montebello, el único de los doce mariscales de Napoleón que podía tutear al emperador.

Ninguna muchacha pobre podía trabajar para «¿Sabe usted?» y tampoco podía hacerlo una joven rica que no fuese muy inteligente. Tenía que ser lo bastante rica para no depender del sueldo y, al mismo tiempo, extraordinariamente lista, pues la competencia para los tres cargos de ayudante de director se iniciaba en los campus de las *Seven Sisters,* los más aristocráticos colegios femeninos. Estas jóvenes eran contratadas por el director de crónicas especiales, John Hemingsway, que disfrutaba de un poder casi ilimitado, pues era él quien decidía las personalidades que serían comentadas en la sección principal de la revista; qué hombre o qué mujer americanos eran dignos de aparecer en fotos en color y ser descritos con tres mil palabras, y cuáles no merecían más que mil palabras y una foto en blanco y negro. Él determinaba qué tema era digno de ser mencionado por *Style* y cuál debía ser materia de un artículo.

Los tres ayudantes que Hemingsway contrataba para «¿Sabe usted?», eran siempre mujeres solteras; jóvenes que vistiesen bien; muchachas más bajas que él y que tuviesen menos de treinta años; porque, si tenían más y seguían solteras, serían demasiado neuróticas para laborar con la intensidad exigida. Otro requisito indispensable era que estuviesen dispuestas a trabajar por la noche, pues si tenían demasiados amigos, sabían que estarían más interesadas en el matrimonio que en «¿Sabe usted?» Además, por muy eficientes que fueran, sólo las empleaba si no eran tan ambiciosas como para desear sustituirle en su cargo, pues no confiaba en absoluto en las mujeres.

Muchas docenas de chicas aspiraban a estos tres empleos en *Style*. Dos de las que lo habían conseguido, se adaptaban perfectamente al molde de Hemingsway, y la tercera, secretamente ambiciosa y por ello la más lista de todas, era capaz de trabajar hasta muy tarde y tener, empero, a media docena de amiguitos enredados en su tela de araña. Afortunadamente, Nina Stern necesitaba dormir muy poco y trabajaba de prisa.

Nina tenía veinticinco años y era la mayor de todas las muchachas judías ricas hermosas y *solteras* que llamaban la atención en 1958. La gente había dejado incluso de tratar de sonsacar a su madre acerca de su problema. Los muchos amigos de la familia Stern daban por supuesto que había algo oculto en Nina que andaba mal. La menor insinuación, desde luego, sobre esto habría sido cruel y, además, no habría dado resultado alguno. La pobrecilla ni siquiera podía vanagloriarse de un noviazgo roto. ¿Por qué entrometerse, si sería inútil? Resultaba más eficaz intervenir en cosas que todavía podían tener remedio.

El matrimonio, en opinión de Nina Stern, era el final del trayecto. Probablemente había flirteado con el médico que había asistido a su madre en el parto, y podía afirmarse que lo había hecho con toda criatura viviente con que se había tropezado desde aquel momento. La única forma de comunicación que conocía Nina era el flirteo. Pero, si la hubiesen acusado de flirtear, no habría sabido de qué le estaban hablando. Flirteaba con los niños, con los adolescentes, con adultos de ambos sexos, con homosexuales de todas las tendencias y con cualquier animal que se cruzase en su camino. Nunca había flirteado con las piedras, pero sí con muchos árboles y flores. Su flirteo no era específico, ni sexual ni romántico, sino simplemente una manera instintiva de abordar cualquier situación en la que se encontrase, una inclinación general, permanente, e inmutable a la coquetería. Su coquetería no era «correcta»

en el sentido francés; era grande, incluso noble. También era esencial-
mente inofensiva y explicaba por qué, a semejanza de los negocios a
prueba de depresión, Nina Stern, tuviera la edad que tuviera, no se
vería afectada por la escasez de varones. Con la misma seguridad con
que sabía que se llamaba Nina, sabía que siempre habría hombres
para ella, y adoraba tanto la variedad que ni siquiera consideraba la
posibilidad de iniciar una vida estable con uno solo.

Le gustaba reunirse con sus amigas del colegio para almorzar y
admirar las fotografías de sus familias que crecían con rapidez; experimentaba sincera admiración hacia las hermanas menores de aquellas
amigas cuando mostraban sus anillos de compromiso; pero las toallas
con iniciales le recordaban las camisas de fuerza, y las sábanas nuevas, los sudarios. Las únicas compras que le resultaban insoportables
en Nueva York eran las que realizaba en la segunda planta de «Tiffany's»,
donde se veía a menudo obligada a adquirir regalos para recién nacidos. Allí, los decoradores tenían absoluta libertad y competían entre
sí en disponer la porcelana, el cristal y la plata sobre las mesas de
maneras absolutamente originales. Cuando, al salir del ascensor forrado de terciopelo gris, Nina se enfrentaba con aquellas mesas resplan-
decientes y fantásticas, su mente se llenaba de imágenes de mujeres
haciendo cola para ser atendidas por el carnicero en «Gristede's», de
cocinas colmadas de cacharros y de platos sucios. Por lo demás, carecía de tiempo para espantosas fantasías, salvo cuando tenía que
comentar la última película de horror para *Style*.

Nina era, a primera vista, encarnación de la mujer feliz corriente,
aunque no había en ella nada ordinario. Sus cabellos, caídos sobre los
hombros, eran de color castaño claro, pero con el irresistible e indis-
criptible matiz llamado *marron glacé*, el color de las castañas confitadas.
Su estatura era de un metro sesenta y seis, exactamente la adecuada
para cualquier actividad, salvo la del baloncesto profesional. Su cara
no era redonda ni ovalada ni tenía forma de un corazón; pero resultaba
agradable para todos los gustos. Era sencillamente la forma exacta. Sus
facciones también eran exactas, su cuerpo era exacto y su voz era la
voz que tenía que ser, en el sentido de que la menor alteración habría
hecho que fuesen una mala voz.

Esta gran coqueta, con sus «exactitudes», que desafiaba toda definición, tenía que trabajar a veces el sábado, si había estado toda la semana defendiéndose de los hombres que querían casarse con ella; pero
sin despacharlos por las buenas. Precisamente un sábado de junio de
1958, cuando la única actividad posible para un neoyorquino que se
respetase era abrir su casa en la playa o pintar las persianas en «Fair-
field County» un día en que ningún ciudadano de Manhattan hubiese
debido encontrarse en ella, Nina Stern se vio obligada a ir a la oficina
para terminar la última columna de «¿Sabe usted?» Tomó el nuevo
ascensor automático hasta la quinceava planta. Entre los pisos décimo

y undécimo, el ascensor se detuvo con un chirrido definitivo.

—¿Y ahora qué? —preguntó Nina a un varón desconocido, única persona que se hallaba con ella en el ascensor.

—Hay un teléfono... Pediré ayuda —dijo Zachary Amberville.

Pero la persona que debía atender el teléfono, por lo visto, se había ido a almorzar. Zachary trataba repetidamente de obtener una respuesta; pero lo único que oía era el hilo musical.

—No me importaría tanto —dijo Nina, observándole— si no fuese por este ruido. ¡Maldita música! El lunes por la mañana nos encontrarán aquí, enloquecidos, cantando *Rudolph the Red-Noset Reindeer* para el resto de nuestras vidas.

—¿Le gusta el pan de centeno? —preguntó Zachary.

—¿Centeno salado o centeno normal con semillas de alcarabea?

—Normal. Antes de venir a la oficina, me detuve en «Reuben's» y compré un bocadillo.

Desenvolvió el enorme y crujiente bocadillo ovalado, partido en diagonal en tres porciones y lleno de gruesas capas de carne de buey ahumada, queso suizo, buey en conserva, ensalada de col y mostaza de «Reuben's».

—Incluso hay un pepinillo —observó Nina con admiración.

—Estimula el cerebro —dijo Zachary, en tono de buen conocedor—. Más que el pescado. ¿Por qué no nos sentamos?

—Si al menos consiguiéramos que cesara la música de fondo...

—Podemos lograrlo. Pero tendrá que subirse sobre mis hombros y apretar aquel botoncito que hay encima de la puerta, a la izquierda.

Nina observó al desconocido. No podía ser un violador desenfrenado, o la habría violado ya a estas horas. Evidentemente era un hombre de buen corazón, cuando estaba dispuesto a compartir su exquisito bocadillo con ella, teniendo que esperar un día y medio a que les liberasen. Tampoco temía, a pesar de su condición infantil, que él tuviese algo que ver con la trata de blancas. Su madre nunca le había permitido ir al cine los sábados por la tarde, salvo al «Trans-Lux» de la Calle 85, donde una matrona recorría los pasillos con una linterna, porque era sabido que cualquier linda muchacha de Nueva York, que estuviese sola en el cine, se exponía a ser pinchada con una jeringuilla hipodérmica por el hombre que se sentaba a su lado, desmayarse y despertarse una semana más tarde, como esclava blanca, en Tánger. Nina pensó que, llegado el caso, no sería maltratada en Tánger, y de todas maneras aquel hombre no parecía de ésos. Llevaba una cara chaqueta de *tweed*, aunque no de su medida. Sus cabellos negros eran pulcros, aunque necesitaban un corte. Su boca flexible y un poco extraña tenía un gesto amable; sus ojos negros brillaban divertidos, y calzaba zapatos confeccionados a mano.

Asintió con la cabeza a Zachary al agacharse éste como un zaguero de fútbol y, quitándose los zapatos, saltó sobre sus hombros.

—Levántese muy despacio. Es la primera vez que hago esto.

Zachary se levantó poco a poco, con Nina agarrada a sus cabellos. Ella pulsó el interruptor y desapareció la música de fondo. Él la bajó cuidadosamente al suelo del ascensor, donde ambos se sentaron. Estaba muy limpio y era el único sitio donde podían hacerlo.

—Esto me ha dado apetito —dijo Nina.

—Puede comer la porción de en medio —le ofreció generosamente Zachary, desplegando el papel de estaño.

La parte de en medio de un bocadillo «Reuben's» era la más suculenta.

—Gracias —dijo Nina.

Durante toda su vida, los hombres le habían dado siempre lo mejor, como la porción más blanca del pollo y la más crujiente de una loncha de tocino, o la langosta hembra con sus deliciosas huevas de coral. Aunque lo agradecía, no se sorprendió más de lo que podía sorprenderse Morgan Le Fay. Sonrió a Zachary. De todas las cosas buenas que tenía Nina Stern, la sonrisa era la mejor. Entre todas sus coqueterías, su sonrisa era la más atractiva. ¡Qué chica tan simpática!, pensó Zachary.

—¿Dónde trabaja? —le preguntó.

—En «¿Sabe usted?», de la revista *Style*. ¿Y usted?

—En ventas —dijo secamente él, encogiéndose de hombros.

—¿No es monótono? Debe ser muy aburrido. ¡Monótono y aburrido! —le compadeció ella.

—Necesario —dijo estoicamente Zachary—. Aunque preferiría no tener que ocuparme de estas cosas. Acabo de pasar tres días en Chicago, en una convención de ventas, y estoy hasta las narices.

—¡Oh! Continúe, haga que yo también me aburra. Hábleme de ventas enormes, cuéntemelo todo sobre las ventas mezquinas de material viejo, sobre las tediosas y monótonas y, por desgracia, necesarias ventas. Y deténgase cuando caiga en estado comatoso.

—Soy incapaz de aburrir deliberadamente a una dama —dijo sonriendo él—. Prefiero que sea usted quien me hable de «¿Sabe usted?».

—Si no quiere aburrirme, yo tampoco lo haré. No es más que palabrería; en el fondo, nada importante. Pero, ¿no sería mejor que comiésemos en vez de hablar?

Para Nina, su trabajo era vital, y no iba a comentarlo con los muchos hombres que había en su vida. Y acababa de darse cuenta de que aquel desconocido sería un hombre más en su vida. No solía tardar más de una fracción de segundo en tomar esta decisión; pero siempre la había aterrorizado verse atrapada en su ascensor, y sus reflejos eran por esto más lentos de lo normal.

—Podríamos hacer ambas cosas al mismo tiempo —dijo Zachary.

—Tendremos que hacerlo durar lo más posible, para el caso de que no nos rescaten. ¿O sería mejor...? —preguntó Nina.

—Muerda sin miedo. Para disfrutar de un bocadillo, no hay que andarse con remilgos.

—Lo recordaré... Es usted muy inteligente.

Una muchacha lista, pensó Zachary. Excepcionalmente lista. La invitaré a la reunión del miércoles próximo. Su cerebro puede sernos útil. Hay algo bueno en ella aunque no sé exactamente qué.

El ascensor se puso en marcha en el preciso instante en que acababan con el bocadillo. Nina se levantó de un salto. Tendió la mano al hombre y le sonrió de nuevo.

—Nina Stern —dijo.

—Zachary Amberville

—¡Esto no es justo! —rió ella, mientras se cerraba la puerta.

Todavía reía cuando abrió la de su oficina. Nina, se dijo, acabas de estropear la gran oportunidad de tu vida. Por ser una chica lista, podía a veces resultar muy torpe.

«Esta gran ciudad es un juguete maravilloso —cantó en voz alta Zachary al dirigirse a casa, después de terminado su trabajo—. Hecha para un chico y una chica —como siempre, dio una nota falsa al pronunciar la palabra "chico"—. Convertiremos Manhattan en una isla feliz.»

Mientras cantaba el último verso, cruzó imprudentemente Madison. Hacía mucho tiempo que no se sentía así, pensó. No había cantado esta canción desde hacía años. ¿Qué experimentaba exactamente?, se preguntó aflojando el paso. ¿Era la fresca y alegre tarde de primavera, con esa promesa de algo emocionante que flota en el aire cuando se alarga el día y que sólo los neoyorquinos son capaces de percibir? ¿Era el satisfactorio trabajo de la tarde, proyectando una nueva revista de la que nadie sabía todavía nada? ¿Era únicamente por estar en Nueva York, centro embriagador de la galaxia, donde habían nacido y se habían realizado sus ambiciones? Se sentía bien. ¿Y por qué no había de sentirse? ¿Quién no se sentiría bien después de ganar tantos millones, unos millones que hacía tiempo que no había contado? ¿Quién no se habría sentido bien con todo el poder que él tenía, y con lo que se divertía con las ventas? Se rió en voz alta. Ventas, ¡divinas ventas!

¿Qué edad tendría Nina Stern? ¡Bah!, él se sentía joven. Tenía treinta y seis años, pero se sentía como cuando tenía dieciséis y servía las mesas en «Columbia» para pagarse el Metro y un perro caliente... Después de todo, no hacía tanto tiempo; había habido una guerra y él se había casado; pero sólo habían pasado veinte años, de los cuales sólo había estado casado siete. Frunció el ceño, en un súbito cambio de humor. Si se sentía tan joven, ¿cómo no le había hecho el amor a Lily en las últimas semanas? Y pensándolo bien, ¿por qué hacía el amor tan de tarde en tarde? Como habría dicho su cuñado Nat ¿a quién se debía?

Se debía a él. Lily nunca fue apasionada, y él lo había aceptado...
Ella era así... No obstante, siempre se había mostrado sumisa, dulce,
delicada y dócil. Él hubo de conformarse con esto, aunque muchas noches había deseado que su esposa igualase su propio ardor. Sin embargo, en siete años, él no le había sido nunca infiel, como muchos hombres
lo eran, aunque amasen a sus esposas; incluso aunque ellas, se ha-
llasen mejor dispuestas que Lily, la cual sólo parecía estarlo a in-
tervalos cada vez más largos. Pensaba que su mujer se había apartado
mentalmente de él. Cuando entraba en su habitación, le indicaba, de
manera sutil, amable y sin palabras, que no estaba dispuesta aquella
noche, en aquel preciso instante. ¿Había en su vida algún oculto drama
interior?

Predispuesta. En la ciudad, había muchas mujeres predispuestas.
Pero no todas lo estaban. Por ejemplo, la joven Nina Stern. Ésta no
se hallaba a su alcance. Lo más probable era que estuviese casada o
prometida o que tuviera una lista larga de pretendientes. Parecía lógico
que las muchachas como Nina, bonitas e inteligentes, estuviesen compro-
metidas. Y Nina tenía además un apetito excelente, lo cual siempre
resulta atractivo en una mujer.

«Iremos a Coney —cantó Zachary—, y comeremos un bollo, pa-
searemos por Central Park, tam-tam.»

Alguien se volvió a mirarle, y entonces se dio cuenta de que estaba
otra vez cantando en voz alta. Diría a Hemingway que la invitase a la
reunión del miércoles próximo. Sería bueno para la chica ver cómo
se dirigían las revistas desde un punto de vista diferente del de «¿Sabe
usted?» Mejor aún, le enviaría una nota personal, una invitación especial. Motivada, desde luego por el interés que había mostrado ella en
las ventas. «No es justo», había dicho... Y no lo era. Tenía que ofrecerle
una compensación. Abrió sonriendo la puerta principal y entró en la
casa de mármol gris en el momento en que el mayordomo acababa de
cruzar el vestíbulo. Sintió una chispa de incredulidad... ¿Era aquélla su
propia casa? ¿Le pertenecía en realidad? Se sentía joven de nuevo, casi
como cuando había llegado de Columbia y paseado por las calles de su
ciudad, sin preguntarse siquiera qué habría detrás de las puertas de
casas como ésta, cuya esplendidez rebasaba los límites de su imaginación. Saludó alegremente al mayordomo al cruzarse con él y subió la escalera de su biblioteca particular, donde trabajaba más a gusto que en
la grande de la planta baja.

—¡Lily! —dijo asombrado.

Ella estaba en pie detrás de la ventana, mirando al jardín, y se volvió
con impaciencia al entrar él.

—Te estaba esperando, querido. Quisiera que no tuvieses que trabajar
los sábados, sobre todo después de estar ausente la mayor parte de la
semana —dijo con su voz argentina y cariñosa.

—Necesitaba reflexionar sobre un asunto, y en la oficina es donde pienso mejor. Además, tenía un montón de cosas sobre la mesa que el lunes no habría tenido tiempo de despachar. Pero me alegro de encontrarte aquí. ¿Qué es eso? ¿Champaña? ¿He olvidado algo? No es nuestro aniversario, ni un cumpleaños. ¿Qué hemos de celebrar?

Abrió la botella y llenó las copas en forma de tulipán que se hallaban en la bandeja de plata que ella había colocado sobre la mesa.

—Un brindis, querido —dijo Lily, al chocar los bordes de las copas—. La mejor noticia que podría darte... Otro niño.

—¡Otro niño! ¡Sabía que algo maravilloso iba a ocurrir! —gritó él entusiasmado, abrazándola y olvidándose de todo lo demás.

Lily se sometió a su abrazo, con los ojos llenos de lágrimas. Valor, le había dicho Cutter, y paciencia. Estaba dispuesta a hacer cualquier cosa por él. Había superado la parte más difícil. Ahora empezaba la espera.

8

El desconcierto de la profunda impresión recibida y los buenos modales elementales y automáticos sostuvieron a Maxi y a Toby en los momentos en que tuvieron que felicitar a Lily y a Cutter por su matrimonio. Se intercambiaron palabras y saludos; pero nadie trató de fingir una sonrisa. Era, pensó Maxi, como si los cuatro tratasen de enterrar decentemente la víctima anónima de un accidente de circulación, una víctima cuyo cuerpo era el de Zachary Amberville.

La consternación y el asombro que flotaban a continuación en la sala de juntas permitieron a los dos hermanos retirarse rápidamente, asidos de la mano y deslizándose en el veloz ascensor, mientras Lily y Cutter continuaban charlando con los miembros del grupo editorial Amberville que no habían sido afectados por la muerte de las cuatro revistas y estaban en condiciones de expresar sus buenos deseos con una naturalidad que ni Maxi ni Toby se habían esforzado en simular. Elie les llevó a los dos a la casa de Toby en una calle tranquila de la Setenta Este. Toby se dirigió sin decir palabra al bar contiguo a la piscina, que había construido en la primera planta y en el jardín del estrecho pero largo edificio de piedra arenisca, y preparó sendas y abundantes bebidas.

—¿Qué es? —preguntó Maxi.

—Brandy. Nunca lo bebo, pero hay momentos...

—Sencillamente, no lo creo... No puedo comprenderlo... —empezó a decir Maxi, pero Toby la interrumpió.

—Cállate, bebe y toma un baño. Todavía no podemos hablar de esto.

Se desnudó y se lanzó a la piscina con aquel salto rápido y plano que le había ayudado muchas veces a ganar campeonatos de natación. Maxi se reunió con él, llevando solamente su perla negra, y ambos nadaron con fuertes brazadas hasta que ella sintió que parte de las emociones que la embargaban empezaban a disolverse en simple cansancio. Dejó de nadar y se sentó en el borde de la piscina hasta que Toby emergió al fin y se encaramó fácilmente para sentarse a su lado. Tenía unos músculos y unos hombros espléndidos, pero casi frágil la cintura, como otros muchos grandes nadadores.

—¿Te sientes mejor? —murmuró.

—Todo lo bien que puedo sentirme, que no es mucho —repuso ella—. Estoy como si me hubiese alcanzado de lleno una granada de mano.

—Pienso que quizás hemos dejado de observar muchas cosas acerca de ellos dos. Tal vez pequemos de ingenuos al sorprendernos tanto.

—¿Quieres decir que nuestra madre se ha sentido sola desde... la muerte de papá... y por eso se volvió a Cutter, que es aproximadamente de su misma edad y que, por mucho que me disguste y desconfíe de él, es objetiva e increíblemente guapo, y que ni la vida ni el sexo no se acaban porque se esté cerca de los cincuenta años? ¿Consideras natural que ella se sintiese confusa al casarse con su propio cuñado y lo hiciese por esto sin avisarnos? En todo caso, Toby, no fue accidental que nos lo dijese en público... Lo único que no puedo imaginarme es que decidiesen fugarse cediendo a un impulso repentino. No son Romeo y Julieta.

—Estoy de acuerdo con todo esto —dijo Toby—; pero hay algo más que he observado y a lo que no he prestado bastante atención... Hay una *complicidad* entre ellos... Siempre la ha habido, en mayor o menor grado, desde que Cutter volvió de Inglaterra. Y desde que papá murió repentinamente el año pasado, ha sido cada vez más intensa.

—¿La complicidad? ¿Qué quieres decir exactamente? ¿Que son cómplices en un crimen?

—No; es más bien una especie de *compromiso* profundo, un intenso interés de cada uno de ellos por las necesidades y deseos del otro, un acuerdo que va más allá del acuerdo, de manera que crea un lazo más fuerte y duradero que el hecho de que él sea guapo, de que ella necesite un hombre en su vida o de que se produzcan otras circunstancias evidentes.

—¿Cómo has llegado a ser tan experto? —preguntó agresivamente Maxi.

—*Oigo*. Mira, oigo en las voces de la gente cosas que tú no puedes captar. Las oigo en la manera en que se mueven cuando están juntos. Cuando eres ciego, *Goldilocks*, aprendes a oír cómo se mueve la gente de cien maneras diferentes, y cada una significa algo distinto. Están enzarzados en una complicidad profunda. Lo oigo y, Dios mío, lo *huelo*... A pesar de todos los perfumes y jabones y lociones, puedo olerlo en los dos.

Maxi se agitó, oponiendo a sus palabras una resistencia primitiva.

—¿Por qué insistes en llamarme *Goldilocks*? —preguntó, tratando de cambiar de tema.

—Porque me gusta la palabra. Si todos tus cabellos fuesen blancos, sólo vería diminutas porciones de ellos, de vez en cuando; por consiguiente, te doy el nombre que más me gusta. Sólo te pido que no te vuelvas calva. Y ahora volvamos a nuestra madre y a Cutter. Él la ha llevado exactamente al terreno que quería. Es la primera vez que la he visto así, tan dominada, tan dependiente de otra persona. Mientras papá vivió, sentía que, cuando estaba con él, las cosas eran completamente diferentes. Eran amables el uno para el otro... Yo suponía que habían llegado a un acuerdo. Eran amigos o, al menos, no eran enemigos; pero no había complicidad entre ellos.

—Eres asqueroso.

Él se echó a reír y le dio una palmada en el muslo desnudo.

—Suave y fresco —dijo halagador—. Todavía te quedan diez años, tal vez quince antes de que empieces a perder esta elasticidad especial de los músculos.

—Aparta las manos de mí, degenerado.

—¿Me quieres, *Goldilocks*?

—Te quiero, Bat.

Era su ritual. El primer recuerdo de Tobias era el de haber tocado las mejillas de la recién nacida Maxi, y el primer recuerdo de ella era el de la mano de él levantándola una vez que resbaló en una calle cubierta de hielo.

—¡Oh, si hubieses podido ver aquellos pobres bastardos en la reunión! Algunos daban la impresión de que acababan de ser condenados a la horca por un juez.

—Les oí. Esto fue bastante.

—¿Pero cómo podemos aceptar la manera en que dijo que hablaba en nombre de ella? Sabes que nuestra madre no pudo tomar aquella decisión por su propia iniciativa. Ella no intervino nunca en la dirección de la compañía. ¡Jamás se preocupó de los beneficios! Todo es obra de Cutter, sabe Dios por qué. Pero no podemos permitir que mate cuatro revistas de una vez. ¡Tenemos que impedírselo! Nuestro padre no habría pensado *jamás* en una cosa semejante, por ninguna razón del mundo, salvo una quiebra inevitable. ¡Toby, Toby! ¡*Recuerda a papá*! No es eutanasia. ¡Es un asesinato flagrante!

La voz de Maxi se hacía más fuerte a cada palabra.

—Pero, ¿qué podemos hacer nosotros, pequeña? Está claro que nuestra madre tiene poder para imponer su «decisión» quienquiera que sea el que haya influido en ella. Tiene legalmente el derecho absoluto a hacer lo que quiera con la compañía.

—Persuasión moral —dijo lentamente Maxi, en un tono intermedio entre la interrogación y el nacimiento de una idea.

—¿Persuasión moral? Evidentemente, has permanecido demasiado tiempo lejos de tu tierra natal. Estamos en la ciudad de Nueva York, pequeña, y la persuasión moral sólo se encuentra en la primera página del *Times*.

—Una clase especial de persuasión moral, Toby. Al estilo de Manhattan. Si me das de almorzar, tendré fuerzas para hacer una visita a nuestro tío en su oficina.

—Que me asþen si sé lo que te propones.

—Tampoco yo lo sé... todavía. Pero debemos hacer algo... —dijo ella, riendo entre dientes.

—Por una Nueva York mejor —añadió él terminando la frase con que solían ambos explicar todos y cada uno de los inconvenientes de la ciudad que, para ellos, era el centro del universo.

—Eso sería una gran imprudencia, Maxi, y no te llevaría a ninguna parte —dijo Cutter, sentado detrás de la mesa de su despacho de Wall Street—. Lo que sentís Tobias y tú, y puedes creerme si te digo que comprendo y aprecio vuestros sentimientos...

—No intentes dorar la píldora —le interrumpió Maxi—. Vayamos directamente al grano, ya que éste parece tu sistema predilecto.

No había ido a su casa a cambiarse desde su llegada a Nueva York; pero el baño con Toby y el soberbio almuerzo que éste le había preparado habían reforzado su intrépido espíritu, y durante el trayecto hasta el centro comercial de la ciudad, se había formado una clara idea de lo que tenía que hacer y de cómo había de atacar.

—No me importa que «Amberville» sea o no una compañía privada, Cutter, pues siempre estará sujeta a la opinión pública. Cuando Toby y yo acudamos a la Prensa, como pensamos hacer, con nuestro informe de accionistas minoritarios, les diremos que estamos convencidos de que has ejercido una influencia indebida sobre nuestra madre, tu sorprendente y reciente esposa, y condenado a muerte cuatro revistas sin consultar con Toby, con Justin, ni conmigo, todos nosotros accionistas y partes interesadas en el asunto.

Desafiadora, Maxi, estiró sus piernas calzadas con botas y se arrellanó en su sillón mostrándose segura y tranquila.

—Tal vez tienes el pellejo demasiado curtido para que te importe la opinión pública; pero, ¿hasta pensado en tus clientes? —siguió diciendo ella—. ¿Y qué me dices de tus socios, a los que tan cuidadosamente has rebajado? ¿Has pensado en cuantos se encuentran en el negocio de las revistas, los Newhouse, los Hearst, los Anneberg y todos los demás? ¿Qué actitud adoptarán? ¿Qué dirán de ti, Cutter? Todos saben que no eres editor, que nunca lo has sido y que jamás lo serás. Va a ser una jugosa, importante y *fea* historia para los medios de difusión... ¡Cuatro revistas dejando de publicarse al mismo tiempo, cientos y cientos de personas lanzadas a la calle. Y todo ello por criterio de alguien que no ha trabajado ni cinco minutos en una revista; de alguien cuya única y endeble posición en el negocio le ha sido otorgada por su esposa!

Cutter dio la vuelta a un cortapapeles; pasó las hojas de su calendario; puso en hora el reloj de sobremesa. Hubo una breve pausa antes de que Maxi prosiguiese, ya que saltaba a la vista que él no quería decir nada.

—No me gustaría hallarme en tu lugar cuando sostengamos nuestra conferencia de Prensa, Cutter. Estoy segura de que Pavka estará de nuestra parte. Sé que no tiene participación alguna en el capital de la compañía; pero los medios de difusión le adoran, lo consideran un genio y un gran hombre, y lo es. ¿Recuerdas lo que escribieron de él por su estudio del Museo de Artes Gráficas? Es una institución, y mi padre le dio su primera oportunidad, por no hablar del hecho de que *Wavelength* fue idea de Pavka. Zachary Amberville tenía fe en el futuro de aquella revista, y la gente tenía fe en él, y tú pareces haberlo olvidado. *Mi padre* era una leyenda. *Todavía* lo es.

—Estás tratando de chantajearme, Maxi, pero es inútil. Esas revistas se han acabado esta mañana. La decisión incumbía a tu madre, y la tomó.

—Eres un apestoso, corrompido y sucio embustero —dijo lentamente Maxi—. Mi madre no decidió nada. Lo decidiste tú. Todavía no sé por qué, pero todo es obra tuya, Cutter.

—¿Cómo te atreves a hablarme de esta manera?

Maxi no había visto nunca a Cutter tan enfadado. Sonrió mirándole a los ojos, fríos como el hielo y llenos de una ira salvaje. Si su madre hubiese tenido algo que ver con la decisión, Cutter, siempre dueño de sí mismo, siempre cortés, no habría permitido que se le escapasen aquellas palabras.

—Y niego la acusación de chantaje —dijo Maxi, acentuando su sonrisa, como un gato insolente en su propio terreno—. ¿Acaso ignoras lo que es la persuasión moral?

—La persuasión *moral*, viniendo de ti, no es divertida, es absurda. Está bien, ¿qué es lo que quieres, Maxi?

—Una revista. Quiero una de las cuatro revistas y quiero que me dejes en absoluta libertad durante un año para hacer con ella lo que se me antoje. Sin trabas, sin mirar por encima de mi hombro, sin recortes de presupuesto. Sobre todo, sin recortes de presupuesto.

—Por lo visto te imaginas que has heredado el olfato de tu padre. ¿Vas a salvar una revista con tus propias fuerzas? Apenas si has hecho en toda tu vida una sola semana seguida de trabajo decente, y la única vez que trabajaste fue en verano en tu adolescencia. Pero no nos peleemos —dijo Cutter, recobrando su buen humor—; sería una pérdida de tiempo. Si puedo convencer a Lily de que os dé una revista, porque es ella quien debe decidirlo, tu hermano y tú tendréis que garantizarle que no haréis intervenir a los medios de difusión en un asunto de familia.

—Y darte carta blanca en las otras tres, ¿eh? —dijo Maxi, súbitamente contrastada.

—No necesito que me déis carta blanca, ni me gusta ceder ante un chantaje o como quieras llamarlo. Y no creo que una conferencia de Prensa sostenida por una conocida *playgirl* y un hombre que, debido a su lamentable incapacidad, no puede siquiera ojear una revista, fuese tomada muy en serio. Pero, por mor de la armonía familiar, habida cuenta de que tienes indudablemente ciertas dotes para fastidiar al prójimo, y siempre que Lily lo aprobase, ¿qué revista elegirías para tu sorprendente intento de resucitarla?

—*Buttons and Bows* —respondió inmediatamente Maxi.

No tenía la menor duda de que, si su padre viviese todavía, la revista que más le importaría sería su primera publicación, su talismán.

—Procuraré convencer a tu madre, Maxi, pero no puedo prometerte nada hasta que haya hablado con ella.

—¡Tonterías! —dijo Maxi levantándose rápidamente y dirigiéndose a la puerta—. Desde este momento, me considero directora de *Buttons and Bows*. No, no te molestes en acompañarme al ascensor.

Y salió de la oficina.

Fatigada, pero con una impresión de triunfo circulando por sus venas, Maxi llegó a su apartamento de la planta setenta y tres de la Trump Tower. No había estado muy segura de poder doblegar a Cutter, cuya reputación de sensato, aunque no muy afortunado, banquero de inversiones hubiese tenido que obligarle a rechazar cualquier ataque contra su criterio en los negocios. En la última década habían muerto muchas revistas, enterradas rápidamente en el olvido. Mientras hacía girar la llave de la cerradura, pensó que si Cutter hubiese sido miembro del consejo de dirección de «Amberville Publications», nada habría conseguido con su amenaza de convocar una conferencia de Prensa. En realidad, ni siquiera sabía muy bien cómo se «convocaba» una conferencia de Prensa.

—¡Eh!

Maxi cayó al suelo bajo el peso de una criatura flaca, descalza y vocinglera, cargada con una mochila y tres raquetas de tenis, una criatura que chilló y la estrechó en sus brazos hasta que ella le pidió clemencia.

—Madre, madrecita, mi pequeña madrecita —gritó alegremente la criatura—, ¡por fin estás en casa! Acababa de llegar y he mirado en el frigorífico. Pero no hay absolutamente nada. Sin embargo, no dejarás que me muera de hambre, ¿verdad, madrecita de todas las Rusias?

—Angelica, pequeña, no me rompas los huesos —suplicó Maxi.

Su hija de once años había crecido casi un metro en el campo de tenis.

—¿Qué estás haciendo aquí? —le preguntó—. No tenías que volver hasta la semana próxima.

—Me largué de allí cuando me eliminaron en los octavos de final. Es terrible ser eliminada en los octavos... No me habría importado si me hubiesen eliminado antes o en las semifinales... ¡Pero en los octavos es fatal!

—¿Y cómo has venido de Ojhi, Angelica? No habrás... ¿no habrás venido en *autostop*? —preguntó Maxi, horrorizada.

—Telefoneé a papá para pedirle dinero. Vine en avión, naturalmente, y él me esperó en el aeropuerto. Pero no tuvo tiempo para darme de comer... Bueno, de darme de comer lo *suficiente*; sólo tomó varias hamburguesas y un par de batidos de chocolate... ¿Has visto cómo he crecido? ¿No es estupendo? No voy a ser una persona vulgar y de estatura normal como tú. Tal vez podré ser modelo. ¿Crees que necesitaría una protección para la nariz? En el campamento, todos la llevan. ¿Dónde iremos a cenar? ¿Te telefoneó papá a Europa para decirte que yo volvía? Me han puesto un apodo; de ahora en adelante tendrás que llamarme *Chip*, y yo te llamaré Maxi, como una persona mayor.

—Llámame como quieras —gruñó Maxi, mientras Angelica se apoyaba cariñosamente en ella—; pero no esperes que yo te llame *Chip*. No hay que pasarse de la raya.

Maxi apoyó las manos en los hombros de su hija, la apartó un poco y la observó con atención. ¿Qué especial combinación de genes —se preguntó— había creado esta conmovedora y clásica promesa de una belleza excepcional? Los Amberville, los Adamsfield, los Anderson, los Dale, los Cutter, habían contribuido a esta sorprendente mezcla poética y romántica que era Angelica Amberville Cipriani, y sin embargo, los rasgos dominantes de la cara de la niña eran los de su padre, Rocco Cipriani, el magnífico Rocco, el Rocco del Renacimiento, el fascinadoramente pensativo y luminosamente sombrío Rocco, cuyos antepasados quizá los únicos venecianos que habían abandonado su ciudad por propia voluntad habían trocado Venecia por los Estados Unidos hacía menos de cien años.

—¿Estás pensando en darle también un apodo a tu padre? —preguntó, esforzándose como siempre en ser cortés con su primer ex marido, con el que compartía la custodia de Angelica.

—¡Oh, Maxi! De veras que no te entiendo. Nadie llama a su *padre* por un apodo. A veces me desconciertas.

—Veo que todavía prevalece una doble norma —murmuró resignadamente Maxi—. Y no me preguntes qué significa esto, porque no tardarás en descubrirlo.

—Bueno, hablando de la cena... —dijo Angelica, desparramando por la habitación el contenido de su mochila—. Pensé que tal vez algo exótico... La comida del campamento de tenis era estrictamente para forasteros, y ya sabes lo que esto significa... Un pan blanco, blando y horrible, un queso anaranjado que parece de plástico, golosinas de color de rosa... No he comido un menú decente en dos meses.

—Volveremos a tu estómago dentro de un momento, Angelica. ¿Y si me preguntases cómo estoy?

—¿Cómo estás, mamá? —dijo amablemente Angelica, tratando de encontrar un par de calcetines limpios.

—Soy la nueva directora de *Buttons and Bows*.

—Bueno... ¿cómo estás? ¿Has encontrado algún ser humano maravilloso? Hace tiempo que no tengo padrastro.

—Ni volverás a tenerlo, Angelica. Te lo he asegurado mil veces. Es verdad lo que te he dicho sobre *Buttons and Bows*. Voy a encargarme de ella.

—¿*Trimming Trades Monthly*? —murmuró Angelica, asombrada por las palabras de Maxi—. ¿Qué quieres de la pobre y vieja *Trimming Trades*?

—¿De qué estás hablando?

—*Buttons and Bows*... El abuelo siempre me decía que su verdadero nombre era *Trimming Trades Monthly*... y también lo dice la cubierta, en letra pequeña. *Buttons and Bows* no es más que un nombre inventado por un director desesperado para tratar de infundirle un nuevo vigor. Aunque no sirvió de gran cosa. Él me dijo que, si seguía publicándola, era en consideración a la gente que había trabajado durante tanto tiempo en ella... Pensaba que no podrían conseguir otro empleo, y muchos de ellos habían pasado aquí toda su vida de trabajo. Pero a él, personalmente, había dejado de interesarle hacía mucho tiempo. En serio, mamá, ¿cuándo fue la última vez que viste un ejemplar? Creo que, prácticamente, sólo puede interesar a los coleccionistas. Debe tener una tirada de doscientos diez ejemplares. Un fastidio.

—¿Cómo sabes todo eso, Angelica?

—El abuelo solía hablarme del negocio... Decía que yo era el único miembro de la familia capaz de llevar una empresa editorial. ¿Puedes prestarme unos calcetines, Maxi...? Pero, ¿te encuentras bien mamá? Tienes un aspecto un poco raro. No te habrás mareado en el avión, ¿verdad? Tal vez sólo tienes hambre, como yo. Escucha mamá, ¿cuándo salimos para Venecia?

—¿Venecia? —repitió distraídamente Maxi.

—Sabes que quedamos en ir a pasar dos semanas en *Venezia*, Italia, antes de que empezara el curso en mi colegio —repuso Angelica paciente y hablando despacio, como si estuviese dirigiéndose a una anciana—. Lo proyectamos hace meses y cualquiera diría que no tienes los billetes ni has reservado las habitaciones en el hotel.

—No podemos ir.

—¡Pero tú dijiste...!

—A Venecia, no. Lo siento. Te lo compensaré de otra manera. Tengo que ponerme a trabajar. En *Trimming Trades Monthly*.

—¡Jesús! Hablas en serio. ¿Hemos perdido todo nuestro dinero?

—He estado haciendo el tonto.

—¿Y eso es peor o mejor?

—Peor, muchísimo peor. ¡Maldita sea!

—¡Oh, mamá, no te pongas así! —suplicó Angelica alzándola con fuerza—. Podemos ir a cenar a «Parioli Romanissimo»... Si no puedo ver la tierra de mis antepasados, aquel restaurante será casi como una Venecia sin canales... sin palomas... sin la Piaza San Marco... y sin el Gritti...
Su voz se extinguió con desconsuelo.

—Ni siquiera podré cenar contigo esta noche, Angelica. Telefonearé a Toby y le diré que te lleve adonde quieras —dijo, avergonzada, Maxi.

—¿Tienes una cita? —preguntó muy interesada Angelica.

—He hecho una promesa. Y no puedo faltar a ella. Es como una deuda de honor. Tengo que estar en «P. J. Clarke's» a las ocho en punto.
Maxi se dejó caer en un sillón y se acurrucó afligida.

—¿Te gustan las perlas negras, Angelica? Porque, si es así, he traído una de Europa.

—Vamos, Maxi..., no te sientas culpable. No es tu estilo —dijo Angelica con amabilidad.

Un inspector de aduanas sabe ciertamente manejar el cuerpo humano femenino, pensó Maxi con alegría a la mañana siguiente. ¿Había alguien en el mundo que supiese hacer el amor como un irlandés cabal en plenitud de forma? Y O'Casey estaba en plenitud de forma. Su segundo marido fue un australiano; aunque sus antepasados procedían de Irlanda. El dulce Bad Dennis Brady era un muchacho encantador, como habrían dicho en el Viejo País, pero con la mala costumbre de combinar tequila helada y vodka «Bufalo Grass» a partes iguales y tomar varios vasos llenos de la mezcla antes de tratar, sin ayuda del capitán, de atracar su barco en el puerto de Montecarlo. Tal vez el matrimonio habría ido bien si él no hubiese sido además tan perezoso o si la embarcación no hubiese sido un yate de alta mar, de ochenta metros de eslora, con una pista para helicóptero. Quizá si el helicóptero hubiese estado bien amarrado al producirse el choque (¿o fue un naufragio?), la cosa no habría sido tan embarazosa. Maxi había abandonado aquel barco de locos al cabo de seis meses, más triste; pero no más prudente, recordó ahora, adormilada.

¡Más PRUDENTE! La palabra resonó en su cabeza e hizo que saltara espantada de la cama. ¿Más prudente? ¿Quién era más prudente? ¿Qué hora era? Tenía que poner inmediatamente manos a la obra. El personal de *Buttons and Bows* debía haberse enterado de la reunión del día anterior y sin duda estaban todos sentados, vacilantes y lacrimosos, esperando que cayese el hacha oficial. Tenía que ir allí, dondequiera que fuese, tranquilizarlos y encargarse de la empresa. Tenía que hacer... hacer... lo que fuese necesario. Sí, *hacer*, actuar, tomar decisiones, asumir el mando, realizar algo, plantear *cualquier cosa*. Fue de un lado a otro tratando de descorrer las cortinas para encontrar un reloj, pero estaba desorientada, no recordaba cómo funcionaban las pesadas cortinas o dónde estaban los interruptores de la luz.

Maxi no había dormido en su nuevo apartamento antes de marcharse a Europa dos meses atrás. En aquellos días, como muchos de los apartamentos de Trump Tower, todavía no estaba terminado, aunque Maxi lo había comprado, varios años antes, a su amigo Donald Trump. Pero sólo había visto los planos, cuando el apartamento no era más que su visión de lo que podía hacerse con un trozo inestimable del espacio de Nueva York. Por fin encontró los cordones adecuados y descorrió las gruesas y entrelazadas cortinas de seda de color albaricoque.

Maxi se quedó plantada detrás de la ventana, inmovilizada por la sorpresa. ¿Era esto Manhattan, la familiar, querida y odiada ciudad, o su apartamento había sido trasladado a otro planeta mientras ella dormía? El sol, que se estaba elevando en el Este, detrás de ella, lanzaba sus rayos por encima de Central Park, sumido todavía en la penumbra, e iluminaba los picos y las agujas y las torres de la ciudad hasta donde alcanzaba la mirada de Maxi; hacia el Norte, hasta Harlem; hacia el Oeste y sobre el río Hudson, hasta Nueva Jersey, hacia el Sur y más allá del Centro Comercial, hasta el Océano Atlántico. ¡Dios me ampare!, pensó. Esto es Manhattan, ¡y yo he *comprado* toda la maldita ciudad! Estaba llena de júbilo, de ese júbilo que es tenido por profano. ¡Manhattan le pertenecía! Ella, despierta a hora tan temprana, debía ser la única persona que gozaba de aquella vista que parecía ser esculpida en el cielo. Tal vez había taxis y autobuses y coches de bomberos allá abajo; pero Maxi no podía oírlos desde la planta sesenta y tres. Estaba flotando; no a la deriva, sino anclada en un refugio que le había costado más de cuatro millones de dólares, un nido casi tan alto como las finas y blancas nubes que, sobre el parque, adquirían un color de rosa y se dirían pintadas por Fragonard. Mientras observaba cómo se elevaba el sol en el cielo, reflejándose en las ventanas que, una a una, le enviaban mensajes de un nuevo día, noticias de una nueva mañana, se dio cuenta de lo afortunada que era al poseer una vista que renovaba el espíritu.

«Conquistaré Manhattan —cantó—, y también el Bronx y Staten Island.»

Bailó sola, al compás de la canción que le había enseñado su padre.

—Angelica, no tengo nada que ponerme que sea propio de un editor —dijo Maxi durante el desayuno.

—Pensaba que eras la nueva directora, mamá. ¿Acaso te han ascendido ya?

—Me desperté a media noche y de pronto me di cuenta de que *Buttons and Bows* debe tener ya un director, y estaría mal visto que empezase quitándole el empleo a alguien; por consiguiente, me nombré editora. Desde que murió el abuelo, no ha habido un editor en la empresa.

—¿Y cómo debe vestir una editora? —preguntó Angelica, comiendo cuatro huevos fritos con abundante mantequilla y recién sacados de la sartén, pues así le gustaban.

—Como un personaje con autoridad. Un líder, una persona que inspira respeto a sus subordinados, alguien con criterio indiscutible, perfecto, que no se puede poner en duda.

—Y tú eres todo lo contrario —dijo Angelica, extendiendo sobre los huevos una gruesa capa de tabasco.

—Es verdad. Pero ellos no lo saben, y si me visto de una manera adecuada, responderán a la imagen, o al menos así lo creo. Sin embargo, la ropa que tengo sólo se puede usar a partir de la hora del almuerzo, de un almuerzo elegante en «Le Cirque» o en «Cote Basque». Pero no sirve para que una editora seria vaya por la mañana al trabajo. Tengo además demasiados vestidos para cócteles, banquetes, bailes, yates, chalets y playas. Más las botas y los pantalones con que viajo.

—Parece una prueba de carácter. Dime cómo vistes y te diré quién eres —observó su hija.

—Quisiera que no fueses tan sincera, Angelica. ¿No podrías tener un poco más de tacto?

—Tú has suscitado el tema. En todo caso, ¿qué me dices de aquel traje de «Saint Laurent», de chaqueta cruzada y pantalón que compraste el año pasado y no te has puesto nunca porque decías que te sentaba muy mal?

—No ha cambiado —dijo tristemente Maxi—. Hace que parezca un hombre bajo y regordete disfrazado de mujer. Disimula la cintura y elimina las piernas. Y has de reconocer que tengo las piernas más bonitas de Nueva York.

—Todos lo sabemos, mamá. Con el traje de «Saint Laurent» y unos zapatos de tacón alto, parecerías un hombre de mediana estatura disfrazado de mujer. Y los hombros son realmente impresionantes.

—Tal vez con una blusa bonita... —reflexionó Maxi, animándose.

—Una blusa severa y un pañuelo varonil caído descuidadamente sobre un hombro. ¡Viva Zapata!

—No me gusta ese aspecto, y además el pañuelo se cae siempre.

—No tienes alternativa —concluyó Angelica—. Dime una cosa, mamá, ¿has estado alguna vez enamorada de verdad?

—No contesto a esa clase de preguntas a una hora tan temprana.

—Si algún día llegase a conocerle, ¿crees que Woody Allen sería demasiado viejo para mí?

—Realmente, no. Pero no creo que él quisiera comprometerse.

—Nadie quiere —dijo Angelica con tristeza.

—Es el mal de la época. Lo que quiera que sea —explicó Maxi.

—Lo que quiera que sea —convino Angelica, sin acabar de saber lo que quería decir—. Así pues, ¿vas a ir a la oficina esta mañana? Es terrible. Bueno, que tengas suerte, Maxi.

—Gracias, querida. ¿Qué vas a hacer hoy? ¿Vas a ir de compras?

—Volveré al colegio; pero primero pasaré por «Armani», «Rykiel», «Versace», «Kamali», y acabaré comprando en «Guess».

—Quisiera ser tan alta como tú —suspiró Maxi.

—Creo que estás muy bien tal y como eres. Me gusta tener una madre de mediana estatura. Así me siento mayor.

—Siempre te has sentido mayor —gruñó Maxi.

9

Las oficinas de *Trimming Trades Monthly* estaban todavía situadas en la Calle 46, entre la Sexta y la Séptima Avenida, en el local que había alquilado Zachary Amberville para su primer despacho. Cuando fue fundada la revista, el edificio estaba ligeramente deteriorado, pero no más que el resto del barrio, y se hallaba a poca distancia de los establecimientos de adornos del vestido. Nada había cambiado salvo que el deterioro se había acentuado, Maxi no advirtió nada de esto al entrar en la oficina y presentarse a la recepcionista.

—Soy Miss Amberville. ¿Tiene la bondad de decirle al director que estoy aquí?

—¿La espera?

—Dígale que soy Maxime Amberville.

Unos segundos después, Robert Frederick Fink apareció en el pequeño recibidor. Era un hombre gordezuelo y sonrosado, de sesenta y cinco a setenta años, elegantemente vestido, y se mostró encantado de la visita.

—¡Maxi! —exclamó—. ¡Dale un beso a tu tío Bob! Apuesto a que no has olvidado aquella vez en que ganamos doce mil pavos en la Exacta. Ven a mi despacho y háblame de ti... Han pasado muchos años.

—Unos veinte —concretó Maxi, sofocada por su abrazo.

No se acordaba del tío Bob, pero todavía guardaba memoria de aquella carrera.

—Parece que fue ayer. Ten cuidado con la puerta; no se abre del todo.

Maxi se deslizó en el despacho del director y se detuvo en seco. En aquella habitación de medianas dimensiones, había ocho mesas y, encima de cada una de ellas, montañas de papel de todas clases, dispuestos tan cuidadosamente que dos montones se aguantaban sin apoyarse en parte alguna. Entre aquellas altas paredes de papel, había el espacio justo para pasar en fila india hasta la novena mesa, que era la de Bob Fink y en la que los papeles sólo alcanzaban una altura aproximada de quince centímetros. El hombre acomodó a Maxi con todo cuidado en la única silla que había en la estancia y después pasó de costado alrededor de la mesa y se arrellanó en su sillón.

—No creo en los archivadores, Maxi; nunca he creído en ellos. Pones algo en un archivador, te olvidas de que está allí y no vuelves a verlo. Es igual que si lo hubieses quemado. En cambio, puedes pedirme el documento que quieras.

—¡Oh!

Con ambas manos, Maxi se ajustó el pañuelo de cuadros alrededor del cuello. Luego, cruzó los brazos sobre el pecho. Pensó que, si estornudaba, tardarían una semana en sacarla de allí.

—Pídeme que encuentre cualquier cosa... Una factura, un recibo, una cuenta de gastos o cualquier otro documento.

—Un ejemplar de *Buttons and Bows* de, veamos, 1954.

—No. Eso es demasiado fácil.

—Un recibo de... papel... de junio de 1961.

Bob Fink se levantó, observó con atención sus dominios durante dos minutos, se dirigió a una de las mesas y, con delicadeza, extrajo varios papeles de una de las torres.

—Aquí lo tienes. Fíjate en que el papel era mucho más barato en el año sesenta y uno.

—Increíble —dijo Maxi, sonriendo—. ¿Crees que podría ver un ejemplar de *Buttons and Bows*, el último?

La cara de Bob Fink se ensombreció.

—Está aquí; pero no me enorgullezco de él. Nada ha sido lo mismo desde que *Blouson Noir* campó por sus respetos.

—¿Quién?

—John Fairchild. Los diseñadores franceses le llamaban *Blouson Noir*, que son esos motoristas que llevan una capucha y una chaqueta de cuero negro, porque era muy rudo con ellos. ¡Pero hay que ver lo que hizo para la circulación de *Women's Wear*! Un cohete, querida. Y cuando lo vieron nuestros anunciantes decidieron, naturalmente, poner todo su dinero en *WWD*. Por si esto fuera poco, Fairchild publica el semanario *Footwea News*, y se llevó todos nuestros anunciantes de hebillas y cinturones. Así, entre una y otra cosa... Bueno, tenemos algunas suscripciones que todavía durarán unos años y algunos pequeños anunciantes que disfrutan viendo su fotografía en la cubierta; pero hay que reconocer Maxi, que *Buttons and Bows* está... bueno, decir en apuros sería una expresión benévola. Cuando se está en apuros es que aún se conserva la vida. *Buttons and Bows* está en cuidados intensivos; pero el hospital acaba de cerrar sus puertas.

—De todos modos, ¿podría verlo? —preguntó Maxi, sin desanimarse.

Él le dio la delgada revista de cubierta roja, en la que aparecía una fotografía de John Robinson, de la «Robinson Braid Company», y la mayor parte del texto describía la carrera de Mr. Robinson. Había unas pocas páginas de noticias sobre el mundo de los galones y los adornos, y un artículo sobre el empleo de botones en los trajes «Adolfo», ilustrado con un dibujo de un puño con tres botones en él; también había algunos anuncios pequeños. Los dos mayores eran de la «Robinson Braid Company» y de la empresa que vendía a «Adolfo» sus botones.

—Tío Bob, ¿has oído algo sobre la reunión de ayer? —preguntó Maxi, doblando el periodiquillo y deslizándolo dentro de su bolso con posesivo ademán.

—Rumores, naturalmente. Bueno, tal vez una docena de llamadas telefónicas. Bueno, dos docenas. Creo que has sido muy amable al venir a darme personalmente la noticia. Tu papá, que en paz descanse, habría hecho lo mismo. Yo sabía que esto tenía que ocurrir.

—¡Pues no va a ocurrir, Bob! Soy la nueva editora de *Buttons and Bows*, y entre los dos vamos a resucitar esta revista, como habría hecho mi padre!

Se levantó excitada, y casi una tonelada de papel cayó sobre su cabeza.

—Si éste es el segundo premio, querida, no quisiera ganar el campeonato. Pero por el amor de Dios, ¡siéntate!

—No bromeo. ¡Hablo en serio! Maldita sea, Bob, nosotros podemos hacer lo mismo que hace Fairchild. Cambiaremos completamente todo esto... Tu despacho no, desde luego; pero...

—Maxi —interrumpió Bob Fink con tono amable—, la industria de adornos del vestido sólo necesita una publicación importante, y ésta tiene que ser un diario, *WWD*, no una revista mensual. Y no estarás pensando en publicar otro diario, ¿verdad?

—Bueno, en realidad, no. Pero, ¿qué me dices del *W*? Podríamos hacer algo como *W*, pero mejor.

—Lo malo es que *W* emplea material que ya ha sido fotografiado y escrito para *WWD*... A veces lo alargan un poco y le ponen color, pero no les cuesta nada... Dinero en el Banco para Fairchild y sólo diez mil suscriptores. La mayor parte de *W* está compuesta de anuncios, de grandes y bellas ilustraciones —suspiró—. Creo que me estoy haciendo viejo... Me chocan esas espléndidas muchachas con calzoncillos de hombre. ¿Qué ha sido de las bragas?

Maxi se estremeció en sus suspensorios «Calvin Klein». Había añadido una nueva dimensión a su vida sexual. ¿Era una pervertida, sólo conocía a pervertidos, o era Bob Fink un hombre anticuado?

—¿Cómo puede tener *W* solamente diez mil suscriptores? Todo el mundo la lee —protestó.

—Ésa es la cuestión... Cada ejemplar es leído por docenas de personas, la mayoría de ellas acaudaladas, y creo que esto explica los anuncios. No puedes competir con Fairchild, Maxi. Fundaron aquella compañía en 1881 y se especializaron en perióricos comerciales antes de que naciese tu padre, casi antes de que naciese el mío. ¿Y por qué diablos quieres hacerlo? Tú eres una Amberville.

—Comprendo lo que me dices, Bob, pero estoy convencida de que puedo transformar *Buttons and Bows*. Con tu ayuda, naturalmente.

¿Cómo podía prescindir de aquel viejo tan simpático? ¡Lástima que fuera tan pesimista!

—¿Con mi ayuda? Hace tiempo que deseo retirarme, Maxi. Si he continuado aquí es porque lo consideré un deber a la memoria de tu padre; pero afortunadamente invertí mi dinero en bienes inmuebles en el momento adecuado. La mayoría de los ex presidentes de los Estados Unidos han construido sus casas en terrenos que yo les vendí en Palm Springs. La única gran zona de tierra que ambicioné pero no pude conseguir es Annenberg's, con su campo de golf y todo lo demás. En esto fracasé, pero no se puede ganar siempre.

—¿Retirarte? ¿Quieres retirarte?

—Y trasladarme al Oeste. A ver crecer mis palmeras. Y tal vez aprender a montar a caballo.

—Pero..., ¿y todas tus mesas? —preguntó Maxi, señalándolas con cuidado.

—Las quemaría. Costaría una fortuna sacar todo eso de aquí. Si yo estuviese en tu lugar, lo quemaría.

—¿Y el resto del personal? —preguntó furiosamente Maxi—. ¿Todas esas personas a las que mi padre no quería despedir?

—Veamos... Está Joe, que concibe las ideas y escribe los artículos, y Linda, que compra la colaboración artística y cuida de la composición. Y yo he sido mi propio director de publicidad. Desde luego, no hay departamento de distribución. La recepcionista hace también de telefonista y de mecanógrafa. Interesé a Joe y a Linda en mis operaciones inmobiliarias, y la recepcionista podrá conseguir un empleo en cualquier parte. Es una joven muy lista y no le gusta trabajar aquí. Tengo que pagarle un sueldo extraordinario para que no se marche.

—¡Tres personas! ¿Sólo *tres*? ¿Cómo es posible?

Sintió que le daba vueltas la cabeza; pero no debía desmayarse.

—Bueno, hay también un muchacho en la casa al que pago para que vacíe los cestos de los papeles y quite el polvo de vez en cuando. En la planta baja hay una «Xerox» que utilizamos cuando tenemos que hacer copias, y el impresor nos envía alguien de vez en cuando para vendernos papel; pero, aparte de esto, sí, sólo tengo tres personas. Y todavía perdemos dinero. El alquiler, los salarios, los materiales, naturalmente cuestan. Y el almuerzo, porque todo el mundo tiene que almorzar.

—¿Paga el almuerzo la compañía? —preguntó Maxi, con incredulidad.

—Tu padre inició esta costumbre, en los viejos y buenos tiempos. Insistió en ello. Desde luego, entonces estaba «Lindy's». El almuerzo no es el mismo desde que cerraron.

—¿Cuándo pensabas marcharte? —preguntó Maxi con voz débil—. No quisiera que pensaras que tengo prisa, pero...

—¿Qué día es hoy? Miércoles. Podríamos marcharnos todos el viernes. Me sabe mal dejarte con toda esta porquería. Haré que el basurero venga a recogerla, no te preocupes, y a Hank, que está en este mismo edificio, no le importa trabajar horas extraordinarias. El lugar quedará limpio el lunes, lo más tarde el martes.

—¿Seguro que no quieres quedarte? —preguntó Maxi, pensando que la cortesía era lo único que le quedaba.

—Es como si ya estuviese en el avión, querida. Y escucha: si no te importa que un viejo admirador te dé un consejo, ese traje que llevas, ¿no es...? Bueno, ¿no podría ser... hum un poco *menos*... amenazador? Me daría miedo encontrarme contigo en un callejón oscuro. Maxi. Mira, si quieres, te llevaré a un almacén..., tal vez a «Beene», o a «Ralph Lauren». No perderías nada con cambiar un poco de imagen.

—¿Y tiene la cara dura de llamar *Golden Delicious* a esa basura? —rugió Toby—. Muerda esta fruta, bastardo, y dígame cuántos meses hace que la arrancaron del árbol y la metieron en la cámara frigorífica —dijo agarrando con una mano la espalda de la camisa del vendedor y ofreciéndole la manzana con la otra—. ¡Vamos, muerda!

—Me estafaron, señor —protestó el hombre—. Compré veinte cajas en el interior y me juraron que las habían cogido del árbol esta semana.

Toby soltó al hombre, disgustado.

—Desde luego. Me está bien empleado, por buscar un nuevo proveedor. ¿No se da cuenta de que puedo hablar a todo el mundo de esa fruta? Sólo tuve que tocarla para saber que era de la temporada pasada; no huele como las manzanas frescas, y creo que si la probase, vomitaría. Trate de vendérsela a D'Agostino.

Se apartó y dijo a Maxi:

—Aquí la mayoría me conocen y no tratan de hacerme estas jugarretas. Nunca le había comprado a ése, y quise hacer una prueba.

—Habrá sido la última vez que trate de estafar a un ciego —dijo Maxi—. Al menos uno de nosotros no ha sido estafado hoy.

—¿Quieres levantar el rabo y dejar de lamentarte? —le ordenó Tobias, echando a andar por el pasillo de los mayoristas de fruta.

Como hacía siempre en el bullicioso y peligroso «Hunt's Point Market», empleó su bastón láser. Sus tres rayos de luz infrarroja invisible hacían vibrar un alfiler en contacto con su dedo índice, que le decía si había algún objeto delante de él o sobre su cabeza, o algo tirado a sus pies. Lo balanceaba fácilmente, trazando un arco, con una habilidad que había desarrollado hacía años. Sistemáticamente, empezó a elegir manzanas de muestra de diversas cajas, palpándolas, oliéndolas y haciéndolas girar entre sus largos dedos, como si las considerase para una naturaleza muerta, pero manejándolas con asombrosa rapidez.

—No me quejo —dijo amargamente Maxi—. Pero estoy furiosa conmigo misma. Juana de Arco salvando el pellejo del dueño de «Rancho Mirage»... por no hablar de treinta años de almuerzos gratis. Ojalá fuese Cutter capaz de morirse de risa.

—Mira, tienes una revista, una oficina y un año para hacer lo que quieras. Sólo te sientes herida en tu orgullo, *Goldilocks*.

—Aquello no es una revista, es pura prensa de tocador. En cuanto a la oficina... Tendrías que verla para creerlo. A tu bastón se le rompería el mecanismo. Por el amor de Dios, ¿cuántas manzanas estás comprando?

—Es el tiempo de las tartas de manzana, pequeña, y esto significa miles.

—¿Por qué no tuve al menos la precaución de preguntar a Pavka o a Nina Stern antes de elegir la revista que quería? ¡Podía haber elegido la que hubiese querido! ¿Por qué me precipité?

—¡Oh! Es el misterio de la personalidad humana. Si hubieses sido un poco precavida, no habrías sido Maxi, y si no fueses Maxi el mundo sería un lugar más triste.

—Pero más prudente.

—Tal vez. Aunque la prudencia no es lo único que cuenta para el ser. La prudencia, como momento de perder el celibato... hay que aplazarla lo más posible.

Tobias hizo el pedido de sus manzanas y salió del enorme y feo complejo que suministraba al menos la mitad de los alimentos a Manhattan. Ya no hacía diariamente sus compras, sino que confiaba esta tarea a sus ayudantes; pero de vez en cuando visitaba «Hunt's Point», con vistas al abastecimiento de sus tres restaurantes locales. Poseía otros dos en Chicago y cuatro en la Costa Oeste, todos ellos muy florecientes.

Tobias había descubierto la cocina antes de cumplir los ocho años. Era un territorio prohibido para él aunque su visión era todavía relativamente buena. La idea de que se acercase al fuego aterrorizaba a Lily, lo cual sólo servía para aumentar la resolución del chico de penetrar en la misteriosa estancia.

Una noche, Tobias esperó que todos en la casa estuviesen durmiendo; se deslizó por la escalera y los pasillos y entró en el gran espacio tentador. Encendió la luz y empezó a explorar palmo a palmo, comenzando por el armario más bajo y los cajones y poniendo sus cinco sentidos en cada objeto. Su visión se había deteriorado hasta el punto de que tenía que emplear todos sus sentidos para investigar los objetos extraños. Aplicó, pues, la nariz y las puntas de los dedos a cada utensilio de cocina, a cada olla y sartén vacías, a los tajos, los cazos, tenedores y cucharas. Olió los cuchillos, los tocó con la punta de la lengua, lamió sus bordes no cortantes, pasó suavemente sus filos por la palma de la mano y los apoyó en sus mejillas. Sacudió todos los objetos y escuchó el ruido que hacían, los sopesó y comparó sus pesos. A medida que los iba conociendo, volvía a dejarlos en su sitio. A la noche siguiente se aventuró más, fue hasta el frigorífico y allí, durante las largas y silenciosas horas, aquel muchacho excesivamente protegido se enamoró. Un huevo era un mundo para Tobias; una alcachofa, una galaxia; un pollo, un universo.

Noche tras noche, pasó horas en la cocina, hasta que todos sus rincones le fueron completamente familiares, hasta que no hubo una ramita seca de perejil que no hubiese probado; aunque, obediente a la prohibición de su madre, nunca encendió el horno, se limitó a reseguirlo por dentro y por fuera hasta que quedó grabado en su memoria sensorial.

Una noche no pudo resistir la tentación de cascar un huevo y echarlo en un tazón. Si un huevo era fascinador por fuera, por dentro era francamente irresistible. Otro huevo siguió al primero, hasta que hubo una docena nadando en el gran cuenco de color castaño, mientras las cáscaras, introducidas unas dentro de otras, quedaron limpiamente amontonadas sobre un lado de la mesa de la cocina. Evidentemente, los huevos tenían que batirse con un tenedor, se dijo Toby. Y casi había terminado de batirlos, metódica y vigorosamente, cuando se abrió la puerta y fue descubierto por la cocinera. Aquel primer intento le demostró que era imposible batir huevos sin hacer ruido.

Zachary insistió en que Tobias aprendiese a cocinar y contrató a un cocinero de la «Cordon Bleu School» para que le diese lecciones todas las tardes después del colegio.

Tobias pronto pudo decir si el aceite se estaba vertiendo en la mayonesa en la proporción adecuada, sólo con escuchar el ruido que hacían las gotas al caer. Su oído le decía también el segundo exacto en que una tortilla debía ser sacada de la sartén. Podía oler el momento preciso en que una cebolla había quedado adecuadamente dorada. No necesitaba reloj para hervir los huevos, y sólo le hacía falta un cuchillo afilado para cortar las más finas láminas de frutas o de hortalizas.

Sin embargo, al entrar en la adolescencia, tuvo crecientes problemas con su visión. A pesar de su gracia natural, parecía torpe y desmañado, tropezando constantemente con personas y objetos que hubiese debido ver con claridad.

Lily, que todavía se negaba a aceptar el hecho de que Toby quedaría un día casi ciego, si no totalmente, conseguía de algún modo no advertir estos incidentes; pero Zachary, que solía llevar a los niños al cine los sábados por la tarde, se daba cuenta de que Toby se sentía desvalido en la sala a oscuras, perdido hasta que se encendían las luces.

Pronto se evidenció que no podía practicar ningún deporte de equipo, pues, debido a su pobre visión, no seguía el curso de la pelota en un partido de balonvolea o de hockey, y aunque Lily había resuelto no advertir a Toby de lo que le esperaba en el futuro (¿por qué había de saberlo antes de que fuese absolutamente necesario?), Zachary decidió que había que preparar a su hijo.

En los años sesenta, se sabía muy poco acerca de la retinitis pigmentosa, y el doctor Eliot Berson de la Harvard Medical School, al que llevó Zachary a Toby para que midiese la fuerza de las señales transmitidas por las células nerviosas a la retina, no pudo formular un pronóstico exacto, sino decir solamente que, con un poco de suerte, Toby tendría todavía alguna visión funcional al cumplir los treinta años.

Incluso Zachary se sintió incapaz de decir estas palabras exactas a Toby; pero procuró explicarle por qué debía limitarse a deportes que no fuesen de equipo, como la natación y la gimnasia, prefiriendo hablar de deportes a hacerlo de la vida, y refiriéndose a los bastoncitos y a la retina más que a la visión en sí.

—¿Voy a quedarme ciego, papá? —preguntó Toby, después de los momentos de silencio que siguieron a la confusa exposición de Zachary.

—¡No! ¡No, Toby! Nunca por completo y hasta dentro de muchos años.

A Zachary se le rompió el corazón al decir estas palabras en un tono que procuró que fuese lo menos emotivo posible.

—Sin embargo, sería oportuno que aprendiese el braille, ¿verdad? —preguntó Toby, después de otra pausa.

Zachary no pudo responderle, no pudo decirle que no.

—Braille y mecanografía al tacto —concluyó Toby.

Se levantó y se dirigió a su habitación. Nadie supo jamás lo que sufrió allí; pero salió con su joven alma resuelta a sacar el mayor provecho de su vida, aunque no pudiese conquistar su destino.

A pesar de que todavía no necesitaba el braille, era mejor aprenderlo lo más joven posible, por lo que muy pronto tomó lecciones regulares. Nadaba con un profesor particular en la piscina cubierta que había sido construida para él en el jardín de la casa Amberville, y lo hacía con la misma energía con que continuaba sus estudios de cocina. Toby vivía como si tuviese dos vidas, una con visión y otra en la oscuridad, y, como solía ocurrir a menudo, la dolencia no pareció agravarse en doce años. Cuando Toby se graduó en la «Hotel School» de Cornell, pasó ocho veranos haciendo prácticas con grandes *chefs* en Francia, Italia y Hong Kong, y estuvo en condiciones de inaugurar su primer restaurante.

Durante años, como un caballero afilando sus armas y puliendo su armadura con vistas a una batalla futura, había estudiado los mil útiles de cocina para personas de visión defectuosa y adoptado los que le parecían adecuados, como el *Magna Wonder Knife*, aunque todavía no los necesitaba. La cocina de su primer restaurante fue única por su impecable organización. Ni el ama de casa con más obsesión por el esmero habría conseguido jamás la absoluta exactitud con que Toby, empleando su sentido común, disponía sus utensilios. Su caballo de batalla más fiel eran dos balanzas de panadero de la «Acme Scale Company», una de ellas provista de un aparato electrónico servía para pesar las especies desde cero hasta ochocientos gramos, mientras la otra, era usada para los demás ingredientes, era capaz de pesar hasta cuatrocientos kilos. Ambos tenían indicadores de peso en relieve.

Sus guanteletes eran un par de guantes de cocina de unos cuarenta centímetros de longitud, que protegían sus manos del calor. Sus espadas eran cucharas de madera, espátulas dobles y tazas de medir que podía comprobar con los dedos, sin tener que acudir al cristal graduado. Su lanza era un indicador *Say When* de nivel de líquido, y sus cascos, unas batidoras de «Dansk» y «Copco», todas ellas con anillos de goma en sus bases para estabilizarlas.

Cerca ya de los treinta años, con dos restaurantes funcionando con éxito, Toby se dio cuenta de que los espacios en blanco de su visión eran cada vez mayores; la gente y los objetos entraban y salían de ellos de una manera extraña, débil, fragmentada y cada vez más incolora. Había aprendido a disimular lo más posible sus problemas; pero comprendió que necesitaba ayuda especial.

Durante un período de cuatro meses, se adiestró en el Centro de Rehabilitación San Paul, de Newtown, Massachusetts. Allí, todos los estudiantes, con independencia del grado de visión que tuviesen, trabajaban con los ojos vendados, recibiendo una instrucción que iba desde cosas tan mundanas como urbanidad en la mesa o contar dinero, hasta la difícil técnica del empleo del bastón. Tomó lecciones de esgrima, muy útiles para la localización del sonido, y aprendió a orientarse y a moverse valiéndose de medios no visuales, como juzgar la velocidad del viento, la sensación del sol en la cara, la estructura de lo que pisaba y toda la percepción de los sonidos de la Naturaleza, del hombre y de los automóviles. Cuando salió de San Paul, tuvo la impresión de que no podía estar mejor preparado para el futuro.

Regresó a Nueva York y siguió experimentando la enorme variedad de sistemas que habían sido inventados para los ciegos que se dedicaban a cocinar. Cada vez que inauguraba un nuevo restaurante, instalaba una cocina que era copia exacta de las otras. Enseñaba a sus cocineros, todos ellos videntes, a guisar a su manera, empleando sus armas, de modo que, en caso necesario, llegaran a ser capaces de desenvolverse a oscuras.

Toby trabajaba todavía, de vez en cuando, en su primer restaurante, inventado nuevos platos; pero los otros eran dirigidos por sus *chefs*, a los que visitaba, sin previo aviso, en viaje a Chicago o a Los Ángeles. En sólo veinte minutos de inspección, sabía si el más insignificante plato de compota estaba fuera de lugar. ¡Ay del *sous-chef* que hubiese escatimado las setas; ¡Ay del que hubiese juzgado equívocamente la sazón de un Brie! ¡Ay del cocinero cuyo pollo asado no estuviese jugoso hasta la punta de las alas! ¡Ay del *saucier* que hubiese echado una pizca más de sal! ¡Y ay de los jefes de comedor si los manteles no estaban perfectamente almidonados, si el cristal no era como seda al tacto, si las velas medían un centímetro menos de lo debido o si las flores no estaban lo bastante frescas! Después de sus expediciones, le llamaban *Tobias el Terrible*; pero el personal le adoraba cada día más.

Toby dio un codazo a Maxi, que seguía rumiando.

—Me habría divertido más si hubiese llevado a Angelica de compras —dijo—. Mira, la has pifiado, pero esto no es el fin del mundo. Levántate y anímate. No te enfurezcas. Olvídalo todo. Está claro que tienes tantas probabilidades de resucitar *Trimming Trades* como de hacer que vuelva la moda de las botas con botones. Y es inútil que pierdas el tiempo queriendo luchar contra Cutter. Él ha ganado y tienes que aceptarlo. No pienses más en ello, abandona ese aire de perro apaleado y empieza a portarte de nuevo como Maxi.

—Para ser un murciélago, hablas como un sabihondo —respondió, irritada, Maxi.

—Soy un brillante hombre de negocios, lo cual quiere decir que me enfrento todos los días con la realidad, y quisiera que me tuvieses un poco de respeto, ya que soy probablemente el soltero más apetecible de Nueva York; pero difícil de pescar porque me importa un bledo el aspecto de las chicas y todavía no he encontrado ninguna a la que quiera aguantar durante el resto de mi vida.

—Eres un viejo vanidoso, descortés y ruin, que ni siquiera ha pensado en ofrecerme una copa cuando más la necesito —dijo Maxi con tristeza.

—Me parece que la hora es más adecuada para desayunar, pequeña, ¿o acaso no lo habías advertido?

—Lo malo, Tobias, es que eres demasiado prosaico —dijo Maxi, con enojo.

—El almuerzo requiere un trago, ¿no crees?

—Ahora que lo mencionas, ¿por qué no?

India West se observó con malevolencia en el espejo del tocador de su dormitorio en Beverly Hills. Hizo unos minúsculos retoques en su mente y en sus ojos, que tenían ese azul brillante y especial de las raras turquesas persas, y parecían iluminarse a voluntad. Unos músculos sumamente delicados se movían bajo su piel, donde ocurría lo bastante para llenar las páginas de *Les Cahiers du Cinema*. Se había enamorado profundamente, había soportado una tranquila depresión, había sido atormentada por un terror secreto, se había alegrado, había pasado de libertina a monja, y ahora se sentía animada por una suave anticipación de éxtasis. Todos los sistemas, observó lúgubremente, funcionaban todavía, a pesar de su catastrófica resaca.

Al observarse, sin dejarse impresionar por su imagen, sin conmoverse ante aquel conjunto de extraordinarias facciones cuya perfección no preocupaba a nadie salvo a la propia India, decidió que había algo fundamental y profundamente *estúpido* en ser llamada la actriz de cine más hermosa del mundo. ¿Qué oficio era ése para una adulta? ¿Se daba alguien cuenta de que se trataba de un timo? Lo que más recordaba en su vida era una película de Greta Garbo, en la que aquella cara divina casi no registraba el menor cambio de expresión; sin embargo el reflejo condicionado del público leía en ella grandes emociones. ¿Había sentido alguna vez la Garbo lo mismo que sentía India acerca de sí misma? Sospechaba que sí y que se había retirado antes de que los demás se diesen cuenta.

—Tú no eres Mery Streep, tontuela —dijo en voz alta a su espléndido reflejo—, pero puedes hacer eso que se llama actuar.

Sujetó sobre la nuca la temblorosa mata de cabellos rubios como el ámbar y miró con repugnancia el *Bloody Mary* que había sobre la mesa. India West no bebía casi nunca, pero la noche pasada había hecho una terrible excepción, y había un solo remedio para que su hígado considerase la posibilidad de volver al trabajo. Tragó la bebida, como una diosa resignada a un minuto de mortalidad; se estremeció y volvió a la cama tambaleándose.

Había gastado todas sus fuerzas abriendo la lata de zumo de tomate y buscando el tabasco, pues los domingos estaba sola. No había doncellas, ni secretarias, ni cocinera en la mansión; todos los teléfonos permanecían en silencio, pues los grandes de la La Industria dormían o pensaban vagamente en un desayuno tardío, mientras observaban en la televisión cómo jugaban al fútbol personas condenadas a vivir en otros lugares. India reflexionó que, si no fuese domingo, tendría que realizar los ejercicios de rigor con el profesor de gimnasia, el árbrito de su vida, Mike Abrums. Si aquel hombre sospechaba que sufría una resaca, y sabe Dios que nada se le ocultaba, se lo haría pagar caro. Incluso sería posible que *anulase sus sesiones*.

A pesar del fundado rumor de que poseía, en alguna parte un corazón de oro, Mike Abrums imponía a sus discípulos la implacable disciplina que había perfeccionado durante sus años con los Marines, enseñando a los hombres a matar, con las manos vacías a otros hombres. Ahora, en Hollywood, mantenía en un estado de perfección cuerpos meticulosamente seleccionados y devotamente sumisos, y tenía una lista de espera de cientos de aspirantes. Mike había prohibido a India comer carne roja, azúcar, sal y grasas, y beber licores de cualquier clase y en cualquier cantidad. La noche pasada, en un acceso de rebelión, India había ingerido copiosamente todos los artículos de la lista de alimentos tabú.

—Si no fuese tan hermosa, podría comer una hamburguesa todos los días —dijo patéticamente, dirigiéndose al techo—. Si no fuese una estrella importante, no tendría que ser perfecta. Si no fuese rica, no podría permitirme tomar lecciones de ese bastardo seis días a la semana. Si no fuese famosa, a nadie le importaría un bledo. Tengo muchos problemas de esos que la gente dice burlona que les gustaría tener; pero el hecho de que a todos les encanten no significa que me gusten a mí. No son un bien transferible. Es una idea fútil, debo confesarlo, pero en mi estado actual no puedo librarme de ella.

Aunque sólo estaba hablando al techo, la voz de India sonaba a vino, con sus infinitos tonos y matices, desde el oscuro y fuerte borgoña hasta el helado y brillante champaña; desde el cálido y suave burdeos hasta la dulzura sobrenatural del sauternes. Después de seis años de brillar como estrella en Hollywood, a India ya no le parecía extraño hablar en voz alta consigo misma. Uno de los problemas menos conocidos de una estrella era que había muy pocas personas con las que pudiese hablar francamente. El afán de jactarse de ser su confidente era casi irresistible, y si confiaba algo a alguien que no fuese una de las poquísimas personas de fiar, lo más probable era que, al día siguiente, lo leyese en las columnas de los periódicos.

—¡Si al menos mi techo fuese más interesante! —se dijo.

La resaca limitaba severamente sus opciones. No podía soportar el ruido de la música; no tenía fuerza para fijar la atención en la letra impresa, y lo que era peor, no había nadie con quien quisiese hablar por teléfono. Al pensar esto, sintió que las lágrimas empezaban a subir a sus ojos. Saltó penosamente de la cama se envolvió en una bata y se dirigió despacio a la piscina. Cualquier cosa era mejor que estar tumbada, compadeciéndose.

Caminó por el sendero del jardín de atrás. Había pretendido que pareciese tropical y, después de gastar dos mil dólares en él, su diseñador paisajista había logrado un jardín irreal, a lo Rousseau, de plantas monumentales y exóticas que a India, en su actual estado de ánimo, se le antojaban amenazadoras y grotescas. Pensó, inquieta, en tigres, en gitanos dormidos y en serpientes. De pronto, la red subterránea de aspersores automáticos entró en actividad con una sucesión de ruidos ominosos. En teoría, sólo funcionaban durante la noche. Mientras India permanecía plantada allí, azotada por doce chorros diferentes, tres enormes mastines alemanes salieron ladrando furiosamente de entre los gigantescos helechos y a punto estuvieron de derribarla.

—¡Quietos! ¡Quietos, revoltosos animales! —gritó, tratando de dar a su voz un tono autoritario.

Ellos obedecieron a medias.

—¡*Bonnie-Lou*! ¡*Sally-Ann*! ¡*Debbie-Jane*! ¡Quietos, he dicho!

Los tres perros eran machos; pero ella se sentía más tranquila simulando que eran hembras. Aquellas enormes fieras la aterrorizaban; pero la Policía de Beverley Hills había convenido a su administrador y a su agente de que le eran necesarias. Por lo visto, las verjas, las puertas eléctricamente controladas, la cámara de televisión al final del paseo, y todos los ojos y alarmas eléctricos «Westinghouse» instalados en la casa, eran menos eficaces que un solo mastín alemán para una protección eficaz.

India, con los cabellos y la ropa empapados y el cuerpo chorreando, siguió su camino hacia la piscina, con aquellos revoltosos perros pisándole los talones y lamiéndole las manos en lo que esperó que fuese una señal de afecto. ¡Oh, Dios mío! ¿Les habrían dado de comer? Cada vez se sentía más desconfiada acerca de lo que le esperaba aquel domingo.

Logró salir, al fin, de aquel bosque lluvioso y se detuvo en seco, lanzando una exclamación de incredulidad y de irritación. El agua de la piscina había adquirido, en una sola noche, un repugnante tono verde oscuro. Primero los aspersores; después los perros, y ahora las algas. Era demasiado. Volvió corriendo a la casa, se cubrió la cabeza con la sábana y maldijo al encargado de la piscina, que se había saltado una visita.

—Los seres humanos no fueron hechos para vivir en Beverly Hills —gruñó entre las húmedas sábanas—. El lugar es un desierto que sólo florece gracias al agua robada por los malvados padres fundadores de Los Ángeles a los honrados y esforzados campesinos. Una abominación a los ojos del Señor. ¡Arrepentíos, pecadores!

Sacó la cabeza de entre las ropas de la cama y consideró la posibilidad de otro «Blody Mary». No. De ninguna manera. Uno era medicinal, pero ¿dos? Contaría sus dones, como le había enseñado a hacer su madre. Primero, como siempre, la salud. Era el único don que realmente importaba. Las resacas no eran una enfermedad, ya que pasaban pronto. Segundo, sus sábanas de Pratasi, del más fino algodón y con delicados festones bordados, a seiscientos dólares el juego. Tenía un armario lleno, y eran su orgullo y su gozo... ¿Era tal vez una adicta a las sábanas? En todo caso, constituía un placer inofensivo, puesto que no podían comerse ni beberse. ¿O serían un caso de transferencia?

Durante el último año, había conseguido eliminar la transferencia a su psiquiatra, la doctora Florence Florsheim, psicoanalista de estrellas, y ahora parecía haber transferido sus afectos al armario de la ropa blanca. ¿Podía llamarse progreso a esto? Tendría que consultarlo a la doctora Florsheim, pero lo más probable era que lo hiciese. ¿Qué más ventajas poseía? Hermosa, rica, famosa e inteligente. Incluso John Simon reconocía su talento, opinión que ella se esforzaba en compartir cuando empezaba a dudar de sí misma. Pero todo esto lo había considerado ya otras veces sin que le sirviese de mucho consuelo. Sin embargo, eran seis bendiciones. ¿Amantes? Ahora no tenía ninguno, y el último que tuvo fue un indiscutible error, de tal magnitud que se ruborizaba al recordarlo. La ausencia de amantes era tal vez una ventaja disfrazada. Contándola como media ventaja, significaba un total de seis y media, que no estaba mal para alguien que sufría una resaca que amenazaba su vida. ¿Juventud? Sólo contaba veintisiete años. Sí, juventud, si se olvidaba de que le faltaban tres para los treinta. Tres podían considerarse siglos. Más de mil días. *¡Pero mil días no eran nada!* No debía pensar en ello. ¡Jesús!, no era fácil ser la actriz de cine más bella del mundo; esto provocaba una gran tensión, hasta la doctora Florsheim se veía obligada a reconocerlo.

India pensó en una observación de Nijinsky cuando un admirador del gran bailarín le preguntó si era muy difícil mantenerse en el aire como él parecía hacer literalmente. Le contestó que no lo era: «Es como trepar allí y quedarse arriba durante un rato.» Ésta podía ser también la descripción de la carrera de una artista de cine, pensó India, y el pobre Nijinsky había muerto loco. Pero, ¿habría servido ella para otra cosa? Había elegido su carrera y trabajado de firme para triunfar, y ahora sólo tenía que permanecer allá arriba, desafiando la fuerza de la gravedad. India West empezó a autocompadecerse una vez más. El teléfono sonó en el preciso instante en que se disponía a saltar de la cama para buscar consuelo en el armario de la ropa blanca.

—Miss West, aquí Jane Smith, de *Sesenta minutos*. Hemos decidido investigar el síndrome India West, y la semana próxima me pondré en marcha para seguirla con todo un equipo durante un mes. Lo que más me interesa es el problema de la estrella, empezando, naturalmente por el grano que tienes en el trasero...

—¡Maxi! Ángel mío, ¿cómo has podido estar tanto tiempo ausente? ¿Desde dónde llamas...? ¿Vas a venir de verdad aquí? Me siento muy sola.

—No; estoy en Nueva York, y me parece que no volveré a ir a parte alguna durante el resto de mi vida. Tengo una resaca tal que no creo que pueda sobrevivir. Te he llamado para despedirme para siempre.

—¿También tú? Yo estoy curando mi propia resaca con un *Bloody Mary*. Prepárate tú uno... No colgaré. Te espero.

—¡Qué idea tan horrible...! Vomitaría.

—Mira, el zumo de tomate es la mitad sal y la mitad potasio. Sustituye tus electrolitos con más rapidez que una trasfusión, y no hueles el wodka si pones una dosis suficiente de tabasco. Me lo dijo el mejor internista de Beverly Hills, ¡palabra!

—Está bien... Pero no cuelgues. Me daré prisa.

Mientras esperaba junto al teléfono, India se sintió renacer. Con Maxi de vuelta en el mismo continente, incluso un siniestro domingo en Beverly Hills parecía lleno de promesas. Maxi no podía entrar en una habitación sin crear una fiesta.

Haciendo tintinear los cubitos de hielo, Maxi volvió al teléfono.

—Sé por qué me emborraché, ¿cómo lo hiciste tú?

—Fue en una fiesta la noche pasada. Acudí sola y no encontré a nadie con quien me apeteciera hablar. Entonces entró un tipo realmente fascinador y le presté atención hasta que se acercó lo bastante para que pudiese leer la inscripción de su camiseta.

—Te he advertido otras veces, India, que no debes leer en las camisetas. Son pura agresión. ¿Qué decía ésta? —preguntó Maxi, con curiosidad.

—«La vida es una mierda y, después te mueres.»

—¡Ese lugar no te conviene! Cuando las camisetas empiezan a inducirte a beber...

—Y a comer —dijo tristemente India—. Todo lo que está a la vista.

—Plantéatelo de esta manera —le aconsejó Maxi—: la comida de una noche no se reflejará en tus muslos y, si no te vas de la lengua y se lo confiesas a Mike Abrums, éste no podrá leer tu mente y tú podrás revelar todas las cosas malas que has hecho cuando veas a la doctora Florsheim, porque ella no te juzga nunca.

—¡Oh, Maxi, tienes razón! Cuando tú no estás aquí, no hay nadie que me haga ver la perspectiva. Tengo que hacerlo yo misma, y todavía no sirvo para ello.

—Se necesitan dos para descubrir una perspectiva.

—Tal vez podría ser éste el título de mi novela —dijo India, con entusiasmo.

—¿Estás escribiendo una novela?

—Voy a empezarla en cuanto encuentre el título adecuado. Tengo la impresión de que es lo que debo hacer. Siempre he deseado escribir; y si la mitad de la gente de la ciudad publica obras, ¿por qué no he de hacerlo yo?

—¿En vez de ser la estrella de cine más hermosa del mundo?

—Exacto. ¿Qué te parecería *Si el infierno son los demás, el cielo es pescado ahumado*?

—¡India! —farfulló Maxi—. No digas esas cosas mientras estoy bebiendo.

—Entonces, ¿te gusta?

—Es divino, pero demasiado esotérico. Debería ser algo más adecuado para el mercado de masas, ¿no crees?

—Tal vez una novela de ciencia ficción. Un título que me gustaba bastante es *Chateau Margaux 2001*.

—No, India, no.

—Entonces, *Los casados no tienen sueños húmedos*.

—Una tesis difícil de demostrar.

—¿Qué te parece *Hamlet era hijo único*?

—¿Qué significa esto?

—Creo que el sentido está claro —comentó India con mucha dignidad.

—Mira, India, me preocupas... de veras. Ir sola a fiestas, emborracharte, inventar títulos de novela... Lo primero que vas a hacer es contar de nuevo tus sábanas. Ya sabes lo que esto significa. No es saludable para ti estar sola en esa casa monstruosa. ¿Qué fue de aquella ama de llaves celestial que solía hacer cartomancia contigo?

—La doctora Florsheim me dijo que no debía fiarme de amistades pagadas, lo cual significa que no puedo tener ayuda dentro de casa.

—¿Estás segura de que eres lo bastante neurótica para sufrir esta privación? —preguntó Maxi con cierta ansiedad.

—Si no lo era cuanto empecé, lo soy ahora.

—Creo que deberías decirle a la doctora Florsheim que necesitas un descanso por enfermedad, y venir a visitarme. Te necesito desesperadamente.

—Iría ahora mismo si no estuviese en pleno rodaje de una película.

—Me lo temía —repuso Maxi, en tono de suprema desesperación.

—¿Se trata de un hombre?

—Diez veces peor que el peor hombre que he conocido, o incluso me haya casado. Peor que Laddie Kirkgordon.

—Nada podría ser tan malo... ¿No estarás enferma? —se inquietó India.

—No, a menos que consideres la estupidez como una enfermedad fatal. Y la arrogancia, la falta de criterio y de información; actuar como una imbécil y saltar a lo más hondo de una piscina sin agua.

—Suena como si estuvieses enamorada. Sabía que era un hombre —insistió India, curada su resaca por el sonido de la voz de Maxi y por el regocijo que siempre le causaba enterarse de los absurdos problemas de su amiga.

—Si no cuelgas mientras voy a prepararme otro «Bloody Mary» —dijo Maxi con resignación—, te contaré toda la triste historia.

—¡Bravo! —exclamó India, disponiéndose a una larga y deliciosa escucha.

10

El regreso de Cutter Amberville a San Francisco, después de su relativamente corta estancia en Nueva York, causó poca sorpresa. Sus amigos, todos nacidos y criados en San Francisco, vieron en ello una agradable confirmación de sus propios valores. Habían pronosticado, antes de su marcha, que en ningún lugar del Este encontraría la buena vida de que ellos disfrutaban allí. Y su rechazo de Manhattan demostraba que tenían toda la razón. Aunque algunas personas insistían en llamar a San Francisco la Wall Street del Oeste, y otras decían que era el París de los Estados Unidos, la consideraban una ciudad única que no admitía comparación con ningún otro lugar del mundo. Sólo el mero orgullo cívico haría de San Francisco algo singular, pues esta tranquila colonia española se había convertido en una floreciente ciudad internacional cuando se descubrió oro en Sutter's Mill, en 1848. Desde aquellos tiempos, sucesivos golpes de suerte habían depositado miles de millones en los bolsillos de los afortunados que gobernaban la ciudad, hombres cuyo dinero recién ganado habían perdido su acritud en menos de un siglo.

Ninguno de los amigos de Cutter (los Bohling, los Chatfield-Taylor, los Thieriot, los de Guigné y los Blyth) no supieron jamás que había huido de Nueva York a causa de Lily. Fue tan bien recibido como un unicornio, el animal legendario cuyo cuerno se decía que tenía cualidades mágicas. ¿Acaso no era un soltero sin compromiso, algo casi tan raro como un unicornio?

Los meses pasados en Manhattan dieron a Cutter un aspecto aún más imponente, acentuando el contraste entre sus cabellos rubios y sus sombríos, orgullosos y resueltos modales. Parecía tener más de veinticuatro años y ser más peligroso; un peligro misterioso que lo hacía más seductor por sus perfectas maneras y por aquella sonrisa, inesperadamente cálida, que usaba raras veces, y que cambiaba por completo su expresión, humanizando a aquel hombre reservado. Era de buena cuna, empezaba a ser respetado por los hombres mayores del mundo de la Banca; pero, como se decían las mujeres de la Bay City, se mostraba muy reacio al matrimonio. Desde luego, Cutter Amberville, sin que se pudiera explicar por qué, era difícil de pescar. Por desgracia para ellas, su corazón permanecía libre con una firmeza tan lamentable, como fascinadora, lo que lo hacía aún más seductor. Ninguna de las mujeres que chismorreaban acerca de él sospechaba que la razón por la que evitaba todo compromiso con una de las elegantes solteras de San Francisco se debía a una política sagaz: ¿Qué problemas podría causarle Lily, si se enteraba de cualquier nueva aventura?

Cutter estaba perfectamente escudado contra la muchacha más deliciosa... si ésta podía representar un compromiso serio. A pesar de que tenía un grado de control emocional que raras veces pueden lograr los hombres de cualquier edad, era totalmente incapaz de dominar su ávida y brutal apetencia sexual. Necesitaba mujeres, y las necesitaba a menudo. Pero, después de lo de Lily, suponían un riesgo para él. No le interesaban las fáciles y relativamente inofensivas conquistas de mujeres que trabajaban en su oficina o que podía conocer en los bares. Reconocía, lógicamente, que había mujeres en su círculo social, dentro de su mundo, que estaban tan inquietas como él, tan dominadas como él por un deseo insatisfecho, mujeres a las que podía poseer a su antojo. Pero, para que le atrajesen, tenían que ser mujeres que tuviesen tanto que perder que no pudiesen convertirse en una amenaza para su vida pública. Nunca perseguía a una mujer capaz de imponerle condiciones, jamás acechaba a ninguna que pudiera perjudicarle; y si descubría en alguna de ellas aquel concepto loco y desenfrenado de la vida que había hecho que Lily lanzase la capa al toro, se abstenía de acercarse a ella.

¡Pero había tantas otras! Un hombre que tuviese ojos para ver, un hombre que estuviese rodeado de parejas casadas, podía hacer, en cualquier parte, conquistas rápidas y secretas, sin necesidad de cortejos rituales, conquistas que eran el reconocimiento mutuo de una lujuria sin complicaciones. Cutter llegó a ser el más astuto de los amantes. Sabía conseguir que el peligro trabajase a su favor, aprovechar las oportunidades más inesperadas, oler a la mujer tan enloquecida y ardiente como él bajo la capa de su mundo. Le bastaba una mirada para distinguir a una coqueta de una mujer en celo, y entonces iniciaba su maniobra sin llamar la atención.

La fama de Cutter como el soltero más escurridizo de la ciudad fue en aumento con el paso de los años. Salía casi todas las noches. En «Ernie's», los hermanos Gatti sabían que le gustaba empezar la cena con cangrejos dungeness, servidos con la mayor sencillez posible; en «Kan's», Johnny Kan se ponía personalmente al teléfono cuando llamaba para que le reservaran una mesa; en «Trader Vic's», su mesa estaba siempre en el camarote del capitán. Pero, por lo general, era invitado a casas particulares, no a restaurantes.

Cutter se había dado cuenta de que la manera más rápida de conseguir una total aceptación social en San Francisco era a través de la música. Nunca dejaba de asistir al menos a veinte de las veintiséis funciones de ópera programadas, y acudía a los conciertos sinfónicos tanto en las noches «de gala» como en las «de escucha». Al cabo de pocos años, le invitaron a ingresar en el «Bohemian Club», una institución fundada en 1872 para promover las artes, que, a principios de siglo, se había convertido en un centro de poder sólo para varones; un club al que los hombres más importantes de América eran invitados para las acampadas anuales en el «Russian River».

Cutter fue muy pronto conocido por los líderes de la Banca como Richard P. Cooley, presidente del «Wells Fargo Bank»; George Christopher, presidente del consejo de administración del «Commonwealth National Bank», y Rudolph A. Peterson, presidente del «Bank of America». Pero cuidaba también de mantener sus contactos bancarios en Nueva York. Los meses que había pasado en Manhattan le otorgaron una pátina comparable a la que, en un año en la mejor escuela suiza, obtiene un debutante de una ciudad americana de medianas dimensiones. No había aprendido nada sobre el valor específico del dólar; pero se había sumergido en las corrientes oceánicas de las grandes finanzas americanas.

A su regreso, volvió a su antigua empresa, «Booker, Smity and Jameston», pero en seguida se trasladó a otra más importante. A los treinta años estaba lo bastante maduro para ingresar como socio más joven en la empresa de «Alexander and Alexander», que era una de las más influyentes de la ciudad.

El jefe de la nueva empresa de Cutter, «James Alexander III», pertenecía a una familia que residía en San Francisco desde hacía cinco generaciones. Su estirpe era todo lo noble que podía ser la de un ciudadano de la República. Tenía en alta estima a Cutter; le invitaba a jugar al golf en el «Hillborough Country Club», a participar en la Woodside Hunt, a navegar desde Sausalito Harbor en su yate de cuarenta y ocho metros, y le propuso como miembro de su club de la ciudad, el «Union League» de Nob Hill, pues James Alexander, como Mr. Bennett de *Orgullo y prejuicio*, tenía hijas casaderas. No cinco, sino (a Dios gracias) solamente dos, y aunque le dolía reconocerlo, la mayor, Candice, estaba muy lejos de ser una belleza.

Además de su vista sobre la bahía, su encanto, su escultura y sus restaurantes, San Francisco se enorgullece con razón de la belleza de sus mujeres. Muchachas como Patsy McGinnis, Penny Bunn, Mielle Victor, Frances Bowes, Mariana Keean y Patricia Walcoltt, adorables todas ellas, no eran excepciones, sino lo normal, a principios de los años sesenta. En comparación con las bellas normales del lugar, Candice Alexander sólo era, incluso a los ojos de su devoto padre, una chica corriente. No era de una vulgaridad desesperada, eso no; pero el buen hombre tenía que admitir, por mucho que la quisiera, que ni siquiera era bonita. Nadie había soñado jamás en llamarla Candy. James Alexander y su esposa, Sally, también sanfranciscana de quinta generación, eran asimismo corrientes; pero ambos estaban convencidos de que su hija mayor, sanfranciscana de sexta generación, tenía que haber nacido hermosa, desafiando todas las leyes de la genética. A fin de cuentas, su hija menor, Nanette, daba buenas señales de que sería bonita, y sólo contaba catorce años.

Candice tenía al menos unos dientes perfectos, después de años de ortodoncia, y unos cabellos sedosos. Tenía bien desarrollados los músculos de los brazos y de las piernas, gracias a la práctica de los deportes adecuados; pero, por desgracia, su cuerpo parecía el de un muchacho; se había graduado en Miss Hamlin's y Finch, sus perlas eran las mejores que «Gump's» podía ofrecer; pero carecía en absoluto de una cualidad que poseían incluso las muchachas de aquella población considerada inferior y llamada Los Ángeles, de ese matiz sexual que es tan necesario para atraer a los hombres.

James Alexander III era inmensamente rico y cada día aumentaba su caudal. Aunque Sally Alexander no enviaba su ropa en avión para ser lavada en seco en París como hacía Mrs. W. W. Crocker, ni tenía un cocinero chino desde hacía treinta y siete años, como Mrs. Cameron, los Alexander vivían, cuando no viajaban o estaban de vacaciones, en la «Ramble», una mansión de treinta y cinco habitaciones en la distinguida Hillsborough, a diez kilómetros al sur de la ciudad. La «Ramble», heredada de los padres de Sally Alexander, tenía terrazas y cuidados jardines casi tan imponentes como los de Strawberry Hill, de Mrs. Charles Blyth; pero, ¡ay!, por desgracia para Candice, Hillsborough estaba llena de casas igual de grandes, habitadas por padres igual de ricos y de muchachas... menos corrientes, muchísimo menos corrientes que Candice; muchachas que tenían todas que casarse para producir la séptima generación de sanfranciscanos.

Si James Alexander III sabía lo que era un mercado favorable al comprador, lo había aprendido durante las muchas y largas tardes en que Sally y él cenaban con Candice, que tenía ahora veinticinco años, y esperaban, con la misma ansiedad que ella, a que sonase el teléfono. Cuando lo hacía, cada vez con más frecuencia, era siempre para Nanette.

Cutter tenía ya treinta y un años. Nunca había vuelto a sentir las emociones que le había provocado Lily, y consideraba aquella época de su vida como una forma de evidente locura. Pero le había hecho una promesa; le había escrito una carta que estaba seguro de que aseguraría su silencio. Después le escribió otras, nada comprometedoras y no tan numerosas como para que pudiesen dar pie a comentarios. Desde luego, muchas menos de las que recibía de ella, pero hábilmente redactadas para evitar cualquier acción precipitada, ya que Lily estaba más resuelta que nunca a reunirse con él algún día. Todavía no había cumplido los treinta y uno y tenía toda la vida por delante. Zachary poseía una amante, escribía Lily; todo el mundo lo sabía, era una muchacha llamada Nina Stern, que trabajaba en *Style*, de modo que él no tenía posibilidad de obtener la custodia de los hijos. Lily se estaba impacientando. Le fastidiaban las cartas ambiguas de Cutter y pensaba que éste mostraba una precaución absurda. Cutter podía percibir su creciente irritación en cada carta que le enviaba para preguntarle qué estaba esperando para enviarla a buscar.

Él no tenía la menor intención de casarse con Lily para vivir con ella y con sus hijos, y seguir su camino paso a paso como cualquier hombre corriente. Conocía su propio valor y pensaba sacar provecho de él. Había decidido casarse con la muchacha que pudiese resultarle más beneficiosa. Concretamente, pretendía casarse con Candice Alexander, la hija de su jefe. Quería los fáciles y remuneradores frutos que le corresponderían como marido de ella.

Cierto que Candice era bastante vulgar, pero no hasta el punto de que la gente pudiese decir a la ligera que sólo se había casado con ella por su dinero. Parecía tener buenas condiciones, montaba a caballo, esquiaba, jugaba al tenis y al bridge, todo ello con igual habilidad, y sería una excelente esposa. Candice le estaría siempre sumamente agradecida. Su matrimonio sería un ejemplo más del hombre guapo que se une a una mujer menos atractiva que él, una combinación aceptada desde hacía siglos. Candice tenía a fin de cuentas una simpática sonrisa, y Cutter pensaba que, a juzgar por su madre, no engordaría demasiado.

Su único problema era Lily. ¿Qué no sería capaz de decir sobre él, si se enteraba de un noviazgo con Candice Alexander, acontecimiento social que no podría mantenerse en secreto? Cierto que su relación con Lily era ya agua pasada, por muy desagradable que hubiera sido. Ella no ejercía ningún poder sobre él. Pero, ¿y el niño? Justin. Su hijo. Incluso James Alexander III se lo pensaría dos veces antes de concederle la mano de una feúcha hija, si Lily, enfurecida, le contaba lo de Justin. Desde que se supo del nacimiento del niño, Cutter se había esforzado en no pensar en él. Nunca había visto al hijo que Lily, ¡maldita sea!, se había empeñado en tener por arrogancia, vanidad y egoísmo. Ella era la única responsable de la existencia de Justin, aunque se imaginase que el muchacho le daba derecho sobre Cutter.

Empezó a cortejar discretamente a Candice Alexander; tan discretamente que raras veces la veía salvo en presencia de sus amigos o de su familia; pero le mostraba un calor especial, suficiente para ser advertido, pero no para ser tomado en serio y dar pie a habladurías. Sabía que Candice estaba enamorada de él, con un amor tímido y humilde que la ponía por entero a su merced. Calculaba que su única oportunidad era poner a Lily ante un acto consumado: fugarse con Candice a Las Vegas un fin de semana y dejar que ocurriese lo que tuviese que ocurrir. Entonces sería el yerno y presunto heredero de James Alexander, y nadie podría privarle de esta condición. La única arma sólida de Lily era aquella carta. Pero, aunque fuese lo bastante loca para emplearla, sólo contenía las palabras de un muchacho que había dejado de serlo... No era una prueba contundente de nada.

Los Alexander esquiaban en Squaw Valley y en Klosters, Suiza, pero acababan de comprar un refugio en Aspen. Todos eran lo bastante expertos para esquiar sin dificultad en los empinados prados despejados y en los senderos boscosos. James y Sally Alexander preferían hacerlo durante las tardes soleadas; pero Cutter y Candice eran siempre los primeros en subir a lo alto de la montaña, sin importarles el aire gélido y el peligro de congelación que existía a tales alturas. Iban con el fin de hacer el primer descenso. Con su traje de esquí y sus gafas, Candice resultaba tan atractiva como cualquier otra, pensaba Cutter, y esquiaba mejor que la mayoría. Podía seguirle dondequiera que la llevase y no tenía que preocuparse de su capacidad de controlar la velocidad en los caminos estrechos que cruzaban aquí y allá los espesos bosques de las montañas.

El amor al esquí constituía quizás el sentimiento más profundo de Cutter... después del odio a su hermano. Era el único deporte que le hacía sentirse absolutamente libre, despreocupado, durante unos minutos, de lo que la gente pudiese pensar acerca de él, de su pasado, de su futuro, de sí mismo, en particular de sí mismo, viviendo por entero en el claro y limpio presente.

Una mañana temprano, mientras esquiaba sobre la helada capa de la nieve recién caída, disfrutando de la superficie inmaculada que se extendía ante él, se dio cuenta de pronto de que no oía a su espalda, como de costumbre, los esquíes de Candice. Se detuvo y se volvió. No la vio por ninguna parte. Maldiciendo, empezó a subir de nuevo por el sendero, que era tan estrecho que apenas le dejaba sitio para remontar la cuesta caminando de lado. La llamó; pero no obtuvo respuesta. Tampoco aparecieron otros esquiadores. Al cabo de unos minutos, descubrió el cuerpo de ella fuera de la senda, colgando inmóvil de las ramas de dos pinos próximos el uno al otro, a una cuarta del suelo, como si hubiese caído desde arriba. Debió de pisar una arista y girar sobre sí misma. Empleó toda su habilidad para encaramarse a través del bosque espeso. *Pisar una arista y girar sobre sí misma.* Se estremeció al pensar esto. Habría podido romperse la crisma en aquel vuelo furioso. Por fin llegó a su lado. Había visto tantos accidentes de esquí en sus años de práctica de este deporte, que presumió, a juzgar por la posición forzada de su cuerpo, que era probable que se hubiese fracturado la espalda. Le quitó un guante para tomarle el pulso. Estaba viva y esto era lo único de lo que podía estar seguro, pues se hallaba inconsciente y no debía tratar él de moverla. La dejó allí, boca abajo sobre el lecho de ramas con carámbanos colgantes, y descendió a toda velocidad por la senda, para avisar a la patrulla.

Desde luego, él no había tenido la culpa. Nadie podía censurarle. Los accidentes de esquí eran frecuentes. Todo el mundo sabía que Candice era una buena esquiadora. Una mañana fría, una senda estrecha y empinada. No, nadie, ni siquiera sus padres, serían capaces de echarle la culpa. Sin embargo, podía culparse él mismo. Podía decir que la culpa había sido suya, que hubiese debido saber que la nieve estaba demasiado helada, que era muy peligrosa. Tenía que haberla detenido, impedirle que bajase. Sí, él cargaría con la culpa. Y se casaría con ella, si salvaba la vida. Tendría todo lo que Candice Alexander podía darle, y ni siquiera Lily podría reprochárselo, si se casaba con una joven inválida, que se había quedado así por su culpa.

Nina Stern tardó más tiempo de lo que había supuesto en seducir a Zachary. Después del difícil alumbramiento de Justin, el tercero y último hijo de los Amberville, Lily había estado muy enferma durante meses. Maxi, al ver que era el miembro de la familia a quien se prestaba menos atención, se había superado en sus ingeniosas picardías. Ni siquiera Mary Popins habría podido manejarla, solía gruñir Zachary para sus adentros, mientras su corazón se derretía ante sus lágrimas de auténtica contricción cuando era sorprendida y tenía que ser castigada. Gracias a Dios, se había inventado la televisión. Privarla de sus programas preferidos era el único castigo que podía infligirle. Nunca había podido pegar a Maxi o encerrarla en su habitación. ¿Cómo castigaba la gente a sus hijos antes de que existiera la televisión?

Zachary había estado demasiado preocupado para prestar mucha atención a Nina en las reuniones de los miércoles, preso como se hallaba entre los problemas del hogar y los de la oficina, pues era una época en que todas sus revistas debían prosperar o dejar de publicarse. Hasta que, al fin como ella sabía que tenía que ocurrir, se presentó la ocasión clásica: la inesperada invitación a cenar, hecha casualmente cuando sólo quedan dos personas en una oficina después de un largo y duro pero satisfactorio día de trabajo. Nina no había estado practicando toda su vida para dejar escapar esta ocasión.

A la mañana siguiente, cuando se despertó en la cama de ella, Zachary supo por qué otros hombres se divertían, lo supo con todos sus exactos, aniquiladores y sorprendentes detalles, y supo también que nada podría apartarle de ella.

Durante los primeros meses de su aventura, había estado demasiado obsesionado por Nina para sentirse culpable ante Lily y los hijos. Pero un día se dio cuenta de que nunca podría pedir el divorcio a su mujer. No podía hacerle eso a la exquisita, valerosa e inteligente muchacha a la que había conquistado en un mes cuando ella estaba aún en la adolescencia, que había abandonado por él un seguro y maravilloso futuro como primera bailarina, que no conocía otra vida que la que él la había incitado a llevar, que le había dado sus hijos; Lily, que era una madre maravillosa para Toby y el pequeño Justin, y que incluso se mostraba paciente con Maxi. Lily Amberville se había convertido además en una reina en Nueva York, y él no podía privarla de esta posición. Uno de los resultados de la enfermedad de Lily era que casi nunca hacían el amor, no porque tuviese ella miedo de quedar de nuevo embarazada, sino porque el nacimiento de Justin parecía haber causado un profundo cambio psíquico en ella; una razón más de que no pudiese abandonarla.

Explicó todo esto a Nina, con gran dolor, pensando que ella no querría continuar con un hombre que no podía ofrecerle un futuro.

—¿Debo deducir de esto que supones que yo espero que te divorcies y te cases conmigo? —le preguntó ella, después de ver cómo se esforzaba para explicarle su posición.

—Bueno. ¡Ah...! Sí. Creo que sé lo que quieres decir. Mejor dicho, ¡*no sé* lo que quieres decir! ¿No es eso lo que espera una mujer como tú...? ¡Maldita sea, Nina! ¿No quieres..., no querrías...? Tú eres una buena chica... Tus padres... Cualquier otra muchacha... ¡Maldita sea! Lo di como cosa segura. Pensé... Bueno, pensaba que... ¡Oh, *mierda*!

—No es que no te quiera —dijo ella, tratando, con poco éxito, de contener la risa.

—Si me amas —dijo él, agarrándola, sorprendido por la enormidad de su propio alivio—, ¿por qué no quieres casarte conmigo?

—Soy un caso raro. No me gusta el matrimonio, es bien sencillo. Todo el mundo se casa y contrae una obligación que hay que repetir todos los días, como cepillarse los dientes. Lo que me gusta es precisamente lo que hacemos; amarnos y vernos en las reuniones de la oficina; saber que pensamos el uno en el otro, escabullirnos por los rincones, y marcharnos algunos fines de semana y hacer el amor cuando todo el mundo se imagina que estamos en otro lugar. Me encanta ese divertido y maligno disimulo. Me complace hablar contigo, pero necesito hacerlo todas las noches.

—¿Estás segura de que eres judías?

—Hablas como mi madre. Será mejor que vuelvas a hacerme el amor en seguida, para que olvide esta observación —dijo ella amenazadora, entre lágrimas de risa al verle tan impresionado.

A Nina Stern le gustaba su libertad tanto como su creciente poder en *Style*, un poder que sabía que todo el mundo tenía que reconocer que había logrado por sus propios méritos, no por acostarse con el jefe. Adoraba trabajar de firme, y lo hacía con brillantez; disfrutaba al ser capaz de permanecer al pie del cañón durante la noche, sin tener que preocuparse por una familia, y estaba resuelta a no dedicarse a complacer a nadie, salvo a sí misma. Cada día recibía más invitaciones de las que tres personas podrían aceptar. Era una de las pocas solteras de Nueva York deseadas en una fiesta, tanto como el soltero más atractivo. Hombres de todas las edades se la habían disputado cuando tenía entre veinte y treinta años. Y ahora, que había pasado de los treinta, era todavía más misteriosa y deseable. Y seguía siendo igual de coqueta. En todo caso, su fidelidad a Zachary hacía que sus modales seductores fuesen aún más intrigantes, ya que no conducían a nada, y representaban un reto que pocos hombres podían resistir, rodeándola de la aureola de la mujer amada, triunfal y profundamente feliz, con una vida muy privada. Cuando su madre se lamentaba de que Nina no tuviese marido e hijos, lo único que ella le respondía era que su vida era más interesante que la de cualquiera de sus conocidas, observación que Mrs. Stern consideraba frívola y sin valor; pero que a Nina satisfacía por completo.

Cutter y Candice Alexander se casaron lo más pronto posible, en cuanto se supo que ella estaba fuera de peligro. El grado de su recuperación estaba todavía en tela de juicio; pero en dos años de intensa fisioterapia casi se había recobrado de su accidente. Su espalda le crearía siempre dificultades y le produciría frecuentes dolores, a pesar de no haber sufrido ninguna fractura. Nunca podría volver a participar en deportes activos, pero caminaba con normalidad.

Durante aquellos dos años, no sólo se había ganado Cutter la casi incrédula gratitud de sus parientes políticos, sino que el amor que sentía Candice por él se había convertido casi en adoración. Era una emoción tan turbadora y poderosa, se había sometido hasta tal punto a él, que tenía que disimular sus sentimientos por miedo a que la encontrasen ridícula. Con el transcurso de los años, su fijación en Cutter se convirtió en una obsesión que adoptó la forma tiránica y febril de los celos, pues nunca pudo convencerse, en el fondo de su corazón, de que Cutter la amaba de verdad. ¿Era una prueba de amor que se hubiese casado con ella cuando corría el riesgo de quedar inválida para toda la vida? ¿O sólo era un sentimiento de culpabilidad? Sí, él se había culpado del accidente; pero le había jurado docenas de veces que la culpa, por grave que fuese, no le habría llevado a casarse con ella sin amor, hasta que ella comprendió un día que debía simular que había dejado de dudar de él, pues su paciencia se estaba agotando.

Se dominó, con una fuerza que nadie sabía que tuviese, y apareció ante los demás, incluso ante Cutter, como muchas de sus ricas amigas jóvenes y casadas, que actuaban como si estuviesen seguras de sus maridos. Pero, ni un solo día, ni una sola media hora, se vio libre de aquella inseguridad nacida de los muchos años en que los hombres no le habían prestado la menor atención. Los celos que la corroían se apoderaron de su espíritu con mayor ferocidad al tener que permanecer mudos. Cutter Se convirtió en el único móvil de la vida de Candice, y cuando ambos participaban en los ritos de la vida social de San Francisco, a la que ella se veía ligada por su nacimiento y su posición, sus ojos no paraban de observarle en secreto, para ver si estaba hablando con alguna mujer bonita. Las palabras celosas que no podía permitirse pronunciar se convirtieron en un cristal empañado como un sucio filtro amarillo manchado de repelentes inmundicias, a través del cual veía su mundo privilegiado como un lugar donde sólo reinaba la tristeza.

Candice Amberville empezó a beber cada día más temprano, de manera que, cuando llegaba el momento de vestirse para una fiesta o para la ópera, podía sentirse lo bastante relajada para mirarse al espejo sin compararse con las demás mujeres de la ciudad. Pero no le servía de mucho. Gastó una fortuna en trajes y llegó a ser una de las mujeres más elegantes de su ambiente. Pagaba a su cocinera el doble que la que más pagaba y daba los mejores, más bellos y mejor organizados banquetes de su grupo. Sin embargo, tampoco hallaba gran consuelo en ello. Tenía una enfermedad que nada podía curar. Cuando Cutter la poseía, lo imaginaba haciendo lo mismo con otra mujer, de manera que, al llegar al difícil orgasmo, ni siquiera ese alivio momentáneo le servía de gran cosa. Los celos estaban matando a Candice Amberville y, si Cutter le hubiese sido fiel, tampoco le habría servido de nada.

Estaba tan contaminada por los celos que tenía la impresión de padecer una dolencia de la piel que el hacía supurar por todos los poros; se sentía sucia, manchada, llena de costras y llagas, abiertas una y otra vez hasta que la sangre y la pus manaban de ellas, invisibles pero repugnantes.

En un frenético esfuerzo de llenar su vida con algo que no fuesen sus pensamientos, compró un par de dorados perros de caza, los cuales le dieron un breve respiro, pues podía verter en sus oídos sus sospechas, palabras de asco contra sus semejantes que se habían sentado al lado de Cutter en la cena y reído con él, que le pedían que fuese su pareja en un partido de dobles mixtos o que las acompañase en una de las muchas regatas que se celebraban en el club. Sin dar muestras de su tormento, le animaba a participar en aquellos deportes que ella ya no podía practicar. Simulaba estar ansiosa de salir de vacaciones en la temporada de esquí, diciendo que le sentaría bien el cambio, que le gustaba caminar sobre la nieve y tener tiempo para leer mientras él esquiaba en las pistas.

Si hubiese dependido de ella, Cutter sólo habría jugado al polo, pues allí, observándole desde las tribunas, podía estar segura durante unas horas, que no pertenecía a nadie más. Pero cuando no jugaba al polo, su imaginación inventaba toda clase de lúbricas escenas: Cutter, todavía sudoroso despúes del partido de tenis, buscando una habitación vacía en el club, despojándose de su ropa y fornicando con su bien dispuesta compañera; Cutter en el camarote de un yate anclado, tendido desnudo sobre una litera, con el largo y grueso miembro medio hinchado, y una mujer arrodillada delante de él, siguiendo sus breves y exactas instrucciones; Cutter, volviendo temprano de la montaña y dirigiéndose, sin ser observado, al dormitorio de una de las mujeres que esquiaban con él, observando cómo se desnudaba mientras le explicaba con todo detalle lo que debía hacerle y lo que pretendía hacerle a ella.

Candice amplió su perrera, compró más perros cazadores de pura raza y empezó a criarlos. Ahora bebía más y guardaba botellas en la perrera para tener un sitio adonde ir, un lugar privado en el que poder beber sin que la viesen y decir a sus perros todas las cosas que no le era posible contar a las personas, porque éstas habrían creído que estaba loca. Candice no podía aceptar su situación, no podía resignarse; no había tregua para ella. Su árido y torturado sentido del valor lo cifraba por entero en *la ignorancia simulada*, en vivir como si todo marchase bien en su matrimonio, en presentar ante el mundo una imagen muy bien acicalada, soberbiamente vestida, confiada y sonriente. Estaba convencido de que todos sabían que su marido le era infiel.

En realidad, Candice Amberville se equivocaba. Las muchas aventuras amorosas de Cutter, aunque sospechadas por algunos, no eran de dominio público. Había sabido elegir sus compañeras; todas ellas eran bribonas como él, que, por su propio interés, se preocupaban de no dejar señales que pudiesen ser percibidas por sus maridos; mujeres que formaban parte de una chusma que existe en todas las ciudades del mundo.

El padre de Candice, que cada año ascendía a Cutter en sus responsabilidades, nunca habría creído que la mujer de uno de los socios de «Alexander and Alexander» se encontraba dos veces a la semana con Cutter en una habitación de hotel. La madre de Candice habría desmentido a quien le hubiese dicho que su yerno tenía otras mujeres, docenas de ellas. Sólo un miembro de la familia Alexander tenía a Cutter por lo que era: Nanette, que contaba quince años cuando Cutter y Candice se casaron y tenía ahora veinticuatro; la mimosa y sonrosada Nanette, que había crecido sin escrúpulos, amoral y capaz de todo; Nanette, que empleaba otras mujeres y la cocaína con el mismo sentido de desafiadora curiosidad. ¿Por qué no había de hacerlo? La vida era tan monótona, San Francisco una ciudad tan provinciana, el matrimonio (pues estaba casada) tan aburrido y falto de interés, que valía la pena probarlo todo al menos una vez.

Las actividades clandestinas, incluso las más secretas, tienen filtraciones, y la promiscuidad no es una excepción. En definitiva, Nanette oyó rumores suficientes sobre las actividades de Cutter para formarse una idea de aquel hombre rubio, de invencible frialdad tan sombríamente resuelto; un hombre que siempre había visto en ella a la hermana pequeña de Candice.

¿Cómo podía no haber advertido su sexualidad, tan visible como una marca en la frente para la clase de hombre que ahora sabía que era él? ¿No la había encontrado atractiva?, se preguntó, con resentimiento. ¿Y qué había de verdad en lo que le habían dicho de él? Un hombre que no necesitaba que le incitasen, que estaba siempre a punto, que dejaba satisfecha a todas las mujeres, pero con una satisfacción que pedía más... Un pirata sexual. ¿Podía ser Cutter todo esto? Su horrible hermana, tan tranquila y dueña de sí, tan superior, remilgada y desaprobadora, tan atareada con sus perros de concurso y sus famosas cenas, ¿estaba tan pagada de sí misma porque aquel hombre la llenaba por entero?, se preguntó Nanette, con petulante irritación.

Cutter resistió todo lo que pudo a Nanette. Estaba demasiado cerca de su hogar. Se negaba a admitir que esto formaba parte de su atractivo. La deseaba desde hacía años, desde que había pasado de linda adolescente a convertirse en mujer voluptuosa que olía a sensualidad, cuyo animalismo era tan desenfrenado que, siempre que la veía en las reuniones familiares, se sentía inflamado contra su voluntad y su sano juicio, deseando más que nada en el mundo apoderarse de ella inmediatamente, poseerla sin una sonrisa ni una palabra, como sabía que estaba esperando ella, con brutalidad y violencia. ¡Cuántas veces, en el refugio de esquí de Aspen, se había arrojado sobre el cuerpo nada tentador, sumiso y anhelante de su esposa, teniendo en el pensamiento a la lasciva Nanette, turbia, pícara y llamativa, cuyo dormitorio no estaba más que a dos puertas de distancia!

Se acechaban mutuamente como criaturas de la jungla, ambos en un doble papel de cazador y de pieza perseguida, hasta que llegó un día en que no había más que una pregunta por responder: *¿Cuándo?* En seguida, lo antes posible. Y después del primer revolcón, surgió una nueva pregunta: *¿Cuándo de nuevo?* Nanette se mostraba insaciable; tenía una habilidad de cortesana que él no había conocido en ninguna otra mujer. Era voraz como una loba y dos veces más viciosa. Con gran astucia, le inició en la única experiencia que Cutter no había tenido: el tremendo y prohibido embeleso de tener dos mujeres al mismo tiempo. Nanette había comprendido que ésta era la única manera de estar segura de tener a Cutter todo el tiempo que ella quisiera; Nanette, a quien no le importaba compartir con él a otra mujer; Nanette, que sentía una particular y poderosa excitación al mostrarle lo que era el juego de dos mujeres mientras él observaba y esperaba que le permitiesen poseer a una, o a las dos. Ese detalle no importaba.

Pero un secreto compartido por tres personas sólo está seguro si mueren dos de ellas. Y este secreto era demasiado bueno para limitarse a los rumores, demasiado picante para no ser saboreado y pasado de boca en boca por aquellos para quienes el libertinaje no era más que una palabra, una fantasía que nunca se atrevía a llevar a la práctica. Primero fue una sospecha, después un hecho casi sabido, y por último,

como las palabras escritas con tinta invisible que se hacen legibles al ser
calentado el papel, llegó inevitablemente a oídos de Candice, la cual,
casi desde el principio de su matrimonio, había soportado la idea de
Cutter con otra mujer. Pero, hasta entonces, esa mujer nunca tenía
rostro. Durante años, toda su fuerza y toda su energía emocional se
habían concentrado en no reconocer las infidelidades de su marido. Su
único consuelo había estado en el alcohol, en sus perros y su orgullo.
Ahora su orgullo ya no podía sostenerla, pues aquella mujer sin rostro
tenía una cara, la de su hermana Nanette. La propia Nanette se lo
había dicho, sin dar muestras de lo mucho que se divertía con su seudo-
confesión. La altiva apariencia de Candice había llegado a ser tan perfecta
que Nanette no pudo, ni siquiera lo intentó, resistir la tentación de destruir el aplomo de Candice. Con crueldad, como por descuido, dejó en
un lugar visible una foto «Polaroid» en la que aparecía ella y, a su
lado, Cutter, en el preciso momento en que su cara se hallaba contraída por el orgasmo.

Candice se dio cuenta de que no podía aguantar más. Su vida era ya
imposible. No había futuro, por odioso que fuese, después de este
conocimiento. Nunca dejaría de ver aquella foto. Jamás podría convertirse en un simple recuerdo. Permanecería viva delante de sus ojos,
y su angustia sería eterna. El infierno se había desencadenado y eliminado toda duda. Si no quedaba duda, no podía haber esperanza.

Candice se puso un bello traje, peinó sus brillantes cabellos, se ma-
quilló, se dirigió a un hotel de Union Square, tomó una habitación en la
decimosexta planta, bebió media botella de whisky escocés y saltó por
la ventana a un callejón solitario que había en la parte trasera del
hotel.

Esto habría sido considerado un caso de enajenación temporal, de
depresión suicida tan disimulada que ni siquiera su madre podía haber
sospechado su existencia. Pero mientras engullía el alcohol que necesitaba para decidirse a abrir la ventana, Candice pensó en sus perros y
garrapateó una carta dando instrucciones para su cuidado, una carta sin
orden ni concierto en la que su deseo de castigar a su hermana triunfó sobre su empeño de simular hasta el fin que no sabía la clase de
marido que era Cutter, una carta en la que acusaba a Nanette.

El detective que encontró la carta la entregó a James Alexander III.
Éste no tuvo más remedio que creer que Candice se había equivocado
respecto a Nanette, pues ahora era ésta su única hija. Toda su venganza
recayó sobre Cutter, ahora vicepresidente primero de su empresa. Con
el fin de evitar que el escándalo siguiese a lo que todavía consideraba
sólo una tragedia, lo único que podía hacer James Alexander III era
despedir a Cutter de la empresa y asegurarse de que no sería contratado por ninguna de las numerosas casas de Banca de San Francisco, sobre
las cuales ejercía una influencia considerable.

James Alexander III no se dio cuenta de ello, pero su venganza fue la más perfecta que habría podido lograr sin una pistola, pues privó a Cutter de la futura presidencia de «Alexander and Alexander», que había sido el único objetivo al que había tendido de diferentes maneras desde el día en que conoció a Candice.

Jumbo Pooker nunca había renunciado al prestigio que le daba su condición de amigo más íntimo de Cutter. Encerrado como estaba en el estrecho marco de un cómodo matrimonio, la excitante y pecaminosa vida que imaginaba que llevaba Cutter, aunque éste nunca se jactaba de ella, le daba la ilusión de estar compartiendo aquellas experiencias, sin los problemas que una participación real le habría planteado. Ahora, al producirse el brusco e inexplicable despido de Cutter, Jumbo se empeñó en encontrar algo para su amigo, satisfecho de percibir esta señal de que su propia posición, si bien menos brillante, era superior a la de aquél.

Jumbo tenía relaciones entre los que recaudaban fondos dentro de la Administración Nixon, y encontró para Cutter un destino en Bélgica, dentro de la complicada burocracia de la «Agency for International Development». Bruselas, hospitalaria y singularmente sombría en su casi perpetua niebla, convenía al estado mental de Cutter, que pronto se vio envuelto en la complicada vida diplomática de la atareada y pujante capital. En definitiva, Jumbo le dio la oportunidad de trabajar en un Banco de inversiones de Londres y, al cabo de unos años, volver a Nueva York y trabajar en la oficina local de Booker, «Smity and Jameston». Esto ocurría en 1981, y Cutter consideró que había llegado la hora de volver a casa. Ni la bienvenida que le habían dado las esposas de los miembros de la OTAN, ni la amistad que le habían brindado los británicos, igualaban las ventajas que todavía podía esperar un Amberville en un suelo natal.

En 1969, doce años antes de que Cutter volviese a Manhattan, Nina Stern había cumplido los treinta y cinco. Sus amores con Zachary se habían desarrollado de una forma tan discreta que llegaron a formar parte del mosaico de la vida de la ciudad, aceptados por quienes los conocían e ignorados por todos los demás. Las oleadas de rumores, que sin duda se habían producido diez años antes, se convirtieron en diminutas ondas al permanecer Lily y Zachary plácidamente casados. Nina y Zachary eran como una pequeña y poco conocida institución, una oscura sociedad histórica ubicada en un callejón, sin funciones de recaudación de fondos y sin eruditos que la investigasen. Sólo ellos dos conocían los tesoros ocultos detrás de la fachada que habían construido, y en lo concerniente a Zachary, éste no pedía una felicidad mayor.

Pero Nina Stern, a sus treinta y cinco años, no poseía el mismo

espíritu libre que había tenido a los veinticinco. Era tan querida como
antes, prosperaba a diario y estaba segura de suceder a Zelda Powers
como directora de *Style;* pero con su desdén por las cosas domésticas
no había resistido el ataque de su herencia hormonal. Había llegado
a la edad en que toda soltera de convicción, se enfrenta con el clásico
e inevitable dilema de *ahora o nunca.* La víspera de su trigesimoquinto
aniversario, Nina había hecho un examen de su situación y se había
preguntado dónde estaría dentro de diez años. La respuesta no le gustó:
estaría exactamente donde estaba ahora, todavía triunfante, todavía con
Zachary; pero con cuarenta y cinco años a la espalda. Y acercándose
rápidamente a los cincuenta. Voces atávicas sonaron en su mente.
Ahora o nunca. ¿Podía aceptar el *nunca?* ¿Debía cambiar de idea sobre
lo que siempre había creído que quería, sólo porque la arena del reloj
del tiempo seguía cayendo? Nina Stern se contempló larga y sinceramente. Desvanecida la ilusión, se dio cuenta de que, a fin de cuentas,
era una mujer como las demás. Quería el *ahora,* no podía resignarse al
nunca. Aunque pensaba que, en definitiva, el matrimonio y los hijos no
la harían feliz, debía comprobarlo por sí misma. Si esta evidencia de
su condición humana ordinaria la turbaba, también la aliviaba un poco
al mismo tiempo. Tal vez, sólo tal vez, resultaría un experimento interesante.

Rompió con Zachary con toda la rapidez, la limpieza y la suavidad de que fue capaz, y pronto se casó con el mejor partido entre los
muchos que la habían estado persiguiendo en el curso de los años.

Sólo su hija Nina, dijo triunfalmente Mrs. Stern a sus amigas, podía
haber tenido dos hijos gemelos y conservado su empleo en el primer año
de matrimonio. Sólo Nina, pensó Zachary, había podido romper unas relaciones con tal decencia y tal sinceridad que le permitió asistir a la
boda y... casi... alegrarse por ella. Sólo Nina, pensó Nina, podía seguir
apreciando profundamente a Zachary y dar a su marido el amor casi
exclusivo, que se merecía. A fin de cuentas, era posible tener lo mejor
de ambos mundos... Era cuestión de tener el sentido justo del tiempo.

Lily Amberville vio una oportunidad y no dejó de aprovecharla. La
invitación a la boda le decía que Zachary había perdido a su amante,
aunque no hubiese podido leer la triste soledad en sus ojos. Desde que
se casó Cutter, seis años antes, ella había vivido en un dorado, adornado y extravagante vacío. Ahora, Zachary estaba tan solo como ella y,
poco a poco, los dos volvieron a acercarse e hicieron las paces; una
paz silenciosa, ya que nunca había habido entre ellos una ruptura formal que hubiese que reparar; una paz que se hizo más sólida con el
paso de los años; una paz de seca, resignada, pero en cierto modo pro-
vechosa satisfacción. Ambos habían tenido su gran aventura. Ahora
se tenían el uno al otro y tenían a sus hijos. Era muchísimo mejor que
estar solos.

11

Un día de primavera de 1972, Zachary Amberville y Nina Stern Heller almorzaron juntos, encontrándose sin premeditación en uno de los restaurantes que habían frecuentado en los años de sus amores, un lugar sencillo donde no era probable que les viese ningún conocido. Durante el tiempo que habían estado unidos, descubrieron que había docenas de lugares como éste en Manhattan, restaurantes de barrio, cómodos y acogedores, donde servían una comida bastante aceptable. Ahora ya no había motivo para esconderse, ni existía razón para evitar los restaurantes que gustaban a ambos. Si un elemento de nostalgia, unos momentos de dolor recordado, de añorado gozo, se filtraban en aquellos almuerzos de la directora de *Style* y el jefe de «Amberbille Publications»... esto añadía un sabor agridulce al festín.

—Tienes que confesar —dijo Nina, eligiendo cuidadosamente las palabras— que Maxi tiene posibilidades.

—También las tenían Bonnie y Clyde.

—Vamos, Zachary, no seas tan duro con ella. Yo creo que necesita ser motivada, centrada en algo que le permita emplear todas su facultades. A fin de cuentas, cuando le interesa una materia, saca sobresaliente...

—Y cuando no le interesa, no se preocupa en estudiar, y apenas si consigue un aprobado. ¿Qué universidad la aceptaría con ese historial? —preguntó tristemente Zachary.

Nina reflexionó cerca de Maxi y suspiró. Era fresca, desconcertante, profunda y, sobre todo, adorable; pero siempre tenía que meterse en dificultades, haciendo que, incluso en aquella sociedad tolerante, la expulsasen de los colegios y los campamentos de verano; no por consumir drogas, hurtar o engañar, sino por organizar grupos de muchachas parecidas a ella para la práctica de ingeniosas diabluras.

—Siempre es elegida presidente de su clase —le recordó Nina con tono alegre.

—Por lo general, antes de ser expulsada. El único futuro que veo para ella es que la elijan Miss Simpatía; pero no es el tipo de chica a la que permiten participar en el concurso de Miss América.

—Si al menos... —empezó a decir Nina, pero se interrumpió.

—Sí.

Ambos sabían que no querían discutir una vez más las dificultades que existían entre Maxi y Lily y que hacían que Zachary fuese casi totalmente responsable de su hija.

Desde que Lily se había enterado de la incurable dolencia ocular de Toby, parecía haber abandonado a su hija, que gozaba de una salud espléndida, para dedicarse al hijo que la necesitaba. Maxi tenía apenas tres años cuando esto sucedió y, al transcurrir los meses y los años, nunca dejó de anhelar de todo corazón el afecto inaccesible de su madre. Lily prodigaba a Toby un amor posesivo, vigilante, angustiado, alerta en todo momento.

Después del nacimiento de Justin, el hijo menor se convirtió también en objeto de una pasión devota y excesiva. Absorbida por sus dos hijos varones, Lily no trataba siquiera de encontrar tiempo para leer a su pequeña o para dejarla jugar a engalanarse con sus joyas.

Maxi tenía a su padre para ella sola, pensaba Lily, para justificarse ante sí misma, cuando la niña trataba de llamar su atención. Si debía cuidar también de Maxi, se volvería loca. La pequeña era indestructible, se decía mientras daba breves, enérgicas e inútiles instrucciones a una de las muchas niñeras que contrataba para su hija, y volvía en seguida a los problemas de la instrucción de Toby y de la salud de Justin, pues éste había sido prematuro y continuó siempre delicado.

Pero en ningún momento de su infancia dejó Maxi de desear y de necesitar el amor de Lily. Luchaba por la consideración de su madre con todas las tretas que podía imaginar, aunque sólo conseguía ser castigada por su padre, que, como sabía muy bien, no deseaba hacerlo.

Nunca trató de ser una «buena chica», pues se daba cuenta de que, cuanto mejor fuese, menos probabilidades tendría de que se fijasen en ella. Sin embargo, se había sentido atada desde su nacimiento por las normas del juego limpio. Algo semejante a lo que llamaban «justicia» era precioso y necesario para ella. Al hacerse mayor, trató de convencerse de que era «justo» que Toby y Justin preocupasen tanto a su madre. Se había esforzado en creer esto; pero nunca lo había conseguido del todo. En algún momento temprano de su vida, empezó a desesperar del amor de Lily. Nunca renunció completamente a él, pero su esperanza disminuyó año tras año, hasta que quedó tan profundamente enterrado que casi no le dolía.

Nina dejó de comer su ossobuco y se volvió a Zachary.

—Hay una cosa que nunca has intentado. Cada verano envías a Maxi a un lugar nuevo... campos de tenis, campamentos de teatro, acampadas selváticas, centros de equitación... Y cada año te la devuelven por correo aéreo. ¿Por qué no le ofreces un verdadero desafío? Apuesto a que aceptaría el reto.

—Lo que me gusta de ti, entre otras mil cosas, es tu optimismo.

Zachary le sonrió. Era una mujer maravillosa, hermosa y de buen corazón, ¡maldito fuese su marido!

—Un trabajo, un trabajo·de verano —prosiguió Nina excitada—. Esto le permitiría volcar toda su loca energía en algo a lo que pudiese hincar el diente, algo que le diese un sentido de logro.

—¿Quién la contrataría? —preguntó Zachary, que no podía imaginar que alguien aceptase a Maxi en su empresa.

—Tú, Zachary, tú.

—¡Oh, no! ¡Yo no! ¡No a Maxi!

—Sabes perfectamente que siempre tienes empleos de verano para muchachos con empuje, para hijos de los grandes anunciantes. Yo tengo media docena, sólo entre mi personal. Ninguna de ellas tan inteligente como Maxi.

—Una cosa es ayudar, y otra el nepotismo.

—Eso es un subterfugio. Hablaré con Pavka y encontraremos un puesto para ella. Al menos inténtalo... No tienes nada que perder.

—¿Nada que perder? —preguntó Zachary, divertido por la insensatez de su *Girl Scout*.

—¿Qué es lo peor que puede ocurrir? —planteó Nina.

—Lo enredará todo —dijo él.

—Pero vale la pena intentarlo, ¿no? —insistió ella, mirándole con un amor especial que su marido nunca había visto, ni vería en sus ojos.

—¿Me lo preguntas o me lo mandas?

—Te lo aconsejo.

—Entonces, vale la pena intentarlo.

«Amberville Publications» editaba ahora con éxito otras tres revistas. *Savoir Vivre*, dedicada al arte de vivir bien gracias al cultivo de un gusto cada vez más refinado; *Sports Week*, que se había convertido rápidamente en lectura indispensable para todos los hombres, mujeres y niños de América que habían calzado alguna vez unos zapatos de deporte, e *Indoors*, magnífica revista mensual de decoración de interiores para masoquistas acomodados, que hacía que los que la compraban, por ricos que fuesen, tuviesen la impresión de que vivían como cerdos, y que atraía a grandes números de adeptos que contemplaban las fotografías de cada número con una lupa para no perderse un solo y mortificador detalle de los hogares ajenos.

Pavka Mayer, que estaba al frente de todas las publicaciones, como director artístico, se hallaba sentado en su despacho y contemplaba divertido a Nina. Ni siquiera su última idea le había asombrado. La consideraba capaz de todo.

—La cuestión es saber dónde puede hacer Maxi menos daño —dijo mientras reflexionaba.

—No hay que pensar en *Style*, porque es una revista de modas, y la moda conduce a los fotógrafos y los fotógrafos conducen el sexo —dijo Nina pensativa.

—No podemos meterla en *T.V. Week*; aquellos gángsters no la aguantarían. Y podrían enviarla a entrevistar a Warren Beatty, para gastarle una broma —añadió Pavka.

—En *Seven Days* se encontraría con demasiadas chiquillas como ella. No queremos fomentar las tendencias de nuestra querida cabecita loca, y todos los directores de *Sports Week* son jockeys o ex jockeys o presuntos jockeys y no sería buena idea exponer a Maxi, de repente, a tantos hombres mayores que ella.

—¿Quieres decir que todavía es virgen? —preguntó, asombrado, Pavka.

—No lo sé. Yo no pregunto nunca estas cosas. No son de mi incumbencia. Pero nada es imposible, por muy improbable que sea —respondió Nina.

—Por consiguiente, sólo quedan *Savoir Vivre* o *Indoors* —declaró Pavka—. Tú decides.

—No, decide tú. No quiero ser la única responsable.

—Tampoco yo —declaró Pavka con terquedad.

Pulsó un botón y dijo a su secretaria:

—Miss Williams, ¿dónde preferiría usted trabajar? ¿En *Savoir Faire* o en *Indoors*?

Hubo una larga pausa, y al fin farfulló la secretaria:

—¿He hecho algo malo, Mr. Mayer?

—No; sólo le pido que conteste a mi pregunta. Tenga la bondad de hacerlo, por favor.

—¿Quiere esto decir que estoy despedida? —volvió a preguntar ella con voz trémula.

—¡Oh, Dios mío! Sólo se trata de una apuesta.

—¿Ha ganado o ha perdido?

—Miss Williams, por favor. Eche una moneda al aire si no se ha formado una opinión.

—Preferiría trabajar en *Savoir Faire*, porque creo que es más agradable ver la foto de un cochinillo asado que la del comedor donde se sirve.

—Bien dicho. Muchas gracias, Miss Williams.

—¡De nada, Mr. Mayer! Siempre a su servicio.

Pavka miró, resplandeciente, a Nina.

—¿Qué puedo hacerle yo, si las mujeres me adoran?

Maxi estaba en la gloria. Todos los veranos de su vida había tenido que resignarse al destierro en el campo. Playas, lagos, aire fresco y deportes colectivos eran algo que se consideraba imprescindible para su bienestar. Para ella, una rápida visita a Central Park era un contacto más que suficiente con la Naturaleza.

En las raras ocasiones en que había estado en Nueva York en verano se había dado cuenta, en pocas horas, de que existía otro Manhattan, que era una cálida isla tropical donde todo palpitaba de manera diferente, una ciudad cuyo ritmo había cambiado en cierto modo y que, en su transformación, se había convertido en lánguida, misteriosa y más excitante que nunca. Aunque el mismo número de personas parecía entrar y salir de los edificios de oficinas, aquella gente tenía algo distinto. Se vestía de forma diferente y sonreía más. En el distrito comercial, reinaba un ambiente de fiesta, como un festival a punto de empezar, y en las zonas residenciales de la ciudad, se notaba un vacío perezoso. Las elegantes amas de casa, los distinguidos niños y las refinadas niñeras se habían desvanecido por completo, como si una epidemia hubiera asolado las calles.

Ahora, este seductor y palpitante Manhattan, en su metamorfosis de verano, iba a ser suyo, salvo los fines de semana en que su padre y ella se reunirían con la familia en Southampton. Por la mañana, iría al trabajo con su padre y, al llegar (deliciosa conspiración), se apartaría de él sin despedirse y tomaría otro ascensor hasta las oficinas de *Savoir Faire*, donde sería conocida como Maxi Adams. Tanto Pavka como Nina habían insistido en la necesidad de ocultar su identidad a todo el mundo, salvo a Carl Koch, director de la revista. Si sus compañeros de trabajo sabían que era hija de Zachary Amberville, pensarían, en el mejor de los casos, que era una niña mimada que quería abrirse camino en el negocio de las revistas, y en el peor, que era una espía. Como *Savoir Vivre* era una revista que se publicaba desde hacía tan sólo dos años, ninguno de los que trabajaba allí conocía a Maxi, la cual había sido destinada a la sección de arte, donde podría trabajar en la composición.

—Estoy segura de que puede hacer maravillas con una regla, unas tijeras, la cola y la cinta adhesiva —había asegurado Nina a Pavka.

—¿Maxi con un bote de cola? No durará dos días —había murmurado Pavka—. Pero es mejor esto que las cocinas de prueba o, Dios no lo permita, el departamento de vinos. La cola se puede limpiar.

Aquella mañana del primer lunes de julio, Maxi se despertó temprano y empezó a prepararse para entrar en el mundo de las importantes responsabilidades corporativas. Le encantaba la idea de tener un empleo de persona mayor. Había decidido añadir dos años a la edad de Maxi Adams y decir a todo el mundo que tenía diecinueve.

Revolvió un gran armario en busca del par de tejanos más viejos y manchados de pintura, los que podían dar fe del único trabajo verdadero que había realizado: pintar el escenario de su penúltimo colegio. Tenía la impresión de que le daban una aureola artística, cosa conveniente ya que iba a trabajar en una sección de arte. Con ellos se puso una camisa de algodón de un azul pálido, limpia pero también vieja, que parecía revelar que no había pasado un minuto de ociosidad en su vida, una camisa que, a su entender, era seria, práctica y propia de una mujer adulta. Ansiosa de causar buena impresión, se ciñó un ancho cinturón indio de Arizona, plata y turquesa, que hubiérase dicho del siglo XVIII. A fin de cuentas, una sección de arte esperaría que incluso su más humilde empleada tuviese sentido de la decoración. ¿Zapatos? No. Se calzó uno de sus muchos pares de preciosas botas del Oeste que encargaba por correspondencia a «Tonya Lama», y que habían costado cuatrocientos cincuenta dólares. Estaba convencida de que sus altos tacones añadían a su estatura los centímetros necesarios.

Satisfecha respecto a su cuerpo, atacó su cara y sus cabellos. En 1972, ninguna mujer consideraba que tenía una cabellera lo bastante abundante. Maxi había dejado crecer la suya hasta muy por debajo de los hombros y le gustaba llevarla suelta, añadiéndole a menudo algún mechón postizo de los muchos que había comprado en los últimos años. Pero aquella ocasión requería seriedad y dignidad. Por consiguiente, se peinó hacia atrás, de manera que destacase el mechón blanco sobre la frente. ¿Maquillaje? Maxi tenía tanta experiencia en esto como las mujeres que hacían demostraciones en la primera planta de «Bloomingdale's». En ese momento quería parecer *vieja*. Sin afeites se evidenciaba su juventud; por consiguiente, empezó a aplicarse con gran habilidad base, polvos, colorete, máscara, perfilador de los ojos, lápiz de labios y sombra en los párpados, con la seguridad que le daban las largas horas en que lo había practicado a solas. Prendió en sus orejas unos pendientes con grandes turquesas y estudió el efecto conseguido. Por fin empleó un lápiz de cejas para oscurecer la peca que tenía encima del labio superior.

Pero no, todavía no era suficiente, decidió. Hurgó en su armario y sacó un par de gafas grandes con montura de concha que se calaba siempre que jugaba al póquer. Los vidrios eran neutros, pero, a pesar de su transparencia la servían como una especie de máscara cuando se tiraba un farol. Todavía le faltaba algo, pensó inquieta, mirándose al triple espejo. Era cuestión de los cabellos, desde luego. De qué le servían aquellos cabellos blancos sobre la frente si todos los demás pendían sueltos sobre su espalda? Los recogió en un moño discreto y los sujetó bien. Perfecto, pensó ahora. La imagen de una artista casi entrada en años.

Zachary saludó su aparición en la mesa del desayuno con toda la impasibilidad que le fue posible. Tal vez, pensó, no parecía diferente de cualquier otra muchacha de su edad... Pero, como ahora las miraba poco, no lo sabía de fijo. ¿No había algo casi... perverso... en la manera en que los tejanos y la camisa se ajustaban a su cuerpo? ¿No se daba cuenta Maxi de que resultaba más provocativa con aquellos malditos pantalones que si hubiese estado haciendo cabriolas llevando sólo unas bragas negras de encaje? ¿No debería una muchacha de tan fina cintura y tan desarrolladas tetas... a falta de otro término menos paternal, abstenerse de llevar una camisa de algodón que se ajustaba tanto a su torso? ¿Y aquellas gafas? ¿Desde cuando necesitaba gafas? Sólo servían para hacer el resto de su persona más... inquietante. ¿Qué le había hecho a su cara? ¿Y a sus cabellos? Nada que él pudiese saber de fijo; pero había algo diferente en su hija aquella mañana. ¿Estaba él volviéndose loco, o parecía casi... vieja? No, no; era imposible que Maxi pareciese vieja. *Madura*. Era eso, ¡madura!

—Maxi, pareces haber madurado.

—Gracias, papá —dijo ella con timidez.

—¿No crees que tal vez deberías llevar... un vestido?

—Papá, hoy nadie los lleva —observó en tono de amable reproche.

Tenía razón, pensó Zachary. Nina llevaba pantalones, su secretaria llevaba pantalones, todas sus directoras femeninas llevaban pantalones. La última mujer que había visto con faldas era Lily, y éstas le llegaban a media pantorrilla según la nueva moda. Suspiró, esperando que pronto se volviesen a llevar las faldas, y siguió comiendo su plato de huevos.

—Ésta es Maxi Adams, su aprendiza de verano —dijo Carl Koch, director de *Savoir Vivre*, a su inteligente directora de la sección de arte, Linda Lafferty—. Haga con ella lo que quiera.

Desapareció de prisa y muy aliviado, dejando que Linda, regordeta a pesar de medir casi uno ochenta, resolviese el problema.

Carl Koch tenía buen instinto y se había dado cuenta en seguida de que Maxi era un problema, aunque se le escapaba su magnitud. Aquellas chiquillas que trabajaban en verano eran siempre difíciles de manejar. Pero Pavka le había dado órdenes severas e inapelables, y *Savoir Vivre* tendría que aguantar a aquella muchacha durante todo el verano. Ahora, el problema era de Linda Lafferty.

Linda observó a Maxi con creciente asombro. Aquella jovencita le parecía una intelectual en ciernes que se hubiese convertido en una ligona de Santa Fe. O tal vez una aprendiza de Simone de Beauvoir que se hubiera extraviado en una reunión de hombres.

—¿Cómo estás, compañera? —dijo al fin.

—¿Cómo está usted, Miss Lafferty?

—¿De dónde... has caído?

—Del Este —respondió Maxi, eludiendo con habilidad la pregunta.

—¿Del Este? —insistió Linda—. ¿Del Lejano Este o del Próximo Este?

—De la Setenta Este —confesó Maxi.

—Ya. ¿Algún estudio de arte?

—Sólo en el colegio y en el campamento.

—¿En el campamento?

—Campamento de verano —murmuró Maxi, súbitamente incapaz de encontrar otro término que pareciese más imponente.

¿Por qué me ha tocado a mí?, pensó Linda Lafferty. *¿Por qué a mí?*

Después de una semana de trabajo, Maxi decidió que nada de lo que había hecho en su vida podía compararse con la oficina como diversión. Las ocasiones de divertirse, en la sección de arte de *Savoir Vivre*, iban más allá de cuanto había podido imaginar. Nunca había sospechado que la gente fuese a trabajar para andar de un lado a otro y contar chistes verdes mejores que todos los que había oído en el colegio, chistes realmente buenos, y gastarse bromas, entablar amistades, hacerse los remolones y meterse en el lavabo para hablar con entusiasmo de sexo, cosa que a todos parecía encantar. Hacer eso durante todo el día y cobrar por ello era un secreto que nunca revelaban los adultos cuando hablaban tan serios de lo que llamaban «negocios». Los negocios eran un juego a gran escala.

Sus nuevos amigos trabajaban en composición, lo cual le recordaba el jardín de infancia, cuando pegaba estampas en papel grueso. Le gustaba ayudarles, inclinándose sobre sus hombros y enderezando los bordes, tendiéndoles las reglas, afilándoles los lápices y haciéndoles reír si se preocupaban demasiado de alguna fotografía que no se ajustaba bien a la página. Les había mostrado cosas en las que nunca habían pensado; por ejemplo, lo del *foie gras*, con fotografías de diecisiete lonchas diferentes de *foie gras*, cada una de ellas de un restaurante francés distinto; nadie había sido capaz de decir qué parte de la loncha era la de arriba y cuál era la de abajo cuando ella acabó de arreglar las fotos.

El momento de la jornada que prefería Maxi era cuando llegaba la carretilla de los buñuelos y rosquillas y todo el mundo dejaba de simular que trabajaba y se reunía a su alrededor como nómadas abasteciéndose antes de cruzar el desierto. Incluso volvía más pronto de almorzar, pues la carretilla de la tarde pasaba a las tres. ¡El almuerzo era un invento fenomenal! Tres horas libres para ir de compras. Ella estaba a dieta y no le preocupaba la comida. En cambio, recorría sistemáticamente las tiendas y los grandes almacenes.

Hacía años que Maxi elegía su ropa; pero siempre había tenido que esperar hasta setiembre para comprarla. Ahora, la ciudad estaba llena de prendas de principios de otoño, y no había nada que Maxi no se probase. Cuando terminaba al fin sus diarias correrías, cargando siempre sus compras a la cuenta de Lily, llevaba montones de paquetes a su iluminado cubículo, sacaba todas las compras de sus cajas y las mostraba a sus compañeras, que tenían un gusto exquisito para las formas y los colores y le enseñaron mucho sobre lo que tenía que llevar. En cuanto había quedado establecido que tenía diecinueve años y estaba próxima a cumplir los veinte había dejado de emplear sus gafas y de hacer cosas raras en sus cabellos y se había integrado en la pandilla.

La idea de iniciar en setiembre su último curso en el Insituto era demasiado repelente para pensar en ella. Maxi había decidido ingresar en una escuela de arte y todos le aconsejaban acerca de la que debía elegir. Era estupendo cuando entraban en su oficina y se sentaban para contarle sus tiempos en la escuela de arte y los líos que habían armado en ella. El momento más triste era cuando terminaba la jornada de trabajo y tenía que rechazar todas las invitaciones a beber en los bares que rodeaban la oficina, y volver a casa, aunque solía conquistar a su padre para que la llevase a cenar.

A mediados de verano, Linda Lafferty estaba a punto de estallar. En la sección de arte, ¡*su* sección!, la productividad había descendido en vertical desde la llegada de Maxi. Todas sus subordinadas, que nunca fueron tan de fiar como ella habría deseado, se habían convertido en unas cabras locas que pasaban la mayor parte del tiempo inventando excusas para charlar con aquella... aquella... no podía dar con la palabra adecuada. Maxi era diferente de todas sus experiencias, y ninguna de las palabras que conocía podía definir con exactitud a aquella sexy, divertida, ingobernable y alborotadora criatura. Pero a pesar de todo, confiésalo Linda, se dijo con disgusto, también a ti te gusta hablar con ella. Con aquella chica, todo era una juerga. Debía ser Miss «Seagram's» o Miss «General Foots» o Miss «Coca-Cola» para que le permitiesen tantas tropelías, pues Carl Koch se negaba a escuchar sus quejas sobre la nueva aprendiza.

Sin embargo, Linda Lafferty tenía que dirigir una sección, en la que siempre se había trabajado más que en todas las demás. Las fotografías ocupaban la mayor parte de la gruesa revista, y el resto estaba lleno de anuncios de productos de lujo. Los lectores de *Savoir Vivre* eran personas ricas, y la revista, impresa en brillante y grueso papel, tenía que ofrecer una riqueza visual que hiciese que sus acaudalados lectores se sintiesen aún más opulentos. Toda la responsabilidad de la calidad y originalidad de aquella cornucopia mensual recaía de lleno en la sección de arte. El texto importaba poco, aunque los artículos sobre gastronomía y sobre vinos eran escritos por importantes personajes literarios que cobraban enormes sumas de dinero, en comparación con lo que solían pagar las revistas.

Necesitaba un nuevo director artístico, decidió desesperadamente Linda Lafferty; alguien resuelto y lo bastante rudo para arreglar las cosas. Unas fuertes patadas en el culo serían buenas para la lascivia de Maxi, pensó; pero el hecho de ser tan alta hacía casi imposible patearle el culo con eficacia. No sabía si era por su deseo de ser apreciada o por miedo de matar a alguien, pero al menos era lo bastante lista para saber que necesitaba ayuda.

Cuando expuso su deseo a Carl Koch, le sorprendió la rapidez con que se avino a que contratase un nuevo ayudante. Aunque *Savoir Vivre* era una máquina de hacer dinero, Koch, como la mayoría de los directores, era reacio a aumentar el personal si no era indispensable. En su último empleo, Linda había trabajado con un joven que era tan resuelto como inteligente. Hacía tiempo que quería contratarlo, y ahora Maxi Adams, reina de la goma, Loreley del engrudo, hechicera de la regla, iba a darle la oportunidad de ofrecer a Rocco Cipriani un salario al que no podría resistirse, pues siempre había dicho que sólo un montón de dinero era capaz de arrancarle de «Condé Nast». Maxi Adams le habría servido para conseguir este objetivo, y contribuiría a él a su pesar.

Linda Lafferty miró muy seria a Rocco Cipriani.

—Voy a tomarme unas vacaciones —dijo—. No he tenido un minuto libre desde que empecé a trabajar en *Savoir Vivre*. No estaré allí cuando tú empieces mañana. No quiero que la gente me atosigue quejándose de ti. Serás el jefe absoluto. Informaré de ello a todo el mundo.

—¿Quieres una nueva escoba, un Capitán Queek que no escatime los azotes?

—Exacto. Tengo una holgazana que no para en todo el día. Se me ha planteado un problema de disciplina. Cuento contigo para que restablezcas el orden a garrotazos mientras me tomo ese descanso de treinta días al que, según el atribulado Carl, tengo derecho, y cuando regrese, quiero que todo se solucione como está previsto... o como sea.

Había resuelto no señalar a Maxi como provocadora de los disturbios. Que lo averiguase él. Formaba parte de su oficio.

—Estás muy guapa cuando amenazas, Linda.

—Por eso te he contratado y me he pasado todo el fin de semana repasando el montón de trabajo por hacer. Y vas a sacarme del aprieto, porque tú no haces monerías.

—Ya sabía que me apreciabas.

—Para ser un chiquillo, no estás mal —dijo con remilgo, maldiciendo su sangre irlandesa que nunca dejaba de excitarse cuando veía al joven e intocable Rocco Cipriani.

Lo miró fijamente, tratando de descubrir cómo era posible que un muchacho tan absurdamente bello pudiese infundir tanto respeto. Su cabeza era un caos de rizos negros; los ojos profundos, también negros, tenían una expresión soñadora y al mismo tiempo intensa, y la nariz hubiérase dicho de un príncipe Médicis. A pesar de sus dotes de observadora, Linda no podía hallar una sola falta en sus enérgicas facciones. Ni siquiera se atrevía a mirarle la boca. Sólo una niña podía tener tanto control. Todo parecía trabajar en Rocco para un mismo fin, de un modo implacable, poderoso e insistente. Se hacía difícil volverle la espalda. Era, pensó Linda, como el modelo de una gran obra maestra de un pintor del Renacimiento, la imagen de un soberbio San Sebastián. Lo único que le faltaba eran las flechas clavadas en su cuerpo. Rocco resultaba tan útil como una visita al Metropolitan para explicar el período más sublime del arte italiano.

Sin embargo, apenas cumplidos los veintitrés años, trabajaba tan bien en «Condé Nast» que sólo necesitaba un poco más de experiencia, un poco más de madurez, para ser director artístico de su propia revista. Linda sabía muy bien que no se quedaría mucho tiempo en «Amberville». Era simplemente una de esas bruscas maniobras estratégicas de flanco que hacían algunos de los mejores y más ambiciosos directores artísticos, con el fin de avanzar más de prisa que si se quedaban en una empresa durante toda su carrera... También ella lo había hecho. Uno era más apreciado por esto que si permanecía fiel, y sólo corría peligro el que no era muy, muy, *muy* inteligente. Rocco no tenía por qué preocuparse.

En Manhattan hay tantas clases de directores artísticos como de publicaciones, de agencias y de promotores comerciales. Rocco pertenecía a una calse muy especial, la de los que sólo querían trabajar en revistas. No tenía el menor deseo de hacerlo en publicidad, a pesar de los buenos dineros que ganaban aquellos pobres bastardos que se hacían llamar «directores creativos». Estaban atados a las exigencias de los clientes, y él no aceptaba más ligadura que los límites de su propia imaginación. Para Rocco, lo mejor de la vida eran las páginas de una revista vacía, gloriosos espacios en blanco, espacios infinitos, renovados cada mes por la sección de publicidad y que esperaban que él los llenase con composiciones jamás soñadas, combinaciones de tipos que nunca se habían juntado desde el invento de la tipografía, gráficos que harían historia, fotografías hasta entonces inéditas y recortadas como nadie lo había hecho nunca, dibujos encargados a artistas a quienes no se habría imaginado más que exponiendo sus obras en galerías y museos. Cada página era para él lo que una tela en blanco es para un pintor: una nueva oportunidad de imponer su visión de lo que *podía* ser. Y, como los pintores, nunca quedaba del todo satisfecho.

Rocco era el insatisfecho Alejandro Magno del mundo de las revistas,

todavía en sus comienzos, con pocos soldados pero con mucho talento.
Trabajaba al menos diez horas al día en su mesa, y después se marchaba a casa para vaciar el buzón de la correspondencia, atestado de
revistas de todo el mundo, cada una de las cuales devoraba página por
página, lanzando terribles maldiciones cuando veía una idea nueva que
a él no se le había ocurrido, y arrancando las hojas que quería estudiar, las cuales pegaba en las paredes de su gran desván de Soho, cubiertas desde el suelo hasta la altura de los ojos, a las que después les
ponía otras encima, de manera que era como si viviese dentro de un
collage de las mejores ilustraciones gráficas del mundo.

Rocco Cipriani sólo envidiaba a dos hombres: Alexander Liberman,
genial director artístico de «Condé Nast», y Pavka Mayer. Estaba seguro
de que un día sustituiría a uno de los dos; pero también sabía que aún
tenía mucho que aprender, y por esto el trabajo que le ofrecía Linda
Lafferty tenía para él un atractivo adicional: trabajaría para Pavka por
primera vez, aunque indirectamente, y tendría ocasión de captar las
grandes ideas de aquel hombre.

Rocco empezó a trabajar en *Savoir Vivre* un lunes de mediados de
junio. El viernes, Linda no pudo aguantar más y cedió a la tentación
de telefonearle para saber cómo marchaban las cosas.

—Hemos puesto al día todo el trabajo atrasado y el lunes empezaré
a preparar el número de noviembre.

—¿Ya? ¿Hablas en serio?

—Bueno, a nadie le encantó trabajar hasta medianoche todos los
días de la semana, pero lo hicieron.

—¿Y qué me dices del problema Maxi?

—¿El problema Maxi? ¿Te refieres a mi aprendiza?

—Sí, si quieres llamarla así.

—¡Por Dios, Linda, no es ningún problema! Es increíble lo que me
ayuda esa muchacha. Ni siquiera descansa durante la hora del almuerzo; saca un huevo duro de una bolsa de papel, se lo come y empieza
de nuevo a barrer y a limpiar los restos de gomas de borrar y a asegurarse de que todos tengan nuevos materiales cuando vuelvan de almorzar. Nadie diría que sólo tiene diecinueve años. Llega puntual todas
las mañanas, es la última en salir por la noche, no tontea cuando in-
terrumpimos el trabajo para tomar un tentempié, sirve el café antes
de que se lo pidan, dispone mis reglas de la manera adecuada; en
realidad, nunca había tenido una mesa tan ordenada. No fuma, viste
con sencillez, no pierde el tiempo con charlas inútiles y cualquiera diría
que ni siquiera se toma un momento para hacer pipí. ¿No será mormo-
na? Siempre está presente cuando la necesito... Pero nunca se hace
pesada. Es una buena chica. Y no es fea, ahora que pienso en ello... En
realidad, no es nada fea...

—¡Mierda!

—¿Qué estás diciendo?

—Olvídalo, olvídalo. Sigue con tu trabajo, Rocco. Ahora volveré a la playa y caminaré mar adentro hasta que me ahogue.

—Si piensas trabajar durante todo el fin de semana, Rocco, tal vez podría ayudarte —sugirió Maxi con naturalidad, pero conteniendo el aliento.

Daría la vida por él; no sólo caminaría por él sobre carbones encendidos, sino que se enterraría en ellos y yacería inmóvil hasta que todo hubiese acabado. No había nada en el mundo que no fuese capaz de hacer por Rocco Cipriani, empezando por abandonar su país y cruzar continentes a pie y morir de hambre en el desierto. Sólo hacía falta que él se lo pidiese.

—No quiero interrumpir tus planes de fin de semana —dijo él.

—En realidad, no tengo ningún plan. Y podría aprender mucho poniendo orden en tus cosas. Ya sabes cómo se amontonan tus composiciones cuando trabajas de firme. Y... podría ir a buscar una pizza —añadió, como una sugerencia de experta.

—Buena idea. Por lo general, me olvido de comer. Y la pizzería de la casa de al lado tarda tanto en hacer su reparto que el queso llega siempre frío. Está bien, ven el sábado por la mañana, a eso de las nueve. Te daré la dirección.

Ella tomó el papel y lo metió en su bolso con intención de guardarlo para siempre. Ya sabía dónde vivía él, conocía su número de teléfono y lo conocía todo acerca de su familia numerosa en Hartford, su beca para la escuela de arte, sus premios y sus promociones. La llegada de Rocco había desencadenado un alud de especulaciones en la sección de arte de *Savoir Vivre* y Maxi había escuchado con atención, sin decir nada pero registrando todas las observaciones, suprimiendo las que se repetían y las que parecían ser contradictorias, y logrando con todo ello hacerse una buena idea de la verdad. Sabía que había tenido muchas chicas, pero ninguna por mucho tiempo; sabía quiénes eran sus amigos y sus enemigos; sabía, sobre aquel joven a quien había conocido hacía cinco días, todo lo que era posible saber e intuir. La intuición que tenía Maxi de Rocco era mucho más que un acto de contemplación, reconocimiento o consideración mentales. Calaba más hondo que la definición filosófica que entiende por intuición la percepción espiritual y el conocimiento inmediato que pueden atribuirse a seres angélicos o espirituales. La suya iba más lejos y era mucho más concisa. Era la definición de Hawthorne: «La intuición milagrosa de lo que debía hacerse en el momento adecuado para la acción.»

Los primeros sábados y los primeros domingos que Maxi pasó en el ático de Rocco fueron días de mucho trabajo. Cuando lo veía sumido en sus pensamientos delante de su mesa de dibujo, recorría la habitación con tanto sigilo que él no la oía. Buscaba para saber dónde guardaba los enseres de la casa. Le hizo la cama con sábanas limpias y recogió las camisas y demás ropa sucia para llevarlas a la lavandería que, por primera vez en su vida, fue capaz de encontrar. También por primera vez, lavó un montón de platos y los guardó; revisó la despensa e hizo una lista de cosas necesarias que faltaban en ella; pero no tuvo tiempo de examinar los cajones y los armarios. Mientras realizaba estas deliciosas tareas, no perdía de vista a Rocco, y siempre que éste la miraba porque necesitaba algo, lo tenía a punto para él, con la prontitud de una enfermera de quirófano. Él se tragó la pizza y los bocadillos que Maxi había traído, desde luego compartiéndolos con ella, pero en silencio, como si no dejase de pensar en los problemas de diseño con que se enfrentaba. Después de haber realizado todo el trabajo atrasado, Rocco quería imponer su propio estilo en *Savoir Vivre* antes de que Linda Lafferty volviese de sus vacaciones.

Le preocupaban mucho los problemas creados por una revista dedicada a la gastronomía y al vino. Había trabajado tanto tiempo con modelos y vestidos que la presentación de objetos cuyo fin principal era estimular el paladar de los lectores significaba para él un reto que le hacía olvidar todo lo demás.

—Sólo un grano, sólo un grano —murmuró mientras Maxi cortaba otra pizza el sábado por la noche.

—¿No tienes apetito? —preguntó ella preocupada.

—Sólo un grano de caviar dorado sobre una capa de pasta. Lo más sencillo sería hacer que Benn lo fotografiase, pero Benn significa «Condé Nast» y, de todos modos no me gusta lo sencillo. ¿Fotografía láser? ¿Macrofotografía? No se puede dibujar el caviar... ¿O tal vez sí? Tal vez; sí, tal vez... con una lámina de oro cubriendo ambas páginas y haciendo que Andrew Wyeth dibuje el caviar... Podría ser... ¿Eso son *pepperoni*?

—Pedí que pusieran de todo.

—Bien.

Él volvió a guardar silencio y poco después, viendo que estaba a punto de terminar el trabajo, Maxi se marchó, con tanta discreción que él no se dio cuenta de que se había ido.

Durante la semana siguiente, cualquiera que hubiese entrado en el departamento de arte de *Savoir Vivre* habría pensado que se hallaba en la sala de manuscritos de un monasterio medieval, con los trabajadores inclinados sobre sus mesas en concentrada actividad, ensayando todas las ideas que les planteaba Rocco en su búsqueda de unas páginas cada vez más nuevas e interesantes.

Zachary se emocionó cuando Maxi le habló de su modesta pero necesaria intervención en el trabajo y todavía se entusiasmó más cuando ella le hizo preguntas que demostraban lo bien que había observado todo el proceso de componer una revista. Sin embargo, le preocupó un poco la intensidad de su interés, temiendo que se extinguiese con la misma rapidez con que había aparecido. No confiaba en el entusiasmo de Maxi. Aunque le tranquilizó saber que había pasado el fin de semana visitando a su amiga del colegio, India West, en Connecticut, y que volvería allí el sábado siguiente.

El domingo por la noche, Rocco dejó sus instrumentos, bostezó y se estiró.

—¡Ya está! Tiene que ser así —exclamó con tono triunfal dirigiéndose a Maxi, que acababa de poner los calcetines, recién lavados, secos y enrollados, en un cajón donde él no podría dejar de encontrarlos.

El ático estaba todo lo ordenado que había podido dejarlo ella sin tocar las revistas, los libros ni las carteras.

—¿La hora de la pizza? —preguntó.

—Otra vez, no. No más pizza. No podría soportarlo —dijo sonriendo Rocco.

Era la mejor ayudante que había tenido nunca, pensó. Y habría jurado que ella había hecho algo, no sabía exactamente qué era; pero había logrado que le resultase más fácil vestirse por la mañana.

—Podría freír un bistec, hacer una ensalada y poner unas patatas en el horno —le ofreció Maxi.

—¿Dónde encontrarías todas esas cosas en una noche de domingo?

—Aquí —dijo Maxi, abriendo el frigorífico que había abastecido el día anterior.

Durante su estancia en el campamento había tomado lecciones elementales de cocina.

—Magnífico. Tú ganas. Creo que dormiré un poco mientras se cuecen las patatas. Despiértame cuando la cena esté preparada. ¿De acuerdo?

—Desde luego.

Rocco se sumió casi inmediatamente en un sueño profundo. La hora era tan avanzada que el sol poniente doraba apenas el aire del ático; pero la luz de mediados de verano llenaba todavía la estancia. Maxi se acercó de puntillas a la cama de Rocco y se arrodilló cuidadosamente junto a ella. Tuvo que cerrar los puños para no alargar las manos y tocarle los cabellos. ¿Qué pasaría si se despertaba con la misma rapidez con que se había dormido? Nunca había sido capaz de mirarlo con fijeza más de unos segundos, salvo cuando él hablaba con alguien en la oficina, e incluso en tales ocasiones sabía que, si él alzaba los ojos y la sorprendía mirándole, se ruborizaría de un modo humillante. Los dos sábados y domingos que habían pasado juntos en el ático, se había mostrado muy circunspecta, sabiendo que, si le distraía, él la echaría de allí.

Maxi estaba tan enamorada y sentía tanto respeto por Rocco que no reaccionaba como era normal en ella. Se daba cuenta de que no había sido ella misma desde que lo había visto por primera vez; pero no sabía *cómo* comportarse con aquel hombre, que no se había sentido impresionado por ella como los demás hombres o muchachos que había conocido. El amor había colocado a Maxi en un estado en que los actos más vulgares de Rocco le parecían encantadores. Si él se rascaba la cabeza, se sentía encantada. Si se mordía los nudillos reflexionando, esto la encantaba. Cuando canturreaba, creía hallarse en la gloria. Los ojos de Maxi reseguían las líneas perfectas de los labios de Rocco con una mezcla de reverencia y de afán desesperado. Su corazón la impulsaba hacia él; pero permanecía inmóvil, deseándolo con locura, con una violencia que sabía que no volvería a sentir por ningún otro hombre mientras viviese. Se hallaba embargada por la indecible confusión y la obstinada pasión del primer amor. Si pudiese al menos levantar uno de los suaves rizos negros caídos sobre la frente de él y tocar, sólo tocar la piel que había debajo... Si pudiese acariciarle la mejilla con el dorso de la mano... Pero no se atrevía a hacerlo. El riesgo era demasiado grande.

Arrodillada allí, paralizada por su afán, recordó de pronto las palabras de Rocco.

«¡Ya está! Tiene que ser así», había dicho él, dejando de trabajar. Maxi le conocía lo bastante para darse cuenta de que había terminado con el número de noviembre. Por supuesto, tendría que empezar el de diciembre la semana siguiente, pero ya sin la necesidad de inventar el nuevo estilo gráfico que le había impulsado a trabajar los siete días de la semana. Nunca había pensado que llegaría ese momento. Se había dejado llevar por la idea de que los fines de semana en el ático continuarían indefinidamente... Pero su trabajo de verano sólo duraría otras cinco semanas. Sintió pánico. Mañana volvería al trabajo normal, como una persona más en el atestado departamento de arte, buscando y llevando cosas y trayendo el café, y el minuto preciso que nunca había sido capaz de imaginarse no se presentaría... aquel importante minuto en que Rocco la *vería* al fin.

Con el pánico, Maxi volvió a ser Maxi. El encantamiento que la había hecho discreta e inerte cesó de pronto; se rompió el hechizo. Su divisa, descubierta en la clase de francés, era la frase de Danton: «Audacia, más audacia y siempre audacia.» Durante un minuto, paseó en silencio por el ático, y después, mumurando «audacia» para sus adentros, se quitó la camiseta, los jeans y la ropa interior con resueltos y silenciosos movimientos. Se desató las alpargatas y se quedó desnuda, rosada y voluptuosa como un cuadro de Boucher, con sus llenos y separados senos, tan jóvenes que, a pesar de su peso, permanecían erguidos sobre la estrecha caja torácica. Debajo de la fina y firme cintura, donde la carne blanca estaba marcada por el cinturón que había dejado caer al suelo, las caderas sobresalían deliciosamente, en una curva elegante pero provocadora.

La desnudez era tan natural en Maxi como lo había sido para Eva. Sus proporciones eran tan perfectas que parecía más alta desnuda que vestida. Pasó los dedos a través de los largos cabellos sacudiendo ligeramente la cabeza, incapaz de moverse durante un segundo. Audacia, pensó, *¡audacia!* Se acercó de puntillas a la cama y se inclinó sobre Rocco, tranquilizada al ver que estaba sumido en el sueño más profundo. Cuidadosamente, con la ligereza de una flor, se tendió a su lado, buscando un lugar donde acurrucar el delicado pero generoso cuerpo. Después se incorporó para inclinarse sobre la cara de él. Audacia, volvió a rogar mientras empezaba a besarle para despertarle, con tanta suavidad, con tanta dulzura y delicadeza que pasaron muchos minutos antes de que él empezase a moverse y a murmurar quejándose. Maxi le desabrochó la camisa y le besó en el pecho y en el cuello hasta que él recobró la conciencia, y cuando vio que al fin abría los ojos, le besó en la boca, una y otra vez, levantándose hasta que sus senos descansaron sobre el pecho desnudo de Rocco, y sujetándole ligeramente los hombros sobre la cama hasta que él se despertó del todo y trató de incorporarse.

—¿Maxi? *¿Maxi?* —dijo, asombrado.

Ella se dejó caer sobre la espalda y le contempló a través de los enmarañados cabellos, mirando fijamente a sus sorprendidos ojos. Luego, se echó a reír, con aquella risa fuerte, profunda, libre y gozosa que él oía por primera vez.

—Espero que no estuvieses esperando a otra persona —respondió, al atraerla él.

12

—Como solíamos decir en la RAF —comentó India West—, has comprado la granja, Maxi.

—¿Y qué quiere decir eso, exactamente? —preguntó Maxi con ansiedad.

India West no se equivocaba nunca. *Nunca.* Sólo tenía quince años, dos menos que Maxi; pero, desde el momento en que se habían conocido en el colegio, tratando de saltarse, como de costumbre, la clase de gimnasia, habían sido íntimas amigas, atraídas por un aprecio instantáneo que incluía, entre otras cosas, una resuelta preferencia por las versiones exageradas de la verdad. La gente las tomaba a veces por mentirosas, y así lo dijo Maxi un día a India, pero sólo adornaban la realidad para hacerla más interesante a todo el mundo, con lo cual servían en todo caso al público.

—Que has estrellado tu avión —dijo distraídamente India, mirándose al espejo—. Creo que me estoy volviendo bastante... bueno, bastante guapa. ¿Qué dices tú?

—Sabes que eres guapa. ¿Acaso no lo has sido siempre? Pero no cambies de tema. Estábamos hablando de mí.

India acababa de volver de Saratoga, donde había pasado el verano con su familia. Lily Amberville, los chicos y la servidumbre volverían de Southampton a finales de agosto. Maxi tenía por fin alguien a quien podía hablarle de Rocco, el cual estaba atontado, enamoradísimo, fascinado, era su esclavo. Habían pasado juntos todo el verano, durante el trabajo y después del trabajo, desde aquella primera noche de julio. Se hallaba enamorado de ella, enamorado de verdad, enamorado en serio. Así se lo había dicho, y Rocco, a diferencia de Maxi, nunca decía nada que no fuese la pura verdad. Ella, en su embeleso, no podía comprender que India, por lo general despreocupada, viese un problema en su inmaculado amor.

—Diecisiete años no son lo mismo que diecinueve. Una Amberville no es lo mismo que una Adams —observó India.

—Mañana es mi cumpleaños. Tendré dieciocho, y soy exactamente la persona a quien él ama —protestó Maxi.

—En realidad, no lo eres.

—¿Quieres decir que no me amará cuando descubra quién soy? ¡India! ¡Esto es ridículo!

—No; quiero decir algo más, y tú sabes muy bien lo que es. El hecho de que vayamos a un colegio que es cortésmente llamado «una forma alternativa de educación» no significa que seamos idiotas —dijo India con tono severo.

—Está bien. Mi padre es rico...

—¡Ajá!

—Uno de los hombres más ricos de América, de acuerdo. Y a fin de cuentas, no estudio en Vassar. Todavía estoy en el Instituto. Pero, ¿acaso una diferencia de dos años y un padre con toneladas de dinero me convierten en una leprosa?

—Le has mentido.

—Yo miento a *todo el mundo*.

—También yo... Pero tú afirmaste que Rocco siempre dice la verdad. Eso significa que dejará de confiar en ti. ¿Cómo puede un joven digno y trabajador, hijo de una familia italiana, con un firme sentido de sus propios valores, sostener una brillante aventura con la adolescente Miss Amberville, hija de su patrono? ¿En qué situación se encontraría? Él cree que tú eres su «aprendiza» ¿Qué significaría esto para su carrera? Por lo visto, es un hombre que se preocupa mucho de su trabajo. ¿Cómo podrá volver a confiar en ti? Te has apoderado de ese pobre infeliz, y si la cosa hubiese empezado hace un año, no te arriendo la ganancia. Y sabe Dios cuáles serán las consecuencias cuando papá y mamá Amberville se enteren.

India dominaba su voz con maestría, imponiéndole unos tonos tan variados que nadie, cualquiera que fuese su edad, podía hacer oídos sordos cuando ella hablaba. Incluso Maxi se sintió subyugada, a pesar de estar acostumbrada al fenómeno de India.

—Quisiera que no me hablases así —dijo, agarrando su mechón de cabellos blancos, retorciéndole entre los dedos índice y pulgar y tirando de él hasta que le hizo daño.

A pesar de su jactancia, se daba cuenta de que se hallaba en un aprieto.

—Te necesito, India —dijo con evidente nerviosismo—. Me enfrento con un terrible problema práctico. Mi familia estará de regreso dentro de una semana, y se habrá acabado mi libertad. Le he estado diciendo a Rocco que todavía se hallan en Europa. Si le confieso que han vuelto, querrá conocerlos... Es anticuado en estas cosas, como lo de conocer a los padres.

—Ya —dijo, imperturbable, India.

—El colegio no empieza hasta dentro de tres semanas —continuó diciendo Maxi—: Si tú me encubres, podré decirle que ellos están todavía ausentes. Y a mis padres les diré que estoy contigo cuando me encuentre con Rocco. Y las noches en que tenga que cenar en casa, le diré a Rocco que estoy contigo. ¿No te parece una buena idea?

—Si él es tan anticuado, ¿no esperará que le presentes a tu mejor amiga?

—Le diré... que tienes una fobia. Que te da miedo salir de casa. Eso que llaman agorafobia.

—¿Y si quiere venir a verme? Has dicho que es muy solícito.

—Tú tienes miedo a los desconocidos. Es otra de tus fobias. Podrá hablar contigo por teléfono. Para tranquilizarte.

—Esto soluciona el caso de él. Pero, ¿y papá y mamá? ¿Comprenderán que hemos llegado a ser virtualmente inseparables?

—Les diré que te estoy ayudando a estudiar para que puedas pasar a mi clase.

—¿Que *tú* vas a ayudarme a estudiar?

—Sí. Saben que puedo hacer cualquier cosa si me lo propongo. Además, sería una buena acción. Y si ellos telefonean a tu casa para hablar conmigo, ya se te acudirá alguna excusa que explique mi ausencia.

India era una mentirosa mucho más ingeniosa de lo que nunca llegaría a ser la propia Maxi.

—Eso quiere decir que tendré que pasarme las tres semanas próximas pendiente del teléfono —gruñó India—. ¿Y qué pasará cuando empiece de verdad el colegio y tengas que hacer deberes en tu casa? No podrás salir con tanta facilidad.

—Lo importante es que pueda estar estas tres semanas con él... Después, ya se me ocurrirá algo.

—Siempre puedes decirle la verdad.

—Por favor, India —suplicó Maxi horrorizada—. Parece que no lo comprendes. Esto es lo más importante que ha ocurrido en mi vida. Nunca volverá a sucederme una cosa así... *Tengo* que hacer que funcione. *La verdad...* Por favor, no vuelvas a pronunciar esa palabra. Es demasiado tarde para... ya sabes lo que quiero decir.

—El mejor pacto que puedes celebrar con nuestro amigo es: «Que reine la verdad entre nosotros para siempre» —recitó India.

—¿Por qué me torturas?

—La frase es de Ralph Waldo Emerson. ¿Tengo yo la culpa de tener tan buena memoria?

—Sería mejor que recordases cosas más propias de tu tiempo.

—También dijo: «Tranquilízate; tenemos cien años por delante.»

—¡Sí que me sirves de ayuda, India! ¿Por qué elegí como mi mejor amiga a una mocosa precoz?

—«Cuando patinamos sobre hielo, nuestra garantía es la velocidad.»

—¿También es de Emerson?

—¿Te aburre?

—No; me pone nerviosa.

Los ojos verde jade de Maxi, agrandados por la ansiedad, parecían absorber toda la luz de la estancia en sus brillantes profundidades.

—Escucha, Maxi, ¿es esto realmente tan divertido para que andemos haciendo tonterías? —preguntó India, con súbita timidez.

—Hacer tonterías —dijo Maxi— es *lo más divertido*.

—¡Caray! Temía que dijeras eso.

Hasta primeros de octubre no se impuso la verdad a Maxi. Había gastado tanta energía mental en inventar las mentiras que India y ella contaban a un número creciente de personas que se había olvidado de la preocupación normal de la mayoría de las hembras que hacen el amor con toda la frecuencia humanamente posible. Hacía al menos un mes, o tal vez dos, que Maxi estaba encinta, como dijo delicadamente India, cuando ambas contaron las semanas transcurridas desde su última menstruación. Se miraron durante un rato en solemne, sobrecogido y horrorizado silencio. Por primera vez desde que se habían conocido, ninguna de las dos trató de hablar antes que la otra. De pronto, la sonrisa incipiente que siempre se pintaba en el labio inferior de Maxi se transformó en una amplia sonrisa, y su cara delicada, graciosa y pícara, resplandeció de pura satisfacción.

—Divertido —exclamó—. Gloriosa, fantástica y fabulosamente divertido. Increíble. ¡¡Oh, divertidísimo!!

Se puso en pie de un salto, levantó a India, que era ya un par de centímetros más alta que ella, y regocijada, le hizo dar unas vueltas alrededor de la habitación.

—¿Divertido? —gritó indignada India—. ¡Suéltame, maldita imbécil! ¿Divertidísimo?

—Un bebé. Un delicioso y pequeño bebé. Un niñito que será igual que Rocco. Un *bambino* sonrosado y blanco y rollizo, con el cabello negro y rizado. ¡Oh, no puedo esperar! Aprenderé a hacer labores de punto, tomaré lecciones de parto sin dolor. ¡Ojalá naciera mañana mismo...! ¿No te dije que ocurriría algo y que todo saldría bien? Esto es lo mejor que podía suceder... ¡No puedo creer lo afortunada que soy!

—¡Que Dios se apiade de ti! —exclamó India, derrumbándose en un sillón, sin dar crédito a sus oídos.

—¿Es ésta tu reacción? ¿Qué te sucede? —preguntó Maxi—. Yo creía que sabías divertirte.

—Tal vez mi idea de la diversión es distinta de la tuya —dijo débilmente India—. Y yo, Miss Scarlett, no sé nada de partos.

—Yo he tenido la culpa —declaró Nina—. Yo fui quien pensó que debía tener un empleo.

—La culpa fue mía —insistió Zachary—. Por haberme mostrado de acuerdo.

—Yo soy el culpable —declaró Pavka—. Yo la destiné a la sección de arte. Y Linda Lafferty afirma que la culpa es sólo suya.

—En realidad, Pavka —dijo Nina—, la culpa es de tu secretaria, esa que te adora. Ella eligió *Savoir Vivre*.

—Escuchad los dos —dijo Zachary—. Maxi es la única responsable. Dios sabe que no podemos acusar a Rocco... El pobre bastardo no tenía nada que hacer, si a Maxi se le había metido eso en la cabeza.

—¿Qué piensa Lily? —preguntó Pavka a Zachary.

—Está demasiado atareada con los preparativos de la boda y no le queda tiempo para pensar. Ella considera que dieciocho años es una buena edad para casarse, si no se tiene otra cosa que hacer en la vida. No era mucho mayor cuando se casó. Pero insiste en una boda suntuosa al estilo inglés, con toda clase de cosas superfluas: damas de honor, niñas esparciendo pétalos de rosas, pajes con calzón de terciopelo, toda la casa revuelta para la recepción. El único problema es el tiempo... Deberían casarse lo antes posible. Ahora estarían ya casados, de no haber sido por los planes de Lily. Pero a Maxi no le importa eso... «Se divierte» demasiado para preocuparse de que el niño sea más o menos prematuro... A veces me la imagino en el pasillo de la iglesia, llevando en brazos al pequeño en vez de un ramo de flores.

—¿Y Rocco? —preguntó Pavka con curiosidad.

—¿Rocco? Linda Lafferty dice que los dos estáis de acuerdo en que hace un magnífico trabajo —respondió Zachary un poco a la defensiva.

—No me refiero a su trabajo... ¿Qué piensa su familia?

—Piensa que todo lo que él hace es perfecto —respondió Zachary—. Por fin nos reunimos todos en una cena y ésta discurrió todo lo bien, o tal vez mejor, que suelen desarrollarse los primeros encuentros de futuros parientes. Joe Cipriani estuvo en la «Air Force» en Corea; por consiguiente, hablamos de guerra, y Lily y Anna, la madre de Rocco, hablaron de cubiertos de plata, vajillas de porcelana y vestidos nupciales. Maxi estaba sentada allí tan satisfecha, como si hubiese realizado una proeza o ganado el Premio Nobel de la Reproducción. En cuanto a Rocco, no tenía nada que decir. Parecía como si hubiese recibido un porrazo en la cabeza o hubiera sido arrollado por un tren. O ambas cosas a la vez.

—Entonces —preguntó Nina—, ¿Por qué nos preocupamos los tres de algo que todos los demás consideran perfecto?

—Porque conocemos a Maxi —respondió Zachary con tristeza.

Angelica Amberville Cipriani vino al mundo en abril de 1973, poco más de seis meses después de casarse Maxi y Rocco, un adelanto perfectamente respetable en cualquier sociedad, alta o baja, desde que el mundo empezó a contar con los dedos. Rocco había salido de su estado cataléptico una vez celebrada la boda, y Maxi renunció de buen grado a su último año en el Instituto a fin de dedicarse a preparar el ático de Rocco para la llegada de la criatura.

Lily y Zachary habían insistido en que el niño fuese llevado de la clínica a un apartamento confortable, donde Maxi pudiese tener una niñera que la ayudase, una cocinera y alguien que se encargara de la limpieza. Daban como cosa sabida que ellos comprarían y amueblarían el apartamento y pagarían los salarios de la servidumbre. Pero Rocco se había negado con firmeza a aceptar nada de ellos que no fuese el tradicional regalo de boda de los cubiertos de plata. Ganaba treinta y cinco mil dólares al año y tenía profundamente arraigado el hábito de una independencia económica total. Ni siquiera sus padres habían contribuido a su manutención desde el día en que ganó la primera beca para una escuela de arte. Sabía que ganaba lo bastante para mantener a su esposa y a su hijo sin preocupaciones. Maxi tenía ahora dieciocho años, y en el mundo en que se había criado, otras muchas chicas eran, a su edad, madres capacitadas y competentes amas de casa.

Maxi se enfrentó con el futuro haciendo gala de una energía dichosa. Fue a tres escuelas de cocina diferentes, para poder ofrecer a Rocco una variedad de platos franceses, italianos y chinos; aprendió dos métodos distintos de alumbramiento, por si se le ocurría cambiar de idea a medio camino; fue a «Saks» y a «Bloomingdale's» e incluso al lejano «Macy's», para comprar una canastilla completa en la que no faltaba el mínimo detalle. Con mucha sensatez, llevó a un guardamuebles las docenas de cajas de regalos de boda, a excepción de las ollas y las sartenes, un juego de cacharros de cocina, los cubiertos de acero inoxidable y los vasos de vidrio corriente.

Por fortuna, el ático de Rocco era lo bastante espacioso para que, con ayuda de dos carpinteros del barrio, pudiesen dividirlo en tres piezas separadas: un rincón para el bebé, una cocina y despensa, y un tercer espacio en el que vivirían, comerían y dormirían, y en el que, además, Rocco tendría su mesa de trabajo. Él había sugerido que la tercera estancia fuese dividida a su vez para tener un cuarto de trabajo separado; pero Maxi le había hecho ver que, puesto que pretendía seguir ayudándole cuando él la necesitase, aquella división resultaba absurda. Todo esto armonizaría perfectamente con el verano pasado, pensaba ella, con la alegría adicional del *bambino*, que dormiría feliz en sus propios y pequeños dominios.

Maxi se hallaba ahora sentada en un duro banco de un pequeño parque de vecindad con dos árboles escuálidos, meciendo el cochecito inglés, que destacaba por su tamaño, su brillante color azul, sus altas y elegantes ruedas y el fleco de la capota de lona que resguardaba del sol los ojos de Angelica. Era un mes de agosto cálido y húmedo, como es siempre en Manhattan, la ciudad yacía encerrada en un monstruoso ambiente cargado, maloliente y de un gris amarillento, que podía ser aire, pero habría matado a la mayoría de los indios del Amazonas. Maxi llevaba pantalón corto, blusa sin espalda y sandalias blancas. Aunque se había recogido los cabellos sobre la cabeza para apartarlos del cuello, seguían rodando por éste las gotas de sudor. Se abanicaba inútilmente con un ejemplar de *Rolling Stone*, reprimiendo el deseo de echar espumarajos por la boca, aullar como un perro y pedir un replanteamiento de la situación.

Pensaré en cosas divertidas, se dijo muy seria. Rocco es divertido cuando no trabaja en el número extraordinario de Navidad. Angelica es divertida cuando no llora y nos mantiene despiertos. Estar casada es divertido cuando Angelica duerme y Rocco no trabaja. Cocinar es divertido cuando... No, en realidad no puede decirse que cocinar sea divertido. No cuando hay que fregar después los platos. Esto significa que cada cuarenta y ocho horas hay una diversión. Al menos una hora que podría ser divertida si no fuese cálida y húmeda. Nada es divertido en Nueva York durante el mes de agosto, pensó furiosa, a menos que funcione el maldito aire acondicionado.

Hacía tres semanas que las dos unidades de las ventanas se habían estropeado de viejas que eran, al iniciarse la ola de calor. Y estaba resultando imposible conseguir otras nuevas en mitad del verano más cálido que había habido en muchos años. Cada día esperaba Maxi su prometida llegada y, día tras día, tenía que convencerse de que no serían instaladas.

Su padre le telefoneaba a diario para pedirle que viniese a Southampton con la pequeña, y Rocco le decía todas las noches que era una locura que se quedase en la ciudad, que él se las apañaría perfectamente durante los días laborables y que iría a reunirse con ella todos los fines de semana; pero Maxi, más terca que nunca en una vida, en que siempre había hecho su propia voluntad, se negaba a moverse.

El primer verano, se decía, era el tiempo de prueba, el examen en el que sabía que todo el mundo esperaba que fuese suspendida. Lo pasaría en la ciudad; no iba a marcharse corriendo a casa de sus padres como una niña, abandonando a su marido en su duro trabajo, privándole de su hija, de su esposa y de los tiernos cuidados de ésta. No consentiría que él fuese un marido de fin de semana, que no viese crecer a su pequeña durante estos preciosos meses. Dar media vuelta y correr en busca de la fresca brisa del océano y de criados que le ofreciesen vasos fríos de zumos de frutas recién exprimidas... ¡No! Tomó un húmedo *Kleenex* y se enjugó el sudor que seguía deslizándose por su cuello.

¿Por qué no podía dejar de pensar en lo blanco? Sábanas blancas, arena blanca, nubecillas blancas en un cielo azul sobre un mar azul, inmaculados Pampers blancos, zapatos blancos de tenis, doncellas con delantales blancos, grandes casas blancas de madera, mesas blancas de mimbre con manteles blancos almidonados y bordados, y porcelana blanca de Limoges. El blanco parecía ser lo último que podía ofrecerle este mes de agosto en Manhattan, salvo esos sucios trozos de papel que habían sido blancos y revoloteaban ahora alrededor de sus pies.

Angelica se despertó chillando. Maxi la levantó y la abanicó frenéticamente. A pesar de los baños fríos y del uso constante de la esponja, la criatura tenía un sarpullido a causa del calor o alguna otra irritación en los pliegues de su rollizo cuerpo de cuatro meses. Era una linda criatura, salvo cuando su cara se contraía doliente, como venía haciendo durante la mayor parte del verano.

—Pobrecilla —la arrulló Maxi, sintiendo que sus ojos se llenaban también de lágrimas—. Pobre, pobrecita. Realmente, me das mucha pena —gimió sobre el cuello de Angelica—. ¡Oh, pobre, desgraciada y valiente criatura! Eres una niña buena, y nadie te alaba por ello, nadie, ¡nadie!

Angelica dejó de llorar y abrió los ojos, agarró un mechón de cabellos de su madre y le sonrió.

—¡Oh! —lloró Maxi, con más fuerza al ver aquella sonrisa—. ¡Pobrecita criatura!

Se levantó del banco y, corriendo, sacó el cochecito del parque. Un taxi se detuvo al ver el conductor su frenético ademán, y Maxi, sin pensarlo, abandonó el cochecito importado, que había costado quinientos dólares, cargó con Angelica y se metió en el taxi.

—Al «Saint Regis Hotel» —dijo al taxista—. Y dese prisa, es un caso urgente.

«Amberville Publications» tenía una suite permanente en el «St. Regis» para los clientes visitantes, y todos los recepcionistas conocían de vista a Maxi. La condujeron a la suite de cinco habitaciones, con tanto cuidado como si acabasen de sacarla de las olas enfurecidas en un bote salvavidas. Maxi se dejó caer en una de las camas, sujetando a su pequeña, y durante un rato, sólo le importó el fresco aire acondicionado. En cuanto hubo recobrado su energía, preparó un baño de agua tibia, se desnudó y desnudó a Angelica, se soltó los cabellos y se metió cuidadosamente en el agua con la pequeña en brazos. Se tumbó en la gran bañera e hizo que Angelica flotase sobre su pecho, sosteniéndola por las axilas y besándole la punta de la nariz. La arrulló con suavidad, meciéndola, como una sirena a su retoño.

Muy pronto, recuperada toda su eficacia, se envolvió y envolvió a la pequeña en unas gruesas toallas y se dirigió al teléfono. Primero llamó a «Saks», para encargar camisitas y camisones de niña pequeña, una cuna, otro cochecito, ropa de cama infantil y una mecedora. Después telefoneo a «Bonwit's» pidiendo varios saltos de cama, pijamas cortos de seda, camisas de algodón y shorts para ella. A continuación, llamó al florista del hotel para que enviase una docena de jarrones blancos con flores blancas, y a la perfumería para que subiesen pomada para niño, polvos para niño, Pampers y champú. Luego telefoneó a «F.A.O. Schwartz» y encargó un molinillo para colgarlo en la cuna y duplicados de todos los animales de trapo predilectos de Angelica. Se puso en comunicación con la conserjería del hotel e hizo que enviasen mozos en todas direcciones, para recoger inmediatamente lo que había comprado, y después ordenó que le subiesen el almuerzo. Sí, le aseguraron, podían servirle puré de zanahoria y carne blanca de pollo. Por último, Maxi llamó a Rocco a su oficina.

—Querido —le dijo entusiasmada—, acabo de descubrir un lugar maravilloso donde podremos pasar el verano, y sólo está a unas pocas manzanas de tu oficina.

Las olas de calor de agosto son normales en Nueva York, pero, como saben todos los nativos, pueden ser casi tan fuertes en setiembre. *Otoño en Nueva York* es una canción que debería referirse a octubre, de la misma manera que *Abril en París* es una canción que debería mencionar la necesidad de llevar paraguas, impermeables de abrigo y chanclos. Maxi, Rocco y Angelica se albergaron durante cinco semanas bajo el techo protector del «St. Regis». Aunque Rocco no podía dejar de advertir que sólo las facturas del servicio superaban su salario semanal, hizo un esfuerzo y no protestó. A despecho de sus sentimientos, pensó, no podía someter a su hijita al calor sofocante del ático. Ya volverían a casa cuando refrescase el tiempo.

—Creo que deberíamos irnos esta noche —le dijo Maxi una mañana de finales de setiembre, al salir él para el trabajo.

—Pensaba que querías quedarte hasta que cayesen las primeras nieves —comentó Rocco, sonriendo al ver su cara colorada y feliz, y pellizcándole la punta de la descarada nariz.

—Estoy cansada del servicio del hotel —murmuró ella, besándole en el pecho, entre los botones de la camisa y por debajo de la corbata, maniobra en la que había llegado a ser experta, mientras sostenía a la pequeña.

—Volveré lo antes posible y te ayudaré a empaquetar las cosas.

—No te preocupes, cariño, tengo todo el día por delante y el personal del hotel me ha prometido hacerlo casi todo... Sólo tienes que volver a recogernos a las dos.

Y aquella tarde, cuando Rocco regresó al hotel, encontró a Maxi y Angelica esperándole en el vestíbulo.

—Todo listo —dijo triunfalmente ella.

Subieron a un taxi. El portero dio una dirección al conductor y agitó la mano en señal de despedida.

—¿Por qué va hacia la parte alta de la ciudad? —preguntó Rocco.

—Quería pasar a ver a mi familia —dijo Maxi muy contenta.

—Entonces, ¿por qué no se ha parado ante la casa de tus padres? —inquirió Rocco con paciencia, pensando que Maxi quería darle una de esas sorpresas que tanto le gustaban, como por ejemplo aprender a hacer tortellini; enmarcar unos bocetos suyos con sus manos inexpertas, o buscar un vestido viejo para Angelica y presentársela envuelta en encajes victorianos.

—Porque han ido a visitar a Toby.

—Y Toby ha ido a visitar a un amigo, ¿eh?

—Exacto. ¡Qué listo eres! ¿Sabías que me casé contigo por tu gran inteligencia y no sólo por tu imposible y melancólica belleza?

—Yo pensaba que *me* había casado contigo por culpa del embarazo. Al menos, ésa es la opinión general —dijo Rocco, observando satisfecho la picardía que se pintaba en los ojos de Maxi.

Se había rendido a ella como a la niña de un sueño inverosímil y dichoso. A veces, su joven esposa era, como esta noche, encarnación de una broma deliciosa.

—¡No hables así delante de la niña! —murmuró Maxi.

Por fin, el taxi se detuvo ante una hermosa casa de apartamentos de la Calle 76, entre la Quinta Avenida y Madison. Tomaron el ascensor hasta la quinta planta, recorrieron un ancho pasillo y Maxi pulsó un timbre. Una doncella uniformada abrió la puerta, con una sonrisa de bienvenida.

—¿No hay nadie aquí? —preguntó Rocco, mirando la grande y deliciosa estancia de blancas paredes, con molduras de color castaño y baldosas de terracota, y amueblada de una manera que le gustó inmediatamente sin saber exactamente por qué.

—Tienen que estar en alguna parte —dijo Maxi, dirigiéndose a un pasillo—. ¿Hay alguien en casa? —gritó.

—¿No crees que deberíamos esperar en el cuarto de estar?

—Vamos, querido, tienen que estar en alguna parte —respondió Maxi desde el pasillo.

Rocco la siguió mientras ella recorría las habitaciones bellamente amuebladas pero desiertas: un cuarto para niños; un espacioso dormitorio con una cama de cuatro columnas y dosel antiguo, y una cocina resplandeciente donde se hallaba atareada la sirvienta. Al llegar al pequeño comedor de rojas paredes, con la redonda y rústica mesa francesa preparada para dos, él agarró a Maxi de un brazo y trató de detenerla.

—Siéntate y espera. Ni siquiera tú puedes andar así por una casa ajena. ¿O es una fiesta sorpresa?

Ella se desprendió, cargando todavía con Angelica.

—Mira, hay otra habitación. Tal vez se han escondido en ella.

Abrió otra puerta y Rocco se encontró plantado en una habitación muy iluminada, donde estaban su mesa de trabajo, su sillón y todos sus instrumentos en perfecto orden, sin que faltase uno solo.

Maxi lo miró, satisfecha de sí misma.

—No creas que esto se ha hecho en una noche —dijo con orgullo.

—¿Esto...?

—Es *nuestra* casa. ¡Una fiesta sorpresa! No eres tan listo como creía —le pinchó ella.

—Sabes que dije que no quería nada de tus padres... ¿Cómo has podido hacer esto, Maxi? —preguntó Rocco, a media voz.

—Respeto todo lo que dijiste. Pero esto no tiene nada que ver —respondió ella, rebosante de satisfacción.

—Entonces, ¿de dónde procede?

—De mí. De mí para ti, de mí para mí, de mí para Angelica.

—¿Qué quieres decir?

—De mis propios fondos en depósito. Papá lo instituyó para mí cuando vine al mundo. Entré en posesión de este fondo el día de mi último cumpleaños. Hay otro que recibiré cuando cumpla los veintiuno, y otro cuando cumpla los veinticinco... Justin y Toby tienen también los suyos. Es una manera de dar algo a los hijos en vida, para que el Gobierno no se lo lleve todo cuando mueras —explicó Maxi, no demasiado segura de los detalles.

—¿Te dio tu padre tanto dinero, *conociéndote*? —dijo Rocco, con incredulidad.

—¡Oh! Una vez establecido el fondo, nada podía hacer para cambiarlo. De no haber sido así, creo que no me habría confiado una suma tan grande. Pero ya ves, se habría equivocado. Considerándolo todo, no ha sido ningún derroche.

—Considerando... ¿qué?

—Que recibí cinco millones de dólares.

—¡Cinco millones de dólares!

—Sinceramente, Rocco, todo lo que he gastado ha sido tres cuartos de millón, incluido el precio de compra del apartamento.

—¡Tres cuartos de millón!

—Bueno, no es un gran apartamento... Pero suficiente para nosotros tres —explicó Maxi paciente, pues Rocco no parecía comprender bien las cosas esa noche—. Nos trasladaremos cuando tengamos otro hijo.

—¿Estás esperando otro hijo? —preguntó Rocco en tono forzadamente inexpresivo—. ¿Es la segunda sorpresa de esta noche?

—Todavía no, gracias a Dios.

—Nos vamos.

—¿A dónde?

—Volvemos a Soho. Si no quise aceptar nada de tus padres, ¿cómo has podido imaginar que aceptaría este... este lugar... de ti? —preguntó él, pálido de ira, dolido en lo más profundo de su ser.

—Pero esto no tiene nada que ver con mis padres. Es completamente *distinto*. Yo compré y amueblé este apartamento con *mi dinero*. Supongo que tengo derecho a gastar lo que es mío, Rocco. A fin de cuentas, es para *nosotros*, que debemos compartirlo todo.

—No puedo hacerlo. Lo siento, Maxi, pero no puedo aceptarlo. Iría contra todos mis principios.

—Te estás mostrando como un terco y anticuado italiano, como un típico machista —dijo ella, en un tono paciente que se iba debilitando.

—Soy como soy. Hubieses debido conocerme mejor cuando nos casamos. No he cambiado en absoluto.

—Yo tampoco —replicó Maxi, con irritación.

—Éste es el problema —dijo Rocco—. Uno de los dos tendrá que cambiar.

Tenía los puños apretados con fuerza. Hubiese tenido que saberlo. Había recibido muchos avisos, pero había prescindido de ellos, porque era un tonto y no quería creer que ella estuviese tan malcriada, que fuese tan irreflexiva y caprichosa.

—No me mires, Rocco Cipriani —gritó Maxi.

—Adiós, Maxi —dijo él cortante, temeroso de que cualquier otra palabra fuera irremediablemente cruel, incluso más cruel que el fin de su matrimonio.

Había temido este momento desde el principio, pero había tratado de pasar por alto su inquieta intuición del verdadero carácter de Maxi.

—Enviaré a buscar mis cosas.

Maxi, boquiabierta, contempló la estancia vacía. Oyó que la puerta del apartamento se cerraba suavemente; esperó unos minutos, por si sonaba el timbre, y después llevó a Angelica al cuarto de estar ricamente amueblado y se sentó en uno de los grandes sofás tapizados de terciopelo rojizo.

—Volverá, Angelica —dijo a la pequeña—. Tiene que comprender que no puede mandar en mí como un déspota. ¿Quién se imagina que es? Nadie puede hablarme de esta manera, ¿te enteras? ¡Nadie!

Y rompió en sollozos, afligida y temerosa, pues ahora sabía que ninguno de los dos iba a cambiar, que ninguno de los dos era capaz de cambiar. Aquel terco bastardo no podría intentarlo siquiera, debido a su absurdo e innecesario orgullo, y ella tampoco lo intentaría. Rotundamente, ¡no! A fin de cuentas, era Maxi Amberville. *¿Por qué diablos tenía que cambiar?*

13

Maxi no pasó una sola noche en el apartamento que había decorado con tan desatinado entusiasmo. Hizo que la mesa de trabajo y los instrumentos de Rocco le fuesen enviados a éste al día siguiente y dio instrucciones a su agente de la propiedad inmobiliaria para que lo vendiese todo, hasta la última cacerola de cobre, lo más rápidamente posible y al precio que le ofreciesen.

El divorcio fue llevado con diligencia y sin publicidad por los asesores jurídicos de los Amberville. Cuando Rocco consiguió compartir la custodia de Angelica, accedió a que la pequeña viviese con Maxi de manera continuada. Había vuelto a su trabajo en «Condé Nast», y su única alternativa posible habría sido contratar una niñera para que cuidase de Angelica cuando él estuviese en la oficina, lo cual habría sido absurdo, ya que Maxi era perfecta como madre. Sin embargo, siempre que podía, ejercitaba su derecho de tener a Angelica los fines de semana, incorporándose a la legión de padres divorciados en el parque próximo, con la dudosa distinción de tener la criatura más pequeña del grupo.

Maxi trató de capear el período del divorcio concentrando toda su atención en los detalles de la crianza de su hija. Se convirtió en una experta en negativas; sin pensar, sin recordar, sin hacerse preguntas, sin plantearse alternativas mientras discutía con seis distintos y pacientes proveedores de Madison Avenue sobre la calidad de sus zumos de naranja y la procedencia de sus pechugas de pollo. Sin embargo, un espantoso y cruento dolor vibraba como un diapasón en el centro de su ser, salvo cuando establecía una verdadera comunicación con Angelica; pero, aquel primer año, la sana criatura pasó la mayor parte del tiempo durmiendo. Maxi soportaba el tormento en silencio, pues comprendía que no tenía alternativa. Mientras tanto, bañaba y alimentaba a Angelica y la llevaba a la planta baja a visitar a Lily y a Zachary. Había vuelto a la casa de sus padres la misma noche en que Rocco salió del nuevo apartamento, pues aquél era el refugio más seguro que conocía.

Este período de duelo duró todo el otoño de 1973 y el invierno de 1974. Sólo a finales de la primavera, teniendo Maxi diecinueve años, llegó un día en que se dio cuenta de que podía atreverse a considerar su situación. Se dispuso a ello amontonando almohadas en su cama y reclinándose sobre ellas después de aplicar el tibio y dulce cuerpo dormido de Angelica sobre su pecho, como si fuese un sinapismo de mostaza. La pequeña tenía ya más de un año y estaba lo bastante desarrollada para ofrecer considerable protección a una adulta tan desdichada que tenía que examinar su propia condición mental.

¿Cuál era su exacta posición en la vida?, se preguntó Maxi. ¿Cómo debería definirse? Tenía una hija, se había divorciado y dentro de pocos meses cumpliría veinte años. Ya no era una adolescente, nunca sería una «debutante», no era una joven universitaria, no era una madre soltera. Por otra parte, no era una trabajadora ni una mujer de carrera. Parecía que sólo podía caber en una categoría: la de la interesante, mejor dicho, *fascinante* joven divorciada, si todavía se empleaba esta expresión.

¿Cuáles eran, pues, las opciones de esta joven divorciada que poseía millones de dólares gracias al fondo establecido a su favor? En principio, el mundo debería estar lleno de opciones para una persona que disponía de tanto dinero y tanto tiempo. Podía quedarse a vivir en esta gran mansión gris, tranquila, segura y bien cuidada, con independencia para entrar y salir a su antojo, ya que ahora tenía la condición de adulta, no la de colegiala. Empleando la casa de sus padres, como base, podía aventurarse a... a... a hacer ¿qué?

En primer lugar, podía ir y probablemente iría a la universidad en Manhattan, pensó Maxi, pero, ¡caray!, primero tendría que terminar la segunda enseñanza. Años de andar a saltos por los recovecos del sistema educacional le habían enseñado que siempre habría un instituto dispuesto a aceptarla para el último curso que había perdido. Por consiguiente, la universidad era una posibilidad poco clara. Pero, ¿tenía realmente ganas de asumir la carga de una educación adicional? ¿No era en cierto modo demasiado tarde, y al mismo tiempo demasiado pronto, para volver a las aulas? Descartó la universidad.

Desde luego, estaban los viajes. Podía contratar una niñera y marcharse con Angelica a pasar seis meses o un año en Inglaterra, donde sus abuelos la introducirían en su mundo. Entornó los ojos al imaginarse conquistando Londres. Compraría los vestidos más fantásticos que jamás había diseñado Zandra Rhodes, alquilaría un gran piso en Eaton Square, tendría un «Rolls»... No, un «Bentley»... No, un «Daimler», la clase de coche que siempre usaba la reina y que era demasiado ancho para las carreteras americanas, y se sumergiría en las delicias de la sociedad londinense que su madre había desdeñado, con la ayuda y los buenos oficios del decimonono barón y segundo vizconde Adamsfield.

¡Ay, si no hubiesen pasado ya los años sesenta...! Sin embargo, algo debía quedar, aunque la vida alegre hubiese terminado. Sí... Londres... Sonrió al oscuro dosel de su cama, hasta que, de pronto, abrió los ojos de par en par, sorprendida y amoscada al volver a la realidad. Rocco, el imposible y amante papá italiano, nunca permitiría que se llevase a Angelica durante seis meses seguidos. Nunca. Por consiguiente, el viaje no era una alternativa, salvo para una semana o dos como máximo. Descartó el viaje.

¿Un empleo? Su aceptación de las tareas más simples en el departamento de arte la habían traído donde estaba ahora. Tal vez el mundo del trabajo no se había hecho para ella. Además, tenía una hija a la que cuidar. Descartó el trabajo.

Parecía estar clavada aquí, yaciendo en su cama del antiguo hogar. Y esto estaba fuera de lugar. No *habría* estado bien, por mucho que sus padres desearan que se quedase.

Maxi sopló delicadamente los cabellos de Angelica y mordisqueó un rizo negro. Sus padres no confiaban en que pudiese desenvolverse por sí sola. Podía verlo en sus ojos, aunque ellos no decían nada que pudiese indicar que el actual arreglo era temporal. Pero podía leerlo en sus ansiosas mentes. Le gustaría que se quedase aquí hasta que otro hombre, esta vez más adecuado, apareciese para atraerla de nuevo a una vida doméstica que Maxi no tenía intención de intentar de nuevo.

El proceso de eliminación le había dejado una sola opción. Debía tener su propia casa en Manhattan, ¡salir de aquí! Si no se trasladaba, volvería a caer en el cómodo, familiar, pero decididamente superado papel de hija de la casa. Maxi sintió un ligero y breve escalofrío de aprensión. Nunca había vivido sola. Había pasado directamente de la casa de su padre a la de su marido, de la que había vuelto de nuevo al hogar paterno.

Mayor motivo, pensó Maxi, apretando desafiadoramente los labios, para seguir adelante con ello. Mañana mismo empezaría a buscar su casa. Quería una casa en la ciudad, ya que no podía tenerla en Londres, una linda casita de piedra arenisca de color pardo donde pudiese recibir a sus amistades. ¿Qué amistades? Desde el día, diabólico día, en que había entrado en el departamento de arte de *Savoir Vivre*, dos años atrás, había estado tan abstraída en la evolución del drama de su propia vida que había perdido contacto con todos los conocidos de su propia edad, a excepción de India que, llevada de su egoísmo, se había ido a la universidad. Sin embargo, tenía que conocer a alguien. ¿No había dicho una vez una famosa anfitriona que lo único que había que hacer para atraer a los invitados era abrir una lata de sardinas y difundir la noticia? Compraría un abrelatas y una caja de sardinas, resolvió Maxi. Si la vida le había enseñado algo, era que una cosa conducía a otra. Si entre medias había otras lecciones, ella se las había saltado.

En cuanto resolvió librarse de la protección de sus padres, buscó y encontró en seguida la casita urbana perfecta. Descubrió un equipo de decoradores, Ludwig y Bizet, que le ayudasen a convertirla en un escenario que nada tenía que ver con la cronología. No era el hogar de una muchacha impulsiva, sino de una sensata heredera con tendencia a los interiores eléctricos que animaban sabiamente al estilo Luis XV con toques venecianos de alta fantasía y suavizaba el conjunto con tapicería inglesa.

Después de su tímido primer ensayo de introspección, reflexionó con frecuencia y detenimiento de su futuro. Había descartado la condición de joven divorciada casi tan pronto como había pensado en ella. Existían tantas mujeres divorciadas en Manhattan, formando un enorme club sin reglamento, que prefería no ingresar en él. Con más arte y disciplina que los que había empleado al prepararse para su primer día de trabajo, se aplicó a crear una nueva Maxime Emma Amberville Cipriani, que fuese inmediatamente reconocible como *viuda*. La viudez, una viudez temprana, cruel, accidental y misteriosa, era una condición mucho más deseable que todas las otras que se le ofrecían. Era un estado en el que se combinaba cierta tristeza elegante con aureola de... ¿poesía...? Sí, de poesía, si el papel se representaba bien, pensó, con labios temblorosos y con una sonrisa reprimida.

Maxi emprendió su camino hacia la viudez templando tristemente su sonrisa, guardando trémulos y súbitos silencios en los que caía de pronto, envolviéndose en una valerosa dignidad, matizada con mucha finura. Amortiguaba el campo de energía en que solía moverse y lo volvía hacia dentro, de manera que se evidenciase pero siempre de modo discreto, que sufría un dolor callado con el que no quería molestar a nadie. Ahora vestía siempre de negro: trajes negros serios, caros y muy atractivos. Las únicas joyas que llevaba eran el regalo de boda de sus padres, una magnífica doble hilera de perlas de Birmania, graduadas desde doce hasta diecinueve milímetros y todas redondas y perfectas, de un oriente incomparable, y desde luego, el adorno necesario en una viuda, una modesta y sencilla alianza que habría preferido arrojar al cubo de la basura. En cuanto se encontraba sola en casa, corría a cambiarse y se ponía los viejos tejanos y la gastada camiseta. Pero nunca salía sin haberse vestido de negro de la cabeza a los pies, incluso cuando se marchaba al campo con pantalones negros y una blusa de seda negra. Ponía toda su habilidad en el maquillaje para conseguir una deliciosa palidez. Tiró su colección de coloretes y lápices de labios y concentró toda su atención en sombrear recatadamente la zona alrededor de los ojos de un gris difuminado. Le habría gustado que India estuviese allí para apreciar sus esfuerzos, pensó con añoranza, mientras comprobaba el efecto.

De la misma manera que reprimía su risa fresca, se impuso como norma no hablar nunca de sí misma. En vez de esto, se aficionó a llevar a la gente a su tema predilecto: sus propias personas. Aprendió a soslayar con sutileza todas las preguntas acerca de su vida privada y a rechazar automáticamente dos de cada tres de las invitaciones que recibía (pues la lata de sardinas había funcionado de un modo maravilloso) con el fin de poder quedarse en casa con Angelica. Aunque muchas veces estuvo tentada de hacerlo, nunca dijo a nadie que Rocco Cipriani estuviera muerto; pero tampoco se refería nunca a un ex marido o a un matrimonio previo.

Como la duración del tiempo que emplean las personas en recordar detalles de las vidas privadas de los demás se halla determinado en Manhattan por la cantidad de leña que se arroje al fuego, Maxi consiguió dejar establecida su viudez en el término de un año.

No era una viudez sin distracciones. Tuvo una docena de amantes muy distraídos; no en sucesión demasiado rápida; todos ellos impecables, de buen ver, ansiosos de casarse con ella y sin presentar los problemas inherentes a una alianza con un hombre que no podía comprender que su dinero era suyo y podía hacer con él lo que quisiera. Sin embargo, ninguno de ellos le había parecido lo bastante *necesario* para retenerlo más de varios meses. Maxi estaba convencida de que nunca se enamoraría de nuevo, y esta idea, aunque melancólica, estaba compensada por la libertad que le daba. Se jactaba de haberse convertido en una heroína de Henry James actualizada, una mujer con un pasado que sólo era vagamente conocido, y cuyo presente era tentadoramente secreto, pero iluminado por el brillo de su independencia, de su familia, de su fortuna y, ¿por qué no decirlo?, de su cara. Era una mujer cuyo futuro contenía infinitas promesas.

Un fragante día de agosto de 1978, Maxi se dirigió a la entrada del Casino de Montecarlo. Caminaba sola en la oscuridad tranquilizada por el conocimiento de que había en el Principado un policía por cada cinco habitantes y de que una mujer podía lucir todas sus joyas en público, en la calle peor iluminada de la pequeña ciudad. Algo le decía que había para ella una silla de la suerte en la mesa del *chemin de fer*, pero no tenía prisa por entrar en acción.

Era la primera noche de Maxi en Montecarlo y, literalmente, la primera vez en su vida que podía ir y venir a su antojo, sin que la controlasen y sin tener que dar cuentas a nadie. Sus padres estaban en Southampton. Rocco había podido al fin arreglar las cosas en la revista de manera que tenía libre el mes de agosto y se había llevado a Angelica a visitar a sus padres en las afueras de Hartford.

Maxi había rehusado una serie de invitaciones y de viajes con amigos, y había reservado, con suma discreción una suite para ella sola en el «Hotel París» de Montecarlo, una suite de grandes proporciones, emplazada en una esquina y con un balcón semicircular en el cuarto de estar, desde el que había estado contemplando la puesta del sol. Podía ver, allá abajo, el atestado puerto de Montecarlo; más allá, sobre un promontorio rocoso, se alzaba el palacio, y más lejos, un cielo radiante se confundía con un mar espléndido en el que docenas de embarcaciones de recreo navegaban en dirección al puerto. Desde la suite de Maxi, no se percibía que, todas las semanas, eran demolidas una o más de las encantadoras villas eduardinas, que durante tanto tiempo, habían sido ornato de la ciudad, y se sustituían por modernos edificios de apartamentos, al estilo de Miami. De lejos, no era posible apreciar que hasta el último centímetro cuadrado del territorio de los Grimaldi estaba siendo explotado con un tesón nada sentimental, que tenía más de suizo que de mediterráneo.

El mes de agosto, por cálido que llegue a ser, es *la* temporada de Montecarlo, un mes de bailes y de fuegos artificiales, de ballet y de reunión de un grupo particular, y con frecuencia peculiar, de ricos magnates de todo el mundo, que nunca se pierden una visita anual a Mónaco. Agosto es el fructífero período de treinta y un días durante el cual los evasores de impuestos de noventa y nueve países, a quienes sus abogados y contables aconsejan que obtengan carta de residencia en Mónaco, pueden alquilar sus caras viviendas y ganar con ello lo bastante para conservarlas durante los once meses restantes; el único mes durante el cual se disputan los yates un lugar donde atracar en el puerto, el único mes en que renace el mito de Montecarlo.

Maxi también se sentía renacer. Preparó su viaje comprando nuevas prendas de vestir con las que había llenado siete maletas; había sido desterrado el negro de su guardarropa. Se había provisto de una carta de crédito para un Banco local y, aquella misma tarde, cambió tantos dólares en francos que casi no cabía en su bolso de noche.

Algunas fuertes partidas de póquer en «Beekman Place», celebradas de noche en Nueva York, consolaron ocasionalmente su opulenta y temprana viudez; pero Maxi había deseado siempre visitar un verdadero casino que no se pareciese en nada a Las Vegas. Jugar, pensaba, era como ir de compras... No podía hacerse en pareja. Fuese lo que fuese, cuestión de habilidad, de suerte o de capacidad para elegir los números, todo juego se reducía a una elección, y decidir no era un acto que pudiese realizarse en colaboración con alguien mirando por encima del hombro y haciendo sugerencias. Le convenía echar una cana al aire, pensó Maxi. La viudez era tan opresora... Se *merecía* una escapadita, y saltaba a la vista que todos los que corrían hacia la entrada del Casino se sentían tan animados como ella.

Los primeros y grandes salones del suntuoso edificio la desilusionaron; estaban llenos de turistas vestidos de cualquier manera que jugaban en las máquinas tragaperras; los techos pintados parecían observar, pesarosos, aquellos innobles tejemanejes. Pero cuando pasó por delante de los hombres severos que vigilaban la entrada de los salones privados, Maxi descubrió que la leyenda del Casino de Montecarlo existía aún, auténtica e indiscutible, amarrada con firmeza a la Historia, como un velero de cuatro mástiles surgido del pasado. El lujo eduardino, voluptuoso y desvergonzado, se manifestaba con dorado esplendor; un fuerte tiempo de vals sofocaba el loco ritmo de jazz de los primeros salones, y un resplandor rosado sustituía las luces intermitentes de las máquinas tragaperras. Elegantes personas de aire resuelto, se movían, hablando en voz baja, en un ambiente cargado de excitación casi insoportable, de una emoción que sólo puede encontrarse en un lugar dedicado al juego, al azar, a las apuestas, o como se le quiera llamar. Nadie era inmune a su hechizo, y la menos inmunizada era Maxi Amberville.

Reprimiendo su rápida andadura de neoyorquina, Maxi entró en el Casino con satisfecho aplomo, con esa seguridad, que no puede fingirse, de la mujer hermosa que se siente a sus anchas sin escolta. Llevaba un vestido largo de gasa, sin tirantes, de un verde un poco más pálido que el de sus ojos, y diáfano hasta el punto de resultar cruel. Sus cabellos negros, que, cuando estaba en Nueva York, llevaba recogidos en un severo peinado, caían ahora sueltos sobre sus hombros. Había transformado la doble hilera de perlas en una sola, larga, que pendía sobre su blanca espalda desnuda, y había prendido en su pecho un ramito de pequeñas orquídeas blancas. Nada en ella sugería la viudez... ni la doncellez... Parecía, y se sentía, delicadamente perversa; una bella hembra felina rondando por la ciudad.

Decidió que era demasiado temprano para el baccará o el *chemin de fer*. Probaría la ruleta, para animarse y orientarse. Nunca había jugado a ella; pero parecía un tonto juego de niños que no requería ninguna habilidad.

Se dirigió a la caja y compró fichas por valor de diez mil dólares, recibiendo cien grandes redondeles negros, cada uno de las cuales valía quinientos francos. No podía causar estragos con una cantidad tan pequeña, pensó Maxi, sentándose en una silla de la ruleta más próxima. Decidió apostar por su edad y pidió al *croupier* que pusiese diez fichas al veintitrés negro. Giró la rueda, se detuvo, y Maxi perdió mil dólares. ¿Y si probase con un año más? El veinticuatro negro tampoco le proporcionó nada. Sin embargo, pensó que si hubiese salido habría ganado treinta y cinco mil dólares, ya que los plenos se pagaban a razón de treinta y cinco a uno. ¿Dónde estaba la suerte del principiante a la que tenía derecho? Por otra parte, la ruleta no solía considerarse como una inversión, recordó mientras trataba de elegir otro número. El hombre que estaba junto a ella se dirigió al *croupier*.

—Diez al cero —dijo, con un acento que Maxi no pudo identificar. Lo miró con curiosidad. Estaba apoyado sobre un codo, como si sólo aquel hueso le sostuviese, y llevaba el esmoquin más raído que ella había visto jamás. Sus cabellos negros reclamaban un corte; sus mejillas hundidas pedían a gritos un afeitado, y sus ojos necesitaban abrirse más, pues los párpados estaban tan entornados y sus negras pestañas eran tan largas que parecía imposible que pudiese ver algo. Daba la impresión de ser un espantapájaros, un aburrido pero extraño y elegante espantapájaros, que hubiese permanecido en el campo hasta ser casi despedazado por las aves. Maxi se apartó un poco. Era sin duda uno de esos tipos canallescos para quienes una temeraria jugada en la ruleta era el último episodio de un sórdida historia de libertinaje. ¿No había algo decadente en su bien tallado perfil? Sin embargo, tenía las más bellas manos que ella había visto nunca, y sus uñas eran inmaculadas. ¿Un jugador profesional? Quizá no, pues ningún profesional que se respetase se mostraría con tanto desaliño y con tal aspecto de derrota.

Maxi perdió distraídamente otras setenta fichas, mientras seguía observando al hombre, el cual apenas la había mirado. Tendría treinta y tantos años, calculó, y probablemente era irlandés, pues, ¿quién, salvo un irlandés, podía combinar una piel tan blanca con unos cabellos tan negros? Si sus ojos eran azules, ésta sería una prueba concluyente; pero todavía no había podido verlos. El desconocido perdió sus diez fichas de quinientos francos y, perezosamente, puso de nuevo en el cero el equivalente de otros mil dólares.

Su expresión no cambió, y pareció no prestar atención al baile de la bola mientras giraba la rueda, primero con rapidez y luego cada vez más despacio hasta detenerse. Maxi volvió a perder, mientras observaba, fascinada, que aquel hombre llevaba unos viejos zapatos de tenis y unos holgados calcetines blancos. Descubrió que, debajo del esmoquin, vestía una camiseta blanca sobre la que había anudado con descuido la indispensable corbata, que parecía una cinta. Probablemente lo *era*, y arrugada por añadidura.

Maxi se dio cuenta de que sólo quedaban diez fichas delante de ella. Llamó al encargado que rondaba alrededor de la mesa, y le dio dinero para que le comprase otras cincuenta. Su vecino levantó la mirada al oír su voz.

—Diez para mí, por favor —dijo con naturalidad, sin ofrecer el dinero.

Era evidente que esperaba que el Casino le concediese un crédito, pensó Maxi.

—Lo siento, señor —se disculpó el encargado, rechazando la petición.

—¿No más?

—Temo que no, señor.

—No es mi noche.

Hizo este comentario en un tono inexpresivo.

—No, señor —convino el encargado, y fue a buscar las fichas de Maxi.

Sí, era irlandés, pensó ella. El clásico azul oscuro de sus ojos no admitía confusión, según había podido advertir durante el breve intercambio de miradas. Una rata de los muelles, probablemente de la tripulación de uno de los yates atracados en el puerto que había venido al Casino con un esmoquin tomado de prestado y perdido su último franco o centavo o cuarto de penique o cualquier moneda que llevase al entrar. Sin embargo, su acento no era irlandés, sino de otra clase... Inglés, pero no británico, pensó confusamente.

El hombre hurgó en su calcetines y sacó cinco fichas negras de cada uno de ellos, con un ademán de suprema indiferencia, que Maxi pensó que debía significar que las había ahorrado para este momento. Compadeció la irreflexiva criatura. Había algo elegante y conmovedor en la manera en que se negaba a mostrar su absoluta desesperación. Saltaba a la vista que estaba en las últimas. ¿Quién podía saber el destino que le esperaba cuando hubiese perdido aquellas fichas? Era posible que hubiese pedido prestado el dinero que se estaba jugando. O tal vez lo había hurtado. Sin embargo, él puso las diez grandes fichas de nuevo en el cero, sin reservarse ninguna para poder jugar una vez más. Maxi contuvo el aliento mientras giraba la rueda y se detenía al fin la bola.

En el cero. Maxi aplaudió entusiasmada. Treinta y cinco mil dólares... que deberían evitar que se pegase un tiro. Le sonrió para felicitarle y vio, con incredulidad, que ni siquiera había levantado los párpados. ¿Debía darle un codazo? ¿Acaso no se había dado cuenta?

Hubo un murmullo de interés al aceptar el *croupier* las apuestas de la jugada siguiente, pero el vecino de Maxi no se movió. Por último, el *croupier* dijo:

—¿Otra vez el cero, señor?

—Sí.

Maxi comprendió, horrorizada, que iba a tirar todo aquel dinero. Las probabilidades de que el cero saliese dos veces seguidas eran casi nulas. ¿Aquel hombre estaba loco, borracho, drogado o desconocía el juego?

Maxi se olvidó de apostar, reprimiendo el deseo de decir algo, y cuando el *croupier* dijo *Rien no va plus*, se dio cuenta de que era demasiado tarde para dar un consejo. Suspiró y esperó lo inevitable mientras giraba la rueda, la bola corría y saltaba, la rueda perdía velocidad y la bolita caía en la casilla. En el cero. Una exclamación ahogada surgió de los que estaban plantados alrededor de la mesa. El espantapájaros había ganado treinta y cinco veces cinco mil francos. Incluso la casi olvidada tabla de multiplicar de Maxi dijo a ésta que aquello representaba más de un millón de dólares americanos. Bastante más. Esto debería hacerle abrir los ojos, debería conseguir que pareciese menos desesperado, pensó, volviéndose hacia él y encontrando su mirada durante un segundo. ¿Había una sonrisa en sus labios? ¿Había levantado los párpados? ¿Habían enrojecido sus mejillas? No. En absoluto. Seguía apoyado sobre un codo, no había alargado la mano para coger sus fichas, parecía tan distante e indiferente como cuando el encargado le había negado el crédito. No cabía duda de que era un enfermo mental.

—Recoja esas fichas de la mesa —le ordenó Maxi en voz baja.

—¿Por qué? —preguntó el hombre con suavidad.

—Porque si no lo hace lo perderá todo, maldito imbécil. No discuta. Esta suerte sólo se da una vez en la vida —susurró Maxi furiosa.

—¿Quiere que juegue sobre seguro? —preguntó él, en tono débilmente divertido.

El juego se había interrumpido en la mesa mientras el *croupier* esperaba autorización de la dirección para aceptar la apuesta. Llegó el responsable del Casino, miró al espantapájaros con una expresión indefinible y, de mala gana, hizo una señal al *croupier* para que siguiese adelante. En seguida, se agrupó alrededor de la mesa una multitud cuchicheante, y Maxi, en su agitación se olvidó una vez más de apostar. Aquel hombre estaba loco, criminalmente loco. La ley de probabilidades no había sido derogada en su favor, y era imposible que la bola cayese en el cero por tercera vez. El Casino lo sabía tan bien como ella, o no habría permitido que el juego continuase. ¿A cuántos hombres se había dado oportunidad de hacer saltar la banca de Montecarlo? El *croupier* atendió a los otros jugadores y, cuando éstos terminaron de colocar sus apuestas, miró de nuevo al espantapájaros.

—¿Quiere continuar con el cero, señor?

—¿Por qué no? —preguntó él, esbozando un bostezo.

Maxi observó, aterrada, cómo el *croupier* ponía la rueda en movimiento. La multitud gruardaba un silencio absoluto. El *croupier* abrió los labios para decir *Rien ne va plus* y, en aquella fracción de segundo, Maxi se lanzó sobre el montón de fichas que había en el cero. Las barrió de la mesa desparramándolas alrededor de su vecino antes de que se diesen por terminadas las apuestas y se perdiesen para siempre.

Un grito de escandalizada incredulidad surgió de la muchedumbre. Aquella falta contra la etiqueta del Casino era tan inconcebible que todos dejaron de prestar atención a la rueda para fijarla en Maxi, la cual, indignada, fulminó con la mirada a los que la estaban observando. Eran unos bárbaros, se dijo, que sólo esperaban ver a alguien arrojado a los leones. «Pues hoy no lo veréis, bastardos, aunque os parezca una imbécil», dijo para sus adentros. Y siguió mirando a la murmuradora multitud con justiciero aplomo, hasta que se dio cuenta de que el espantapájaros seguía con la vista fija en la rueda, sin tocar una sola de las fichas que ella le había salvado. Se sintió bañada por un sudor frío. Acababa de recordar algo más sobre la ley de probabilidades. Cada giro de la rueda era un comienzo, como si no hubiese girado otras veces. «¡Oh, no, por favor», rezó. En el súbito y total silencio del Casino, sólo se oía la rueda. Maxi cerró los ojos. Los mirones lanzaron un grito estridente de incredulidad. El cero. Otra vez. Maxi se quedó petrificada, queriendo que se la tragase la tierra. Lo tenía merecido. Asesinarla habría sido poco. Una mano se cerró sobre su brazo. El hombre iba a rompérselo. Sí, y después le rompería todos los huesos de su cuerpo. Tenía derecho a ello. No se defendería.

—Nadie podrá decir nunca que es usted un plan barato —comentó suavemente el espantapájaros, levantándose de la silla, haciendo que ella se levantase también y dejando que un encargado recogiese las fichas que Maxi había quitado del cero.

Maxi abrió los ojos y rompió en llanto. No iba a matarla. Estaba todavía más loco de lo que ella había creído, pero no *criminalmente* loco.

—No me gusta ver llorar a una mujer —dijo él con tono amable.

Maxi dejó inmediatamente de llorar. No se atrevió a seguir haciéndolo. El hombre le dio un pañuelo muy limpio y la ayudó a sonarse y enjugarse los ojos.

—Sólo era dinero —argumentó él, sonriendo por primera vez.

—¿Sólo era dinero? ¡Más de cuarenta millones de dólares!

Él se encogió de hombros.

—Los habría perdido otro día. No creerá usted que me habrían permitido jugar si no hubiesen estado seguros de ello, ¿verdad? No trabaja usted para la casa, ¿eh? No, ya lo suponía. Pero le deben una copa gratis. Vamos, siéntese aquí y le pediré que nos traigan bebida. ¿Champaña?

—Algo que sea más fuerte —suplicó Maxi.

—Buena chica. Entonces, tequila, tequila «Buffalo Grass» —llamó a un camarero—. Lo de costumbre, Jean-Jacques, y otra para la señora. Doble.

—Mala suerte, Monsieur Brady —le compadeció el camarero.

El espantapájaros miró a Maxi con gran atención.

—No del todo, Jean-Jacques, no del todo —comentó y luego se volvió hacia Maxi—. Beba y la llevaré a mi casa.

—¡Oh, no! No tiene que hacer eso —protestó ella.

—¿Por qué no? A fin de cuentas, la he *comprado*. Por cuarenta millones de dólares.

—¡Oh!

—¿*Está* de acuerdo? —preguntó cortésmente él.

—Sí. Desde luego. Es... justo.

Y Maxi pensó que había destinos peores. Mucho peores. Pero tendría que hacer algo con su ropa.

Dennis Brady era el primer residente que Australia había devuelto a su antiguo país. Un siglo antes, su antepasado Black Dan Brady había emigrado al continente australiano desde Dublín, y se había hecho rico al descubrir una enorme mina de plata en Wasted Valley, en el interior de Nueva Gales del Sur. En las décadas siguientes, la «Wasted Valley Proprietary Company» encontró grandes cantidades de mineral de hierro, de carbón y de manganeso. En 1972, además de las explotaciones mineras, el activo de la compañía incluía grandes fundiciones de acero y explotaciones petrolíferas que representaban el tres por ciento del producto interior de Australia, y un giro cercano a los mil millones de dólares al año. La partida más importante del pasivo era su rebelde y principal accionista y único heredero de la fortuna Brady, Bad Dennis Brady, que estaba harto, y más que harto de Melbourne; hartísimo de ser el hombre más rico de Australia; requeteharto de discusiones acerca de prospección petrolífera frente a la costa de China, del descubrimiento de cobre en Chile o de las minas de oro en África del Sur. Dennis Brady no tenía el menor interés en extraer otra onza o gramo o pepita de ningún mineral de este planeta. Lo que le gustaba con locura era el juego. Pero éste no estaba permitido en Australia, y el casino más próximo, situado en Tasmania, había perdido tanto dinero con él que le habían prohibido seguir jugando allí.

No podían decirle que era una oveja negra, dijo al consejo de administración de «Wasted Valley» convocado a su instancia, porque las ovejas negras no pagan sus deudas, ni podían llamarle dilapidador, porque muchas veces acababa ganando y, a la larga, quedaba casi en paz, aunque sabía muy bien que las probabilidades estaban siempre a favor de la casa. Por supuesto, tampoco podían considerarlo como un valor positivo en la compañía. Y no había necesidad de someter esto a votación, les dijo, aunque les quedaba profundamente agradecido. Dios sabía que, durante veintinueve tristes años, había intentado honrar la dinastía Brady; pero su intento no dio resultado. Era demasiado *aburrido*. ¿No sería mejor para todos que se largase, que volviese al lugar de origen de los Brady y dejase que los demás continuasen con el negocio familiar? Que todos los que estuviesen de acuerdo dijesen que sí, prescindiendo de formalidades, les pidió, porque acababa de recordar que poseía acciones suficientes para que su voto fue decisivo. ¿Podía invitarles a una copa de despedida?

—¿Qué ocurrió después? —Preguntó Maxi, fascinada por la historia.

—Dijeron que era demasiado temprano para tomar una copa; pero que pensaban que yo había tenido una buena idea, y todos me estrecharon la mano. Buenos chicos. Sin duda siguen con los pozos de petróleo y las fundiciones, buscando nuevas compañías que comprar. Son más laboriosos de lo que puedas imaginarte... Tienen vocación, son expertos en los negocios, patrióticos, buenos con sus madres, útiles... pero terriblemente aburridos.

—¿Volviste a Irlanda?

—¡No, por Dios! Nunca me importaron las carreras ni la cría de animales, soy alérgico a los caballos y no puedo soportar la lluvia. Vine directamente aquí y compré este lindo yate. En él sigo. No es el mayor del puerto; pero tampoco para avergonzarse, y es la embarcación más divertida de todas.

—Pero, ¿qué *haces*, Dennis?

—¿Qué hago? Bueno... me limito a... vivir, ¿sabes? Un poco aquí y un poco allí. Practico el esquí náutico, bebo algo, bebo mucho, oigo música, navego a vela, vuelo en mi helicóptero... y a veces sacamos el barco de aquí durante un par de días. Está lleno de vida. En ocasiones, estoy tan ocupado que no llego al Casino antes de la medianoche. He hecho que limitasen estrictamente mi crédito... pues, de no ser así, podría ser aburrido.

—¿Y ya no te aburres?

—Digamos que *ahora* no me aburro. Nunca había comprado una chica por cuarenta millones de dólares. Me pregunto qué es lo primero que debería hacer contigo.

—Tal vez si pensaras en mí sólo como una chica —murmuró Maxi, tratando de verle la cara en la oscuridad de la cubierta.

Mientras hablaban, todos los demás yates del puerto habían apagado las luces, salvo las de posición, y Bad Dennis Brady casi había desaparecido en la noche sin luna. Maxi se dio cuenta de que el hecho de no poder verle la cara, medio trágica, medio cómica, la inquietaba más de lo que había creído.

—Si sólo fueses una «chica», no te habría contado todo esto.

—¿De qué hablas con las chicas a las que no conoces?

—De muy pocas cosas —dijo él con tristeza.

—Eres tímido —diagnosticó Maxi.

—No; en el fondo, sólo soy australiano. Los australianos, en lo que respecta a las mujeres, prefieren la acción a las palabras. Al menos, éste es el criterio general.

—Pero, según tú, nadie fue un australiano menos típico.

—Bueno, no puedo serlo, ¿eh? Una mala coordinación entre los ojos y las manos, podríamos decir. Nunca fui bueno en ningún deporte y menos aún en el fútbol. Al morir mis padres, mis tutores me enviaron a Inglaterra por una larga temporada, y por esto no conservé siquiera el acento adecuado. Temo que soy australiano a medias y un perfecto inadaptado en cualquier parte.

Lanzó un suspiro patético que traspasó la oscuridad y tomó una mano de Maxi entre las suyas. En el momento en que sintió el contacto, supo ella que al menos había habido un deporte en el que Dennis Brady había conseguido excelentes resultados. Débil, caprichoso, holgazán empedernido según su propia confesión, pero seductor, peligroso de verdad. Todos los timbres de alarma de su sistema entraron en acción.

—¡Ay, pobre Bad Dennis! Sin duda alguna, es una triste historia —le arrulló—. Pero, aunque me duele tener que recordártelo, el contador va corriendo.

—¿El contador? ¡Oh, desde luego...! Casi lo había olvidado. ¿Cuánto?

—Un millón de dólares.

—¿Por semana? —preguntó él, esperanzado.

—No, Dennis —repuso ella con paciencia.

—¿Por día? —dijo él tratando de parecer incrédulo.

—Por hora... Y ya has gastado dos hablando.

—¡Dios mío! Creo que la tarifa es un poco elevada. Aunque, bien mirado, el contador va más despacio que la ruleta. Bueno, ¿estás segura...?

—Lo estoy —respondió vivamente Maxi.

—Si es así, tal vez podrías... ¿Te importaría ir abajo? —sugirió él poniéndose en pie de un salto.

—A tus órdenes —aceptó Maxi.

—Me gusta este juego —declaró Dennis Brady, entusiasmado—. Aunque no puedas apostar en él.

—¿Estarías dispuesta a casarte con un hombre como yo, Maxi? —preguntó Brady con tono humilde.

Maxi, sorprendida, se volvió hacia él, que yacía a su lado, largo, delgado e inesperadamente vigoroso, en la cama del camarote principal del yate. Sin su deplorable indumentaria, era un hombre de constitución soberbia, y parecía que toda la energía que, por pereza, no había querido dedicar a las empresas mineras, la había reservado para ella, a juzgar por lo ocurrido en el último día y medio.

—¿Un hombre *como* tú...? No hay nadie como tú, Dennis, o el mundo sería diferente de lo que es, sin agresiones, sin ambiciones, sólo con sexo y casinos. Tal vez un paraíso.

Todos los músculos, grandes y pequeños, le dolían de un modo delicioso, y su mente estaba tan desquiciada de dicha que casi no podía hablar, y mucho menos pensar.

—Bueno, en realidad, y para ir directamente al grano, me refería a mí en particular, sí sólo a mí, Maxi.

—¿Has dicho que... si quiero casarme contigo?

—Sí, ésa era mi idea.

—¿Qué hora es, Dennis? —murmuró Maxi, recordando.

—Las diez de la mañana.

—¿Cuánto tiempo llevamos a bordo? —preguntó ella, bostezando con fuerza.

—Exactamente, treinta y cuatro horas. Oh, Maxi, querida contéstame de una vez —suplicó él.

Maxi hizo un esfuerzo para reflexionar. La cosa parecía importante.

—Vamos. Treinta y cuatro horas más las dos que te pasaste hablando, son treinta y seis, y restan cuatro... Por consiguiente... si puedes arreglarlo antes de que termine el tiempo ¿cómo podría oponerme?

—Esperaba que lo vieses de esta manera —dijo alegre Dennis Brady, ciñéndose una toalla a la cintura y descolgando el teléfono situado al lado de la cama—. Capitán, ¿cuánto tardaría en llegar a aguas internacionales? ¿Qué? No. Me importa un bledo el jefe del puerto. ¿*Cuántos* tripulantes están en tierra? Bueno, ya nos arreglaremos. A propósito, usted es un capitán auténtico, ¿verdad? Lo sé..., lo sé... Vi su certificado... ¿Ha celebrado alguna vez una boda en el mar? ¿Sólo un funeral? Bueno, si puede hacer una cosa, también puede hacer la otra. Saque su Biblia, capitán y zarpemos en seguida.

—No tengo nada que ponerme —dijo de pronto Maxi, mondándose de risa.

Mrs. Bad Dennis Brady. ¿Qué pensaría la gente? Pero no importaba. Él era estupendo. ¡Cómo iban a *divertirse*! Y ella no tenía la culpa. Todo el mundo sabía que las deudas de honor habían de pagarse, si no se quería perder la buena reputación.

14

—¡Pobre, querido y viejo Bad Dennis! —dijo reflexivamente Maxi, sentada con India delante de un ligero almuerzo en el «Bistro Garden» de Beverly Hills—. Hace más de un año que lo dejé, y todavía me envía tristes postales.

India interrumpió su acción de llevarse a la boca un pedazo de la mejor *bratwurst* de la ciudad.

—¿Por qué pareces incluso un poco pesarosa? Recuerdo con toda claridad que me dijiste que no podías aguantar un minuto más en Montecarlo. Incluso recuerdo que citaste a Emerson: «La vida sin deberes es obscena.» ¿No era así?

—Lo era. Y seguiría siéndolo. Lamento mucho otro divorcio; pero nunca olvidaré lo que sentí cuando me di cuenta de que el querido muchacho no había tenido un solo momento en serio en los pocos meses que estuvimos casados, y de que yo estaba perdiendo la cabeza. Oh, India, era demasiado aburrido, aburridísimo, vivir con un hombre que no hacía nada, salvo representar el papel del perfecto perezoso, del alegre ser inútil, incapaz de sentir el menor remordimiento. Supongo que le comparaba con mi padre, lo cual no era justo, porque Dennis me había advertido cómo era. Ya sabes lo mucho que hacía mi padre todos los días, y cuánto le interesa y entusiasma su trabajo, y cómo comunica su energía, y te he confesado lo mucho que lo admiro por ello. Supongo que me predispuso contra un hombre que no trataba siquiera de *hacer* algo, lo que fuese. Además, tener que enviar todos los meses, desde Montecarlo a Manhattan, a lo pobrecita Angelica y a la niñera Grey, era algo inconcebible. Pero el bastardo de Rocco no quería permitir, en ninguna circunstancia, que pasara más de la mitad del tiempo conmigo. Había alquilado un apartamento mucho más grande, con espacio sobrado para

Angelica y la niñera, y como compartíamos el derecho de custodia, ¿qué podía hacer yo? Además, Angelica corría el peligro de recibir demasiados mimos por parte de una tripulación de veinte hombres, todos chochos por ella.

—¿También te aburrías cuando hacías el amor?

—No —suspiró Maxi—. Ojalá hubiese sido así. Pero no se puede fundar todo el futuro en la atracción sexual.

—¿No puedes *tú*? —preguntó India recelosa.

—No más allá de cierto límite, y como no quería llegar a él, lo dejé antes.

—¿Seguro que no estás todavía un poco enamorada de tu australiano? —preguntó India un poco desconfiada.

—En realidad, creo que nunca estuve enamorada de él... Le apreciaba, y nada más... Me necesitaba, estaba perdido... y era tan lujurioso... Me gustaba, en efecto, el australiano que llevaba escondido dentro. Si no hubiese estado resuelto a ser un vago... —Maxi lanzó un profundo suspiro—. Yo le quería, India, pero no lo bastante.

Miró severa su salmón frío y lamentó que no fuese también *bratwurst*.

Maxi había volado a Los Ángeles para visitar a India, que tenía un fin de semana libre entre dos películas, pues se había convertido en estrella de cine con la misma irritante facilidad con que sacaba siempre sobresalientes en el Instituto, y Maxi estaba celosa de aquella exigente industria que había aprisionado a su amiga tan lejos de Nueva York o la enviaba de cuando en cuando a lugares imposibles; celosa del perfecto metabolismo que conservaba a India delgada por mucho que comiese; celosa incluso de lo que debía divertirse India, a pesar de sus quejas de que hacer películas era un trabajo pesado y fastidioso, comparable, en el mejor de los casos, al de un recluso privilegiado en una cárcel de máxima seguridad.

—Bueno, olvídate de Dennis Brady —le aconsejó India, sirviéndose un montón de cebollas doradas.

—Lo he olvidado hace mucho tiempo. Has sido tú quien ha traído el tema a colación.

—Yo sólo te pregunté si había un nuevo hombre en tu vida, y tú dijiste que no había ninguno que pudiera compararse a Bad Dennis.

—India, ¿cómo es posible que hayas empezado a ir al psiquiatra y todavía quieras darme consejos? —preguntó vivamente Maxi.

—¿Qué tiene que ver mi neurosis con mi capacidad de ser útil a los demás? —replicó, ofendida, India.

Nadie, ni siquiera Maxi, sabía nada de psicoanálisis.

—No comprendo por qué has empezado a pensar que estás neurótica —replicó Maxi—. Que yo sepa, sigues siendo lo que has sido siempre: precoz, recelosa, demasiado bella y un poco rara. Pero ahora eres famosa.

—Soy neurótica de la cabeza a los pies, de esas que no permiten que un hombre se le acerque emocionalmente, salvo que esté también un poco chiflado y lleve un plumero en la cabeza —dijo India en tono reflexivo—. Y la fama sirve para empeorar las cosas.

—¿Qué va a hacer contigo esa doctora Florence Florsheim?

—¿Hacer? No creo que tenga que *hacer* nada. Yo soy la que tiene que cambiar. Lo mejor de ella es que te refrenda.

—¿Quieres decir que te apoya, que cree en ti? —preguntó, excitada, Maxi.

—No, Maxi, refrenda mi vale del aparcamiento próximo a su consultorio —explicó la paciente India—. Tú me apoyas, tú crees en mí, porque eres mi amiga y no puedes hacer otra cosa. Ella es mi psiquiatra, no mi compañera. Escucha y no emite juicios y, cada dos semanas, más o menos, me hace una pregunta. No le importa un bledo mi aspecto, y esto es un alivio maravilloso. Es inútil que le oculte la verdad, porque puede leer en mi mente y, si le miento, me cuesta tiempo y dinero, ya que en definitiva tengo que decirle la verdad, porque, si no se la digo, juego sucio y ella no puede ayudarme. Le cuento todo lo que quiero, sabiendo que no se escandaliza, porque no hay nada que no haya oído otras veces. Si le dijese algo importante, sin duda lo recordaría.

—¿Estás segura de esto?

—Tienes que tener fe en tu psiquiatra, Maxi. Si empiezas a dudar de ella, tienes que contárselo y esto te llevará otro año. Creo que lo principal es que ella es mi aliada. Le pago por serlo, sí, pero necesito tener una aliada fiel, especialmente en esta ciudad.

—¿Te dijo ella que está de tu parte? ¿Cómo sabes que es tu aliada?

—Lo siento... y no le pido garantías, porque sé que no las da. Ahora, ¿podríamos dejar de tratar de explicar lo inexplicable y hablar de lo que piensas hacer en lo sucesivo por una vida que has desperdiciado por completo, salvo para parir a Angelica? —preguntó amablemente India.

—Voy a ir a Londres la próxima semana. Hace años que deseo pasar una temporada allí, y este año Angelica estará con Rocco durante todo el mes de julio.

—¿Dónde residirás?

—En casa de mis abuelos, desde luego. Se ofenderían mucho si no lo hiciera. Tienen casi setenta años y están más fuertes que nunca. Han proyectado toda clase de alegres distracciones para mí y van a presentarme a mucha familia que no conozco, incluidos primos segundo, tercer y cuarto grados.

—Eso suena... interesante —observó India.

—Querrás decir que suena horrible.

—También, también —convino India en tono alegre.

—Es inútil que tratemos de hacer algo acerca de esto —dijo la vizcondesa Adamsfield a su marido, en un tono lúgubre que contrastaba con su débil intento de filosofar.

—¡Pero mira que, entre tantos hombres para elegir, entre tantos escoceses, y Dios sabe que aprecio a los escoceses casí más que a cualquier otra raza del mundo, haya tenido tu nieta que escoger un *Kirkgordon*! Habiéndolo conocido hace menos de dos meses... y sabiendo que su familia lo perdió casi todo en Flodden Flied cuatrocientos años atrás y que, desde entonces, han ido cuesta abajo —gruñó su marido.

—Ella es nieta tuya, y él, a fin de cuentas, es Oswald Charles Walter Angus, conde de Kirkgordon, arruinado o no.

—¡Oswald! No es de extrañar que le llamen Laddie —bufó Evelyn Gilbert Basil Adamsfield, que de joven había conseguido que suprimiesen el lamentable «Bertie» de su nombre, después de dos docenas de riñas a puñetazos en el colegio.

—Oswald fue rey de Northumbria desde el año 635 hasta el 642. Por lo visto, este nombre es una tradicción de la familia —dijo con tristeza Lady Adamsfield—. Por desgracia, Oswald sólo reinó siete años; pero debió ser un hombre muy santo, al enviar tantos misioneros a convertir a los paganos, como sabes muy bien.

—No, no lo sabía. Y no me importa. ¿Porqué tuvo Oswald que meterse en eso? Supongo que Maxi te habrá confado. ¿Acaso aspira esta vez a la santidad?

—Está enamorada, Bertie. Ella misma te lo dijo. Creo que te muestras muy injusto en esto.

—No voy a simular que me satisface, Maxime, ésa es la verdad. Como sabes, había elegido un marido espléndido para ella.

Maxi consideró que era un majadero.

—Ningún marqués es majadero, y menos un marqués que es casi duque. Su padre no durará más allá de este año. Tal vez es un poco torpe, pero no un majadero. Y, lo que es más importante *su* familia ha sido siempre fiel a la Corona, mientras que esos salvajes y chiflados Kirkgordon siguen siendo fiel a la Casa de los Estuardo. Según ellos, debería ocupar el trono un descendiente de María, reina de Escocia. No es de extrañar que estén en la ruina; son idealistas, nada prácticos y notoriamente excéntricos, una pandilla de locos obstinados. Y Laddie es el peor de todos.

—Yo diría que eso es lo que Maxi aprecia en él. Dijo que tenía un fuerte sentido del destino, algo por lo que vivir y por lo que luchar, que ponía un profundo interés en todo lo que hacía, un esfuerzo apasionado, un...

—Ahórrate todo esto, Maxime, querida. Yo estuve también en la boda, y lo que Maxi ve en él es evidente.

—Tienes que confesar que es bastante guapo —reconoció Lady Adamsfield, con aire soñador—. A decir verdad, no he visto una criatura más agraciada en muchísimo tiempo... Esa noble cabeza, esos ojos azules, tan azules, esa cara maravillosamente fresca y sonrosada... y los cabellos rubios, como de oro si te fijas bien, la estatura, esos *hombros*...

—Y ese castillo en ruinas, esas tierras áridas...

—Di mejor esas históricas murallas de casi cuatro metros de anchas y esa vista asombrosa...

—No tiene un chelín, y ella habría podido ser duquesa.

—Es lo bastante rica por sí misma, querido, es condesa y él la adora...

—Maxime —dijo el vizconde Adamsfield—, eres una romántica incorregible. Y yo que pensaba que eras una mujer sensata...

—Bueno, sólo espero que esta vez haya sentado la cabeza.

—¿Maxi? ¿Sentar Maxi la cabeza con un *Kirkgordon?* Lo dudo mucho, querida. ¡Sentar la cabeza!

—Por el amor de Dios, ¿qué es eso? —preguntó Milton Bizet, echándose atrás.

—¿Qué te parece? —preguntó, taimado, su socio, Leon Ludwig.

—Un telegrama del tamaño de una guía de teléfonos. Tiene que ser de Maxi. Dámelo.

—Si lo sabías, Milton, ¿por qué me preguntaste qué era?

—Para manifestar mi alarma, mi curiosidad y mi febril satisfacción. En realidad, me estaba preguntando por qué no habíamos sabido nada de ella, salvo el anuncio de su boda con el guapísimo Kirkgordon. A estas horas, nuestra Maxi y el macho indecente de su conde deben de haber comprado una casa maravillosa en Londres, me dije, y estoy seguro de que no va a sernos infiel y dejar que unos decoradores ingleses metan sus sucias manos en ella. ¿Dónde está? En Mayfair, desde luego, pero, ¿en qué parte de Mayfair? Dame ese telegrama.

—En un castillo —informó Ludwig, tendiéndole los papeles.

—Hay que confiar en Maxi. Le enseñamos a tener ideas grandes.

—En Escocia —dijo animosamente, Ludwig.

—¡Oh, no!

—¡Oh, sí! En alguna parte entre Kelso y Ettrick Forest, dice, como si no supiésemos dónde está *aquello;* sin calefacción, salvo unas cuantas chimeneas, tan grandes que se puede asar en ellas un cordero entero; sin galerías para los trovadores; sin paneles maravillosos; sin recuerdos de familia, ni tapices, ni cuadros; casi sin cuarto de baño, y con unas ventanas muy pequeñas para poder defender el castillo de las tropas invasoras, fuesen las que fueran, sabe Dios cuántos siglos atrás. Todo el maldito edificio se ha estado cayendo en pedazos desde hace mil años, y ni siquiera cuando estaba en su apogeo debía resultar muy cómodo... No es una mansión señorial, Milton, sino una lúgubre fortaleza, a la que llama *Castillo del Pavor.* Maxi quiere que vayamos allí cuanto antes, a ser posible mañana, para que podamos hacerlo *confortable.* Por lo visto se ha encontrado con un terrible problema de putrefacción de la madera y ya sabes a lo que puede llevar eso. Dice que toda la decoración consiste en centenares de cabezas de venado y montones de horribles peces disecados colgados de las paredes, y que no hay un solo objeto de plata decente, salvo una especie de cálices sagrados. ¡Pobre Maxi!

Ludwig se dejó caer en una silla, con un ligero suspiro.

—¿Por qué dices «pobre Maxi», si no le falta dinero? —preguntó Milton Bizet—. Recuerdo cuando tuvimos que volar a Mónaco para redecorar el yate del bendito Dennis... A éste le tenía sin cuidado lo que gastásemos. Me gustó aquel trabajo. Y si he de serte sincero, también me gustó bastante Dennis. ¿Y a ti? Parecía Peter O'Toole en *Lawrence de Arabia.*

—Pero no tan bien vestido —observó Leon Ludwig, con una leve y nostálgica sonrisa.

—¿Y olvidarás algún día el trabajo que hicimos en la segunda casa de Maxi en la ciudad, cuando la convencimos de que se desprendiese de aquella primera casita de piedra caliza? —prosiguió Bizet—. La verdad es que se pasó de la raya. Supongo que conservará el nuevo apartamento que compró en Trump Tower, como refugio para cuando se canse de cazar ciervos o de hacer lo que sea en Escocia, ¿no crees?

—Lo único que sé es que el dinero no es nunca problema para Maxi. Pero *nosotros*... tendremos que pasar meses y meses en Escocia. ¿Y qué significa Escocia para ti, Milton, además de la caza del ciervo?

—Jerséis de lana, gabanes a cuadros, whisky... tartanes, Drambuie..., asaduras de cordero, gaitas, truchas... ¡*klits*! Todo un espectáculo, Leon.

—Lluvia, frío, niebla, viento, incomodidades, páramos solitarios, el perro de Baskerville... Si el *Castillo del Pavor* no tiene calefacción central y unos cuartos de baño decentes, ¿quién los tendrá en la vecindad?

—Careces de imaginación, Leon. Te espantas con demasiada facilidad. Tiene que haber un hotel en alguna parte, y si no lo hay, acamparemos en «Claridge's» y subiremos a Escocia sólo cuando sea absolutamente necesario. Pero quisiera que el «Claridge's» tuviese una mejor iluminación en los cuartos de baño. Nunca se ve lo suficiente para afeitarse como es debido; pero, ¿en qué otro sitio podríamos alojarnos?

—En ninguna parte —suspiró Leon Ludwig—. Si lo hiciésemos, la gente se imaginaría que nos gustan los barrios bajos, y eso está muy mal visto en Londres.

—Pediré a mi secretaria que haga en seguida las reservas. Maxi se muestra desesperada. Dice que necesita que la calefacción central esté instalada la semana próxima, y parece que, por alguna razón, no consigue que el contratista local lo comprenda. Es una crisis, Leon. Ella nos necesita.

—¿Cuándo no nos ha necesitado, Milton? Le somos indispensables.

—Bueno, sólo espero que esta vez haya sentado la cabeza para siempre.

—¿Quién, Maxi? Milton, creo que desvarías. *¡Sentar la cabeza!*

Angelica comía su hamburguesa con un aire más reflexivo de lo normal en una niña de siete años, pensó Rocco.

—¿Te ocurre algo, querida? —le preguntó.

—¡Oh, no, papíto! Sólo me estaba preguntado si Laddie me había gustado tanto como Dennis.

—¡Oh!

—Dennis era muy divertido, pero Laddie sabe tocar la guitarra de doce cuerdas y cantar viejas canciones. Dennis me enseñó a nadar, y Laddie va a comprarme un poney de Shetland y a enseñarme a montarlo. Dennis tenía un yate grande y maravilloso; Laddie tiene un castillo enorme; Dennis me enseñó varios juegos y siempre dejaba que le ganase. Laddie me regaló una pequeña caña de pescar colorada y, cuando llegue la temporada de la trucha, va a enseñarme a...

—Parece que los dos son perfectos, dos tipos maravillosos —la interrumpió Rocco—. ¿Quieres otra hamburguesa Angelica?

—¡Oh, sí, papíto! Ni en Montecarlo ni en Escocia saben preparar hamburguesas. Las echaba en falta.

—¿De veras?

—Sí, y también echaba en falta los bocadillos de atún y el pavo con salsa de arándanos —confesó Angelica con voz triste.

—¿Son ésas las única cosas que añoras, Angelica?

—Bueno, supongo que todavía añoro un poco a Dennis. No conozco lo bastante a Laddie para no añorar a Dennis, aunque Laddie es muy alto, muy alto y muy guapo.

—Comprendo.

—No te preocupes, papaíto —le tranquilizó Angelica—. Creo que todos añoran siempre a las personas que les gustan, aunque conozcan a otras que les gusten también.

—Tal vez sea así.

—¿Quieres pasarme la salsa de tomate, papaíto? ¿Recuerdas cuando mamá se casó con Dennis? ¿Te acuerdas que todos los meses la niñera y yo tomábamos el helicóptero de Montecarlo a Niza, y después el pequeño reactor de Niza a París, y luego el Concorde de París a Nueva York, para estar contigo? Pero entonces yo era una niña pequeña y no tenía que aprender cosas. Ahora estoy en el segundo curso y no puedo cambiar de colegio todos los meses.

—Lo sé querida.

—Por eso, cuando empiece el colegio en Escocia, no podré visitarte hasta que tenga unas vacaciones lo bastante largas para poder venir a Nueva York lo explicó Angelica, con aire de preocupación.

—Lo comprendo, pequeña. Tu madre y yo lo discutimos mucho, y tuve que convenir en que no podía interrumpir tus estudios.

—Pero tú me preocupas, papaíto.

—¿Por qué, Angelica?

—Porque vas a añorarme.

—Mucho, ¡maldita sea! Muchísimo. Pero tú tendrás a tu madre y Laddie como-se-llame, tendrás un poney, un castillo y probablemente varias docenas de pequeños y bonitos *kilts* para ir al colegio; por consiguiente, estarás demasiado ocupada para añorarme, querida.

—Te añoraré todo el tiempo que no esté contigo, papaíto —dijo ella, en tono de reproche.

—¿Más que a Dennis?

—¡No seas tonto! No es lo mismo. Dennis era simpático. A ti te quiero.

—Sólo era una broma.

—Bueno, no tiene gracia. ¡Ninguna gracia! Retira lo que has dicho, eso de que no tendría tiempo para añorarte —exigió Angelica.

—Lo retiro —murmuró Rocco.

—Está bien. ¿Puedo tomar un helado de chocolate?

—Desde luego. Puedes tomar todo lo que quieras.

—Bueno, espero que mamá se quede esta vez para siempre con Laddie. No me gustaría tener que añorarle también.

—¿Para siempre? ¿Tu madre? ¡Ja!

—¿Qué significa ese «ja», papaíto?

—He tosido, Angelica. Sólo he tosido.

—Zachary, escucha lo que escribe mi madre en esta carta —dijo Lily en tono alarmado, dejando su tostada untada con mantequilla.

—¿Qué le preocupa? —preguntó Zachary, comiendo su huevo con tranquilidad.

—Es Maxi.

—Ya sé que es Maxi. Tu madre es demasiado sensata para preocuparse por cosas menos importantes. ¿Qué ha hecho Maxi ahora? Supongo que la gente habrá olvidado ya el escándalo que se produjo cuando instaló una piscina en la antigua mazmorra y se empeñó en que todas las habitaciones tuviesen cuarto de baño, a pesar de que el castillo es un monumento histórico.

—No es algo tan baladí. Mi madre explica que Maxi se está convirtiendo en la comidilla de Londres, lo cual no es fácil cuando se vive en el campo. Por lo visto da fiestas que duran semanas.

—¿Y por qué no ha de hacerlo? —preguntó Zachary, dejando de comer y aprestándose a defender a su hija—. Tardó al menos un año en modernizar y decorar el viejo caserón, cosa que desde luego le costó millones. Es natural que quiera amortizarlos. ¿Y cómo mejor que rodeándose de amigos?

—En eso tienes razón, Zachary; pero, al parecer, sus fiestas dan

mucho que hablar. Dicen que Maxi cultiva marihuana en el inverna-
dero y que llena el Cáliz de Kirkgordon, que el arzobispo de Glasgow
regaló a la familia en el siglo xv, con una cantidad inagotable de
«porros» confeccionados en casa... Dios mío, no sabía que mi madre
conociese esa palabra... Dice también que Maxi celebra fuertes partidas
de póquer todos los días, incluidos los domingos, en el salón de los
trofeos del último conde... Por el amor de Dios, querido, deja el cuchillo de la mantequilla... Y que enciende grandes hogueras en lo alto
de la torre del castillo para celebrar el Día de San Patricio y el Día de
Colón y el Día de Kosciusko y el Día de Yo Soy Americano, y todas las
demás fiestas americanas, y que el servicio contra incendios local no
puede impedir que lo haga. Insiste en conducir su «Ferrari» por el lado
indebido de la carretera, y lo peor de todo, Zachary, cuando fue invitada
a visitar a sus vecinos, el duque y la duquesa de Buccleuch, en Bowhill
House, ¡dijo que no estaba muy convencida de que su Leonardo fuese
auténtico! Es imperdonable, Zachary, y desde luego falso, y ella tenía
que saberlo.

Lily tiró la carta, desesperada.

—No es feliz, Lily. Su matrimonio no va bien. Es lo que se desprende de esa carta, y no me extraña. Siempre pensé que ese bruto de
Kirkgordon era demasiado guapo. No confío en los hombres como él, y
ahora la ha hecho desgraciada. Confieso que Maxi se comporta a veces
como una niña malcriada, pero nunca ha sido autodestructora —dijo
Zachary, quitándose distraídamente las gafas y sacudiendo la cabeza—.
Lo único que me preocupa en serio es que conduzca por la derecha. Voy
a telefonearle y a enterarme bien de lo que pasa. Esperaba, sí, esperaba
que esta vez Maxi hubiese sentado por fin la cabeza.

—Sé que eres un padre amante, pero deberías poner algún límite a
tus ilusiones. ¿Sentar la cabeza? ¿Tu hija? ¿Maxi? ¡En realidad, Zachary...!

—¿Qué es exactamente lo que ha ido mal esta vez, Maxi? —preguntó
India con ansiedad—. Cuéntamelo todo, desde el principio.

—Si hubieses podido visitarme, no tendrías que preguntármelo. Pero
estabas demasiado ocupada para venir aunque sólo fuese un fin de semana —dijo Maxi acusadora—. Por consiguiente, he vuelto yo a la costa,
sólo para verte.

—Es una acusación injusta. No tenía tiempo para hacer el viaje,
por muy rápido que fuera el avión y tú lo sabes perfectamente. No es
igual que hubieses estado viviendo en San Francisco. Vamos, no te an-
des por las ramas.

—En el fondo, fue el *dreich*.

—Claro que sí —dijo, apaciguadora, India—. ¿Quién es ese *dreich*?

—Es una palabra escocesa, India, y significa frío, húmedo, oscuro, y sombrío. El tiempo, India, un tiempo *jodido*.

Maxi alargó un brazo y tomó unas cebollas del plato de India. Ahora estaba lo bastante delgada para no tener que preocuparse.

—¿De modo que te divorciaste por tercera vez a causa del tiempo? Muy interesante. Es la primera vez que oigo una cosa semejante. Desde luego, si has visto las películas de Bergman, puedes comprender que el mal tiempo crea morbosidad y melancolía, pero, ¿en menos de dos años? Maxi, deja en paz mi plato. ¿Por qué no pides una *bradwurst* para ti? ¿Y qué me dices de la gran calefacción central que instalaste en el castillo?

—Preferiría, India, que fueses lo bastante generosa para compartir tu *bratwurst* conmigo. ¿Y si te dijese que probablemente tengo el gusto peor del mundo para elegir a los hombres y que no deberían permitirme hacerlo sin la ayuda de un tutor?

—Tengo que discrepar de eso. Rocco, lo recuerdo muy bien, era un tipo estupendo; Bad Dennis Brady era, a su manera, un ser delicioso, y según tus propias cartas, Laddie Kirkgordon era un cielo. Cito una frase tuya: «Tiene todo lo mejor del rey Arturo, de Tarzán y de Warren Beatty.» Y el hecho de que sea conde, ¿no significa nada?

—Trata de despertarte a media noche y decirte a ti misma que eres condesa. Verás lo que te importa —replicó Maxi.

—¿Y por qué te despertabas tú a media noche y hablabas contigo misma?

—Está bien, India, está bien. Me rindo. Veo que has estado tomando lecciones de la doctora Florence Florsheim para llegar hasta las raíces de las cosas, ¿no es cierto?

—Más o menos —respondió India, con deliberada monotonía.

—Laddie es un lunático de tomo y lomo —confesó Maxi, y guardó silencio.

—¿De veras? ¿Y eso es todo? La mayoría de los hombres son lunáticos, Maxi. Locos de atar. Pero no te divorcias por ello, sino que aprendes a vivir a su lado. Creo que ésa es la causa de que yo no me haya casado nunca. Conozco demasiado bien el paño. Lo que te ocurrió fue que Laddie no era *tu clase* de lunático.

—Tienes toda la razón. Creo que fue una reacción exagerada al pobre Dennis, pero al principio me gustó de veras: aquella gloriosa tradición transmitida de generación en generación; un objetivo en la vida; la importancia de ser escoto o escocés, llámalo como quieras; el culto a los antepasados, la Casa de Estuardo, el patriotismo; todo eso me atrajo. Pero en cuanto estuvimos el tiempo suficiente fuera de la cama para que yo pudiese escucharle serenamente, cosa que tardó un año en ocurrir, descubrí que era mucho más americana de lo que yo creía. Me parecía que Laddie se hallaba obsesionado, hasta que me di cuenta de que estaba loco de remate, de que era un chiflado que vivía en otro siglo. Rehuía el mundo real, con una sola excepción: ganar la Selkirk

Silver Arrow. Creo que es lo único que le importa.

—¿Qué es eso?

—Un trofeo de tiro con arco, el más antiguo de todos, y cada siete años se celebra un concurso de Arqueros de la Guardia de la Reina para ganar la Flecha. Laddie pasaba al menos seis horas al día practicando con su arco, y te aseguro que no era un simple *hobby*, sino que representaba la *vida* para él, aunque no lo hacía por la reina Isabel II. Si hubiese hecho mejor tiempo, habría pasado más horas en esto; pero con el *dreich* y todo lo demás...

—¿Por qué no te liberaste antes? Con tanta humedad y tantas prácticas de tiro con arco, no comprendo cómo has podido aguantar hasta ahora.

—Me dolía demasiado tener que confesar que había cometido otro error. Con ninguno de mis tres maridos tuve relaciones durante más de un mes o dos antes de casarnos. Al pobre y dulce Bad Dennis sólo lo traté durante treinta y tantas horas, unas horas muy extrañas, India. ¿Qué te dice eso de mí? No me contestes, no digas una sola palabra, pues no ha sido una pregunta.

—¿Qué pensaba Angelica?

—Oh, se divertía demasiado para advertir que el caballero escocés era un poco peculiar. Adoraba la piscina interior, le gustaba el colegio local y llegó a ser muy buena con el arco y las flechas. Laddie le daba lecciones, debo decirlo en su honor. Por suerte, la saqué de allí a tiempo, antes de que empezase a pensar que Bonnie Prince Charlie saldría de la niebla cabalgando en un caballo blanco y se la llevaría con él. Creo que Angelica se adaptaría a vivir debajo del agua. La inadaptable soy yo.

—Sólo eres impulsiva —dijo afectuosamente India.

—¿Crees que debería ir a la doctora Florence Florsheim? —preguntó Maxi, con una mirada de desesperación.

—Es el único consejo que no puedo darte. Quienes se someten al psicoanálisis no tienen que andar por ahí diciendo a sus amigos que deben hacerlo también. De todos modos, la doctora Florsheim no te aceptaría, porque tú has oído hablar demasiado de ella y ella sabe demasiado acerca de ti, por no hablar de que tú y yo somos íntimas amigas. Es algo severamente prohibido.

—¿Sueles hablarle de mí? —preguntó Maxi, con expresión satisfecha—. ¡No lo sabía! ¿Qué le dices?

—Cuando quiero evitar hablar de algo, tengo tendencia a hablar de ti. Sí. Pero como tú no eres uno de mis problemas, pierdo con ello el tiempo, y ahora sé que siempre que te menciono lo hago para eludir algo realmente espantoso.

—¡Ah!

—No trates de comprenderlo.

—No lo haré, India, te lo prometo.

—¿Qué piensas hacer ahora, Maxi?

—Ante todo, voy a hacerte una solemne e inquebrantable promesa, India. Voy a jurar, y tú eres mi testigo, que nunca, nunca, volveré a casarme. *No me casaré con ningún otro hombre. ¿Lo oyes, India?*

—Lo oigo pero no te creo. El hecho de que no pienses volver a casarte no significa que no lo hagas. Eres demasiado joven para prestar este juramento. Te aconsejo que no lo hagas.

—¡Deja que lo decida yo! Si vuelvo a casarme, India, publicaré... publicaré un anuncio a toda página, diciendo que no soy responsable de mis actos, que no tengo sentido común en lo que respecta a los hombres, que actúo contra mi mejor juicio, que procedo con precipitación, que me arrepentiré más tarde, que estoy segura de que será otro error, y que tú, India West, eres mi testigo, la única persona en el mundo que sabe que me he hecho el juramento solemne de no casarme nunca jamás con *otro* hombre.

—¿Dónde publicarás el anuncio? —preguntó India, mondándose de risa.

—En el *New York Times,* en... *Women's Wear Daily,* en el *New York Post,* en el *London Times,* en *Le Figaro.* Con esto se enterarían casi todos mis conocidos, ¿no crees?

—También en *Weekly Variety* —sugirió India—. Conoces a algunas personas del negocio.

—Hablo en serio, India.

—Lo sé. ¡Oh, Maxi, esperaba que esta vez hubiese sido para siempre!

—¿Tratándose de *mí,* India? ¡Deberías conocerme mejor!

15

A pesar del breve desaliento en que había caído durante el fin de semana y al telefonear a India, Maxi se dirigió el lunes a las oficinas de *Buttons and Bows* sintiendo un cosquilleo de incontenible excitación. Después de aquella larga charla terapéutica con su mejor amiga, se había convencido de que el ex director, Bob Fink, era demasiado anticuado para comprender que algo podía hacerse con su revista, por muy bajo que éste hubiese caído. Él ya no creía en esto, si es que había creído alguna vez; no tenía competitividad, carecía de visión, había ganado demasiado dinero con los inmuebles para sentir ambiciones, salvo cuando llegaba la hora del almuerzo gratis, pensó Maxi, mientras abría la puerta de la oficina, una puerta que resolvió hacer pintar lo antes posible.

En cuanto entró, se quedó plantada, observando la nada atractiva estancia. De las paredes del recibidor pendían cubiertas enmarcadas de *Trimming Trades*, de cuando era todavía la floreciente y próspera revista sobre la que Zachary Amberville había fundado su imperio. Las anticuadas cubiertas de los años cuarenta y cincuenta reforzaron su convicción de que, para resucitar la revista, había que poner a prueba la imaginación. El mezquino y reciente número de *Buttons and Bows* que había guardado en su bolso y llevado a casa tenía una cubierta básicamente igual a las que adornaban las paredes. Era indudable que algo tan importante como una cubierta hubiese podido y debido cambiarse en el curso de cuarenta años.

—Miss Amberville, sea bien venida en estos duros tiempos.

Maxi giró en redondo. Era la recepcionista que había anunciado su llegada la semana anterior.

—¿Todavía estás aquí? Bob Kink dijo que todos se hallaban ansiosos por marcharse.

—Yo cobro mi salario al terminar cada semana, y no soy lo bastante vieja para retirarme.

—¿Cómo te llamas?

—Julie Jacobson.

—Llámame Maxi —dijo ésta, sentándose delante de la deteriorada mesa—. Hablando de tu ropa, Julie, ¿ponemos las cartas sobre el tapete?

—Creo que será lo mejor —respondió Julie.

Llevaban idénticos conjuntos: minifalda de color rojo chillón, blusa blanca exageradamente larga y corbata negra de hombre, leotardos negros y zapatos negros de tacón muy alto. Un abrigo de lana que hacía juego con la falda estaba colgado detrás de la mesa de la recepcionista. Maxi llevaba otro exactamente igual. El conjunto era la más nueva, fresca y brillante creación de Stephen Sprouse, exactamente lo que habría elegido una seguidora de la moda, provista de buenas piernas, para ese día de ese mes y de ese año. Como eran aproximadamente de la misma estatura, las dos jóvenes parecían iguales de la barbilla para abajo.

—Creo que deberíamos dejar de encontrarnos así —dijo Maxi— o tratar de poner las cosas en claro.

Bob Fink había dicho que su recepcionista cobraba un buen sueldo, pero aquel conjunto costaba más de mil dólares, sin contar los zapatos. ¿Cuál era exactamente su salario?

Julie tenía la misma estatura que Maxi; pero sus pechos eran más pequeños y sus caderas más estrechas, lo cual significaba que, con la misma ropa, siempre parecería más alta. Sus cabellos cortos estaban teñidos de un color irreal, entre Burdeos y naranja, casi el adecuado para una prostituta. Lo llevaba peinado hacia atrás desde la frente, descubriendo una cara de moza impertinente: ojos grandes y desafiadores, sombreados y ribeteados de negro; nariz afilada, con unas ventanas tan sensibles que parecía que iban a crisparse en cualquier momento; labios delicados, pintados de intenso tono carmesí, y una barbilla lo bastante pequeña para dar la impresión de que compartía la timidez de un animal selvático y, sin embargo, lo bastante firme para que todo el mundo supiese que Julie Jacobson no se dejaba dominar por nadie.

—Pero ya hablaremos luego de la ropa —siguió diciendo Maxi—. Voy a echar un vistazo a mi despacho. Después, ¿podrás mostrarme el resto del establecimiento?

Julie se levantó de un salto y se quedó plantada de espaldas a la puerta que llevaba al que había sido despacho de Bob Fink.

—Creo que es preferible que no entres ahí —dijo.

—¿Ah, no?

—No sería mejor manera de empezar el día.

—No me digas que no hizo quitar toda aquella porquería —farfulló Maxi—. Me lo prometió, ¡maldita sea!

—No es eso. Se lo han llevado todo.

—Entonces, ¿cuál es el problema? —preguntó Maxi, entrando alegre en la habitación.

Pero se detuvo en seco. La estancia estaba completamente vacía, salvo por un viejo sillón de cuero negro y asiento con muelles. Toda la alfombra estaba cubierta con una gruesa capa de trozos de papel medio desintegrados, algo mucho peor que el suelo de Broadway después de un desfile. Y telarañas, descubrió aterrada, verdaderas telarañas pendían de los rincones. ¿Había arañas en Nueva York? Las paredes, ahora que ya no se hallaban tapadas por las nueve mesas del tío Bob, con sus montañas de papeles, aparecían sucias y manchadas. Se veían filtraciones que sin duda tenían años, la pintura se había desprendido en largas tiras en zigzag, que yacían destrozadas sobre las demás inmundicias. Las ventanas estaban tan sucias que casi no dejaban entrar la luz del sol. Pero la poca que entraba a través de la mugre no podía ser más triste.

—Al menos, en *Great Expectations*, Mrs. Havisham tenía *muebles* para sus telas de araña —dijo Maxi, cuando consiguió recobrar el habla.

—La última mesa, la que él usaba para trabajar, se cayó en pedazos cuando tratamos de sacarla de aquí —explicó Julie.

—No hay una escoba, no hay una aspiradora, no hay un instrumento conocido con el que se pueda limpiar èste... No sé cómo denominarlo... —dijo Maxi con voz débil.

—Siempre puede haber un aliciente —sugirió Julie, como si hubiese meditado mucho sobre el problema.

—¿Un aliciente? —Maxi estaba horrorizada—. ¡No te referirás *a mí!*

—No; estaba pensando en Hank, el que cuida de la casa. Tiene fama de ser muy fácil de estimular por la palma de la mano ¿Tienes cincuenta pavos?

—En dinero efectivo... creo que no. ¿Aceptaría una tarjeta de crédito?

—Yo te los prestaré. Puedes devolvérmelos mañana.

—¡Qué Dios te lo pague, Julie! Salgamos de aquí. Esto me pone enferma.

—Tú mandas.

—¿Sí? ¡Muy bien! Bueno, ¿dónde puede sentarse la jefa para hablar con su personal del futuro de *Buttons and Bows*?

—No tienes ningún personal, Maxi.

—¿Y tú?

—¡Ni hablar! No me importa prestar dinero; pero no paso de ahí. Soy una trabajadora temporera. Por nada del mundo quisiera tener un empleo fijo en este lugar.

—¿No podrías simularlo? Sólo hasta el fin de la semana. Constaría en tu historial cuando buscases un nuevo empleo.

—No quiero que *Buttons and Bows* conste en mi historial. Pero, si lo prefieres, puedes decir que soy una consultora y permitir que encargue una taza de café para las dos. No busques la cafetera, porque se rompió.

—¿Hay alguna cafetería cerca de aquí?

—Precisamente debajo de nosotras.

—Julie —dijo ansiosa Maxi, apoyándose en la mesa—, ¿has pensado alguna vez en las posibilidades? Todos los grupos de rock del mundo llevan adornos de locura, toneladas de galones dorados, uniformes adornados hasta el máximo. Las medallas vuelven a estar de moda en todo el país. Las hombreras no fueron nunca tan exageradas. Claude Montana. ¡Piensa en las hombreras de Claude Montana! La locura de las camisetas de manga corta. ¿Qué es la moda *punk* sino el uso inspirado de los adornos? Y fíjate en los trajes de noche de este año y si no brillan, olvídalo. Las creaciones de Sonia Rykiel: puro adorno. Bueno, podríamos dedicar un número completo a los adornos de los trajes de *Dinastía*, y otro a... los guantes de Michael Jackson.

—¡Hum!

—¿Qué quieres decir?

—Sólo he estado dos semanas aquí, porque el empleo de ayudante del director que debía desempeñar en *Mademoiselle* se vino abajo en el último momento; pero sé quiénes están todavía suscritos a *Buttons and Bows*. Básicamente, son Mr. Lumet, deseoso de vender cinco mil metros de pasamanería, y Mr. Spielberg, cuyo principal negocio son los flecos. No creo que les fascinasen mucho los guantes de Michael Jackson. Apenas se darían cuenta, aunque el propio Michael Jackson apareciese completamente desnudo en la cubierta de la revista. Si *Buttons and Bows* trata de algo, es de unas pocas chucherías relativas a la moda. En cuanto a la propia moda, Spielberg y Lumet siguen aferrados a *WWD*. Michael Jackson es para sus nietos.

—Entonces tendremos que ampliar nuestra plataforma de lectores, apelar a personas diferentes de Lumet y Spielberg.

—No hables en plural, Maxi —insistió Julie—. Lo harás *tú*.

—De cualquier modo, podemos dejar para mañana este problema —dijo Maxi, cambiando de tema—. Háblame de ti, de todos los datos vitales que no creas que debes ocultar.

—Tengo veintidós años. Me gradué en Smith el año pasado. Mi madre se empeñó en que estudiase secretariado para que tuviese un medio de vida. Durante tres generaciones, las mujeres de mi familia cursaron estos estudios, pero yo soy la primera que vivo de ellos. Aunque lo cierto es que no me gusta. Dentro de dos semanas empezaré a trabajar en *Redbook* como ayudante de la ayudante del director de la sección de modas.

—¿Eres de Nueva York? —preguntó Maxi con curiosidad.

Julie era una criatura con un sentido práctico y un aplomo extraordinarios.

—De Cleveland, Shaker Heights —dijo—. Mi padre es neurocirujano y mi madre enseña Literatura Inglesa en la Universidad. Su especialidad es Virgina Woolf y el Grupo de Bloomsbury. Mi hermana está estudiando para doctorarse en Francés y en Filosofía, con el fin de enseñar Pascal, Montaigne y Voltaire sabe Dios a quién, y mi hermano es urbanista y primer ayudante del alcalde de Cleveland. Yo soy la única que he defraudado a mis padres.

—¿Cuál es tu delito? —exclamó Maxi.

Debía ser el color de los cabellos. Todo lo demás en ella era magnífico.

—Estoy loca por la moda. Nadie de la familia Jacobson piensa que la moda sea merecedora de que dedique mi vida a ella. Es frívola, está mal pagada y no contribuye al conocimiento universal.

—Es la cuarta o quinta industria del país en orden de importancia.

—Tampoco tienen un buen concepto de la industria.

—Esto parece un poco... bostoniano.

—Hay otra rama de la familia que ha vivido siempre en Boston, la cual hace que los Jacobson de Cleveland parezcan productores de espectáculos de televisión.

—Yo ni siquiera me gradué en el Instituto —confesó Maxi.

—¿Acaso te han enviado a *Buttons and Bows* para enseñarte lo que les ocurre a quienes no terminan su educación?

—Fue idea mía. Y no voy a renunciar a ella —dijo Maxi aferrándose a su inflexibilidad.

—No comprendo por qué, entre todas las publicaciones «Amberville», tienes que preocuparte por la suerte de la triste y decrépita *Buttons and Bows*. Si yo estuviese en tu lugar, habría optado por *Style* sin pensarlo.

—Hablemos de vestidos —sugirió Maxi.

Le gustaba Julie, pero no estaba dispuesta a desnudar su corazón para satisfacer su curiosidad. Las razones eran demasiado emocionales, estaban relacionadas con el amor a su padre, para que fuera oportuno explicarlas.

—¿Vestidos «Milán»? ¿Vestidos «Bendel's»? ¿Vestidos de diseñadores americanos?

Los ojos de Julie brillaron ilusionados.

—Tú pagas, luego tú eliges —dijo Maxi generosa.

Aquella tarde, Maxi estuvo sentada varias horas en lo que había sido departamento de arte, donde dos mesas de diseño en forma de ele y varias sillas desvencijadas habían sido abandonadas sobre el sucio y gastado su pelo de linóleo. De vez en cuando, podía oír a Julie contestando al teléfono en recepción y discutiendo con el no muy dispuesto Hank.

Maxi se había provisto de un block amarillo y de una caja de bolígrafos y decidió que lo primero que tenía que hacer era proyectar el futuro de una nueva, vivificada, desarrollada y explosiva *Buttons and Bows*. Tenía la intención de hacer listas y más listas y bocetos y más bocetos. Paseó alrededor de la estancia, miró por la ventana; se sentó, contempló su block amarillo, se levantó y paseó de nuevo por la habitación. Pero le faltaba la inspiración. Tal vez era por culpa de los terribles bocadillos de jamón y queso que Julie y ella habían compartido en una cafetería en la que ya no quedaban de atún y ensalada que eran los que le gustaban. Tal vez la culpa era de la luna llena o de la diabólica influencia de Saturno, o tal vez se debía simplemente a que aquél no era su día. Quizá todo se debía a Lumet y a Spielberg. ¡Ojalá no los hubiese mencionado Julie! Ninguna de las ideas que acudían a su mente parecía buena desde el punto de vista Lumet-Spielberg, y éstos eran a fin de cuentas, el núcleo fiel que quedaba de los lectores de *Buttons and Bows*. Si quería que la revista renaciese de sus cenizas, tenía que atraer a muchos miles de Lumet y de Spielberg, dondequiera que pudiese encontrarles. Centenares de miles. ¡Millones!

—¡Dios Todopoderoso! —exclamó Maxi.

—¿Decías algo? —preguntó Julie, plantándose en el umbral.

—¡*No hay* millones de Lumet y de Spielberg!

—Sólo uno de cada uno, creo yo. Al menos, eso se desprende de la lista de suscriptores.

—Voy a dar un paseo, Julie. Cuando ando, pienso mejor.

—Se está bien al aire libre —opinó Julie, mirando significativamente el block en blanco—. El oxígeno estimula el cerebro.

—Tienes razón. Hasta mañana.

Elie la esperaba con el coche delante de la casa.

—Al centro del universo, Elie —ordenó Maxi.

El hombre se dirigió rápidamente, en dirección prohibida, a la esquina de la Calle 57 y la Quinta Avenida, detuvo el automóvil y abrió la portezuela.

—¿Me necesitará esta noche, Miss Amberville?

—No lo sé, Elie, pero ven a eso de las seis.

Caminó alegre por la Quinta Avenida, respirando hondo y gozando con la animación de la ciudad en setiembre, un perpetuo espectáculo de funambulismo urbano. Le encantaba la incomparable tensión de aquella isla metrópoli, que parecía encaramada en la cima de un volcán en actividad.

«Conquistaré Manhattan, y también el Bronx y Staten Island» —cantó bajito Maxi, aunque sabía, desde hacía años, que la canción que su padre le enseñó había sido modificada para adaptarla a su determinación, ya que las dos primeras palabras del verso eran: «Tendremos Manhattan».

La Quinta Avenida nunca le había parecido tan ancha y tan brillante como después de las terribles horas que había pasado en su nueva oficina; nunca halló tan fascinadora y variada a la muchedumbre que deambulaba apresurada y empujándose en la agresiva versión neoyorquina con *brio* de un paseo, como después de la tarde inútil que había pasado delante de su block amarillo. Cada cual tenía un destino, una meta, una razón para estar aquí, en este lugar, en esta calle, a esta hora.

¿Qué querían todos ellos?, se preguntó Maxi. *Querer* era la pura esencia del neoyorquino. Ella sabía lo que quería. Quería convertir *Buttons and Bows* en un éxito resonante, y de pronto tuvo que reconocer que sabía que aquello era imposible. Imposible con *Buttons and Bows*. No había manera. En esta ciudad, en la que había un mercado para todo, no existía una demanda *importante* de una revista dedicada a artículos, por buenos que fuesen, sobre el misterio de los adornos bordados a mano de los vestidos de mil dólares de Julio o los frunces en las mangas de Prince o el último grito en la moda en las lentejuelas de Linda Evans. Con toda probabilidad había un mercado para una revista dedicada a los que usaban lentes de contacto, o para una revista para zurdos o, tal vez, incluso para una revista dedicada a la gente que coleccionaba las cosas más raras; pero serían revistas *pequeñas*. Y Maxi no iba a gastar su energía con una revista pequeña.

Prescinde de los adornos, pensó. Necesitaba encontrar una nueva idea... un... *concepto*. Era lo único que necesitaba, un concepto, pensó Maxi mientras caminaba casi bailando por la Quinta Avenida, con su minifalda roja y la sonrisa en sus labios perfectos. Sólo un concepto nuevo, algo que todavía no se le hubiese ocurrido a nadie. Eso era todo.

Cuando Elie se presentó aquella tarde, le dijo que quería que al día siguiente por la mañana recorriera los quioscos de periódicos de la ciudad y comprase un ejemplar de cada una de las diferentes revistas que estuviesen a la venta. Le convenía conocer todo lo que había, antes de inventar su nueva publicación.

—Mamá —dijo Angelica con voz suplicante—, ¿cuándo vas a dejar de torturarte? No puedo aguantarlo.

—Déjate de gansadas, pequeña.

—Ésa no es una manera amable de hablar a tu hijita.

—No tengo tiempo de ser una persona amable. Si la quieres, tendrás que buscarte otra. Yo tengo que trabajar.

—¿Por qué me haces esto mamá?

—Porque sí. Y deja de gimotear... Otras niñas tienen madres que trabajan, y no se quejan.

—¡Madres que trabajan! —farfulló Angelica—. Parecéis robots, robots chiflados.

—Vete a jugar a algo.

—Has estado tres días encerrada con esas revistas, apenas si has comido, lees hasta caerte de sueño y rechinas los dientes cuando duermes...

—¿Cómo lo sabes?

—Porque la noche pasada te quedaste dormida sobre aquel montón de revistas y oí que te chirriaban los dientes.

—Sólo es un poco de *stress*, una cosa bastante normal, Angelica.

—Pero tú siempre evitaste el *stress*, odias el *stress*, mamá. ¡No debes continuar así!

—El *stress* es un fenómeno humano natural, pequeña. ¿No lo sabías? Tal vez eres demasiado joven, pero, según he leído, todas las mujeres de este país actúan bajo un *strees* insoportable, y el mío será aún peor si nos quedamos aquí sentadas y perdemos el tiempo hablando. Vete y déjame volver a mi trabajo.

—Mamá, voy a llamar a Toby y haremos que te ingresen en un sanatorio.

—Se necesitan tres médicos para encerrar a alguien, y todos los médicos del país están atareados escribiendo para las revistas artículos sobre el *stress*. Por consiguiente, no encontrarás a ninguno que tenga tiempo para eso; aunque puedes intentarlo.

Angelica dobló su cuerpo largirucho y se sentó junto a Maxi con aire protector. Tres días antes, cuando Elie llegó al apartamento con el primer montón de revistas, su madre había parecido una niña abriendo los regalos de Navidad. Se había instalado en la nueva biblioteca, de grises paredes, estanterías llenas de libros y grandes sillones de cuero blanco. Había abierto ilusionada cada una de las publicaciones, las había examinado con detenimiento, sin saltarse una página. Cuando les había sacado todo el jugo, las colocaba sobre uno de los montones de revistas de diferente tipo que empezaban a elevarse a su alrededor. Elie seguía volviendo de sus·expediciones con los brazos cargados. El humor de Maxi pasó de la ilusión al abatimiento. A la hora del almuerzo empezó a mostrar un ligero desaliento y, al terminar el primer día, estaba preocupada. Por la tarde del día siguiente, la preocupación se había convertido en malhumor, y éste no había dejado de ir en aumento desde entonces. Pero las revistas seguían llegando y los montones se derrumbaban y caían por.todas partes, salvo por la ventana de la habitación.

Muchas de ellas habían sido rechazadas por Maxi y sacadas de allí por el cansado Elie: las que eran sólo para hombres; las de deportes; las de informática; las de automóviles; las revistas para aficionados a seriales; las revistas para homosexuales varones; las revistas aeroespaciales; las revistas de negocios de todas clases.

Maxi se había hecho ahora un sitio sobre la alfombra roja y blanca, tejida a mano, y estaba sentada con las piernas cruzadas, rodeada de docenas de publicaciones.

—Todavía no he encontrado ninguna para lesbianas —dijo, con voz cansada pero reflexiva.

—¡Mamá! ¿Es eso lo que estás proyectando?

—Tal vez es el único mercado virgen e importante que está por explotar.

—¿Irían las lesbianas a un quiosco de periódicos para comprar una revista especial? —preguntó Angelica.

Oyó que se abría la puerta de la entrada. Debía de ser Elie trayendo más revistas horribles, porque las ·pisadas eran de hombre.

—En un país con cincuenta y nueve millones de personas solteras y una revista como *Bride*, que dice tener una tirada ligeramente superior a los tres millones, tiene que haber lógicamente un gran público lesbiano en alguna parte —respondió Maxi, adoptando un tono dulce y razonable.

Un hombre entró en la alfombrada biblioteca donde se hallaban sentadas y tan abstraídas en sus revistas que no lo oyeron llegar. Y se quedó plantado allí, apoyándose con naturalidad en la jamba de la puerta. La burlona inclinación de su cabeza, la barbilla dura y saliente, el brillo escéptico de sus ojos, la manera claramente agresiva en que sus cortos cabellos cenicientos permanecían erizados sobre el cráneo, todo ello revelaba a una persona que consideraba el mundo con evidente desdén. Llevaba una chaqueta de cuero tan gastada que parecía hecha de retazos y tres amuletos colgados del cuello. Su sonrisa era la del hombre que había corrido mucho y era profundamente cariñoso. Saltaba a la vista que tanto Maxi como Angelica le parecían muy divertidas, dignas de su benevolencia, y era también evidente que muy pocas personas en el mundo pertenecían, según él, a esta categoría.

—¿No les interesaría, señoras, suscribirse a *Boy's Life*? —preguntó con voz pausada.

—¡Justin! —gritó Maxi, corriendo a arrojarse en sus brazos, y desparramando revistas en todas direcciones—. Justin, grandísimo animal, ¿dónde diablos has estado durante todo el año, maldito bastardo, cabeza de chorlito? ¡Justin, querido!

—Deja que me acerque a él —exclamó Angelica, agarrándole con fuerza y tratando de encaramarse sobre sus hombros como solía hacer cuando era pequeña.

A punto estuvo de hacerle caer. Por fin, logró él desprenderse de las dos excitadas y vocingleras criaturas, separándolas y rodeándoles el talle con sus brazos.

—Dejad que os eche un vistazo —dijo Justin, y ellas se callaron inmediatamente y se sometieron a su escrutinio—. Seguís siendo lo mejor del reino —dijo al cabo de unos segundos.

Observó con atención a su hermana y a su sobrina, captándolo todo con sus ojos gris oscuro; pero cualesquiera que fuesen sus pensamientos, se los guardó, como siempre.

Poco después de la horrible muerte repentina de Zachary Amberville, Justin se había marchado sin decir una palabra a ningún miembro de la familia. Desde que tenía quince años, había desaparecido a menudo durante varios meses seguidos, y los Amberville se habían acostumbrado a sus idas y venidas. Nunca escribía ni telefoneaba cuando estaba ausente; pero, de vez en cuando, aparecían fotografías en diversas publicaciones con la indicación «Foto Justin»: fotografías de islotes tan remotos que no los conocía ninguna agencia de viajes, de cimas de montañas tan inexploradas que carecían de nombre, de junglas que no eran más que espacios vacíos en casi todos los mapas; fotografías de surfers en Australia, de travestís brasileños en el Bois de Boulogne, del interior del Recinto Real en Ascot; fotografías que lo único que tenían en común era el inesperado punto de vista del cerebro que estaba detrás de la lente de la cámara y que captaba imágenes inolvidables, incluso en una era en que parecía que las fotos más extraordinarias tenían que haber sido ya tomadas.

Su última «excursión», como la familia llamaba a las misteriosas correrías de Justin, había durado más que las anteriores, y sus fotografías habían sido escasas; pero nadie se había alarmado por ello, pues ahora se aceptaba como cierto que Justin era invulnerable.

A los diez y once años, se mostró como un niño inquieto, nervioso, torpe, que trataba siempre de no llamar la atención. Después, cuando cumplió los doce, empezó a estudiar artes marciales y métodos de autodefensa, siguiendo unos rígidos programas de adiestramiento que recordaban a Lily su perseverancia en el ballet. Poco a poco, las actitudes de Justin, incluso cuando se estaba quieto, empezaron a dar una impresión de amenaza no declarada. Todo lo que antes había parecido en él vago y ausente se había concentrado en la fuerza y la rapidez con que sabía que podía moverse. Hoy era una nervuda presencia con la que había que contar, toda destreza y energía; un hombre de veinticuatro años, de mediana estatura, cuyo delgado cuerpo tenía sin embargo mayor empuje que el de otros jóvenes.

Justin parecía tan valeroso y fuerte como imprevisible, aunque desdeñaba toda manifestación de rudeza. Su habitual chaqueta de cuero no era una coraza, sino una muy cómoda y vaqueteada prenda con la que podía viajar a gusto a cualquier parte. Cuando podían convencerle de jugar al croquet en Southampton, mostraba la misma intrepidez, a pesar de llevar pantalones de lino blanco y suéter de color pastel; aquella cualidad se debía a sus duros músculos, a su falta de relajación, como si estuviera siempre dispuesto a entrar en combate.

Maxi no había visto nunca que Justin tratase a nadie sin ternura; no obstante, pensaba a menudo que sabía muy poco de su hermano menor, a pesar de que se querían de veras. Era el hombre más reservado que había conocido, y lo que pasaba detrás de su alta y redondeada frente y que le hacía alejarse con tanta frecuencia de su casa, era un misterio para ella. Ni siquiera Toby, con su agudeza y su capacidad para leer los pensamientos ocultos, había descubierto la menor clave del complicado enigma de las motivaciones de Justin. Los dos tenían la impresión de que perseguía algún objetivo invisible que no podían captar, una meta que nunca había explicado ni descrito, pero que le atraían inexorablemente una y otra vez.

—¿Qué estáis haciendo? —preguntó Justin, sonriente—. Quiero una explicación. Toby me informó de que os encontraría aquí, pero no describió en qué condiciones. Dijo que vosotras me lo contaríais todo.

—Mamá está buscando un nuevo concepto de revista —respondió Angelica encogiéndose de hombros— y yo estoy tratando de que, entre tanto, no se muera de hambre. La nueva cocinera se marchó ayer.

—¿Por qué haces esto, Maxi? —la interrogó Justin, con asombro—. ¿Quién necesita otra revista?

—Todavía no lo sé. Ése es el problema. Pero la razón última tiene que ver con Cutter. No quiero que me tome el pelo.

—En ese caso, puedes contar con mi colaboración —dijo Justin, en su tono más feroz.

Maxi y Toby podían explicar con detalle qué era lo que les disgustaba en su tío y por qué desconfiaban de él. Pero Justin siempre había odiado a Cutter y no sabía por qué. Era un aborrecimiento instintivo y demasiado profundo para ser expresado con palabras, una cuestión de total antipatía mutua. Justin había sentido, como todos, curiosidad por el hermano de su padre, que nunca parecía salir de San Francisco. Cuando Justin tenía casi once años, Cutter y Candice Amberville habían pasado al fin por Nueva York, deteniéndose allí unos días en su viaje hacia Europa.

La primera vez que Justin vio a Cutter, su curiosidad se transformó en antipatía visceral, una antipatía que no trató de comprender. Existía, firme, como una roca, no admitía comparaciones ni análisis; sencillamente, existía, y era tan fuerte como su amor por Zachary, tan evidente como su afecto por Toby y por Maxi.

—Acepto tu ofrecimiento —dijo entusiasmada Maxi.

Durante los tres últimos días, Angelica había sido su única cámara de resonancia; Julie estaba ocupada en la otra oficina con los preparativos para enviar *Buttons and Bows* al limbo donde moran todas las revistas muertas, llenas de una rara y quejumbrosa nostalgia y de vagos enigmas. Maxi no había acudido a ninguno de los profesionales de «Amberville Publications», que de buen grado le habrían echado una mano. Se lo habían impedido su orgullo y una necesidad irresistible de hacer las cosas ella sola, de llegar hasta el fin y, si todos sus esfuerzos resultaban inútiles, reconocer su fracaso. Pero no quería buscar apoyo en la experiencia fácilmente asequible de Pavka, de Nina, de Linda Lafferty, o de cualquiera de los muchos profesionales que formaban parte del consejo de dirección. Tenía veintinueve años y nunca había hecho gran cosa por sí sola, salvo criar a Angelica. Sin embargo, la ayuda de Justin era diferente. Él era de la familia.

—¿Por dónde empezamos? —preguntó Justin, despojándose de su chaqueta de cuero y sentándose en el suelo junto a Maxi y Angelica.

—¿No quieres saber por qué estoy buscando un concepto? —preguntó Maxi.

—No me hace falta, con tal de que sea para jorobar a Cutter. ¿Qué has conseguido hasta ahora? ¿Tienes alguna remota idea?

—Sé lo que no puedo hacer. He eliminado todas las revistas de lujo, como *Vogue* y *Architectural Digest* y *House & Gardens*. No sólo son demasiado caras de publicar, sino que Amberville tiene ya *Style* e *Indoors*, y no quiero hacer la competencia a la compañía. Además, ¡me ponen furiosa!

—¿Desde cuándo? Yo creía que te gustaban.

—Es verdad; era adicta a mi dosis mensual de papel resbaladizo; pero cuanto más miraba aquellas revistas, cuando más las leía, más furiosa me ponía. ¿Te das cuenta, Justin, de que esas publicaciones tan brillantes hacen que una se sienta como un trozo de *chatarra*? Casi nadie puede parecer como sus modelos, llevar esas malditas prendas, usar esos nuevos afeites de locuras, tener casas o jardines como los que en ellas se exhiben... Puedes aspirar a parecerte, pasarte el resto de tu vida tratando de ser como la persona fotografiada en un minuto perfecto, que es lo único que *siempre* muestran, pero nunca puedes lograr que eso sea real. No venden sueños, venden desengaños. Venden desilusión, descontento con lo que tienes y, sobre todo, venden envidia.

—Bueno, Maxi la realidad es que venden vestidos, muebles y cosméticos... Las páginas editoriales no son más que el vehículo para los anuncios. Hacen girar las ruedas de los negocios americanos. Lo sabes tan bien como yo.

—Pero ello no logra hacer que me gusten —dijo tercamente.

—Sin embargo, tú, *eres* su lectora. Sabes muy bien que puedes comprar casi todo lo que ves en esas revistas. Fíjate en este apartamento... Cuatro millones de dólares, ¿o fueron cinco? Mira tus armarios llenos, mira tu cofrecito de joyas y después mírate al espejo. ¿Qué es lo que *tú* no tienes... salvo un cuarto marido?

—Estoy pensando en mis lectoras —dijo Maxi, con impaciencia.

—Conque tienes lectoras, ¿eh? Sabía que había algo diferente en este lugar, pero pensé que era la vista.

—Pretendo tenerlos, Justin, y no voy a darles otra sobredosis de la manera en que viven los ricos.

—¡Bravo! ¿Qué otra clase de revistas has decidido no publicar? —preguntó Justin, cuya curiosidad había despertado ante la vehemencia de ella.

—Todos esos malditos cuadernos de servicios: *Geed House, Family Circle, Woman's Day, Redbook, McCall's* y muchos otros que profundizan cada vez más en la culpa de toda mujer. Fíjate en este anuncio de *Ladie's Home Journal*... Hicieron una encuesta entre ochenta y seis mil mujeres y el ochenta por ciento dijo que «las mujeres pueden hacerlo todo».

—Bueno, ¿acaso no pueden? Tú siempre has actuado como si creyeses que podías.

—Mira lo que dice *también*: «La ayudamos cuando se esfuerza en alcanzar un estado físico excelente. Le ofrecemos una dieta sensata, planes de ejercicio y de embellecimiento... y le prestamos apoyo si quiere mejorar también en otros aspectos, en su hogar, en el trabajo, en su comunidad... como hacen los diecisiete millones y medio de mujeres que nos leen todos los meses.» Es una enorme, sucia y jodida conspiración, una *tiranía* Justin; ninguna pobre moza puede dejar de ser excelente siempre y en todo, en cualquier situación. Tienes que apretar, apretar, y si te mueres de tanto *apretar* en busca de la excelencia, ¡al menos tu suscripción no habrá bajado!

—Angelica, sírvele una «Miltown» a tu madre.

—Acabo de darle una, Justin. Pero no sirve de nada. ¿Puedes morirte si echas espuma por la boca?

—Lo dudo, querida; tu madre lo único que tiene es *stress*.

—¡Justin! —gritó alarmada Angelica—. No emplees esa palabra, por favor.

—¡Caray! —murmuró Maxi, tirando un ejemplar de *Family Circle*—. Sólo estamos en setiembre y ya anuncian «101 regalos de Navidad» y «Recetas de tus dulces predilectos» en la cubierta, y el libro del Doctor Art Ulene sobre *Cómo prevenir los problemas familiares*... ¿Qué pasa si no entiendes de repostería, si *compras* tus regalos y si ya tienes bastantes problemas familiares como para no querer que te hablen de ellos en Navidad? ¿No hará esta cubierta que te sientas *culpable*? Y, según dicen, es la revista femenina que más se vende en el mundo. Y mira esta otra, mírala. Se titula *Lady's Circle* y es realmente divertida: un artículo sobre una operación estética del vientre que dio mal resultado, otro sobre una adolescente con una rara y fatal enfermedad del hígado; otro sobre el *stress*, con una prueba indicadora de las probabilidades de que quienes lo padecen sean víctimas de un ataque cardíaco; y después, y esto es lo más divertido, cómo hacer un mantel de ganchillo para los días de fiesta. ¿Es el ganchillo un antídoto del *stress*? ¿O acaso lo agrava?

—Maxi, ¿por qué te preocupan tanto estas cosas? —preguntó Justin—. No se ajustan a tu línea de conducta. Lo más complicado que te he visto preparar ha sido un combinado de vodka, y recuerdo que te ponía furiosa que las limas tuviesen pepitas.

—Tengo que saber lo que compra la gente, lo que leen *las mujeres*, o no sabré qué ofrecerles que *ya* no tengan —explicó Maxi, poniendo de pronto caro de palo—. Es evidente.

—Pero no puedes pensar en competir con una *Good House*. ¿Dónde están tus cocinas de prueba, Maxi, dónde está tu garantía de devolver el dinero, dónde está la merecida confianza de tus lectoras? ¿Dónde está tu excelente reputación y tu posición de amiga de confianza, no simplemente de editora de una revista?

—¿Cómo sabes tanto de esto, Justin? —preguntó Maxi, con recelo.

—Una vez almorcé con alguien de «Hearst» —dijo evasivamente él.

—A mí me gusta hacer dulces —declaró Angelica—. ¿Puedes darme ese ejemplar de *Women's Day*, mamá?

—Con mucho gusto —dijo Maxi, sonriendo por primera vez aquella mañana. Se volvió a Justin y arqueó las cejas con asombro—. ¿Hacer dulces?

—¿Qué hay en aquel montón? —preguntó él, señalando la pila de revistas más próximas a Maxi.

—Yo les llamo cuadernos de «¿qué otro mal te aflige?» Parten de la sencilla premisa de que todo anda tan mal que necesitas desesperadamente ayuda. Aquí tenemos *Woman* y *New Woman* y *Complete Woman*, con unos titulares típicos en la cubierta: «¿Por qué dejas que él te pisotee?», «Evita las molestias menstruales», «Vence tu timidez», «¿El sexo te hace preguntarte si hay algo que no funciona bien en ti?», «Destierra el aburrimiento», «Vence el dolor», «Combate la inseguridad», «Remedia la soledad», «Cómo salvarte de ti misma». Podría continuar...

—¡No! Por favor, no lo hagas, o gritaré —dijo Justin, incapaz de reprimir una carcajada.

—Mamá es muy exagerada en sus reacciones —murmuró Angelica.

—¡Y un cuerno! —replicó Maxi—. Sólo veo lo que se vende en los quioscos de periódicos y mis reacciones son normales.

—¿Como rechinar de dientes cuando duermes? —preguntó Angelica.

—¡Y qué me dices de este artículo sobre «El antídoto número uno del *stress*», por Michael Korda? Adivina cuál es.

—¿Respirar hondo y comer pasteles de chocolate? —aventuró Angelica.

—No, no, hijos míos... «Haz más cosas... o cómo ser una feliz y reconocida triunfadora.» ¡Esto apesta! —Maxi se dobló sobre el suelo y gimió—, «Haz más cosas», dice ese hombre. *Más cosas.*

—Deja que te frote la espalda, Maxi; me parece que te está matando —dijo Justin, arremangándose y flexionando los vigorosos dedos.

—¿Te apetece tomar chocolate, mamá? Dicen que el chocolate alegra, que libera cierta hormona o algo parecido —sugirió Angelica.

—No, no trates de hacer que me sienta mejor.

Maxi se levantó de un salto, agarró las revistas que había a su alrededor y las arrojó con violencia contra las que estaban ya amontonadas junto a las paredes.

—¡Basta de culpa! —gritó—. Basta de remordimientos a causa de todo, desde las libras que gastas de más hasta cómo has transformado a tu amante en un tirano; basta de remordimiento porque no sabes administrar el dinero, porque no tienes ordenados los armarios, no tomas bastante calcio, no has conseguido ascensos en tu trabajo, no puedes combinar un empleo con la familia y necesitas salvar tu matrimonio; basta de preocuparte por tus errores de nutrición y por la manera de hacer frente a los fracasos; por lo aburrida que es tu vida sexual, probablemente por tu culpa; basta de culparte de que toda tu existencia sea deprimente y de que los hombres no quieran comprometerse; basta de pensar en que malogras las posibilidades de trabajo... ¡Se acabaron las culpas!

—Estamos de acuerdo, ¿verdad Justin? —se apresuró a decir Angelica, mientras Maxi iba de un lado a otro con creciente rapidez.

Pero Maxi no la oyó y siguió hablando cada vez más fuerte, con sus pies descalzos golpeando la gruesa alfombra como furiosos cascos de caballo.

—Lo único que logran es corroer tu propia confianza, mientras tratan de decirte lo que has de hacer para ser, parecer y sentirte *más* confiada. Hacen que sientas que es imposible que tu cuerpo sea *lo bastante* atractivo, en el dormitorio, en la sala de juntas... ¿Cómo es posible que todavía no te hayan ascendido? ¿Por qué no desempeñas todavía un cargo ejecutivo? Y, si es así, ¡qué cosas horribles revelan los muebles de tu oficina sobre tu carácter! Y, ¿cuándo aprenderás a manipular a tu jefe y hacer una política de oficina remuneradora? Si no trabajas, ¿cómo no estás en casa preparando un relleno de nuevo para el pato, y cómo eres tan desgraciada que no podrías pasar toda la noche sin esta revista? ¡Oh, hay que darles las gracias! Demos las gracias a esos buenos directores que hacen que aguantes mejor al zopenco con quien te casaste, que no maldigas a los doce hombres que te abandonaron, a las mil cosas que hiciste mal en la cama, al único hombre, naturalmente un pelmazo, al que no puedes olvidar; y todo por tu culpa, niña mala. ¡Culpa, culpa, culpa! ¿Compraría un hombre una revista que le dijese todos los meses lo imbécil que ha sido? No, hijos míos, no la compraría. Si leo uno más de estos artículos, vomitaré. ¡Maldita sea! ¿Es que no hay una sola revista que pueda comprar una mujer y que le diga que es apreciada por ser como es? ¿Qué estaba diciendo?

—Que ibas a vomitar —gritó histéricamente Angelica.

—No; después.

—Si no hay ninguna revista que aprecie a la mujer... —se aventuró a decir Justin.

Maxi empezó a saltar.

—¡Eso es! ¡Eso *es* lo que buscaba! La revista amiga de la lectora, la revista que te quiera y no trate de cambiarte, la revista que pretenda divertirte, que exista para tu satisfacción, sólo para tu placer. Diversión. La revista a la que le importe un bledo que comas demasiado o que no puedas encontrar un hombre, que no te diga que debiste haberte portado mejor o pedido ayuda. ¡Diversión, digo yo! En los quioscos de periódicos hay ya más consejos de los que cualquiera puede soportar. ¡DIVERSIÓN! ¿Me habéis oído? ¡DIVERSIÓN!

Abrió los brazos y siguió saltando, tirando las últimas revistas, levantando las piernas tan alto como la mejor animadora de Texas, pavoneándose.

—Ya te hemos oído, mamá. Todos en Trum Tower te habrán oído.

—¿Cómo se llamará esa revista tan divertida? —preguntó Justin, satisfecho al ver que su adorada hermana había vuelto a su estado normal.

—Ya tiene un nombre, Justin. Cuando me dieron una oportunidad, elegí *Buttons and Bows*. Pero los tiempos han cambiado —dijo alegremente Maxi— y por eso cambia también el nombre. Voy a abreviarlo y dejarlo en *B and B*.

—¿*B and B*? ¿Qué significa ese nombre? —preguntó Angelica.

—¡Qué sé yo! Pero, ¿qué importa? Bollos y Buñuelos, Bustos y Bajos, Benedictine y Brandy, Bueno y Barato, cualquier cosa que satisfaga tu fantasía. Se llamará *B and B*, y eso significará DI-VER-SIÓN.

16

—A prueba de cierre. ¡Maldita sea! —dijo Rocco, arrojando con irritación el número de *Adweek* que había estado leyendo.

Miró por la ventana de su oficina en el piso cuarenta y tres de Dag Hammerskjold y observó con desagrado el rótulo de neón rojo que brillaba en la planta de embotellado de «Pepsi», al otro lado del East River. «Coca-Cola» era su cliente y «Pepsi» era el enemigo aborrecido, al menos hasta el día en que, casi con toda seguridad, «Pepsi» se convertiría en su cliente y «Coke» en su enemigo.

—En cualquier caso, —continuó—, esto es absurdo. Imaginaos que hay que pasar ocho horas y media rodando, para reducir luego la película a un espacio publicitario de treinta segundos en la televisión. Por muy bueno que éste resulte, yo digo que es señal de que algo anda mal.

—Nosotros no tenemos nada que ver con ese espacio, Rocco —dijo Rap Kelly, en tono apaciguador—. Es para un jabón desodorante. Deberías dejar de leer sobre el oficio.

—No quieras convertirte en filósofo, Rocco —añadió Man Ray Lefkowitz, tercer socio de la empresa «Cipriani, Lefkowitz y Kelly», la agencia de publicidad más floreciente de Nueva York—. Si se le da al público unidades de control remoto para sus aparatos de televisión, es lógico que los cierren cuando aparecen los anuncios.

—Si *hubiésemos* sido nosotros, habría matado con mis propias manos al que dirigió ese anuncio de jabón —dijo Rocco, con aire sombrío—. No era un Hitchcock.

Manny y Rap cambiaron una mirada. ¿Iba Rocco a caer en una de esas frases que ellos llamaban, en privado, chifladuras de impresor? Cuando los dos le habían convencido, que abandonase «Condé Nast», había sido la operación más difícil que habían realizado jamás, incluida la batalla para conseguir el contrato de «Chevrolet». Rocco no había querido admitir que las revitas estaban muy anticuadas en su capacidad de llamar la atención de las masas con sus grafismos. Le hubiera gustado permanecer enterrado para siempre en letra impresa, hasta que sus dos socios le sacaron a viva fuerza de su fijación.

Manny Lefkowitz, el brillante redactor de textos publicitarios, recordaba todavía el argumento que le había dado la victoria.

—Rocco —le había dicho—, se necesita más tiempo, más energía y más decisión para volver la página de un anuncio, sobre todo cuando has *pagado* una revista, que para cerrar la tele cuando pasan la publicidad, ya que, como americano, tienes derecho a verlos *gratis* cada vez que enciendes la televisión. ¿Cuál es el mayor desafío para un director artístico? ¿El consumidor bien dispuesto, el verdadero público cautivo de una revista, empeñado en amortizar su inversión, o el público harto de anuncios que observa la televisión y sólo desea que se reanude el programa? No te molestes en contestar: esto es evidente. Por tanto, si eres el mejor director artístico del mundo, como creemos Rap y yo, la publicidad en televisión es la única digna de tu esfuerzo. Es tu próximo paso Rocco, tienes que reconocerlo.

—Lo reconozco... Pero no sé... dónde está el espacio en blanco, en el que hay que componer.

—En la pantalla vacía, Rocco, y tú lo sabes. Significa que captarás a la gente más de prisa y en mayor número... Millones y millones. Y tienes que venderles algo, no sólo entretenerles. La diferencia principal, Rocco, es que la composición de una revista es, en el fondo, el equivalente impreso de salir del paso... Lo único que haces es montar páginas bonitas para que los anunciantes inserten sus anuncios *alrededor* de ellas... Y con esto te das por satisfecho. En la publicidad televisada, la fracción de segundo en que el cuarenta por ciento de los espectadores decide si cerrará o no un aparato es de vida o muerte para ti. Por consiguiente, tienes que ser mejor que en las revistas. No sólo bueno, sino *grande*.

—¿Salir del paso? —dijo, ofendido, Rocco.

—Con el debido respeto para el negocio de las revistas, te diré que está un siglo atrasado. Una página no te *conmueve* ni te dice nada, y es inútil que trates de remediarlo. Sal de tu concha Rocco, no seas como aquel tipo que dijo que nadie iría a ver las películas sonoras.

—Sí, Rocco, no seas imbécil —apostilló Rap Kelly.

Era el gato ladrón, el más negociante de los tres, especializado en ser mucho más listo de lo que parecía, y que conseguía muchos contratos que se habrían perdido si hubiese hablado con más delicadeza.

Rocco les había mirado a los dos: a Manny, el talentudo redactor de textos publicitarios y vicepresidente de «BBD&O», y a Rap, que era el rey de la montaña en «Young and Rubicam», el cual se daba cuenta de que la aventura de iniciar una nueva agencia de publicidad con aquellos dos genios del ramo resultaba irresistible. Era la primera vez, en Madison Avenue, que un director artístico recibía la oferta del puesto más creativo en una agencia de publicidad. Tradicionalmente, esta función había sido siempre encargada a alguien procedente de la redacción.

Entonces tenía Rocco treinta y tres años y, salvo su breve experiencia en «Amberville Publications», siempre había trabajado para «Condé Nast». Pero su ídolo, Alexander Liberman, seguía tan fuerte como siempre, la edad no pesaba en él, y Rocco pensó de pronto que tal vez había llegado el momento de apartarse de la letra impresa, al menos por una temporada. Quizá Manny y Rap tenían razón en lo del desafío. Por no hablar del dinero. Nadie que trabajase en una revista tenía posibilidad de ganar tanto como en una agencia de publicidad, y ya era hora de que pensara de un modo práctico.

Desde que se divorció de Maxi, hacía poco más de nueve años, había resuelto no pensar en el dinero, aunque se daba cuenta de que eso era antiamericano, antinatural y, en cierto modo, ridículo, como si hubiese hecho voto de pobreza. Era más difícil trabajar en Nueva York y no pensar en el dinero que dejar de pensar en el sexo o en la comida; pero, para un hombre cuya vida había estado tan dañada por el dinero, el de Maxi, era un concepto repelente.

Acertó al pensar que ganaría dinero. «CL&K», como se denominaba la nueva agencia, fue una mina de oro desde el día en que abrió sus puertas. Clientes que pertenecían a los venerables gigantes de Madison Avenue, cayeron en sus manos como frutas maduras; los veleidosos directores de publicidad de las quinientas compañías más importantes llamaron a su puerta antes de que hubiesen acabado de buscar talentos en las otras agencias de la ciudad, pues Cipriani, Lefkowitz y Kelly tenían a su favor algo de lo que carecían los demás publicitarios: los tres eran solteros y sin compromiso. Y muchos de los grandes talentos de Madison Avenue eran hembras. Man Ray Lafkowitz era un alegre gigante pelirrojo, de ojos tan azules que, según afirmaba él, eran señal de que pertenecía a alguna tribu especial descendiente directa de la Reina de Saba; y Kelly era un irlandés, también pelirrojo y de ojos muy azules, que había sido zaguero de UCLA y de la selección americana y que sabía cantar con una voz de tenor capaz de arrancar lágrimas. Ninguno de los tres había perdido un solo cabello, ni se había mostrado nunca rudo con una dama, ni había dejado de observar el Día de San Valentín. El año anterior, la factura de flores de «Robert Homma», para ese día, subió más de ochenta mil dólares. Habían enviado jarrones japoneses antiguos llenos de altos, graciosos y floridas ramas de membrillo; pero, como decía devotamente Kelly, habían ganado con ello «un millón de veces más».

—Tenemos que emborracharnos —dijo súbitamente Rocco, al encenderse el rótulo de «Pepsi»—. ¿No acabamos de conseguir el contrato de Cutty Sark?

—La semana pasada —respondió Rap Kelly—. No resultó fácil arrancarlos de aquella vieja embarcación. Pero yo creía que no te gustaba el whisky escocés, Rocco.

—Cuando es de un cliente, sí. Voy a aficionarme a él. Vamos, muchachos, ha llegado el momento.

Se puso la corbata y la chaqueta y echó a andar, seguido de Lefkowitz y Kelly, que cambiaron una mirada inquieta. Rocco bebía raras veces.

—Sólo un toque de esa deliciosa vulgaridad neoyorquina; que le falte poco para ser tosco; un atisbo, sólo un atisbo, de elegancia ruda —dijo Leon Ludwig, uno de los decoradores de interiores de Maxi.

—No estoy de acuerdo. Estamos hablando de la «American Media»; todo Mumsy y casa de campo inglesa, con toneladas de zaraza floreada, y sofás un poco gastados —replicó Milton Bizet, la otra mitad de «Ludwig and Bizet», equipo de decoradores que Maxi había empleado en sus dos últimas casas en la ciudad y en la renovación del castillo condal de Kirkgordon, en las Highlands.

Sin embargo no habían sido capaces de ponerse de acuerdo a la hora de encargarse del apartamento de la Trump Tower. Éste chocaba con la geometría del edificio, pues contenía las piezas favoritas que Maxi había traído de sus correrías, los despojos de una nómada rica y descuidada, con instintos de tendera de bazar. Habían derribado las paredes de los dos apartamentos contiguos que ella había comprado y habían hecho cuando habían podido; pero les quedó la comezón de no haber sido capaces de amansar y someter a su cliente como ellos hubiesen querido.

—Muchachos —les interrumpió Maxi—, ¡paren el carro! Estamos hablando de muebles de oficina, estamos hablando de sillas adecuadas para los taquígrafos. No estamos tratando de crear un estilo.

Se estaban acercando al sector donde se hallaban las oficinas de *Buttons and Bows*, y cuando Elie detuvo el automóvil delante del edificio de la Séptima Avenida, Ludwig y Bizet se quedaron plantados en la acera, con incredulidad.

—¿Aquí? —preguntó Leon Ludwig retrocediendo.

—Aquí. El alquiler continuará vigente durante tres años: todo el espacio del resto de la planta está disponible; la renta es mucho más baja que la de cualquier edificio nuevo, y este barrio tiene para mí muchos recuerdos —dijo Maxi con firmeza.

—Ni siquiera es Art Deco —murmuró sorprendido Milton Bizet.

Nunca había visto esta parte de Nueva York, ni siquiera cuando iba al teatro.

—No es arte de nada —replicó Maxi—. A menos de que sea el de la Repugnante Depresión. Es una porquería, y no sirve para nada. Por eso quiero que ustedes lo arreglen. Lo necesito ayer. Nada puedo hacer con el personal hasta que tenga un lugar decente donde trabajar.

—Tal vez una de esas empresas especializadas en oficinas..., esas «Itkins» o como se llamen, le serían de más utilidad que... —se atrevió a decir Leon Ludwig, reacio a introducir su elegante persona en el interior del edificio.

—Muchachos, no conozco a los «Itkins» y supongo que ustedes querrán continuar su relación conmigo, ¿no?

—Por supuesto, querida Maxi; pero...

—Entonces suban y dejen de gimotear —dijo ella, con una alarmante sonrisa—. Les resultará divertido hacer que todo funcione a base de un presupuesto.

—¿Y a cuánto asciende exactamente el presupuesto? —preguntó Milton, arqueando las cejas.

No era propio de Maxi hablar de presupuestos, salvo como de algo de lo que ellos podían prescindir tranquilamente si seguían rechazando cosas que ella quería. Milton sabía que iba a haber dificultades, desde que la Trump Tower había entrado en la vida de Maxi.

—A *la mitad* del mínimo que puedan pedir —respondió Maxi.

—Muy graciosa —murmuró Leon.

—Tengo la impresión de que no bromea —comentó Milton, sinceramente espantado, observando la esta vez seria expresión de su predilecta aunque difícil cliente.

—No bromeo. Va a costar mucho dinero editar esta revista, y no voy a malgastarlo en las paredes de la oficina. Sin embargo, las vacas dan más leche en un ambiente agradable, y algo parecido ocurre con las personas; por consiguiente, es necesario que toda la oficina sea alegre y que resulte *divertido* trabajar en ella, quiero ventanas que se abran; nada de luces fluorescentes, salvo en casos de absoluta necesidad; un cuarto de recepción deslumbrante, con espejos *baratos*, Leon, no biselados...

—Maxi, ¿no le han dicho nunca que hay que gastar dinero para ganarlo? —argumentó Leon, como última defensa contra la previsible angustia de un presupuesto estricto.

—Me lo han dicho muchas veces. Pero invertiré el dinero en salarios. Si no lo hiciese así, ¿cómo podría hacer que los mejores renunciasen a sus empleos para trabajar en una revista nueva? Bueno, ya hemos llegado.

Maxi abrió la puerta de la oficina. Como no había nadie en recepción, corrió en busca de Julie. No le gustaba ver llorar a unos hombres mayores.

—Sé bien venida —dijo, aliviada, Julie—. Tengo aquí tus llaves; el antiguo negocio ha quedado liquidado; todas las deudas están pagadas;

he limpiado mi mesa; el teléfono funciona todavía, y lo único que he conservado es el bloc amarillo, sin estrenar, y los lápices que te dejaste la semana pasada.

—¿Y qué puedes decirme de mi jersey? —preguntó Maxi, mirándola de un modo extraño.

—¿Qué jersey? No te dejaste ninguno.

—Lo sé.

Maxi, frunciendo los párpados, estudió el nuevo jersey «Perry Ellis» y el vestido de Julie, un conjunto que marcaría la pauta del *prêt-à-porter* americano aquel año, dos piezas extraordinarias de casimir: una túnica deslumbradora a base de rojos, azules y amarillos, inspirada en las obras cubistas de Sophie Delauny, y una falda negra, larga y drapeada, que armonizaba a la perfección con los zapatos negros y planos y los leotardos de color magenta. El jersey costaba ochocientos dólares (Maxi lo sabía porque había comprado uno el sábado) y era también de gran efecto, tan exclusivo del otoño de 1984 que no podía ser llevado más de una temporada. En una oficina, sólo podía llevarse una vez cada dos semanas. La falda, de trescientos pavos, podía considerarse clásica, pero aquel jersey era un gesto de audacia, indicador de una persona que podía permitírselo sin reparar en el precio, o de alguien tan loco por la ropa que era capaz de comprarlo, llevarlo triunfalmente unas pocas veces y guardarlo después para su satisfacción particular.

Julie Jacobson no podía ser tan rica, calculó Maxi, o no habría tenido que aceptar un empleo de secretaria mientras esperaba un puesto poco importante de ayudante en *Redbrook*. Había realizado el arduo trabajo de enterradora de *Buttons and Bows* con tacto, diligencia, energía y buen talante, estableciendo su puesto de mando en lo que había sido la vieja sección de arte. Al escapar de Leon y de Milton, para no presenciar su nerviosismo, advirtió Maxi que las habitaciones estaban ahora todo lo limpias que podían estar, habida cuenta de su estado de decrepitud. Julie era una chica que valía por dos.

—Tengo que hacerte una proposición —dijo, sentándose al lado de Julie.

—No —dijo Julie estremeciéndose—. De veras. No me la hagas.

Maxi prescindió de la interrupción.

—¿Cuánto van a pagarte en *Redbook*?

—Ciento setenta y cinco a la semana, pero no es ésa la cuestión.

—La cuestión es que estarás en el departamento de modas, como ayudante del ayudante del director.

—Exacto —respondió Julie iluminados los ojos por la visión del día en que, en un futuro lejano y vago, se sentaría en primera fila en las colecciones de moda de Nueva York, con el lápiz en ristre para tomar notas de lo que considerase que valía la pena.

—¿Has jugado alguna vez al Monopolio? —preguntó Maxi, y Julie asintió con la cabeza, sumida todavía en su sueño—. ¿Recuerdas cuándo tienes que pasar del «Go» y avanzar en el tablero para embolsarte doscientos dólares del Banco? ¿No es una satisfacción?

Julie volvió súbitamente a la realidad.

—¿En qué estás tratando de meterme, Maxi? Ya no trabajo para ti, gracias a Dios. Desde el viernes pasado, no estoy en nómina. Y, además, ni siquiera existe una nómina

—Sí que existe; una nómina nueva, y voy a pagarla todas las semanas.

—¿A cuánta gente has contratado? —preguntó Julie recelosa.

—Hasta ahora, a nadie. Pero, con el tiempo, serán docenas. Centenares.

—¿Y qué van a hacer?

—Una revista nueva.

—Pero, ¿no era esto exactamente lo que proyectabas la semana pasada? ¡Oh, Maxi!

—Esto no tiene nada que ver con la semana pasada. Tenías toda la razón en lo que dijiste de mi proyecto sobre *Buttons and Bows*. Era una locura de juventud. Desde entonces he envejecido mil años en sabiduría y experiencia.

—¿De veras?

—Confía en mí.

—Yo nunca me fío de las personas que me dicen «confía en mí».

—Era una prueba —declaró satisfecha Maxi—. Y la has superado. Por consiguiente, te ofrezco el cargo de directora de modas de *B and B*, combinado con el de mi ayudante personal, encargada de todos los demás detalles hasta que encuentre alguien que cuide de esto y te deje en libertad para proyectar las páginas de modas.

—¿Todos los demás detalles? ¿Por qué me huele esto a chamusquina? ¿Qué es *B and B*? ¿Otra versión de *Buttons and Bows*? ¿Cuántas páginas de moda habrá? ¿Y qué autoridad tendré en realidad? ¿Y qué me dices del salario? ¿Y qué pasará si la revista fracasa y yo pierdo mi empleo en *Redbook*?

—Trescientos a la semana, para empezar, *libertad total en lo referente a la moda*, autoridad absoluta dentro de la filosofía fundamental de *B and B*, que es, sencillamente, que las mujeres son magníficas tal y como son... No me lo negarás, ¿verdad? ¡Oh!, ¿estás aquí? Te presento a Justin, tu asesor en fotografía. Justin, ésta es Julie Jacobson, la nueva directora de modas de *B and B*. Tendréis que colaborar los dos muy estrechamente.

Julie giró en redondo y se quedó boquiabierta al ver a Justin, que se había materializado silenciosamente en el umbral y se apoyaba en la pared con tanta solidez y energía contenida que parecía que estuviese sosteniendo el edificio con su hombro. Él se acercó a Julie, que estaba hipnotizada por la batería de «Nikons» que él llevaba con la misma naturalidad que una bufanda, le asió la mano y se la estrechó.

—Justin, *el Justin*, ¿va a trabajar también en esta revista? —se sorprendió Julie.

—Sí, *el Justin*. Ya te dije que confiases en mí. Lo cual no significaba que estuvieses obligada a hacerlo —rió Maxi—. Y ahora..., «hola chicos», como solía decir Mary Tyler Moore, aquí están Milton Bizet y Leon Ludwig, que van a diseñar nuestras oficinas. Entren muchachos, y saluden a Julie Jacobson, mi directora de modas. Repasará sus facturas; por consiguiente, muéstrense amables con ella. Tú, Julie, no hace falta que seas amable con ellos. En realidad, te aconsejo la máxima precaución. Leon, ¿qué color propone para el despacho de Julie, suponiendo que no cambie el de sus cabellos?

—Un ambiente selvático, con las paredes revestidas de telas estampadas, plantas y palmeras enanas...

—Me refería al color de la *pintura*, Leon. No queremos telas en las paredes de *B and B*. Son demasiado caras y se ensucian mucho. Las oficinas sin telas en las paredes harán historia en el diseño de interiores, ¿no es verdad Justin? Y en el arte del mantenimiento de la oficina. Esto podría valerles un artículo en *Architectural Digest* e incluso aparecer en la cubierta de *Plastics Weekly*... Todo dependerá de su imaginación y su talento. Si demuestran tenerlos en grado suficiente, tal vez les nombre mis directores de decoración, pero primero tienen que hacerse dignos de ello.

—Una oficina completamente blanca —propuso Milton muy ofendido—, con un bote grande «Ajax» y una gruesa de esponjas.

—¿Podré traer una rosa blanca en un florero blanco para mi mesa? —suplicó Julie, sonrojándose entusiasmada.

¡Estupendo! ¡Justin!

—Yo traeré la rosa —se comprometió él.

—Y yo le *prestaré* un florero de ónice —declaró Leon—. Un florero blanco, desde luego.

—¡Hum! —bufó Maxi—. Yo quería un despacho completamente blanco, para que hiciese juego con el mechón de mis cabellos. Pero no podemos tener dos iguales.

—Julie gana —decretó Leon, sintiéndose mucho mejor—. Tenemos que ser amables con ella.

—¡Cuánto me alegro, Pavka, de que me hayas invitado a almorzar! Hacía un siglo que no te veía.

Maxi se había arrojado en sus brazos en un furioso remolino de pliegues de su falda escocesa y moviendo sus bellas piernas de una manera que demostraba que, en ciertas circunstancias, las rodillas están muy lejos de ser una articulación desagradable.

—Te he echado mucho en falta; pero sabía que estabas muy atareada —dijo Pavka, cuidando de evitar que su tono pareciera de reproche.

Se daba perfecta cuenta de que ella le había estado evitando. En «Amberville Publications» circulaba muchos rumores sobre el plan de Maxi, pero nadie había podido darle un sólo detalle sólido.

—Hemos estado pintando la oficina —dijo ella con modestia.

—Bueno..., ya es algo para empezar.

—Creo que sí.

Maxi estudió el menú del «Four Seasons Grill Room», que se había convertido en un club de altos ejecutivos y agentes del ramo editorial, personas tan importantes que llenaban con sus automóviles de lujo la Calle 52, junto a Park Avenue, como si se estuviesen celebrando las pompas fúnebres de un gángster. Como tal vez podía haber sido, en cierto sentido sutil de la palabra.

—Y cuando estén pintadas las oficinas —siguió diciendo Pavka, después de encargar la comida—, colgarás cortinas, amueblarás las habitaciones y alfombrarás el suelo, ¿no?

—Seguramente tendremos que hacerlo así, o algo por este estilo —confesó Maxi en tono grave prestando la mayor atención al asunto.

—Y, si no he entendido mal, publicarás una revista, ¿eh? —le pinchó Pavka.

Pero ella no se inmutó.

—Bueno, al final creo que sí. Pero eso no quiere decir mañana. Aunque supongo que, más pronto o más tarde, veremos si podemos producir una pequeña... una linda y pequeña... revista.

—Por casualidad, ¿no tendrá ya nombre?

—En realidad, no. No, no creo poder decir que tenga un nombre.

Los magníficos ojos de jade de Maxi habían adquirido de pronto un tono verde, liso e inexpresivo, como una muestra de color. Estaba resuelta a no revelar ningún detalle a Pavka. Se sentía como un pájaro hembra a quien estaban molestando en su nido mientras incubaba su primer huevo.

—Pero, querida, necesitarás que tenga un nombre.

—A su debido tiempo. A su debido tiempo.

Parecía sumida en una pereza pecaminosa y dichosa. Había que prescindir del tiempo, parecía decir sin palabras...

—Pero, Maxi, tú no ignoras la importancia del nombre, ¿verdad?

—*Good Housekeeping, Reader's Digest, National Geographic, Playboy*... Claro que lo sé.

—Imagino que estarás buscando un nombre que diga al lector de qué trata la revista.

—Más o menos, en sentido general, sí. ¿Sabías, Pavka, que Russell Baker dice que hay solamente seis temas: Dios, el sexo, el matrimonio, los hijos, la política y el béisbol?

—¿Debo deducir que tu revista tratará de sexo? —insinuó él.

—No prescindiré de esto, no. El matrimonio también es buena cosa. Así como el divorcio.

—¡Maxi! ¿Por qué no quieres decirme nada? Me estás tomando el pelo, pareces un personaje de una comedia mala, no precisamente de Broadway. Sabes muy bien que tienes que tener un título informativo para que llame la atención de la gente desde el primer número, y que esto es sólo uno de tus problemas, el primero de los muchos que se te plantearán para lanzar una revista nueva. Tienes que hacer que la abran, Maxi, para que después la compren.

—Pavka, mi ángel Pavka, tengo que pedirte un gran favor.

Maxi le dirigió una mirada fascinadora, que hizo que a él se le derritiese el corazón. No debía preocuparse; siempre había contado con su devoción.

—Todo lo que quieras. Sabes que te ayudaré en todo lo que sea... ¿Quieres que discutamos tus planes con detalle? ¿O puedo ayudarte en la maqueta? Nada es demasiado para mí Maxi.

—Lo único que quiero que hagas es *no* hablarme de mis muchos problemas —pidió Maxi con su voz más dulce—. Sé que puedes darme consejos maravillosos, Pavka, pero sabes demasiado, has visto fracasar un sinfín de revistas. ¿Le contarías a un niño que aprende a andar los peligros de una prueba de descenso sobre esquíes? ¿O de el vuelo en ala delta? ¿O de la danza sobre hielo?

—Sea como tú quieras, querida, pero hay una cosa que no podrás evitar que te diga: necesitas contratar a una persona de experiencia que lleve el control comercial, una persona a la que solemos llamar director ejecutivo, o director administrativo, que no imponga su opinión sobre la marcha de la revista, pero que presente ideas a lo largo de las muchas y tediosas fases que van desde la concepción hasta la venta de la revista, y que cuide de que los textos y las fotos y los anuncios lleguen a tiempo al impresor. Debería ser uno de esos pesimistas que sólo creen que está bien lo que hacen ellos mismos. Una bestia de carga, si quieres llamarle así, pero una bestia a la que puedas confiar tu vida. En otro caso, tu revista será como una barca sin timón.

—Yo soy el timón.

—No, Maxi, tú eres la barca... y el océano y el viento que hincha las velas, pero tu temperamento no es de timonel.

—¡Hum!

Maxi no sabía si irritarse o apaciguarse; pero se vio a sí misma como una embarcación, un elegante yate de regatas, de cuarenta y ocho metros de eslora y tres mástiles.

—Supongo que tienes algo entre ceja y ceja —dijo—. ¿No es así?

—Hay un hombre por el que pondría las manos sobre el fuego. Era director administrativo de «Wavelength» antes de la masacre de Cutter, y se tomó unas vacaciones cuando fue despedido. Por consiguiente todavía está disponible... Un hombre llamado Allenby Montgomery. Allenby *Winston* Montgomery.

—¿Tengo que llamarle «General»?

—*Evidenment.* Ahora no responde si no le llaman así. Pero no hace falta que te cuadres, si no quieres.

—Parece un tipo tolerante —dijo Maxi, con voz triste y resignada. Sabía que Pavka tenía razón. Necesitaba a alguien muy fastidioso, para poder hacer ella el trabajo menos árido y pesado.

—Supongo que habrás pensado en un director artístico —siguió diciendo Pavka en tono cauto.

Si Maxi hubiera sabido con claridad lo que se proponía hacer, no habría podido dejar de revelárselo; aunque no quisiera su consejo. Habría estado demasiado satisfecha de sí misma. ¿Tenía al menos una noción de ello? Si la tenía, cosa de la que él dudaba mucho, estaría en algún recóndito lugar de su deliciosa y adorable cabecita, debajo de aquel peinado de cacatúa, con cabellos en todas direcciones e incluso erizados, que daba la impresión de que venía de haber estado en la cama con varios íntimos y fogosos amigos.

—¿Un director artístico? —murmuró Maxi—. Claro que he pensado en ello... Pero no he pasado de ahí. Todavía estamos esperando a que se seque la pintura. Por ahora, no necesito un director artístico.

—Una vez pregunté a un gran editor qué era lo peor que podían hacer sus enemigos en el negocio editorial para arruinarle, y me respondió: «Robar mi director artístico», dijo Pavka, casi como hablando consigo mismo.

—¿Qué editor?

—Tu padre. Yo era su director artístico.

—*Evidenment.* Y *touché.* Pero yo *estoy* pensando en personas de otras revistas. Es un proceso de cribado, una selección, buscar la perla en el banco de ostras... Lo estoy considerando, Pavka, aunque todavía no he tomado ninguna decisión. Puedes creerme.

—Te creo. Y ahora dime, ¿cómo te va con la maqueta?

—Muy bien, sí... muy bien. Me siento como aquel *cowboy* que saltó dentro de un bosquecillo de cactos. Cuando la preguntaron por qué lo había hecho, respondió: «Entonces me pareció una buena idea.»

Pavka se echó a reír, para disimular que esto confirmaba su convicción de que Maxi le estaba mintiendo. Su trabajo veraniego en *Savoir Vivre* había sido causa de acontecimientos importantes, como el matrimonio y la maternidad; pero dudaba mucho de que hubiese visto nunca una maqueta y, sobre todo, de que fuese capaz de hacerla. Suspiró, sin embargo, estaba muy lejos de sentirse sorprendido.

—Recuerda, querida, que siempre me tendrás aquí si necesitas alguna ayuda —ofreció siguiendo la comedia, ya que ella lo quería así—. Y le diré al *General* que te llame en cuanto regrese.

—Gracias, Pavka. Eres muy bueno conmigo.

Escaparon los dos de la marmórea dignidad del «Four Seasons», y Maxi encontró a Elie delante de la puerta giratoria, resistiendo heroicamente los ataques del portero, empeñado en que llevase el automóvil más arriba de la calle. Mientras volvía a su oficina; se sintió satisfecha de no haberle dicho nada a Pavka, a pesar de que la tentación había sido fuerte. A fin de cuentas, era un hombre algo anticuado y un tanto pesimista. Lo más probable era que no hubiese comprendido que, ahora que ella había encontrado su concepto, *todo lo demás estaba allí*, esperándola. No tenía más que unir las piezas. Sólo un poco de reflexión y de... trabajo... Sí, de trabajo.

Aquella noche, rehusó tres invitaciones para cenar, y se quedó en casa. Le fastidaba que aquellos conocidos suyos la hubiesen abucheado al decirles que no podía reunirse con ellos porque tenía que trabajar. Frunciendo el entrecejo, se instaló en el centro de su enorme cama, apoyándose con firmeza en la menos blanda de sus muchas almohadas y tiró del cobertor de visón blanco que estaba a los pies de la cama, de manera que pudiese formar con sus rodillas una especie de pequeño pupitre de piel.

Todos los materiales que pensaba que eran necesarios para confeccionar una maqueta se hallaban dispuestos a su lado. Había comprado diez paquetes del papel más grueso que había podido encontrar, en una gama de vivos colores; cinco clases de cinta adhesiva; dos cajas de lápices holandeses especiales, del número tres; un diminuto sacapuntas «Sanyo»; un gran surtido de bolígrafos de todos los colores existentes en el mercado; un recado completo de escribir. Además, tenía al alcance de su mano los últimos números de todas las revistas femeninas que se publicaban en los Estados Unidos. Las miró con el ceño fruncido. Nunca había visto una maqueta completa; tan sólo páginas sueltas; pero era indudable que debía tener la forma de la publicación. Pretendía usar aquellas revistas para recortar anuncios y pegarlos a su maqueta, de manera que, cuando ésta estuviese terminada, no contuviese únicamente textos e ilustraciones. Sí, decidió, empuñando las largas y caras tijeras de fabricación suiza, ¿por qué no recortar una buena colección de anuncios, los más llemativos, para tenerlos a mano? Después podría tirar las revistas al cesto de los papeles, que era donde les correspondía estar.

Pronto tuvo un gran montón de anuncios, la mayoría de ellos en color. Después de pensarlo un poco, añadió unos cuantos en blanco y negro: «Bill Blass», «Blackglama», «Lancôme» y «Germaine Monteil», por mor del contraste. Arrojó las revistas fuera de la cama, satisfecha de librarse de ellas, y, con aire de suficiencia, dividió los anuncios en dos grupos, sujetándolos con unos clips que no se había olvidado de comprar.

Ya estaba.

Ahora podía empezar la maqueta.

Pero tal vez sería mejor que viese primero lo que estaba haciendo Angelica, cómo llevaba sus deberes. No; el colegio de Angelica no empezaba hasta la semana próxima. Estaría en la biblioteca, esperando impaciente a que empezase *Canción triste de Hill Street*. Tal vez debería llamar a India y contarle lo que estaba haciendo. No; no harían más que estar hablando durante horas y perdería la noche. Tomó resueltamente una pluma de punta de acero del recado de escribir y comenzó a trazar un signo & en una hoja de rígido papel rojo. Era un signo engañoso, difícil de dibujar; pero lo logró al quinto intento. Por último, escribió un audaz *B&B*. Al pie de la página, hizo un pequeño círculo dentro del cual puso la letra C. Ya tenía el *copyright* de su título. Había sido muy fácil. Extraordinario. ¿Tenía quizás algo que ver con la Biblioteca del Congreso? Una vez publicado, le pertenecería. Nunca creyó a la persona que le dijo que no se podían patentar los títulos. A ver si había alguien capaz de quitarle *B&B*.

Bueno. La cosa marchaba. Ahora había que pasar al texto y a las ilustraciones. Primero el texto, era lo lógico. ¿Pero cómo sabría qué ilustraciones necesitaba y si éstas tenían que ser fotografías o dibujos? Sí, el texto. ¡Pero no! A fin de cuentas, no iba a escribir ella la revista. Esto lo hacían los escritores. Lo único que necesitaba eran los epígrafes, los títulos de los artículos. Era una suerte que supiese lo que no quería, que hubiese pasado tanto tiempo eliminando los temas que hacían que las mujeres se volviesen envidiosas y se sintieran deprimidas o culpables. En realidad, y pensándolo bien, había hecho ya el trabajo más difícil. Tal vez sería mejor que se reuniese con Angelica en la biblioteca y viese que tal resultaba la película de la televisión. Podía ser que se muriese la madre de Mick. Tal vez se enamoraría Furillo de una rubia. Quizá se dedicaría Renko a la cultura física. A lo mejor había cambiado Joyce de peinado. Maxi suspiró profundamente. Debió haber esperado al día siguiente para empezar su maqueta. Ésta podía hacerse en cualquier momento; pero sólo los jueves daban la *Canción triste de Hill Street* en la tele. Al menos vería la lista de intérpretes.

No. Se quedaría, *debía* quedarse trabajando. El programa sería sin duda una reposición. Cogió el bloc amarillo, todavía sin estrenar, que había medio escondido debajo de una almohada, tomó un lápiz y escribió despacio: «Por qué los hombres bajos y gordos son mejores en la cama. Por Nancy Kissinger.» Nancy debería alegrarse de tener una oportunidad de contar a la gente, pensó Maxi, y respiró hondo por primera vez desde que se había acomodado en su lecho. Chupó el lápiz y reflexionó. Tiró tres veces de su mechón blanco y escribió despacio. «Estaba equivocado en lo de la envidia del pene. Manuscrito inédito de Sigmund Freud.» Un título un poco largo, decidió Maxi; pero llamaba la atención. Le sonaron las tripas. Nunca había advertido, hasta entonces, el hambre que daba el hecho de pensar. Venciendo el impulso de ir a la cocina, garrapateó: «¿Por qué pone usted tanto chocolate en su dieta diaria?» ¿Quién era el jefe del programa espacial? Tenía que conseguir que escribiese este artículo. O tal vez Jane Fonda. ¿Cuál de los dos personajes era más conocido? Jane, naturalmente.

Saltó de la cama y empezó a caminar en círculos delante de la ventana, sin advertir siquiera las luces de Manhattan que brillaban a sus pies, como si fuese la tripulante de una nave espacial a punto de aterrizar en Central Park. De pronto, volvió de un salto a la cama y escribió con letra rápida: «La suprema relación de amor-odio: usted y su peluquero, por Boy George.» Saltó unas cuantas líneas, gruñó dos o tres veces y agarró de nuevo el lápiz. «Los verdaderos hombres nunca sueñan con mujeres delgadas. Por... por... Clint Eastwood. No, Mel Gibson... No, Don Thomas.»

—Columna mensual —dijo Maxi en voz alta.

Se revolvió los cabellos, se rascó las orejas, se tiró de los dedos de los pies y por fin escribió: «Hablemos de sexo. Por Tom Selleck.» Sonrió. Con el mismo esfuerzo requerido para concebir un breve artículo, podía hacerse una columna mensual. Era una economía de esfuerzo, pensó, y decidió hacer otra prueba, para ver si funcionaba. Cerró los ojos durante unos minutos y hurgó en su cerebro como si éste fuese el saco blanco de Papá Noel. Al cabo de un rato, se frotó los párpados con fuerza. Los abrió y escribió con sumo cuidado estas palabras: «Las veinticinco cosas que más adoro en las mujeres de más de treinta años. Por Warren Beatty.» En otro número podrían ser las mujeres de más de cuarenta, o de cincuenta o de veinticinco, por diferentes escritores, como Richard Gere o Bill Murray o Sam Shepard o Prince, o cualquier otro hombre atractivo. Aunque la lectora no llegase a la edad objeto del estudio, podría prever cómo sería cuando la alcanzase o imaginarse que era prematuramente adorable. «Mi mejor divorcio. Por Liz Taylor.» No, esto no se merecía una columna, a menos que se añadiese una Gabor otro mes, y ni siquiera así sería bastante atractivo. La mayoría de la gente no se divorciaba tan a menudo, y algunos no se divorciaban ni una sola vez, como por ejemplo la reina de Inglaterra. Maxi se apresuró a escribir: «Reina: el peor cargo del mundo. Por Anthony Hayden-Guest.» Hizo una pausa, preguntándose si sus lectoras sabrían quién era Hayden-Guest, y llegó a la conclusión de que lo más probable era que no lo supiesen. Tachó el nombre y escribió en su lugar: «Por el Príncipe Felipe.» Estornudó con fuerza. Era un tema desagradable. «¿Dónde ponen la caja de "Kleenex"? O lo que parecen los cuartos de baño de cinco mujeres famosas cuando han acabado de vestirse, ensayo fotográfico por Hemult Newton.» Vio con asombro que había llegado al final de la página. «Sexo en un vehículo en marcha», garrapateó en la página siguiente. Por John De Lorean. No. «Por Paul Newman.»

—¡Mamá!

La puerta del dormitorio se abrió de repente.

—¿Qué quieres, Angelica? ¿No ves que estoy trabajando?

—Ven en seguida. Lucy está embarazada. Nadie sabe quién es el padre, ni cómo influirá esto en su carrera. ¡Date prisa, o te lo perderás!

—Ahora no puedo entretenerme. Ya me lo dirás cuando lo sepas. Y cierra la puerta al salir.

—¿Es que ya no te interesa?

Angelica se mostró asombrada. ¿Era ésta la misma madre cuyo único sueño había sido verse abandonada en una isla desierta con todos los hombres de Hill?

—No son más que actores —replicó Maxi.

Y escribió al principio de otra página: «Veinte buenas razones para no tener hijos.»

Sola de nuevo, se estiró con cuidado. Seguía rodeada de todos sus utensilios. No había hecho nada en la maqueta; pero sentía en el estómago una extraña y al mismo tiempo familiar impresión. Esto era... Hacer estas listas era... ¡DIVERTIDO!

Al darse cuenta de esto, saltó entusiasmada de la cama y fue al cuarto de baño a mirarse al espejo. Necesitaba algo familiar para calmarse, después de descubrir que era posible aquello en lo que no había querido siquiera pensar, aquello que no quiso confesar a Pavka que la aterrorizaba, el hecho de escribir ideas relacionadas con su concepto de una revista que gustase a sus lectoras en su estado natural e imperfecto. Estaba pálida y desgreñada; su maquillaje había desaparecido. El rimel se había corrido al frotarse los ojos, y, si no hubiese sabido lo bonita que era, se habría asustado.

—Cómo son en realidad las diez modelos más famosas —dijo en voz alta.

Justin podría conseguir las fotos, hacerlas a hurtadillas..., porque ninguna modelo permitiría que la fotografiasen con este fin. Pero si las tomaba rápidamente antes de que los maquilladores y los peluqueros pusiesen manos a la obra, las muchachas no lo advertirían cuando firmasen automáticamente los impresos autorizando la publicación. Sería un buen principio para las páginas de belleza del primer número, y haría felices a millones de mujeres. Páginas de belleza, murmuró en voz baja. Sí, *B&B* tendría muchas secciones: Belleza, Decoración, Moda e incluso Salud. Salud parecía muy tradicional... ¿Por qué no llamarle «Buena vida»? Comida, Bebida y Sexo. Podría empezar con «Los diez mejores remedios contra la resaca». Esto sería un verdadero servicio público. ¿Decoración? Haría que Milton y Leon escribiesen un artículo sobre «Piénsalo dos veces antes de redecorar», con páginas de horribles ejemplos para ilustrar el tema. Y en cuanto a la moda, algo apaciguador. La moda tendía siempre a angustiar a las mujeres. «Las diez cosas indispensables que posee YA toda mujer. Por Yves Saint-Laurent.» Con fotografías mostrando la manera de usarlas. Maxi se golpeó los dientes con el lápiz mientras pensaba en las fotos.

—Mamá, Lucy ha tenido un aborto —dijo, Angelica, con voz triste asomando la cabeza—. Debió encontrarse con un hombre muy malo... Pero todavía no quiere decir quién era.

—El maravilloso Mr. Malo, la esencial y divertida experiencia en la vida de toda mujer —murmuró Maxi.

—No sé qué quieres decir —dijo Angelica.

—Lo sabrás cuando Eddie Murphy te lo explique —le aseguró Maxi.

17

Recortes de papel. No hay nada que hacer con los recortes de papel. No hay ungüento ni píldora conocidos por los médicos que eliminen la diminuta pero enloquecedora y dolorosa presencia de docenas de recortes de papel en las puntas de los dedos. Dolor de espalda. Nada puede aliviarlo, salvo un cambio de posición, el ejercicio y el masaje; por eso, si tu trabajo exige que manejes muchos trozos de papel, procura mantenerte en posición erguida. Aprenderás a soportar el dolor de espalda y los recortes. Cansancio de los ojos. Cuando las cosas se vuelven borrosas, vas al cuarto de baño y aplicas sobre los párpados una toalla empapada en agua fría, te pones unas gotas de colirio, y vuelves al trabajo. Sin embargo, lo único que eliminaría el cansancio sería dejar de trabajar, lo cual no es posible. No lo será hasta que termines la maqueta, porque sin la maqueta, *B&B* no llegará a existir.

—Supongo que esto ha fortalecido mi carácter —dijo Maxi, dirigiéndose cansadamente a Angelica, que la observaba con inquietud.

Apartó a un lado la maqueta, se levantó y se tendió sobre la alfombra del dormitorio.

—Eras perfecta tal como eras —replicó Angelica.

Estaba tan acostumbrada a sentirse un poco superior a la chiflada de su madre, que esta nueva y seria encarnación, que desde luego no duraría más que cualquiera de los otros caprichos de Maxi, la asustaba un poco. Todo empezó al cancelar aquel viaje a Venecia... Desde entonces, las cosas habían sido diferentes. No podía durar más de otra semana, pensó. Cierto que, en Escocia, la chifladura le había durado casi dos años, en los que estuvo representando su papel de condesa de Kirkgordon. Pero ahora era distinto; aquello fue un matrimonio, y esto no era más que una revista. Angelica se estremeció, recordando los cortantes vientos de los páramos, las corrientes de aire en el *Castillo del Pavor*; y después sonrió, pensando con cariño en su solitario segundo padrastro. ¿Había comprendido mamá que él estaba majareta? ¿Gentilmente majareta?

—¿Cuándo estará terminado, mamá?

—¿Por qué dices «cuándo»? ¿No ves que ya está terminado? —preguntó indignada Maxi—. ¿Por qué crees que he dejado de trabajar? ¿Quieres hacerme el favor de frotarme la espalda? Por favor, por favor, frótame la espalda. Súbete encima de ella con los pies descalzos. Si me quieres, Angelica, haz algo por mi espalda.

—¿Cómo quieres que me suba si estás tumbada boca arriba? Date la vuelta.

—No puedo. No tengo fuerza.

—Vamos, mamá, date la vuelta.

—Lo haré dentro de un momento. ¿No es estupendo, Angelica? ¿No te parece que mi maqueta es fabulosa?

Angelica echó una mirada a aquel objeto que había llegado a odiar. No parecía muy diferente de cómo había quedado en los cuatro primeros intentos de su madre de hacer una maqueta. Era demasiado gruesa, abultada y chapucera. Resultaba desagradable a la vista. Con sólo mirarla, tenía la impresión de que se caería en pedazos si la tocaba. A Angelica le recordaba vagamente sus días en el colegio. Estaba segura de que había hecho algo parecido en el tercer curso, sólo que más pequeño y mucho más atractivo.

—Es impresionante, mamá, lo que se dice impresionante. Me gusta la cubierta roja. Es de un rojo vivo muy bonito, que llama la atención.

Maxi se dio la vuelta, gimiendo, y miró a su hija a los ojos.

—¿Qué ves de malo en ella? —preguntó.

—Nada malo, de veras. Es estupenda. Bueno, yo no sé qué aspecto debe tener una maqueta y no puedo hacer comparaciones; pero la cubierta es de un rojo magnífico..., un rojo extraño.

Maxi se levantó y se dirigió a la mesa donde estaba su obra.

—Es una mierda —dijo a media voz—. Un montón de mierda roja. Pero es lo mejor que puedo conseguir con mi jodido trabajo.

—¡Mamá!

—Perdona, Angelica, pero no empleo ninguna palabra que tú no conozcas... y uses de vez en cuando.

—No me refiero a tu lenguaje, mamá, sino a lo que has dicho. Has trabajado de firme. El resultado *tiene* que ser bueno. No te has equivocado... Lo que te ocurre es que estás cansada. No eres un juez imparcial.

—No hay que ser juez para saber lo que es una mierda. Basta con verlo. Necesito ayuda. Me hace falta un director artístico. ¿Quién es el mejor director artístico del mundo, Angelica?

—¿Por qué haces preguntas tontas cuando sabes la respuesta tan bien como yo?

—¿Quién puede telefonear a tu padre, a cualquier hora del día o de la noche?

—Yo. ¡Pero tú no querrás que yo *le* pida que *te* ayude! Siempre has dicho que no le pedirías ni un mendrugo aunque te estuvieses muriendo de hambre, ni un sorbo de agua si te hallases muerta de sed.

—No quiero pan ni agua. Quiero el mejor director artístico del mundo.

—¿Te conformarías con el segundo? Dilo, por favor.

—Angelica, esto es indigno de ti.

—Entonces, llámale y pídeselo tú misma. Habláis muchas veces por teléfono. ¿De qué?

—Sólo hablamos de ti, Angelica, de quién irá a buscarte, dónde y cuándo. Nunca hablamos de otra cosa, ni siquiera del tiempo.

—Eso es una solemne tontería.

—Pero es así.

—Bueno. Me parece muy mal. Y voy a llegar tarde a mi clase de guitarra. ¡Estos adultos! —dijo disgustada Angelica.

Y desapareció con tanta rapidez que, cuando Maxi salió corriendo detrás de ella, lo único que vio fue la puerta del ascensor que se cerraba de prisa y sin ruido sobre la alfombra marrón y beige del pasillo.

Maxi volvió a su dormitorio, sin echar siquiera una mirada a las muchas habitaciones de su nuevo apartamento, todas ellas suntuosamente decoradas por Bizet y Ludwig, todas llenas de los muebles, cuadros y esculturas que había descubierto en todo el mundo, cientos de objetos que se había apresurado a comprar porque le parecieron necesarios desde el primer momento. No había usado ninguna habitación del apartamento, salvo el dormitorio, desde que había empezado a trabajar en la maqueta hacía una semana. Había comido de pie en la cocina tomando cualquier cosa de las que la nueva cocinera había dejado en el frigorífico. Inmediatamente volvía a su trabajo, con un rápido saludo a Angelica si, por casualidad, se hallaba en casa.

Apretando los labios (¡con cuánta razón hablaban de la ingratitud de los hijos!), marcó el número de «Cipriani, Lefkowitz y Kelly». La secretaria de Rocco le dijo que Mr. Cipriani estaba en una reunión con unos caballeros de «General Foods» y no podía interrumpirle, y que después tenía que ir al estudio de «Avedon». Para una campaña de Calvin Klein.

—Pero esto es urgente, Miss Haft —le explicó Maxi.

Y obtuvo inmediatamente la comunicación.

—¿Le ha pasado algo a Angelica? —preguntó, alarmado, Rocco.

—Angelica está bien. Insoportable, pero bien.

—Entonces, ¿por qué me has llamado? —preguntó con frialdad él.

—Porque necesito tu ayuda, Rocco.

—¡Algo le ha pasado a Angelica! ¡Maldita sea, Maxi...!

—Rocco, tu hija está en perfecto estado físico y mental. Pero yo necesito tu ayuda profesional en un asunto de negocios, y la necesito con urgencia. ¿Cuándo podrás venir? Yo no puedo llevarlo todo a tu oficina. Lo comprenderás cuando lo veas.

—Maxi, sea cual sea el asunto de que se trate, pide a otro que te ayude.

—No.

—Estoy en una reunión. Adiós.

—Rocco, si no vienes a mi casa y me ayudas, voy a... voy a... darle la píldora a Angelica.

—Por el amor de Dios, ¡sólo tiene once años!

—Sí... Pero pronto tendrá doce y es terriblemente precoz... Lo sabes muy bien. Hoy en día, las muchachas pueden ser madres a edad muy temprana, y con tu ardiente sangre latina en sus venas, puede ocurrir cualquier cosa. Es mejor tomar precauciones que tener que arrepentirse de no haberlo hecho. ¿Has leído las últimas estadísticas sobre el embarazo en adolescentes? Recuerdo cuando yo tenía su edad...

Su voz se extinguió, llena de improvisados recuerdos.

—Esta noche a las nueve.

Rocco colgó sin añadir una palabra más.

Canturreando alegremente, Maxi llamó a su masajista para concertar una cita. Hilda iría dentro de media hora. Después Maxi tomaría un largo baño; podría lavarse los cabellos en la ducha y luego echar una siesta. ¿Por qué se hacían los hombres la vida tan difícil?, se preguntó. Si fuesen siempre amables, agradables y solícitos... Pero no; tenían unos temperamentos que la obligaban a una a recurrir a medios alternativos de persuasión. Esto iba contra su carácter; pero, tratándose de un caso urgente, tenía que emplear todos los métodos que estuviesen a su alcance. A Angelica ni siquiera le importaban los chicos; pasarían al menos seis años antes de que tuviesen que pensar en la píldora. O tal vez quisiera conservar la virginidad hasta que se casase. La virginidad volvía a estar de moda. Maxi tomó su bloc amarillo y escribió distraídamente: «Prueba el celibato y verás. Por Michael Jackson.»

—¿Una *qué*? —preguntó Rocco con incredulidad, mirando fijamente aquel pliego rojo.

—Ya lo has oído la primera vez. Quiero que la compongas, y quiero que sea la maqueta más bella que se haya hecho jamás —dijo ella lisa y llanamente.

—Yo ya no hago maquetas, Maxi. Creo que lo sabes muy bien —declaró él temblando de enojo.

La muy zorra necesitaba una buena zurra, pensó, rechinando los dientes. ¡Y pensar que se había casado con una criatura tan pícara, tan falsa, tan ruin, tan egoísta, tan egocéntrica, tan... tan capaz de valerse de un chantaje descarado. Si Angelica era adorable y perfecta, con una madre como aquélla, tenía que ser por un milagro de la supremacía de sus propios genes. No era de extrañar que no se hubiese sentido tentado a casarse de nuevo... Esta... esta deshonra de su sexo inmunizaría de por vida a cualquier hombre contra el matrimonio.

—¿Por qué diablos tengo que hacerlo? —preguntó—. Puedo recomendarte a docenas de hombres capaces de convertir eso en una maqueta. No es ningún misterio.

—Porque tú lo harás mejor —repuso Maxi inexorablemente.

—Tal vez un poco mejor; pero, ¿cuál es la diferencia? Lo que importa es el contenido de la revista, no el formato. La gente no se deja engañar por la cubierta; busca lo que hay dentro.

—El contenido estará bien. No te pido ayuda en esto, sino sólo en la presentación.

—Sólo eso, ¿eh? Todo lo demás saldrá de tu pequeño cerebro. ¿Te interesaría saber que *Time* tiene un equipo formidable de grandes talentos trabajando en nuevas ideas? Dieciocho de primera categoría, entre ellas Stolley, que fundó *People*, y Fier, de *Rolling Stone*, además de diecisiete colaboradores autónomos y quince economistas, todos los cuales trabajan como locos con un presupuesto de más de tres millones al año. Cincuenta personas encabezadas por Marshall Loeb, que triunfó con *Money;* los mejores cerebros que *Time* podía comprar. Tienen ya una maqueta terminada de algo titulado *Women's Weekley*, y otra de Investors Weekly, algunas más, con cubiertas y todo. ¿Qué dices a esto?

—No me preocupa. No creo en los comités. Probablemente, Henry Luce tampoco creía en ellos. Y mi padre no creía en los comités. ¿Vas a pasarte toda la noche diciendo tonterías, Rocco, o quieres empezar con mi maqueta? —planteó tranquilamente Maxi.

Sus revueltos y artificiosamente desgrañados cabellos impidieron a Rocco ver cómo la piel del cráneo se estremecía con horror. ¿Qué pasaría si a los cerebros de *Time* se les hubiese ocurrido *su* idea?

—Me marcharé en cuanto haya hablado con Angelica de la píldora y de lo perjudicial que puede ser tomarla cuando... se es demasiado joven.

—No te preocupes —dijo furiosa Maxi—, no le hablado nunca de esto, tonto. Y tú jamás supiste distinguir cuándo te hablaba en broma. Era uno de tus muchos problemas. Además, esta noche Angelica tiene permiso para ver la «MTV» y no le gustaría que la molestasen.

Fue en busca de la maqueta, la cogió y se la lanzó a Rocco con tanta rapidez que éste tuvo que agarrarla automáticamente.

—¡Qué asco!

—Lo sé; por eso te necesito. Siéntate y lee.

—Te concederé tres minutos, zorra embustera. Y sólo porque Angelica sabe que he venido y le hablarías mal de mí si no mirase esta porquería. ¿Qué diablos significa *B&B? Este título apesta.* Parece la marca de un licor estomacal fabricado por los frailes, más que el nombre de una revista —bufó Rocco.

Se sentó a la mesa de Maxi y empezó a hojear de prisa aquella cosa amorfa. Maxi contuvo el aliento y lo miró con fijeza, esperando alguna reacción. No había visto a Rocco desde hacía cuatro años. Cuando Angelica tenía siete, ambos consideraron que era lo bastante mayor para que uno de los dos, o Elie, pudiesen recogerla y llevarla del apartamento de Maxi al de Rocco, sin necesidad de tener el menor contacto entre sí. ¡Jesús, pensó, hay que ver los disparates que puede hacer una chica sólo porque un hombre es muy guapo. Ahora parece exactamente igual que cuando lo vi por primera vez, pero no me importa en absoluto... Es como si fuese invisible. Tiene tan poco atractivo como una botella de ginebra para un abstemio. ¿Cuándo empezará a engordar y quedarse calvo? Es inevitable, sólo cuestión de tiempo. En todo caso, algo debe andar mal en él; con todas las chicas que conoce y de las que habla Angelica, y no ha conseguido estabilizarse. Sin embargo, tiene treinta y seis años. Pronto será un triste y solitario solterón... lo cual será malo para Angelica, pues los solterones mueren jóvenes. ¿Por qué no reacciona? Ha estado mirando el artículo de Kissinger, con todas esas llamativas fotos de Nancy, y el hijo de perra ni siquiera ha pestañeado. No quiere darme esta satisfacción. Bueno, su opinión me importa un bledo... *B&B* va dirigida a las mujeres, no es una revista para hombres que se rebajan haciendo publicidad. Me alegro de que tenga éxito, por el bien de Angelica; pero saltaba a la vista que ese infeliz no goza de la vida. Lo indicaba muy claro la expresión enfurruñada de su semblante.

Rocco acabó de hojear la maqueta, la cerró con fuerza y la apartó a un lado.

—¿A cuánto la venderás?

—¡Rocco! ¿Quieres decir que tiene posibilidades? ¡Oh, Rocco! No me habrías preguntado eso si no hubieras pensado que era buena.

Maxi empezó a saltar, más aliviada de lo que había creído posible.

—Tiene cierta... calidad. No quiero decir que tenga verdadera «calidad»; sino que hay algo en ella que llama la atención... un reflejo de tu mente retorcida. Podrían venderse algunos ejemplares.

—Quisiera venderla a un dólar cincuenta.

—Estás loca. Demasiado barata.

—Es lo que cuesta *People*, y todo el mundo la compra.

—Siento decirte esto, Maxi, pero estás hablando de una de las revistas de mayor circulación del país, y la encontrarás junto a las cajas de los supermercados, de donde las mujeres cogen y la ponen automáticamente en el carrito de la compra.

—Allí es donde estará *B&B* —dijo tranquilamente Maxi—. Estará destinada al mismo público y, además, al público de *Cosmo* y al de *Good House*. Un público de *mujeres*, Rocco, de mujeres.. Hay muchísimas en este país que comprarán una revista que las aprecie *tal como son*, una revista que las divierta, que les garantice que pasarán un buen rato.

—¿De dónde has sacado este concepto? —preguntó Rocco.

—Oh, se me ocurrió un día. Porque sí.

—Si la vendes a un dólar y cincuenta centavos, deberá tener una circulación enorme... de al menos cuatro... No, digamos cinco millones, para ganar dinero. Y anuncios, muchísimos anuncios. Estás viviendo de ilusiones. Apuesto a que no tienes siquiera un distribuidor.

—No acepto tus apuestas —se defendió Maxi, con dignidad—. Me doy perfecta cuenta de que es un juego de azar; pero me gusta jugar. No me interesan los grupos especiales; esto no será *Bon Appétit*... Voy en busca del mercado de masas y, si no funciona, bueno, volveré a la mesa de dibujo.

—Fanfarronadas, fanfarronadas. ¿De quién será el dinero que vas a perder? ¿De Lily?

—No pienso perder. Pero no nos andemos por las ramas. Quiero que hagas que esta revista de un dólar cincuenta parezca de un millón. Tú puedes lograrlo con las ilustraciones, aunque el papel no tenga la calidad de *Town & Country*, aunque la encuadernación sea con grapas en vez de cosida. Considéralo una ocasión de hacer de nuevo tus trucos con el espacio en blanco, de hacer lo que hacías antes de que «General Foods» y «General Motors» influyesen en tus actividades. Libertad, Rocco. ¡Te estoy ofreciendo una libertad artística total! Puedes volver a ser sincero. Te estoy haciendo un favor Rocco, aunque pareces no darte cuenta. En realidad, deberías mostrarme un poco de gratitud.

—¡Zorra!

—No puedes resistir este desafío, ¿verdad?

—Con toda facilidad. Te enviaré un artista independiente de primera categoría. Yo tengo que atender a cuarenta clientes importantes. ¿Qué clase de megalomanía es la tuya que te induce a pensar que podré perder el tiempo con la maqueta de una revista nueva? ¿Tan *importante* crees que es?

—No; pero te necesito.

—Sigues creyendo que puedes tener todo lo que quieres, ¿eh? Es realmente extraordinaria, la manera en que te aferras al pasado, como un animal prehistórico que sobrevive, que todavía respira a pesar de que el cieno le cubre hasta las orejas.

—Sea como tú quieras —suspiró Maxi—. Pero envíame a alguien que sea realmente bueno. ¡Oh...! Antes de que te marches, quiero mostrarte unos folletos.

—¿Folletos? ¿Sobre qué?

—Sobre unos internados suizos. Hay media docena de ellos que son realmente buenos. Ya es hora de que Angelica vaya al colegio no sólo para aprender francés y a esquiar. En la ciudad está sometida a toda clase de malas influencias. No tengo que decirte que venden marihuana,

LSD y cocaína en los campos de juego. Y los chicos que conoce son demasiado *hippies*. Realmente, debería estar en Suiza. Podrías verla los veranos, cuando no esté en el campamento, e incluso allí en Navidad... si la echas en falta.

—Eres... Eres...

La ira le impidió terminar la frase. Sería capaz de matar a aquella zorra.

—¡Oh, *cuánto* me alegra que hayas cambiado de idea! —dijo Maxi zalamera—. ¿Cuándo puedo esperar que termines el trabajo?

—En tres golpes de mano —repuso con los dientes apretados.

—¿Qué quiere decir exactamente eso de tres golpes de mano? ¿Una semana? ¿Dos semanas?

—Yo te lo mostraré —gritó Rocco, agarrándola, tumbándola boca abajo sobre la cama y golpeándola con toda su fuerza en el trasero—. *Una* —vociferó—, *dos... ¡y tres!*

—¡Cobarde! —jadeó Maxi, y trató de pegarle en las pelotas.

Rocco gruñó y la azotó de nuevo, cayendo sobre la cama al recibir un fuerte golpe en una rodilla. Maxi le agarró de los cabellos y tiró furiosamente de ellos, mientras él trataba de conseguir un punto de apoyo en el colchón para darle una sacudida que le rompiera el espinazo. Ella se deslizó a un lado antes de que él pudiese agarrarla de los hombros, hizo una especie de salto de la carpa y le agarró firmemente el pene con ambas manos. Él se quedó completamente inmóvil. Dios sabría lo que era capaz de hacer, empezando por la emasculación. Ninguno de ellos movió un músculo, esperando el próximo movimiento. El silencio se prolongó y Rocco sintió, asqueado, que su pene se endurecía bajo el agarrón implacable de Maxi. Nada podía hacer para impedir la reacción del maldito miembro. Trató de desprenderse, pero la presa era demasiado fuerte. Después de medio minuto, le importó un poco menos librarse. En cuanto percibió ella el cambio que se operaba en él empleó una mano para desabrocharle el pantalón, mientras la otra cambiaba su apretón propio de una carcelera por el de una simple mujer, abriendo y cerrando los dedos de una manera que él nunca había podido resistir.

—¡Zorra! —protestó.

—Cállate —le aconsejó ella.

Y empezó a acariciarle suavemente el pene, mientras le apretaba los testículos con la mano que había desabrochado el pantalón. Él se desabrochó la hebilla del cinturón y se bajó los pantalones y los apretados calzoncillos hasta debajo de las rodillas a fin de dejarle más espacio para moverse. Pero Maxi concentraba toda su atención en el pene, sin tocar el resto de su cuerpo. No quería darle un momento para pensar. El pene, como saben todas las mujeres, no tiene cerebro. Se agitaba con fuerza al aumentar de tamaño, casi soltándose de ella, que le aplicó la lengua hasta que él lanzó un gemido involuntario. Lo resiguió despacio desde la base, deteniéndose de vez en cuando como si se preguntase si tenía que seguir adelante, asiéndolo con fuerza entre los labios un instante y continuando después el lento progreso hasta la llena y pronunciada base de la punta. Allí trazó un pequeño y cálido arco con la lengua, pero no introdujo el miembro en su boca. Tenía que pedirlo él, pensó, mientras se bajaba la ropa interior sin que él advertise el rápido movimiento debajo de la falda.

—Por favor —oyó que jadeaba él—. *Por favor.*

Al oír estas palabras, se incorporó ligeramente y bajó la boca hasta el hinchado glande, sosteniéndolo levemente al principio con los labios y la lengua ya plana. Él separó las caderas del colchón en fuertes y suplicantes movimientos y, al recordar ella esta señal, inició la felación con todas sus fuerzas, enloquecida ahora por la necesidad de poseer aquella carne, de adueñarse de ella, de incorporarla a la suya. Oyó que se aceleraba la respiración del hombre. Entonces, apartó la boca; pero sin soltar el pene. Con un rápido movimiento, se deslizó hacia arriba sobre la cama y puso una rodilla a cada lado del cuerpo de Rocco. Descendió rápidamente sobre él, de modo que quedó envuelto en aquel húmedo y expectante nido. Cabalgó ella sobre él con ansia salvaje subiendo y bajando la pelvis, eludiendo las manos que trataban de contenerla, moviéndose cada vez más de prisa, entregándose a él atrapado en un ritmo implacable, mientras sentía acercarse el orgasmo a cada movimiento, cada vez que descendía sobre el cuerpo de él y su clítoris establecía contacto con la base del pene. Estuvieron así, moviéndose locamente al unísono, hasta que sus espaldas se pusieron tensas, se arquearon, permanecieron inmóviles durante un breve instante y después, recordando tiempos pasados, culminaron juntos el acto, en un largo y estremecido estallido de satisfacción.

Maxi se derrumbó sobre Rocco. Éste tenía los ojos cerrados y estaba completamente desfallecido. Haciendo un esfuerzo, rodó ella hacia un lado. Ambos llevaban todavía puestos los zapatos, advirtió una parte de su mente, así como toda la ropa, salvo las bragas de ella. Él movió los labios, pero Maxi no pudo oír lo que decía. Se acercó más y los labios de él se movieron de nuevo.

—¡Vete a la mierda! —gruñó Rocco.

—¡Déjame en paz! —rugió ella.

Y le empujó con las pocas fuerzas que le quedaban, de modo que él casi se cayó de la cama. Rocco, tambaleándose, consiguió ponerse en pie. Se introdujo los faldones de la camisa en los pantalones, con cierta dificultad, se abrochó éstos y miró desorientado a su alrededor.

—Te olvidas de la maqueta —murmuró Maxi.

Él la cogió sin decir palabra y, tambaleándose se dirigió a la salida.

—¿Con cuántas páginas puedo contar de «CL&K»? —le gritó ella, mientras él buscaba a tientas el tirador de la puerta.

—¡Que Dios me ayude! —murmuró Rocco, tratando de cerrar la puerta de golpe, sin conseguirlo.

Maxi permaneció tumbada en la cama, mirando al techo. Todos los hombres tienen un punto flaco, pensó, y éste es el mismo en todos ellos. Quien comprendiese este sencillo hecho, ganaría siempre. Más aún, había descubierto el remedio contra los recortes de papel.

18

—Corten. Y... ¡revelen!

El tono del director indicó el último segundo, la última toma de la última película de India West.

Ésta se dirigió casi corriendo a su camerino, radiante al sentirse libre y por el hecho sin precedentes de que su psiquiatra la doctora Florence Florsheim, estaba de vacaciones al terminarse la filmación. Era la primera vez que se producía esta coincidencia en los años transcurridos desde que se había convertido en estrella. Ahora podría correr en ayuda de Maxi, cuya última llamada telefónica había sido muy alarmante. Tenía que ocurrir algo muy grave. Desde aquel domingo, Maxi no había llamado en dos semanas, y siempre que India trató de hablar con ella por teléfono, sólo pudo hacerlo con Angelica, que había desarrollado la interesante facultad de mentir de un modo convincente. «Mamá está trabajando y no puedo molestarla», decía siempre. Y, si India hubiese tenido un conocimiento menos profundo del carácter de su amiga, habría creído a la chiquilla. Bueno, su talento para mentir era, sin duda, hereditario. En esto, Angelica se parecía mucho a Maxi.

Pero, fuese cual fuese el siniestro misterio que se estuviese desarrollando en el «lejano Este», como solía decir India, a semejanza de los ingleses destinados de por vida en las guarniciones indias y que decían «nuestra casa» al referirse a Gran Bretaña, resolvió descubrirlo por sus propios medios. Al día siguiente, volaría a Nueva York; tenía hechas las maletas y sus perros estaban en una perrera sólo un poco menos cara que el «Beverly Hills Hotel». Por la noche, sabría lo que le pasaba a su mejor y más antigua amiga.

Maxi no podía haber hablado en serio cuando le comunicó aquel plan absurdo de publicar una revista sobre... ¿cremalleras? Su explicación había sido difícil de seguir, al ser a menudo interrumpida por recriminaciones contra ella misma y violentos exabruptos contra su maldito tío. Dejando aparte a Lily, cuyas fotografías se publicaban con gran frecuencia, era difícil imaginarse la familia de Maxi, pensó India. Había visto de refilón a Toby y a Justin unas pocas veces, en los ya lejanos años en que Maxi y ella, a la sazón adolescentes, hacían juntas sus deberes. Después del primer matrimonio de Maxi, su contacto con la familia Amberville se había reducido a lo que de ella le contaba su amiga. Si Maxi no hubiese visitado de vez en cuando California, durante los seis últimos años, apenas se habrían visto después del primer divorcio de Maxi, en la época en que India estaba a punto de abandonar Manhattan para su primer curso universitario. Cuando su amiga decidió casarse con el divino Bad Dennis Brady, se las había ingeniado para reunirse con ella y pasar unos pocos días a bordo del yate. En cambio, se perdió por completo los tristes años en Escocia. Y había sido una lástima; la condesa de Kirkgordon debió de ser un caso extraordinario e inolvidable en la representación de un papel equivocado.

Ahora, Maxi *era* su familia, pensó India. Sus propios padres habían muerto; pero Maxi se había mantenido como el único punto fijo en su vida. Aunque el noventa y nueve por ciento de sus contactos eran por teléfono, podían leer sus pensamientos a través de los auriculares. Además, India era madrina de Angelica, y compensaba su ausencia física enviándole regalos maravillosos. No estaba bien que aquella linda criatura mintiese a la madrina dadivosa que tanto la quería, ¿verdad? Tendría que tener con ella una larga conversación sobre Emerson y la importancia de la verdad. Con una madre como Maxi, era imposible saber los malos hábitos que habría adquirido, se dijo India, sacudiendo la cabeza. Pero ella enderezaría a la muchacha. Le inculcaría, para su bien, algunas ideas de la doctora Florsheim.

Maxi daba una fiesta para inaugurar su casa. Había invitado a todos los que figuraban en su libreta de direcciones. Y todos habían aceptado. Trabajando toda una mañana con Julie, sin que ninguna de las dos soltase el teléfono un minuto, impulsada por la *joie de vivre* al pensar que su preciosa maqueta sería transformada por Rocco, había organizado aquella fiesta a su manera predilecta.

—Las fiestas deben surgir de la nada y celebrarse aquella misma noche —dijo a Julie—. Si dejas que la gente tenga tiempo de pensar lo que va a ponerse y cómo va a peinarse, y de preguntarse quiénes estarán allí, es como si le quitases el perfume a una rosa. Si tienen otros planes, puedes decirles que traigan a sus amigos. Es como una maravillosa caja de sorpresas.

Era un zoo, pero un zoo en que sólo estaban representadas las mejores especies. Gacelas, pavos reales, venados de grandes astas, soberbias panteras, focas lustrosas, leones soberbio y, aquí y allá, un simpático mono. Todos aquellos animales de Manhattan, producían con sus voces un grado tal de decibelios que sería inconcebible en cualquier otra ciudad importante del mundo.

La puerta de la entrada había sido dejada abierta de par en par, porque la campanilla no podía oírse desde el interior. India, seguida del ascensorista que llevaba su equipaje, se detuvo pasmada en el umbral. Después, empezó a dar la vuelta, resuelta a marcharse. Parecía evidente que no era el momento adecuado para una visita sorpresa. Iría a la suite que los estudios tenían reservada en el «Palace» y volvería al otro día. Las fiestas aumentaban su timidez.

—¡Madrina! —exclamó Angelica, levantándola un palmo del suelo con la mayor delicadeza posible y mirándola asombrada—. ¡Eres tú! Tú, en persona. ¡Estupendo! Mamá trató de telefonearte; pero no estabas en casa. ¿Cómo te enteraste de la fiesta?

—¿Eres... tú... Angelica?

—He crecido mucho, ¿verdad? Te dejaré en el suelo. Espero no haberte hecho daño.

—Claro que no. Sólo... me has... sorprendido. Y ahora escucha, Angelica. Tú me decías siempre que no podías molestar a tu madre porque estaba trabajando, y ahora veo que esto es un manicomio. ¿Qué sucede?

—*Estuvo* trabajando, madrina hasta la noche pasada. ¡Algo horrible! Ahora está descansando.

—¿Por qué te has hecho tres agujeros en cada oreja, Angelica? ¿Y por qué llevas en ellas botones con plumas? ¿Has ingresado en alguna secta religiosa? —preguntó India con tono grave, impresionada por la inesperada belleza de Angelica.

¿Tenía ella idea de lo hermosa que iba a llegar a ser?

—Fue un capricho, madrina —explicó Angelica—. ¿Crees que hice mal? Si he de ser sincera, me siento como un pequeño monstruo. Pero, te gustan mis estupendos pantalones vaqueros? Dan el golpe, ¿eh? Creo que fueron confeccionados en una colonia de leprosos de alguna parte. ¡Macabro!

—Podría ser —dijo India, despacio, remontándose a los años setenta en busca de una respuesta adecuada—. Los agujeros de tus orejas se juntarán si te quitas los botones. ¿Y quieres hacerme el favor de no llamarme madrina?

—Si insistes... —convino Angelica, un poco desencantada—. Llevaré tus bártulos al cuarto de invitados, India.

Angelica levantó las maletas con facilidad y las introdujo en el apartamento.

—No. Espera. No puedo quedarme aquí. Está atestado —dijo India, dispuesta a salir pitando.

—No se hable más, India; te prepararé el cuarto de invitados en cinco segundos. Tú eres la invitada de honor. ¿No puedes metértelo en la cabezota?

—¿Hablas siempre así, Angelica? ¿No puedes expresarte de otra manera?

—Lo intento; lo intento —dijo Angelica, levantando el equipaje de India y mostrándole el camino.

Esa niña necesita ayuda, pensó India, mientras encerrada en el cuarto, se cambiaba rápidamente de ropa. Era una suerte haber venido. Tal vez no fuera demasiado tarde. Saltaba a la vista que Maxi había descuidado su educación. India salió de la habitación llevando un vestido blanco de gasa y encaje de «Judyth van Amringe», tan vaporoso que parecía sostenido tan sólo por el broche, que llevaba prendido en la cadera, una antigua moneda griega engarzada con zafiros y esmeraldas pulimentados pero sin tallar. Su belleza dependía de las estaciones dejando aparte el invierno; cambiaba de forma tan sugestiva como interminable, pasando de la fascinante primavera al pleno verano y al maduro otoño, según las exigencias del director o del guión. Hoy, que podía elegir, decidió encarnar la primavera, con toda su frescura y sus promesas.

A pesar de su timidez, India era una mujer práctica. No podía encontrar atuendos que la hiciesen pasar inadvertida en las fiestas; por consiguiente, era mejor presentarse como la estrella que era. La gente lo esperaba y, en el fondo, llamaba menos la atención que si hubiese adoptado el deseado y despreocupado aspecto de Diane Keaton, que despertaba la curiosidad y la antipatía de la gente. Pero, en un año de vestidos deslumbrantes, tampoco quería seguir este estilo, pues todo lo que brillaba hacía que se sintiese como una presentadora de los Oscars, y ella era, a fin de cuentas una ganadora del Oscar.

India fue en busca de Maxi, caminando con deliberada indolencia, técnica que había perfeccionado para las fiestas con el fin de estar siempre en movimiento. Si se detenía, seguían sugiriendo aquella movilidad constante en su manera de apartarse de la persona que le hablaba. Nunca llevaba un vaso en la mano, para poder decir, si alguien pretendía enzarzarla en una conversación: «Oh, necesito beber algo; volveré en seguida.» O bien podía pedir al hombre con el que estaba hablando (las mujeres nunca parecían deseosas de decirle algo) que tuviese la bondad de ir a buscarle una bebida, y escapar entonces en otra dirección. Si India quería realmente beber algo, se dirigía al bar, lo pedía al encargado, se lo tomaba de un trago y devolvía en seguida el vaso.

India miraba siempre al aire, por encima de las personas, de modo que éstas no pudiesen captar su mirada; zigzagueaba ligeramente al alejarse, presentando un blanco móvil, y adoptaba una expresión indicadora de que iba a reunirse con algún conocido en el otro lado de la estancia. Esta combinación le permitía asistir a las ineludibles fiestas de Hollywood sin tener que hablar con nadie, salvo con los agentes de «Creative Artists», que estaban en todas partes, hacían caso omiso de su comedia y eran muy propensos a abrazarla. Como cliente que era, no les intimidaba, pues, ¿cómo podían dejarse intimidar por una mujer, por muy bella que fuese, cuando aquella belleza les pertenecía para explotarla, con la consiguiente deducción en los ingresos?

En realidad, pensó India, mientras andaba de un lado a otro esperando mantenerse aislada gracias a su afección, nunca se sentía tímida con sus agentes ni con los hombres que intervenían físicamente en la realización de las películas. Éstos, en cuanto habían pasado del aprendizaje a la categoría de segundo ayudante del segundo ayudante de fulano o mengano, sabían que era una chica como otra cualquiera. La doctora Florence Florsheim decía que no había ninguna diferencia entre una esquiva estrella de cine y una vulgar muchacha del montón. India pensó en ello, luchando contra un pánico incipiente.

«¿Qué es lo peor que podría ocurrirte si intervinieses en una conversación?», le preguntaba siempre la doctora Florsheim. India no podía explicarlo bien. Su mente se quedaba en blanco durante las conversaciones. Esto *era* lo peor. Había algo en su actitud que hacía que la conversación se interrumpiese en seco, dejando la carga del intercambio humano sobre sus reacios hombros incurables. Lo mejor de la doctora Florsheim era que nunca miraba a India, salvo cuando entraba o salía de su consultorio, y que jamás permitía charlas insustanciales.

Manteniendo su rumbo, al parecer deliberado; pero aumentando la velocidad, fue India de una habitación a otra, sintiendo crecer su alarma al no encontrar a Maxi en parte alguna. Pronto tendría que dejar de mirar a la gente por encima y correría el riesgo de tropezar con la mirada de alguien.

—¡Perdón!

Había chocado de frente con un hombre, haciendo que derramase el contenido de dos vasos que llevaba, y manchándose el traje.

—¡Dios mío, qué torpeza la mía! Estaba distraída. Déjeme que le ayude a limpiarse —balbució India, sonrojándose confusa.

—No se preocupe, no es más que vodka. No ha pasado nada —la tranquilizó él.

En el tono de su voz, había algo que ella captó desde las primeras palabras y que disipó por completo su pánico.

Si hubiese sido él quien hubiera vertido el licor sobre ella, probablemente no se habría inmutado, pensó India, sorprendida de su habilidad para infundirle tranquilidad. Muy pocos directores de cine habían sido capaces de lograrlo con tan pocas palabras; y habían sido los más grandes.

—Me parece que está buscando a alguien —observó él—. ¿Puedo ayudarla?

—No —respondió India sin pensarlo—. Sólo estaba dando una vuelta por aquí.

Maxi podía esperar, decidió, atreviéndose a mirar al hombre cuyo traje había mojado. Casi le pasaba la cabeza, tendría poco más de treinta años y, al verlo tan tranquilo, sin que le importase llevar la chaqueta mojada, se preguntó qué aspecto tendría si estuviese enamorado. Un camarero que pasaba se llevó los dos vasos que él seguía sosteniendo. India agarró un puñado de servilletas de cóctel.

—¿Me permite...? Está goteando —dijo riendo e iniciando un movimiento para enjugarle las solapas.

Él tomó las servilletas de su mano y las retuvo.

—El vodka se evapora y no deja mancha. Además, el calor de esta habitación hará que desaparezca en un minuto.

Las palabras eran bastante sencillas, pero el semblante tenía una expresión meditabunda, como si estuviese soñando y el sueño fuese de galanteo, lo cual la fascinó hasta el punto de hacerle olvidar su miedo a los desconocidos y mirarlo de la misma manera en que a veces la miraban a ella las personas singularmente curiosas y descaradas, como si pudiesen descubrir algo en la armonía de sus facciones. Había algo noble en él, pensó, algo que revelaba amabilidad y firmeza y que transmitía confianza. Su boca parecía diseñada para... No, *por* el valor. Y expresaba impaciencia al mismo tiempo. Mostraba una especie de efecto de... ¿concentración? En cierto modo, era un tipo electrocinético. India esperó que no fuese a reunirse con los destinatarios de las bebidas. Él no pareció tener ganas de moverse. Permanecieron juntos en medio de la bulliciosa estancia, como en una isla habitada sólo por dos personas. Ella le miró a los ojos y le pareció que él la observaba de un modo apremiante, con intensidad; pero sin ninguna señal de reconocimiento, de aquella deferencia o asombro que estaba acostumbrada a soportar con resignación.

—Me gusta su voz —dijo él.

—Gracias.

Por primera vez en su vida, no sintió necesidad de disculparse al escuchar un cumplido. La confianza de aquel hombre era, en efecto, contagiosa.

—Es como si acariciase el aire —añadió él.

—Bueno ya sabe usted que siempre existe la posibilidad de que sea un truco —repuso ella, empleando, en un súbito e inesperado arranque de su antiguo sentido malicioso, el acento que había aprendido al representar a Blanche Du Bois, pronunciando vagamente el pronombre para cargar el énfasis sobre el verbo y elevar un poco la voz al terminar la frase.

Él sonrió como ante una deliciosa niña tonta. Y ella se sintió ridículamente orgullosa.

—Es la voz que suele oírse en las plantaciones —continuó su interlocutor—. Siempre me ha gustado en las muchachas; pero no es la más adecuada para usted. Es demasiado tímida para ser del Sur... Ellas, y aquí está su encanto, nunca dejan que su timidez se manifieste, para no despertarla en los demás.

—¿Se manifiesta la mía? —preguntó India abatida.

Siempre había creído que no representaba bien el papel de Blanche, aunque todo el mundo dijera lo contrario.

—Desde el primer momento. Al menos, para mí. Pero también me gusta. Ser tímido en ocasiones es algo común a la raza humana; aunque, en esta ciudad, la gente se vuelve agresiva para no revelar su natural, normal e inevitable timidez. El resultado... —dijo haciendo un ademán— es lo que oyes. Es fatigoso escuchar, y difícil. La mitad de las veces, yo hablo en murmullos... Se puede oír mejor por debajo del ruido que por encima de él.

—Una vez tuve un profesor que también me dijo eso.

—¿Un profesor? —preguntó él, acercándose y mirándola con más fijeza.

—Un... profesor vocal —aclaró, sorprendida, ella.

—¿Es usted cantante?

—He cantado alguna vez —respondió India, ahora completamente asombrada.

Hacía tantos años que no se había tropezado con alguien que no la reconociese que no sabía qué actitud tomar. Una súbita sospecha se pintó en sus ojos. Ojalá no fuese una de aquellas personas que simulaban no reconocerla. Eran peores que los pelmazos. No, fuese lo que fuese, se trataba tan sólo de un hombre que no iba al cine y no leía revistas. Resultaba evidente que ella no le decía nada.

—¿Qué más hace usted? —preguntó él, sin darle tiempo a inquirir nada sobre su persona.

Está acostumbrado a mandar, pensó India antes de responder:

—Yo... trabajo... y, bueno, ya sabe usted, vivo, como todo el mundo. Doy de comer a mis perros, voy a clases de cultura física, leo mucho, nado y... ya ve, asisto a algunas fiestas. Eso es todo. Supongo que no parece una vida muy activa... ¡Ah! También voy a mi psiquiatra, la doctora Florence Florsheim... ¡No se ría! No le veo la gracia; es un nombre como otro cualquiera y ella nada puede hacer... Aunque, llamándose Florence quizá no hubiese debido casarse con Mr. Florsheim —dijo riendo India—. Debió de estar locamente enamorada, o tal vez es su apellido de soltera.

—¿No se lo ha preguntado? —quiso saber él.

—No suele responder a las preguntas. Es muy ortodoxa a este respecto.

—Mi psiquiatra sí las contesta.

—Entonces no es freudiano —declaró ella, con aire de superioridad.

—Como todos los psiquiatras, me dijo que era partidario de Freud; pero que prescindía de aquello en lo que no creía... Si uno le dice que odia a su madre, presume que la vieja es una arpía a menos que se demuestre lo contrario; no que uno quisiera hacerle el amor cuando tenía tres años.

—Eso suena bien. Pero yo no puedo apartarme de la doctora Florsheim... Sabe demasiado —dijo tristemente India.

—Los psiquiatras de los demás siempre parecen mejores que el propio. Es la primera regla del análisis. Sin embargo, estoy de acuerdo en que su vida no parece exactamente llena ¿Tiene marido e hijos?

—No. ¿Y usted?

—Nunca me he casado, y no tengo hijos

—¿Por falta de interés, o porque no ha tenido tiempo? —preguntó, cautelosa, India.

Tenía que haber algo que no andaba bien. Siempre lo había.

—Es, sencillamente, que todavía no me ha sucedido; pero me sucederá algún día. Mientras tanto, estoy disponible, descaradamente disponible, y me gustaría salir de este infierno y llevarla a cenar. ¿Qué le parece?

—¡Oh, *sí*! —respondió India.

—¡India! ¿*Qué* estás haciendo aquí? —preguntó Maxi chillando, tan grande era su sorpresa.

—Hola, querida. Te lo contaré más tarde. Ahora tengo que ir a cenar —dijo con aplomo India.

Trató de expresar con una mirada su afecto y su deseo de ayudarla, pero también la absoluta necesidad de que Maxi la dejase escapar de la fiesta con aquel hombre llovido del cielo, antes de que pasara otro segundo y alguien, tal vez la persona a quien llevaba él las bebidas, apareciese y tratara de apartarlo de ella. No quería ni podía correr ese riesgo.

—Pero, Toby, no puedes desaparecer con India de esta manera —gimió Maxi, ofendida—. Ella es amiga *mía*, no tuya, ¡maldita sea! Nadie me había dicho siquiera que estaba aquí.

—¿Toby? —murmuró India, con voz de asombro, un asombro que era compartido por él.

—¿India? ¿*Aquella* amiga? ¿La muchacha más hermosa del mundo? Toby se había quedado perplejo. En su semblante, se pintaron diversas emociones, entre ellas la vacilación.

—¡Oh, cállate! —dijo India, perdida su timidez—. Dijiste cuatro veces que te *gustaba*. No te portes como un... bobo. De todos modos, es demasiado tarde, ¿no?

—¡Oh, oh! —exclamó Maxi—. Creo que vais a tener vuestra primera pelea. ¡Bravo! ¿Puedo escuchar?

19

Cutter Amberville parecía empeñado en reseguir sus propios pasos, como si pusiera los pies en las huellas estampadas en una playa húmeda y arenosa, mientras caminaba arriba y abajo sobre la alfombra extendida delante de la ventana y detrás de su mesa. Tenía las manos cruzadas con firmeza detrás de la espalda, de manera que los nudillos interrumpían la circulación y hacían que las puntas de los dedos estuviesen enrojecidos. Maxi le observaba, sentada en un brazo del sillón que había elegido en vez de la silla baja que le había ofrecido él. Sin darse prisa, había arrastrado el butacón de anchos brazos hasta el punto exacto que le pareció adecuado, a una distancia lo bastante alejada de la mesa para que él se sintiese incómodo.

Balanceó las piernas, calzadas con altas y brillantes botas de montar y luciendo pantalón bombacho de terciopelo castaño, sujeto con cordones desde el borde de la bota hasta la rodilla. Acarició el cuello alechugado de la blusa victoriana de blonda que llevaba debajo de una chaqueta también de terciopelo castaño, ceñida a la cintura, una fantasía de «Chantal Thomass» que nada tenía que ver con el arte de la equitación.

—Cutter —dijo, rompiendo el tenso silencio—, mi chófer está aparcado abajo en doble fila. ¿Quieres desembuchar lo que parecías tan ansioso de decirme, antes de que le pongan una multa?

Cutter se volvió y se detuvo al fin, apoyando ambas manos sobre su enorme mesa.

—Ahora veo que no supe valorarte, Maxi —dijo.

—¿Y eso no podías decírmelo por teléfono? Estoy muy ocupada y este viaje por la ciudad me ha hecho perder la mañana. El tiempo es oro, Cutter. ¡El tiempo es oro!

Habían pasado varias semanas desde que Rocco había terminado la milagrosa maqueta; Maxi tenía en nómina a docenas de costosas personas; el trabajo de terminar el primer número y proyectar los siguientes se desarrollaba a toda velocidad, impulsado por el torrente de energía de Maxi, que no descansaba ni un día en toda la semana.

No sólo estaba siempre abierto su despacho, sino que, de acuerdo con sus instrucciones, éste carecía de puerta. Maxi tampoco tenía un escritorio. En medio de su oficina había una mesa grande, llena de cajas de refrescos y de recipientes para café, té y Sanka, que siempre eran mantenidos llenos por la persona que Maxi había contratado para esta tarea: una mujer que cuidaba además de que estuviesen repletas las fuentes de galletas y bizcochos y las bandejas de deliciosos bocadillos. Varias mesas, altas y redondas, se hallaban en torno de aquélla, con taburetes de bar colocados alrededor. Las mesas podían juntarse con facilidad cuando aumentaba el número de consumidores. Maxi había pretendido que su oficina se pareciese a uno de aquellos cafés del siglo XVIII en los que Samuel Johnson se sentía como en casa, y el resultado había respondido a su propósito: todos los miembros de su brillante, joven, cruciente y bien pagado personal entraban allí al menos una o dos veces al día, sabiendo que serían siempre bien recibidos y magníficamente alimentados. Gentes de todos los departamentos solían acudir para hablar de *B&B* y conocerse. De este constante roce de los mejores talentos en el negocio de las revistas, de estas animadas conversaciones sobre «¿por qué diablos no puede hacerse?», surgían una serie de ideas nuevas, ninguna de las cuales se perdía, porque Maxi, encaramada sin llamar la atención en uno de los taburetes, las anotaba todas. Y cuando estaba ocupada o atendiendo al teléfono, la sustituía una de sus tres secretarias. La única razón de que Maxi hubiese accedido a ir al despacho de Cutter era que no quería que viese el suyo. Lo contaminaría.

—Nunca habría creído esto de ti —siguió diciendo Cutter—. No, aunque te conozco.

—Pero si ni siquiera has visto las primeras pruebas... —respondió Maxi, con cierta inquietud.

¿Le habría mostrado alguien las páginas? ¿Tenía él un espía entre su personal?

—No estoy hablando de tu revista, Maxi, sea ésta lo que sea.

Cutter la miraba fijamente a la cara, y Maxi se dio cuenta de que estaba colorado, casi sofocado, de rabia contenida. El hombre empujó un montón de papeles sobre la mesa.

—Estoy hablando de esto. *¡De esto!* Facturas por millones de dólares, facturas que esos malditos y estúpidos contables han estado pagando automáticamente porque venían conformadas por una Amberville. Las han pagado sin consultarme, sin ponerlas en tela de juicio: facturas de papel, de alquileres de mobiliario, de salarios, de fotografías, de artículos, de gastos diversos, de...

—Comida —le interrumpió Maxi—. Las primeras inversiones son siempre mayores de lo que se espera —añadió con serenidad—. Cuando *B&B* esté en marcha, será mucho menos cara y, naturalmente cuando empecemos a ganar dinero cambiará todo el cuadro.

—No, no quieras jugar conmigo, Maxi. Los dos sabemos lo que convinimos. *¡Buttons and Bows!* Ésta fue la revista que escogiste y que te dimos. Una revista de accesorios, con un presupuesto insignificante. Eso, esa *B&B*, sea lo que sea, no tiene nada que ver con lo que convinimos.

—Te equivocas —dijo Maxi con mucha frialdad—. Es respecto a *Buttons and Bows* lo mismo que fue *Buttons and Bows* respecto a *Trimming Trades Monthly*. Incluso se menciona en el encabezamiento. Tú nunca dijiste que no pudiese poner al día la revista. No me prohibiste que la cambiara en algo más viable. Me diste un año y me lo tomo. Y ese año apenas si ha empezado.

—*Yo no te di derecho a gastar millones* —dijo violentamente Cutter, golpeando la mesa con los puños.

—Espero que esta mesa no sea muy valiosa —comentó Maxi, bostezando ligeramente—. Parece auténtica, aunque hoy en día hacen unas copias tan buenas...

—*Millones de dólares...* Yo nunca dije que...

—¡Ah! Pero tampoco dijiste que no pudiese gastarlos, ¿verdad, Cutter?

Maxi le sonrió perezosamente y se arregló el cuello de blonda con mucho remilgo. Después sacudió una mota de polvo de una de sus botas y arqueó jocosamente las cejas hasta que quedaron ocultas debajo del flequillo.

—Ahora ya es tarde, ¿sabes? —le dijo—. He contratado seis meses de publicidad, a precios especiales de iniciación, con docenas de anunciantes importantes. Todos ellos anuncian también en otras publicaciones «Amberville» y, naturalmente, tienen motivos sobrados para creer que, cuando una Amberville se presenta a ellos con una idea magnífica y una maqueta deslumbrante, para una nueva revista, su dinero está seguro. «Amberville Publications» *responde* de *B&B*, Cutter, responde por completo de ella frente a la comunidad de los anunciantes y los hombres de negocios. Mientras se publique la revista, *tendremos* que publicar estos anuncios, so pena de devolver el dinero y parecer, como mínimo, frívolos y poco de fiar. Es especial, habida cuenta de que te empeñaste en suspender otras tres revistas Todos saben que *B&B* obtuvo tu especial bendición, Cutter. He cuidado muy bien de que lo supiesen. No puedes *tocar* mi revista sin que todos sospechen que la compañía está a punto de naufragar.

—¿Sospechas siquiera la repercusión que tendrá en nuestro balance el dinero que has gastado? —preguntó él.

—Supongo que causará en él un gran efecto. Y a propósito de esas facturas, Cutter —dijo Maxi, levantándose y dirigiéndose a la puerta—, creo que debo advertirte, porque tu presión sanguínea me parece peligrosamente alta, que las que hay sobre la mesa no son más que el principio. Me he colocado en una situación muy precaria para los seis primeros meses; hay que gastar dinero para triunfar, y no puedo arriesgarme a defraudar a mis lectores. «Hay que pescarlas y saber conservarlas», como decía mi padre.

Llegó a la puerta y la abrió, mientras Cutter permanecía detrás de su mesa inmovilizado por la rabia.

—Y otra cosa —agregó— he concertado una serie de anuncios en todos los periódicos y revistas importantes que son leídos por la gente de información, hablando de *B&B* y de nuestros planes para el futuro, como introducción de la más reciente «Amberville Publications». Supongo que recibirás muy pronto las facturas. No te molestes en levantarte... Puedo salir sola... como de costumbre.

Cruzó el umbral y medio cerró la puerta. Pero se volvió, miró fijamente a Cutter meneó la cabeza y emitió un ligero murmullo de alarma:

—¡Dios mío, Cutter, pareces preocupado!

Cerró la puerta con suavidad; pero antes añadió:

—No será por algo de lo que he dicho, ¿verdad?

—Lily, amor mío, ven y siéntate a mi lado —dijo Cutter, dando unas palmadas en el asiento del sofá.

Lily, obediente, se levantó de su sillón y se sentó en el sitio que él le ofrecía, doblando su dúctil y esbelto cuerpo.

Suspiró con una satisfacción casi más profunda que el amor. Estos momentos de estar juntos cuando volvía él de su oficina, habían sido esperados durante tanto tiempo, que ella pensaba a menudo que constituían la recompensa a sus años de paciencia. Una recompensa todavía mayor que la pasión física, aunque la perdurabilidad de aquella insaciable y viva unión de sus dos cuerpos era su mayor orgullo. Los años en que habían estado separados dejaron el rescoldo de un fuego que sólo necesitaba una ráfaga de aire, una cerilla, un trozo de papel o una viruta para encenderse de nuevo. Pero poder sentarse juntos al terminar la jornada y hablar tranquilamente, como nunca había podido hacer del todo con Zachary... ¡ay!, esto era aún más delicioso. En momentos como éste, la fácil comodidad de su largamente esperada y retrasada intimidad se combinaba con la reciente dicha de estar casada con Cutter, cuando sabía que tenía al fin lo que siempre había querido, lo que siempre había *merecido*.

—Querida, hoy ha pasado algo en mi despacho que ha hecho que pensara súbitamente en ti, en el futuro de nuestra vida en común —informó Cutter.

Alarmada por la gravedad de su tono, Lily levantó bruscamente la cabeza que tenía apoyada en su hombro.

—No, no —rió él—; no es nada que deba preocuparte. Algo en lo que soñar, algo que nunca habría iniciado por mi cuenta, pero que tiene que ver con el negocio.

—¿El negocio? —preguntó Lily—. Me prometiste que no perderíamos el tiempo hablando de negocios. Nunca los he comprendido, y cuando Zachary hablaba tanto acerca de ellos, me daba jaqueca escucharle.

—Es cuestión de negocios y sin embargo, en cierto modo, no lo es. No es nada fastidioso. Tienes que escucharme, querida.

—Todos los negocios son fastidiosos —insistió Lily—; pero, como sabes muy bien, soy una mujer paciente.

—Hoy recibí una extraordinaria llamada telefónica de un hombre de «United Broadcasting Company», al que no conocía en absoluto. Quería saber si le sería posible reunirse contigo para discutir... para hablar de una venta eventual de «Amberville Publications».

—¿Qué? ¡Debe de estar loco! ¿Quién diablos se imagina que es? ¡Qué caradura! ¿Qué le ha hecho pensar que la compañía está en venta? No puedo imaginarme cómo alguien puede hacer una llamada así sin más ni más —dijo Lily, presa de indignación, como si acabasen de robarle las joyas en un descuido.

Cutter rió con indulgencia.

—El hombre de «UBC» no trataba de abusar de ti, querida. Sólo hace su trabajo. No es una ofensa. En realidad, es un gran cumplido. Lo único que he de hacer es llamarle mañana y decirle que no te interesa, que «Amberville Publications» no está en venta. Y desistirá. O tal vez no desista. Pero siempre puedes esperar otras llamadas en este sentido.

—¿Porque Zachary murió?

—Aunque Zachary viviera, sería igual. Recibiría las mismas ofertas. Es la tónica de nuestra época. Muchas compañías, y en particular los grupos importantes, están tratando de comprar revistas.

—Bueno, no me interesa. ¿Por qué había de interesarme? Y en todo caso, sólo poseo el setenta por ciento de las acciones. Saben que mis hijos tienen un diez por ciento cada uno.

—Sólo pueden vendértelas a ti, y tú eres la accionista mayoritaria. Estás en condiciones de hacer todo lo que quieras, Lily, y nadie puede impedírtelo. Cuando expliqué por qué teníamos que dejar de publicar las revistas que perdían dinero, creí que lo habías entendido.

—Lo entendí. Me convenciste de que era necesario. Pero vender... Yo nunca he pensado en vender. Zachary dedicó toda su vida a crear y desarrollar estas publicaciones... Jamás vendió ninguna. Creo que nunca lo habría hecho, cualesquiera que fuesen las circunstancias, por mucho dinero que le hubiesen ofrecido.

—¡Oh, Lily! No puedes dejar de ser fiel, ¿verdad? ¿Has pensado alguna vez en lo mucho que te has sacrificado por esas revistas? ¡*Tú*, Lily! Aquellas charlas que te aburrían tanto, los viajes de negocios que hacían que te quedases sola, las veces que tuviste que resolver los problemas de tus hijos porque Zachary estaba trabajando, los interminables fines de semana que él pasaba encerrado en su oficina, tener que recibir y mostrarte amable, por causa del negocio, con personas que no te interesaban... Estas revistas medraron a costa de *tu vida*, Lily. Se llevaron muchos años que no te devolverán jamás. Y todavía piensas en lo que haría Zachary si estuviese vivo. *Pues no lo está*. Sólo puedes confiar en mí. ¿Pondrías tus acciones en manos de Pavka? Es viejo. Inteligente, sí, pero viejo. Me imagino que se retirará pronto. ¿Y el resto del consejo de directores? ¿Confiarías en que mantuviesen a flote la empresa? Sólo son empleados, empleados hábiles, lo reconozco pero sin dotes de dirección. Zachary era un promotor; pero nunca formó un equipo de promotores que pudiese sustituirle.

—No había pensado en eso...

—Sé que no lo habías pensado, querida. Yo he estado cuidando de todo para que no tuvieses que preocuparte. Dejé «Booker», «Smity» y «Jameston» y abrí mi propia oficina para mantener en orden tus asuntos. Sin embargo, en el fondo de mi corazón, no estoy muy convencido de que el negocio de las revistas sea lo mejor para ti.

—¿Sucede algo que yo ignore? ¿Existe alguna razón por la que deba vender?

Lily se irguió al percibir el tono ligeramente ominoso de la voz de su marido.

—Lily, las revistas marchan bien... de momento... Pero, en 1985, las empresas editoriales tendrán que soportar un gran aumento en el costo del papel y unos gastos de distribución mucho más elevados. Esto no quiere decir que el año próximo ganemos menos dinero que éste; pero las previsiones son mucho más difíciles. En la actualidad, nuestro balance y nuestra cuenta de pérdidas y ganancias son satisfactorias. No puedo imaginarme la cantidad de dinero que podrían darte mañana por «Amberville Publications». En cambio, dentro de unos años... ¿quién sabe lo que puede pasar? Yo no tengo una bola de cristal, y me aflige verte encadenada a algo que ni siquiera te interesa, aunque Maxi esté tan encaprichada con ello que...

—¿Maxi? —preguntó Lily—. ¿Qué se propone ahora?

—Nada que deba preocuparte... Sólo muestra el exceso de entusiasmo que es habitual en ella. Pero yo me ocuparé de Maxi, querida, para que no haga un disparate. Desde luego, si vendieses, tus hijos podrían disponer de su herencia.

—Pero, ¿y tú Cutter? ¿Estás tratando de decir que no quieres dedicarte al negocio de las revistas, que preferirías no haber abandonado «Booker»?

—Si tú lo quieres, amor mío, estoy dispuesto a aguantar hasta el final. Sabes que nunca quise unirme a Zachary. Él me lo sugirió muchas veces; pero siempre rehusé. Sin embargo, desde la inesperada llamada telefónica de «UBC», me he estado preguntando si no sería alguna señal, una especie de..., aviso en un momento crucial..., algo a lo que deberíamos prestar atención.

—¿Una señal? ¿Una señal de qué?

—De una vida nueva. Una vida para nosotros dos, sin tener que preocuparnos sobre los meses de los tipos de interés, del coste creciente del plan de pensiones y de otros mil detalles inherentes a la buena marcha de «Amberville Publications». Si quisieras, podrías vender, querida. Y entonces seríamos libres. Podrías hacer todo lo que quisieras, incluso tener tu propia compañía de ballet... ¿No te parece? Estaríamos libres para pasar los mejores meses del año en Inglaterra, comprar la casa más maravillosa del sur de Francia y convertirnos en coleccionistas de todas las cosas que adoras. ¡Oh, Lily! Eso sería vida, y no estarme sentado en una oficina de Nueva York y sólo poder estar un rato contigo después de una larga jornada de trabajo. Pero las acciones no son mías, la compañía no es mía, y eres tú quien debe decidir si te interesa considerar esta posibilidad. Por esta razón, tenía que hablarte de aquella llamada telefónica. Cuestión de negocio, de «aburrido» negocio si quieres llamarle así; pero no debía mantenerla en secreto.

—No, claro —dijo lentamente Lily.

—Piensa en ello, querida. Si quieres. Todo depende de ti. Te entregaste en cuerpo y alma a «Amberville Publications», y tal vez desees seguir haciéndolo. Yo sólo aspiro a verte feliz.

—Lo pensaré, te lo prometo. No es algo... que pueda decidirse de repente... ¿verdad? No, claro que no.

—Es importante que te tomes todo el tiempo necesario, Lily. Es un paso muy serio —respondió Cutter, y se levantó para prepararse otro gintonic.

«Amberville Publications», pensó, aquella enorme creación de su aborrecido hermano, sería pronto una partida más en el balance de un grupo gigantesco; había perdido su identidad; sus empleados importantes se disgregarían; sus inmuebles serían vendidos y, lo más importante, el propio Zachary Amberville caería en el olvido, al desaparecer su nombre. Dentro de unos años sólo provocaría un ademán de reconocimiento por parte de unas pocas personas con buena memoria. Gracias a Dios, él era todavía lo bastante joven para acabar con «Amberville Publications», arrojarla al viento, librarse de su esclavitud, liberarse al fin de su hermano, destruir lo que quedaba de él. En cuanto a «UBC», telefonearía en seguida a su presidente y concertaría una cita para almorzar. Averiguaría si de verdad estaban dispuestos a comprar. Había otros posibles pretendientes. Se hallaba absolutamente seguro. Había previsto este día cuando canceló la publicación de todas las publicaciones que perdían dinero. De todas, menos una.

—Mira, Justin, no es fácil ser directora de modas de una revista que pretende decir a las mujeres que están bien tal como están. La moda es lo que no se ha visto *antes*, ¡maldita sea! Las páginas de modas deben infundir deseo de comprar.

Julie hablaba en tono rebelde; pero su voz era como un canto de amor un tanto electrificado. Su enamoramiento de Justin había alcanzado un punto en el que podían recitar cada una de las casi idénticas prendas de vestir que usaba; podía incluso describir con detalle sus tres «Nikons». Sabía cuándo se había cortado las uñas. Todas las particularidades de aquel hombre estaban bajo su constante pero imperceptible observación, y el mero hecho de que sus emociones parecieran no ser correspondidas, hacía que fuesen más profundas. Si Justin hubiese mostrado un vivo interés por ella, habría tenido que haber, para bien o para mal, una progresión en su relación. Se habría sentido más o menos feliz, incluso desdichada. Pero durante las semanas que habían trabajado juntos, él la había tratado con una espontánea y enloquecedora mezcla de amistad y colaboración, que Julie Jacobson de Shaker Heights, que, hasta entonces, no había conseguido encontrar su hombre, consideraba mucho más que un desafío. Se había convertido en una dolorosa obsesión por descubrir alguna señal de que podían tener un futuro.

—¿Preferirías estar en una revista convencional? —preguntó distraídamente Justin—. ¿Lamentas no haber aceptado aquel empleo en *Redbook*?

—Nunca. Pero esta idea... Imagínate una sección de modas que te diga que nunca debes tirar tu traje de baño predilecto. ¿Cómo voy a explicar esto a «Cole and Gottex», o «O.M.O. Kamali» y a los demás fabricantes de trajes de baño que nos dan anuncios?

—Explícales la teoría de Maxi de que, si una mujer se siente bien tal y como es, reaccionará de una manera positiva a la publicidad después de leer un número de *B&B*, aunque los textos no hagan creer a la lectora que tiene que apresurarse a gastar dinero para pasar el fin de semana.

—¿Crees tú eso? ¿O es sólo cosa de Maxi?

—En realidad también yo lo creo. La naturaleza humana es adquisitiva y despertará el instinto de compra. *B&B* pondrá a las mujeres en el estado de ánimo adecuado para que presten atención a los anuncios.

Justin observó su estudio, el primero que tenía, con disimulada consternación. Hasta entonces, había ido de un lado a otro para hacer sus fotos, viajando veloz, con sólo un par de bolsas de lona y sus cámaras. Ahora, para realizar el trabajo que Maxi le había pedido, hubo de alquilar un estudio con todo el variado equipo que contenía. Contrató los ayudante precisos para atender el teléfono, trabajar en el laboratorio y ayudarle con las luces y los accesorios. Desde luego, todo era pagado por *B&B*; pero era la primera vez en su vida que se sentía atado a un lugar de trabajo, lo cual le hacía sentirse incómodo e inquieto. Sin embargo, como tenía un interés especial en el éxito de *B&B*, porque detestaba a Cutter, no podía desaparecer de nuevo hasta que estuviese seguro de que Maxi había conseguido que la revista arrancara y marchase por buen camino. O hasta que resultase ser un fracaso. Pensaba que existían ambas posibilidades. Estaba acostumbrado a los nuevos proyectos de Maxi; había observado el ritmo frenético de su vida, la incesante búsqueda de algo que fuese más divertido que todo lo anterior, y estaba muy lejos de creer que tuviese perseverancia suficiente para hacer algo más que lanzar una revista. Con toda seguridad, se hartaría antes de seis meses.

Pensaba que nadie la comprendía mejor que él, porque era como ella. Tampoco había encontrado nunca algo que le tentase a establecerse de un modo permanente. Era, asimismo, una persona veleidosa; no le gustaba atarse a nada por mucho tiempo. Había querido muchísimo a su padre, cuya muerte había significado una tragedia para él. Siempre añoraría a Zachary Amberville, y sin embargo raras veces habían sostenido conversaciones íntimas. Justin las había evitado y Zachary, comprensivo, no las suscitaba, no se las imponía. Había existido entre ambos la mutua pero tácita comprensión de que era necesario respetar el deseo de reserva de Justin.

Por otra parte, pensó con amargura, su madre parecía haber querido apoderarse de su alma desde el día en que nació. «Justin, ven aquí y háblame.» Todos los días al volver del colegio, oía su cariñosa e irresistible voz, tan grave, tan conmovedora, llamándole desde el cuarto de estar. Y él no tenía más remedio que entrar y darle el beso que ella le estaba pidiendo; dejarle que acariciase sus cabellos, y tratar de contestar sin escabullirse, todas las preguntas que ella se empeñaba en hacerle. «¿Cómo te ha ido el examen de matemáticas, Justin? ¿No has tenido frío con ese jersey? ¿Por qué no te has puesto el abrigo? ¿Quién es tu mejor amigo este año? ¿Y el segundo? ¿Qué me dices del muchacho nuevo que ha venido de Chicago? ¿Te gusta? ¿Cuándo tienes que presentar tu trabajo de inglés? Si necesitas ayuda, puedes pedírmela, ya lo sabes, ¿verdad?» Su voz siempre inquisitiva, amable, devota, poética, queriendo saber todo lo que él hacía, todo lo que pensaba.

Nunca le dijo que no tenía un mejor amigo, ni un segundo, ni siquiera un solo amigo que le importase, porque esto habría llevado a más preguntas, a preocupaciones, a tratar de remediarlo, cuando lo único que él quería era que le dejasen en paz para tratar de dominar su miedo de hacerse mayor, para aprender a vivir con la idea de que no podía contar con nadie, salvo consigo mismo, para resolver sus problemas. Sin embargo, nunca le negó su presencia, jamás tuvo valor para volver la espalda a su madre, porque se daba cuenta de que a ella le faltaba algo, que estaba en cierto modo desconsolada, como una joven viuda, a pesar de su belleza, de sus joyas y de su activa vida social.

Sabía, sin que nadie se lo hubiese dicho, que en realidad, a través de su dedicación, Lily le estaba pidiendo que cuidase de ella. Y había hecho todo lo posïble por complacerla.

Al descubrir las artes marciales y empezar a tomar lecciones, consiguió librarse, a última hora de la tarde, de la carga de aquel amor maternal que Lily no había mostrado por su hermana; un amor que parecía matizado, incluso teñido, por un sentimiento que no podía definir del todo, pero que había aprendido a aborrecer a pesar de lo mucho que quería a su madre. Era casi una especie de... adoración. Llegó a la conclusión de que se debía a que él era el hijo pequeño. Maxi siempre estaba en conflicto con su madre, y Toby era tan independiente, tan especial, a pesar de su progresiva ceguera que tal vez no tenía a nadie más para prodigarle sus sentimientos... Y a él, Justin le correspondió soportar la carga del hijo especial, del favorito.

En cuanto viese con claridad que *B&B* era un éxito o un fracaso, se marcharía de nuevo, a algún lugar donde no hubiese estado nunca, asumiendo de nuevo el único papel en el que había aprendido a sentirse cómodo: el del observador discreto, partícipe de todas las escenas, el del tranquilo forastero que, sin embargo, debido a su cámara, se hallaba como en casa en todas partes. Pero en ninguna en particular.

—Justin —gritó Julie, mostrando un bikini floreado que sólo había podido ser confeccionado a finales de los años cincuenta—, ¿puedes creerlo? Y se halla todavía en un estado perfecto. Lo más probable es que nunca se mojara.

—Tal vez es lo que les pasa a la mayoría de los trajes de baño predilectos —dijo él, encogiéndose de hombros.

—Eso es lo que dice Maxi: «Si una mujer encuentra un traje que realmente la favorezca, que oculte lo que ella quiere ocultar y descubra lo que ella quiere descubrir, no lo mojará a menos que se vea obligada a ello, y si engorda demasiado para llevarlo lo guardará en alguna parte, con la idea de que, con el tiempo, pueda volver a sentarle bien» —citó Julie—. Si me lo preguntas, te diré que Maxi está fomentando un pensamiento mágico —añadió con desaprobación.

—Pienses lo que pienses, querida, todavía tenemos que fotografiar todos esos viejos bañadores. ¿Cuántos modelos has contratado?

—Tres chicas y dos docenas de muchachos.

—Estás loca. ¿Por qué tantos muchachos?

—También fue idea de Maxi. Cada chica estará rodeada de un gran grupo de admiradores, que la contemplan arrobados —dijo Julie con ligera acritud.

No había podido ir de compras en toda la semana, buscando antiguos trajes de baño.

—¿Qué les vas a poner a los chicos?

—Tengo cuatro docenas de... objetos idénticos, de «Ralph Lauren Bodywer», de mil colores diferentes. Idénticos; pero no anticuados. No sé si son pantalones de baño o calzoncillos. No han gastado mucha tela en ellos, ¿verdad? —dijo Julie, mostrando una prenda que apenas podía cubrir la pelvis de un hombre y que tenía unos agujeros para pasar las piernas—. La Ciudad del Ombligo. Es un asco. Estamos induciendo a las mujeres a no comprar trajes de baño nuevos y permitimos que los hombres se paseen casi desnudos.

—¿Dónde vamos a meter a toda esa gente?

—Las muchachas tendrán el cuarto de vestir para ellas solas; pues, con los peluqueros y los maquilladores, necesitarán todo aquel espacio. Y los chicos tendrán que ocupar tu despacho, Justin. Este estudio no es lo bastante grande.

—¿Cuántas veces tendrás que contratar veintisiete modelos al mismo tiempo? —preguntó él.

—Ésta es la primera; no obstante, creo que tendrías que buscar algún lugar con dos cuartos de vestir.

—Me parece que lo haré —dijo Justin, sabiendo que no lo haría.

Había elegido el estudio precisamente porque requería improvisación. Aquel estudio interior, reservado exclusivamente a su trabajo, le ponía nervioso. Cuanto más pequeño fuese, mejor, pues menos parecería indicar un compromiso o un anuncio de que iba a establecerse de modo permanente. Había alquilado el piso por meses, aunque Maxi le había dado plena libertad a este respecto. En su despacho, no había más que una mesa, un sillón, un teléfono y un sofá para tenderse y descansar un poco después de cada sesión.

Las chicas llegaron todas al mismo tiempo y Justin las observó con ojos críticos. Julie las había contratado por la neutralidad de su buen aspecto. Eran hermosas, aunque no demasiado. Sus cabellos seguían un nuevo estilo. No eran la melena flotante de Farrah Fawcett, ni tan cortos que resultasen alarmantes. Los dos maquilladores habían recibido instrucciones de que no hicieran en sus caras alardes llamativos. «Nada de párpados morados ni de lápices de labios azules —había ordenado Julie—. No estamos tratando de vender nuevas modas de cosmética. Pretendemos que la mujer americana corriente sepa aplicarse el maquillaje básico.»

Las tres chicas aprobaron su examen y, cuando empezaron a llegar las dos docenas de anónimos y apuestos modelos varones, mientras aquéllas se estaban preparando, Justin empezó a trajinar con sus cámaras. Como muchos fotógrafos, no dejaba nunca que sus ayudantes las tocasen antes de disparar, y sólo les permitía recargarlas mientras él se hallaba trabajando. Pronto estuvo preparada la primera muchacha y, durante media hora, Justin, Julie y los modelos trabajaron sin parar, pero sin conseguir el ritmo que haría que cada muchacha, rodeada de una docena de hombres casi desnudos, pareciese muy natural.

—Mójalos, Julie —dijo al final Justin.

—¿Por qué?

—Están demasiado rígidos. Los trajes de baño, dentro de casa, se ven artificiosos, y eso no es bueno. Hay algunos cubos en el laboratorio. Muchachos, id allí algunos, llenadlos de agua y haremos una prueba.

—¿Van a mojarnos? —preguntó una de las chicas, con incredulidad—. En la agencia no nos hablaron de esto. Voy a telefonear a mi representante.

—Tranquilízate; sólo voy a mojar a los muchachos —dijo Justin.

De nuevo lamentaba no encontrarse en una calle desconocida de alguna desconocida ciudad, libre de hacer o dejar de hacer una foto, en vez de estar aquí con veintisiete de los cuerpos más caros del momento, todos los cuales se negaban a comportarse con naturalidad, como debían hacerlo las personas normales en el medio real. El Ganges sería un buen sitio para retratarlos, pensó. Allí le habría gustado empujarles al agua y mantenerlos sumergidos durante un rato. Ahora tenía que apañarse de otra manera.

El agua hizo el milagro. Les relajó como nada habría podido hacerlo, convirtiéndoles de nuevo en chiquillos que se arrojaban cubos de agua los unos a los otros y sobre ellos mismos, compitiendo para ver quién quedaba más mojado, y creando la ilusión de una piscina o una playa como ningún decorado habría podido conseguir.

Uno de los modelos masculinos, Jon, de enmarañados cabellos de un rojo oscuro y sonrisa rebosante de vitalidad animal, era el líder de la pandilla. Fue él quien arrojó el primer cubo de agua sobre una de las hembras, la cual chilló: «¡No te atrevas!», por lo que recibió otro cubo de agua en la cabeza. Después, aquello fue el disloque por parte de los veinticuatro chicos y las tres muchachas, dedicados a remojarse mutuamente y olvidándose por completo de la cámara, en tanto que los peluqueros sacudían la cabeza, aunque sin disgustarse ya que cobraban setecientos cincuenta dólares por hora de trabajo. Julie, a una señal de Justin, se fue llevando a las muchachas chorreantes al terminar él de hacer las fotos, para que se cambiasen de traje, tarea que no resultaba fácil con los cuerpos mojados. Debió haber contratado a una docena de chicas o, al menos, proveerse de toallas; pero, ¿quién había podido prever aquella contienda acuática?

Por fin terminó la sesión, se recogieron todos los trajes mojados, se enjugó a las muchachas con toallas de papel y secadores de aire, y todos fueron enviados a casa, incluso los ayudantes. Julie observó el estudio, cansada pero a la vez satisfecha porque sabía que las fotos serían espléndidas.

—No te preocupes. Mañana haré que limpien todo esto. Vete a casa, Julie —le dijo amablemente Justin.

—Me quedaría; pero...

—No seas tonta; estás fatigada. Vete, querida, vete.

Cuando al fin estuvo solo, Justin apartó a un lado las hojas de papel mojado y sucio, y guardó con gran cuidado sus cámaras. Después, abrió la puerta de su despacho, pensando en lo desordenado que lo habrían dejado los muchachos.

—Has tardado mucho, Justin. Pensé que te habías perdido.

Jon, con sus rojos cabellos todavía mojados, estaba sentado detrás de la mesa y sonrió malicioso al entrar Justin. Parecía estar a sus anchas detrás de la mesa, como si ésta le perteneciese.

—¿No has encontrado tu ropa? —le preguntó Justin, en un tono pausado que contrastaba con su actitud, la de hombre acostumbrado y dispuesto a defenderse.

—Está exactamente donde la dejé.

—¿Te gusta sentarte en cualquier parte con un traje de baño empapado? —dijo con viveza Justin.

—No lo llevo. Me lo quité.

Jon sonrió de nuevo y se estiró perezosamente, como un gran felino de la selva.

—No puedes hallarte cómodo —comentó Justin, con expresión de alerta—. Y da la casualidad de que ése es mi sillón.

—En realidad, estaría más cómodo en el sofá —respondió Jon, pero sin hacer ademán de levantarse.

—Estoy seguro de que sí —repuso Justin, como esforzándose en descifrar el sentido de aquella declaración—. Pero, ¿qué te hace pensar que quiero que te traslades allí?

—Justin —se burló Jon, casi en tono de reproche—, ¿crees que no sé lo que quieres? ¿Piensas que no he notado lo mucho que me deseas? En el sofá, en el suelo o dondequiera que puedas tenerme. ¿Te imaginas que no sé lo que te apetece hacerme... lo que necesito... y quiero... que me hagas? ¿Crees que soy un estúpido?

—¿Qué es lo que te hace pensar eso de mí? —preguntó Justin.

El aire amenazador en que siempre se envolvía se evidenció más que nunca, sin que diese un solo paso en ninguna dirección.

—Nada de lo que has dicho, nada que se manifieste en tu aspecto o en tu manera de andar o de hablar, me ha dado motivo para pensarlo... Sencillamente lo sé. Tengo un instinto infalible.

—¿De veras? ¿Estás seguro? ¿O estás probando, por si acaso? Lo ensayas con todos los fotógrafos, por si aciertas alguna vez, porque crees que puede reportarte alguna ganancia.

—No quiero nada, Justin, salvo lo mismo que quieres tú. Me encanta, igual que a ti; pero con la diferencia de que yo no tengo miedo de preguntar. Me he estado pereciendo por ti desde el momento en que entré... cosa nada fácil de disimular, con aquel traje de baño. Estoy excitado, Justin, más de lo que jamás estuve. Y tú también lo estás. Desde detrás de esta mesa, puedo ver lo mucho que me deseas. Por consiguiente, ven aquí y déjate de tonterías. Ven y haz conmigo lo que quieras, Justin, lo que más te satisfaga... Yo lo aceptaré.

Y Justin, sin decir ni una palabra, se acercó a Jon de buen grado.

20

—Lo malo, Maxime, es que eres demasiado impulsiva —dijo Lily, frunciendo los ojos opalinos para estudiar a su hija con aquel aire familiar de crítica contenida.

—Madre, sé que mi historia está llena de imprudencias, y no me enorgullezco de ella, te lo aseguro; pero *B&B* es algo completamente distinto. No es justo que supongas que es otro capricho mío, antes de saber lo que pretendo. Mira te he traído la maqueta del primer número para que puedas juzgar por ti misma.

Maxi le tendió con ansiedad la maqueta.

—No, Maxime, no puedo juzgar sólo con ver eso. Nunca he sido un buen juez para las revistas, sobre todo si son nuevas. Incluso tu padre tenía que reconocerlo, aunque le pesara. Guárdala de nuevo en tu cartera, querida, no sea que te la dejes olvidada cuando salgas.

—Por favor, mamá, échale una mirada. Tal vez te hará reír —suplicó Maxi.

Tenía que llegar de alguna manera a Lily. Desde su regreso de Europa, apenas se habían visto. Maxi estuvo demasiado atareada para reunirse con su madre en los ocasionales almuerzos y las funciones de tarde de ballet que, a lo largo de los años, había sido la manera más fácil y menos abrasiva de mantener su relación. Hoy, sin embargo, había tenido que encontrar tiempo para aceptar la apremiante invitación a tomar el té, el único rito británico que había conservado Lily desde que llegó a Manhattan hacía más de treinta años.

—Preferiría no hacerlo, querida. Desde luego, la leeré cuando haya sido debidamente editada; pero hasta entonces, prefiero esperar. Espero que sea una agradable sorpresa. El motivo de que haya interrumpido hoy tu trabajo, Maxime, es que, he estado pensando en «Amberville Publications» y tenía curiosidad por saber cuánto dinero cuesta este antojo tuyo..., esta idea de convertirse en editora o directora o lo que te imagines que eres.

—¿Significa esto que Cutter no te lo ha dicho? —preguntó asombrada, Maxi.

Habían pasado varios días desde su entrevista con Cutter, y había supuesto que él se lo habría contado todo a su madre.

—No. En realidad, se mostró muy vago acerca de esto. Me dio la impresión de que quería evitar el tema. Por eso me pregunté si sucedía algo, si había algo... entre vosotros... que yo debiera saber.

—¿Algo entre nosotros? ¿Quieres decir si tengo algún problema con Cutter?

—Sí, eso —respondió Lily, sirviendo a Maxi otra taza de té.

—Tenemos un pequeño embrollo, madre. Él cree que gasto demasiado dinero, y yo sé que no puedo gastar un penique menos y que espero triunfar. Si me detengo ahora, el dinero se perderá. Hay que hacer bien las cosas, o no hacerlas, pero no he conseguido que lo entienda. Mi padre habría comprendido muy bien lo que estoy haciendo. Si he de ser sincera, debo decir que no he mostrado mucho tacto con Cutter... En realidad, ninguno... Pero, madre, él no entiende de revistas, tiene una mentalidad de Wall Street, que sólo ve los balances. Es natural, si tenemos en cuenta que siempre ha sido un banquero de inversiones; pero esto hace que sea imposible sostener con él una conversación razonable. Si mi padre...

—Tu padre murió, Maxime. Tu problema con Cutter es consecuencia de tu resentimiento personal contra él, de una resistencia rencorosa e ilógica que me ha hecho muy desgraciada; es un problema que no procede de falta de conocimiento o de interés por su parte.

—No es eso, madre...

—Un momento, Maxime. Déjame terminar. He tratado de comprender tu profundo... antagonismo... con Cutter. Sé que nadie que hubiese pretendido intervenir en mi vida después de la muerte de tu padre habría despertado en ti estos sentimientos primitivos. Siempre fuiste la niña mimada de papá, y no lo has superado.

Una antigua y familiar amargura se había reflejado en la voz de Lily, en aquella voz que mantenía siempre bajo un delicado control; la voz que decía a Maxi que su madre tenía derecho a todo lo que quería, sin tener siquiera que pedirlo.

—Tú no comprendes lo que Cutter significa para mí —siguió diciendo Lily— o, si por algún milagro lo comprendes, te tiene sin cuidado. Tengo cincuenta años, Maxime, y en enero cumpliré cincuenta y uno. Estoy segura de que piensas que soy demasiado vieja para preocuparte de mis emociones. Comprendo lo que deben parecerte cincuenta años, teniendo tú veintinueve, casi toda la vida por delante y un pasado en el que no faltaron precisamente los acontecimientos. ¿Qué puedes tú saber de mis sentimientos?

—Por el amor de Dios, madre, ¡a los cincuenta años no se es vieja! Y no soy tan estúpida para pensar que no tienes un corazón y un cuerpo.

Hazme al menos este honor. Tal vez cincuenta años te parecerían muchos cuando tenías mi edad; pero los tiempos han cambiado.

Maxi dejó la taza de té con tanta brusquedad que Lily se estremeció al chocar la porcelana contra la mesa.

—Los tiempos han cambiado; pero sólo por fuera. La naturaleza humana sigue siendo la misma de siempre —prosiguió implacablemente Lily—. Y es humano considerar a la madre como una anticualla insensible. Es algo ineluctable, aunque sabe Dios que tú has tratado de evitarlo con Angelica y hasta ahora lo has logrado. Eres tan imprevisible que ella se limita a participar en tu vida, y tú lo das como cosa hecha: ella es la cola de tu cometa. Pero llegará un día en que también ella te clasificará, Maxime, fíjate lo que te digo.

—¿Por qué metes a Angelica en esta conversación? —preguntó enojada Maxi—. Pensaba que querías hablar del dinero que estoy gastando en *B&B*.

—Un día, Maxime, sabrás lo que es querer sentirse joven dentro de un cuerpo que envejece, por mucho que hagas por conservarlo —prosiguió Lily, como si Maxi no hubiese hablado—. Yo miro las modelos de las revistas de modas y pienso: ahora sí, pero, dentro de veinte años, estas fotografías serán insoportables. Haber sido hermosa es una sentencia de muerte, no una bendición. Haber tenido algo maravilloso que se ha perdido...

—No seas morbosa, madre. Tú eres bella, lo fuiste y siempre lo serás. ¿Qué tiene esto que ver con nuestra reunión para tomar el té?

—Debí pensar que no había nada que hacer —suspiró Lily, pasando las manos por su suave y voluminoso moño—. He estado tratando de explicarte algo sobre Cutter y sobre mí; pero tu acostumbrada insensibilidad, me lo hace muy difícil. Bueno Maxime, ¿cuánto va a costar esa revista?

—Todavía no puedo darte una cifra exacta. Porque costará una cantidad si tiene éxito y otra muy distinta si no lo tiene.

—Entonces, dime cuánto te has gastado hasta ahora.

—Me he comprometido a pagar cerca de cinco millones de dólares, en los próximos seis meses.

—¿Es normal gastar tanto dinero, sin saber el resultado de tu empresa?

—Es muy normal. En realidad, he pecado por defecto. Fíjate, por ejemplo, en Mort Zuckerman. Ha invertido ocho millones en *The Atlantic* y no espera obtener beneficios hasta dentro de más de un año. Y también está la enorme inversión de Gannett en *USA Today*, aunque la dirige esa horrible Cathie Black. Y la fortuna que se requirió para que funcionase *Self*...

—Basta, Maxime. No puedo soportar que me hables así de números. Pareces un loro de tu padre, pero él sabía al menos lo que hacía. Así pues, has gastado cinco millones de dólares desde que volviste de

Europa; cinco millones de dólares de «Amberville Publications».

—Sí, madre, así es. Cinco millones, y no he terminado. Pero no lo lamentarás, te lo prometo.

Si Lily hubiese estudiado el semblante de Maxi, habría conocido en él la expresión resuelta de Zachary.

—Lo prometes —murmuró Lily encogiéndose de hombros, con un movimiento demasiado débil para resultar irónico—. Está bien, no volveré a preocuparme por esto. ¿Quieres otra taza de té?

—No, gracias, madre. Tengo que volver a la oficina.

—Lo comprendo, querida. Dale besos a Angelica de mi parte. Si está libre la próxima semana, tengo entradas para el ballet del sábado por la tarde.

—Seguro que le encantará.

Maxi se despidió de Lily con un beso. Pero sirvió de poco. Como siempre. Lo malo, Maxime, es que eres insensible, que no aprecias a Cutter, que eres la niña mimada de papá, que quieres que me interese en tu trabajo. Lo malo Maxime, es que esperas demasiado de tu madre.

Al llamar Lily a la camarera para que se llevase la bandeja del té, pensó lo bien que había hecho en tener esta entrevista con su hija. Maxime se comportaba como lo que era. Había gastado cinco millones y sólo podía mostrar una maqueta. A Lily podía no gustarle hablar de negocios, pero sabía que, era imposible saber lo que podía perderse. Aquello era un juguete en manos de una niña irreflexiva y caprichosa que nunca tendría un penique. Cinco millones de dólares tirados por la ventana en unos pocos meses. Pero no tenía que inquietarse por esto, si Cutter le había asegurado que el balance seguía siendo bueno. Sólo era una confirmación, si la hubiese necesitado, de que, muerto Zachary, la familia Amberville debía apartarse del negocio de las revistas.

No se trataba sólo de la pérdida de dinero, pensó Lily mientras subía a su cuarto de vestir, sino de lo mucho que Cutter tenía que sufrir. El hecho de que no le hubiese contado los detestables detalles de los derroches de Maxime era típico de su carácter desinteresado. Debía de estar furioso y, sin embargo, no había querido inquietarla con el indignante relato de las pretensiones de su hija. Su consideración era casi un defecto. Debía habérselo dicho. ¡Mira que volverse Maxi loca por publicar una revista! Registró sus armarios. ¡Cuánto echaba en falta el querido «Mainbocher»! ¿Y quién podía saber lo que Toby y Justin, por mucho que ella les quisiera, decidirían hacer en el futuro? Los tres juntos poseían el treinta por ciento de las acciones «Amberville». No, gracias; no quería como socios a sus hijos. Podía no entender mucho de negocios, pensó Lily, con aquel agudo y egocéntrico sentido práctico que había conseguido ocultar a todos e incluso a sí misma; pero de eso sí que estaba segura.

—Lárgate —gruñó a Angelica el hombre que estaba detrás de la carretilla de mano.

—¿Por qué vendes látigos de cuero? —le preguntó ella, con curiosidad.

—Esto no es de tu incumbencia, niña, conque, vete.

Nunca podría vender aquellos artículos sadomasoquistas, si había niños a su alrededor. Y esta chiquilla alta y de largos cabellos alejaría a sus parroquianos.

—Toma —dijo, dándole un dólar—, márchate y cómprate un perro caliente.

—Gracias.

Angelica se dirigió al hombre de «Sabrett», delante de la entrada de la sección residencial de Trump Tower. Mañana traería a su pandilla, la tropa de Trump Tower, a visitar al hombre de la carretilla. ¿Un perro caliente gratis para cada uno? ¿Por qué no? Mientras se comía el suyo, inspeccionó las diversas carretillas emplazadas en la Quinta Avenida. Carteras, cinturones, bufandas, joyas, toda clase de artículos fabricados en países lejanos eran exhibidos en la antaño inmaculada acera delante de las tiendas más lujosas del mundo. La Tropa no había visto la Quinta Avenida en sus días gloriosos. Aquella pandilla, que variaba entre once y quince miembros, eran los únicos niños que vivían en el edificio y, para ellos, los vendedores callejeros eran fuente constante de diversión y de interés, parte de su mundo, contrapunto natural de sus apartamentos de muchos millones de dólares.

Para la Tropa, Trump Tower no tenía secretos. Sabían cómo burlar la disimulada cabina de seguridad, guarnecida durante las veinticuatro horas del día y situada entre el digno, pequeño y lujoso vestíbulo del edificio y la vasta galería comercial de mármol color de rosa de seis pisos de altura, donde fluía, por arte de magia, una cascada maravillosa, y donde había siempre un hombre de frac tocando el piano de cola en la entrada. Los fatigados neoyorquinos iban de buen grado a sentarse allí durante un rato, para escuchar canciones familiares y tal vez comer un bocadillo, mientras en una de las carísimas boutiques emplazadas unos pisos más arriba, se vendían camisones de cuatro mil dólares a mujeres llegadas de muchos países. La Tropa conocía todas las tiendas; lo sabía todo sobre el piso donde estaban las habitaciones de la servidumbre doméstica; conocía a la rubia y hermosa Mrs. Trump, y la había persuadido de que les dejase visitar el jardín de su tríplex, que abarcaba toda la cima de la Tower y en el que crecían verdaderos árboles.

Angelica ejercía de jefe de la pandilla, porque era americana y tenía el apartamento más grande, una «L» combinada con una «H». Casi todos los demás eran extranjeros y sus padres, que iban constantemente de una capital a otra, consideraban aquellos apartamentos sólo como algo provisional. Pero Angelica no estaba hoy de humor para ir en busca de sus compinches. Se hallaba preocupada por su madre, y no sabía exactamente por qué.

En primer lugar, pensó mientras compraba otro perro caliente, esta vez con su propio dinero, Maxi se estaba convirtiendo en una mujer extraña y organizada. Había encontrado una cocinera que parecía que iba a quedarse definitivamente, a la que Maxi dejaba una lista detallada de lo que había que hacer cada día; también había contratado una asistenta que hacía las tareas más pesadas. Maxi, que jamás se preocupó de nada, disponía ahora las comidas con una semana de antelación, para que pudiese hacerse la compra con eficacia. Como resultado de ello, Angelica estaba segura de que tenía la única cocinera de Trump Tower que no se limitaba a telefonear a «Gristede's», sino que compraba personalmente los productos en Lexington Avenue. ¿Dónde habían quedado las llamadas telefónicas de urgencia a los proveedores?, se preguntaba Angelica. Recordaba los tiempos de improvisados y extravagantes festines, de ágapes preparados de cualquier manera, con frecuencia comidos directamente de las cajas en que habían sido entregados. Era lo que Maxi solía hacer.

Su madre y ella se sentaban ahora a cenar juntas cada noche; pero esto no era todo. Maxi había empezado a supervisar los deberes de Angelica. No para juzgarlos, pues las matemáticas de hoy, como las de ayer, estaban fuera del alcance de mamá, sino para asegurarse de que no perdía el tiempo. Más aún, había empezado a interesarse por el guardarropa de Angelica, en vez de dejar que llevase lo que quisiera, cargándoselo en cuenta en cualquiera de las tiendas de la ciudad, como había estado haciendo desde los diez años. «La ropa adecuada —le habían dicho el otro día—, no significa que sea mala.» ¡Una declaración espeluznante, en boca de mamá!

Además, estaba la cuestión de la vida amorosa. Mamá no parecía tenerla, ni preocuparse por ella. ¿Sería la menopausia? Angelica consideró la edad de Maxi y decidió que, a los veintinueve años, era demasiado joven para eso. Pero, según recordaba, siempre había habido un hombre en la vida de Maxi, uno tras otro, y sospechaba que, a veces, dos al mismo tiempo. Tipos jorobantes, como viejos que eran. Pero *B&B* no le dejaba tiempo para ninguno, jorobante o no. Cuando no estaba en la oficina o con Angelica, se pasaba las noches trabajando con Justin, con Julie o con otras personas de la oficina; o bien, y esto era lo más asombroso, completamente sola en su habitación, doblada sobre un bloc amarillo y lanzando de vez en cuando fuertes carcajadas, provocadas, según sospechaba Angelica, por su propio ingenio, ya que la tele estaba apagada. ¿Era esto lo que llamaban obsesión? ¿Y la obsesión no era una cosa mala?

Sin embargo, no veía ninguna señal de que Maxi empezase a derrumbarse. Era todo lo contrario: se estaba imponiendo sobre sí misma; tenía un propósito definido, y esto era lo peor, pues cuando mamá se proponía algo en serio se volvía mucho menos divertida que la alocada mamá a la que había que vigilar. Una mamá madura, con un puñado de ideas maduras sobre la manera de hacer las cosas, no le convenía a Angelica. Mamá estaba cambiando, esto era indudable. Y no le gustaba. No. En absoluto. Porque, si mamá era la adulta sensata de la familia, ¿qué le quedaba a ella?

Ningún Cipriani se había mordido nunca el labio inferior, pensó súbitamente Rocco, esforzándose en hacer que la mandíbula superior soltase su dolorida presa.

—Es evidente que he evitado el error clásico —dijo Maxi, atacando su bacalao con salsa picante como si fuese un suave puré de patatas.

—¿Qué error clásico? —quiso saber Rocco, mientras se preguntaba por qué se había dejado convencer para cenar juntos.

Suponía que había sido por curiosidad. A fin de cuentas después de todo el trabajo que había dedicado a la maqueta, después de haber fichado a Brick Greenfield, joven y magnífico director artístico, para que continuase el camino que él había trazado, sentía, a pesar, interés por el futuro de *B&B;* pero la despreocupación de Maxi le estaba acalorando casi tanto como la cocina criolla de «Chez Leonie», cuyo sonriente propietario haitiano les había tomado bajo su protección y decidido por ellos el menú.

Rocco sabía ya, por boca de demasiadas personas, que Maxi había visitado la mayoría de los grandes anunciantes, empleando su maqueta, la *de él,* como tarjeta de presentación, y conseguido que concediesen anuncios a su revista, empleando para ello toda su astucia, todas sus artes de seducción y el crédito inherente al nombre de Amberville. Incluso él tenía que reconocer que el concepto básico de *B&B* podía parecer lógico tal como lo presentaba la tortuosa Maxi, si no se tenía experiencia con ella, si no se la conocía, podía convencer a cualquiera de que una revista amable dirigida a las mujeres era lo que necesitaba para redondear la equilibrada publicidad que realizaba una agencia tan importante como «Cipriani, Lefkowitz y Kelly», con ayuda de un equipo especializado en los medios de difusión. Si uno era un anunciante estúpido y se le presentaba una joven pizpireta que se decía editora y directora al mismo tiempo, y que, pasando por encima de su agencia de publicidad tradicional, podía llegar a asumir compromisos que nunca habría contraído de estar en su sano juicio.

—¿Qué te has hecho con los dientes, Rocco? ¿Estás sangrando o es salsa de tomate? —preguntó Maxi, ofreciéndole, solícita, su servilleta.

—Guárdatela. Tengo la mía, ¡caray! Creo que he mordido una guindilla demasiado picante.

—Ya te advertí que tuvieses cuidado.

Maxi resiguió con la mirada «Chez Leonie», un restaurante de la Primera Avenida en el que sólo cabían seis mesas, pero cuyo ambiente le encantaba: viejos discos de antiguas melodías del Caribe, tocadas por un arcaico fonógrafo oculto en algún lugar; candelabros en todas partes, goteando cera como en una película de Cocteau; paredes claras, casi amarillas, de las que pendían fotografías de la familia de Leonie. Todo ello hacía que Maxi tuviese la impresión de estar de vacaciones en Islandia. Era evidente que Rocco se había adptado tanto a Madison Avenue que no comprendía la poesía de aquel lugar. ¡Y ése es el hombre que solía alimentarse de comidas picantes! ¡Qué lástima!

—¿Qué error clásico? —preguntó de nuevo Rocco, recobrando su dignidad.

—El de no comprender que tengo dos clientes para cada número, la lectora y el anunciante. No se pueden tener anuncios sin lectores, y no puede haber lectores sin anuncios, porque desconfían de las revistas que no sean gruesas. Por eso, he regalado prácticamente los anuncios durante los seis primeros meses. Bueno, no los regalé del todo; pero son muchísimos más baratos de lo que deberían ser. Absurdamente baratos. El primer número será bonito, grueso y tranquilizador, como un pollo grande y rollizo. A mis lectoras les bastará sopesarlo para pensar que, por un dólar cincuenta, ha sido una ganga. Rocco, reserva un poco de sitio en tu estómago para el plato fuerte.

—¿No es éste?

—Espera —dijo Maxi, con una sonrisa provocadora que hizo que la peca destacase sobre el arco perfecto del labio superior, de manera que Rocco sintió deseos de darle un bofetón y ver lo que pasaba.

—Sólo hay un problema que pareces haber pasado por alto —dijo él—, y es cómo vas a distribuir tu producto. Puedes tener la revista más bella del mundo, con anuncios a toda página y en cuatricomía; pero tendrás que buscar los millones de lectores que pretendes tener. Si la gente no puede encontrar *B&B*, ¿cómo quieres que la compre?

—Rocco, ¿has oído hablar alguna vez de un hombre llamado Joe Shore?

—No.

Maxi suspiró.

—Era un viejo maravilloso, pero murió..., hace unos quince años. Solía llevarme con él a las carreras. Y me dejaba comer todos los perros calientes que quisiera. Murió de la forma que supongo habría preferido: en su palco de Belmont Park después de acertar un ganador. No había apostado más que dos dólares. Pero había ganado..

—¿De qué estás hablando, Maxi?

—Del tío Joe, el padre del tío Barney. Se disgustó muchísimo cuando me divorcié de Laddie Kirkgordon... Le gustaba que fuese condesa. Su esposa y él vinieron a visitarnos al *Castillo del Pavor*, y lo pasaron en grande.

—¿El tío Barney? ¿J. Bernard Shore? ¿El jefe de «Crescent»?

Rocco apartó a un lado la enorme fuente de costillas de cerdo a la brasa, pollo, arroz y pato asado.

—¿«Crescent»? —repitió quebrándosele la voz.

—«Crescent», desde luego. Hay que tener un distribuidor nacional, Rocco —le explicó Maxi, con dulce paciencia.

—Lo sé muy bien Maxi —dijo Rocco cuidando sus palabras.

Ella estaba tratando de matarle. Comida criolla y, por si esto fuera poco, guindillas y una malicia deliberada. No sabía si padecía úlcera de estómago o acababa de producírsele. «Crescent» era la distribuidora nacional más importante de los Estados Unidos. Por supuesto «Amberville Publications» era uno de sus buenos clientes; pero se echarían a reír si les hablaban de *B&B*. Tenían que hacerlo si poseían un poco de sentido común.

—Lo cierto es que fui a ver al tío Barney y le expuse mi problema. Sabe que yo, desde que tenía tres años, siempre he sido capaz de acertar los ganadores; por consiguiente, firmamos un contrato. Desde luego, percibirán el porcentaje acostumbrado sobre el precio de venta al público; no pudo rebajarlo; pero me prondrá en primera fila en todos los puntos de venta ¡Rocco! ¡Leonie! Venga en seguida, creo que se está ahogando. ¡Dios mío, Leonie! ¿Había espinas de pescado en la sopa. Levanta los brazos sobre la cabeza, Rocco. No, Leonie, no le dé palmadas en la espalda. ¿Quieres el «apretón vital», Rocco? ¿La maniobra de Heimlich? ¡Oh, ya pasó...! ¡Jesús, qué susto me has dado! Nunca volveré a traerte aquí, palabra. Por favor, ¿puede servirme un poco de su coñac haitiano, Leonie? Me siento desfallecer.

—¿En primera fila? —murmuró Rocco, jadeando entre cada dos palabras—. ¿Estás segura de que dijo eso?

—Completamente segura. Prometió que encontraría espacio para ello, aunque tuviese que construir él mismo unos expositores.

—¿Cuánto va a costarte?

—Bueno, eso es otro problema. Tengo que pagar directamente a los vendedores. Unos cinco mil dólares cada tres semanas. Por cada puesto, quiero decir. No creerás que los supermercados ponen las revistas en lugar preferente por caridad, ¿verdad, Rocco? ¿No es así como *People* y el *National Inquirer* y *Cosmo* están siempre en un sitio donde no puedes dejar de verlas? —dijo Maxi con viveza.

Para recobrarse del susto que le había dado Rocco al atragantarse, se comió una ración de chuletas sazonadas con chile, después de haber acabado con las propias.

—¡Vas a tirar una jodida fortuna! —rugió él.

—¿Quieres bajar la voz, Rocco, o moderar al menos tu lenguaje? Tal vez perderé una fortuna, pero tengo los ojos bien abiertos y apuesto por mí. Y también apuesta tío Barney... Será mi banquero durante un año para lo de la primera fila. Una vez gané una quintuple para él. Fue la única vez en su vida... y yo tenía sólo tres años, y no sabía leer. ¡Oh, Roco, por el amor de Dios, toma un poco de mi coñac...! Estoy preocupada por ti. ¿No quieres que te hagan un chequeo? Conozco a un buen internista que se ha especializado en publicitarios nerviosos, como si fuesen una raza especial.

Un grupo muy solemne descendió del avión en el aeropuerto de Lynchburg, Virginia, el día en que el primer número de *B&B* iba a entrar en Prensa en la gigantesca planta de «Meredith/Burda» instalada en las afueras de Lynchburg. Al llegar, se dividieron en dos grupos más pequeños, porque un coche de alquiler era insuficiente para llevar a los siete. Justin, que había venido para prestar ayuda moral a Maxi, conducía el primer coche, con Maxi a su lado, y Julie y Brick Greenfield, detrás. El segundo coche era conducido por Allenby Winston Montgomery, el director gerente sugerido por Pavka. Su cara larga y sombría tenía su expresión normal, que era la de la persona que, con resignación, dignidad y paciencia, sube los peldaños de la guillotina; pero su personalidad había cambiado un poco desde el día en que Maxi decidió que *Monty* le sentaba mejor que el apodo de *General*. En realidad, le había sonreído una vez y, aunque desde entonces no había vuelto a sonreír, los que lo observaban tenían la impresión de que volvería a hacerlo antes de que terminase el año. Le acompañaban Angelica, que se había negado a que Maxi tomase el avión sin ella, aunque hubiese de faltar al colegio, y Harper O'Malley, de «Control Editorial», cuya función sería permanecer cada mes en la imprenta durante todo el proceso de impresión y asegurarse de que éste marchaba bien o, en caso contrario, hacer las oportunas correcciones.

Maxi no soltaba el precioso paquete de las primeras pruebas a todo color, en las que Brick Greenfield, *Monty* y ella habían hecho las rectificaciones finales, después de haber sido revisadas las dos series preliminares y las segundas pruebas y devolverlas a «Meredith/Burda». Los ojos de Maxi no veían el paisaje de Virginia. Trataba de recordar cuándo había sentido por última vez las emociones que experimentaba en ese momento y que, si era sincera consigo misma, tenía que reconocer que eran de miedo.

Sí, ya recordaba. Aquello que le había ocurrido otra vez, unos tres días antes del nacimiento de Angelica. Rocco y ella se encontraban en el cine y, de pronto, durante la proyección de la película, se había sentido abrumada por el descubrimiento de que la criatura que llevaba en su seno, la que había llevado ciegamente durante casi nueve meses, sólo tenía una salida de su cuerpo. Esta evidencia, que había conseguido ignorar hasta ese instante, produjo en ella tal efecto que sólo pensó en una cosa: cómo librarse de aquello. Tenía que haber alguna manera de evitar el parto. Pero, al contemplar su enorme vientre, hubo de aceptar una realidad incontrovertible. No había manera de liberarse del miedo. Tenía que seguir adelante con él. El montón de pruebas que reposaba sobre su falda tenía que ir a la Prensa, de la misma manera que Angelica había tenido que venir al mundo. Se relajó un poco y acarició aquellos cuadernillos sin guillotinar. Fuese cual fuese su futuro, les había dado lo mejor que podía dar.

Las dimensiones de «Meredith/Burda» bastaban para inspirar temor, si no verdadero pánico. Salvo a Harper O'Malley y Brick Greenfield, que habían estado allí cuando trabajaban para otras revistas. En el interior, las gigantescas prensas automáticas serpenteaban en la vasta nave de cinco pisos de altura, donde les esperaban varios impresores principales para recibirles. El ruido, tremendo, ensordecedor, casi inimaginable, hacía imposible la conversación; pero todos se estrecharon la mano e hicieron ademanes de saludo, mientras Maxi tendía las pruebas. Era como estar atrapados en *Tiempos modernos*, de Chaplin, con adiciones de *Guerra de las galaxias*, pensó Maxi. Los ordenadores parpadeaban aquí y allá, comprobando constantemente los amarillos, los rojos y los azules de las tintas, y el grupito de *B&B* esperó, todos juntos, tensos y serios, a que saliese de la Prensa el primer ejemplar. A pesar de la automatización y de los ordenadores, siempre era necesario el ojo humano para revisar cada página y asegurarse de que era como tenía que ser. Cuando apareció aquel primer ejemplar, todos se apretujaron alrededor y empezaron a hojearlo.

A excepción de Angelica y Justin, los demás creían saber con exactitud lo que esperaban, pues habían repasado cientos de veces cada palabra y cada ilustración; pero contemplar la revista terminada y encuadernada, era una experiencia muy diferente de la que habían tenido al verla en fragmentos y en pliegos; casi tan diferente, pensó Maxi, como lo habían sido el bulto que observó en su vientre aquel día en el cine y la criatura que le mostraron en la sala de partos. Aunque, en realidad, no tanto.

Después de que ella, *Monty*, O'Malley y Greenfield diesen uno a uno su aprobación definitiva, la primera tirada de *B&B* empezó a salir de la presa, empaquetada, por unas máquinas enormes, en grandes balas sujetas con cintas de plástico y transportadas por una correa sin fin hasta la plataforma de carga, donde una numerosa flota de camiones se hallaba esperando. Después de cuatro días de distribución, habría ejemplares de la nueva revista en todos los puestos importantes de periódicos y en todas las grandes cadenas de supermercados y de *drugstores* de los Estados Unidos.

Maxi, seguida de los demás, salió a la plataforma de carga para ver cómo se marchaban los primeros camiones. *Monty* rompió el súbito silencio, al decir, con una voz que casi pareció quebrarse en su garganta:

—Bueno, allá van.

De pronto sonrió, como si estuviese observando una bandada de pajaritos emprendiendo su primer vuelo. Maxi suspiró profundamente, y Angelica, que estaba en pie cerca de ella, se volvió, la alzó unos centímetros del suelo, le dio un fuerte apretón y la besó en ambas mejillas.

—¡Eh, mamá! —dijo—. ¿Qué te pasa? ¡Estás llorando!

21

Maxi rondó alrededor del puesto de periódicos al este de Pan Am Building, uno de los más grandes y mejor surtidos de Manhattan, ya que varios centenares de miles de personas pasan por él cada mañana y cada tarde, buscando algo para leer. Está situado en una de las intersecciones clave de Nueva York, un edificio que hay cruzar o en el que se tiene que entrar para ir a cien lugares diferentes, como el Metro y la Grand Central Station. Cada editor, desde Newhouse hasta Annenberg, desde Forbes hasta Hearst, tiene allí su representante para comprobar la marcha de las ventas, doce veces al día, cuando aparece un nuevo número de sus revistas. Expertos de mirada escrutadora dan vueltas alrededor del puesto de periódicos; personas que saben calcular el número de ejemplares que quedan en un montón. Cuando vuelven, al cabo de una hora, los recuentan y saben en seguida si la foto de la cubierta o los temas anunciados han aumentado la clientela, la han reducido, o han surtido el efecto acostumbrado.

Hacía cuatro días que *B&B* había sido cargada en la plataforma de Virginia, y Maxi, haciendo un esfuerzo, había esperado hasta esta tarde para ir a aquel puesto de periódicos. No había permitido que la acompañase nadie de la oficina. Esto no era un esfuerzo común, como lo había sido el montaje del primer número, sino algo que debía realizar ella sola. Cuando se jugaba a la ruleta, solía hacerse en grupo; pero cuando el jugador iba a cobrar lo ganado, o se levantaba con aplomo de su silla después de haber perdido todo, era mejor hacerlo a solas y sin fanfarria.

Se fue acercando trazando lentos círculos, confusa al principio por la abundancia de revistas y el barullo de los clientes alrededor del puesto de periódicos; pero, poco a poco, pudo enfocar mejor la escena. El tío Barney había dicho a «Meredith/Burda» la cantidad de revistas que tenían que enviar a cada uno de los distribuidores locales de las diferentes partes de los Estados Unidos. Por lo general, ellos decían lo que había que enviar a cada punto de venta, basándose en su larga experiencia. En el caso de *B&B*, dado que era una revista nueva, el tío Barney había indicado las cantidades que, a su entender, era oportuno distribuir. Un puesto de periódicos no tiene tanto sitio como un supermercado para que puedan elegir los clientes; por tanto, agrupan las revistas de más fácil venta para que no tengan que buscarlas. Para dar a *B&B* una oportunidad de competir, se acordó que, sólo por un mes, pues el tío Barney, a pesar de su influencia, no había podido conseguir más, estaría amontonada junto a *Cosmo*, la cual vendía el noventa y dos por ciento de sus ejemplares en los puestos de periódicos individuales y en los supermercados. El mero hecho de estar junto a ella, daría a *B&B* una oportunidad especial de ser advertida por las mujeres.

Maxi localizó los montones de *Cosmo*, aparecida pocos días antes, y observó que se habían reducido a la mitad, en comparación con los de la mayoría de las otras revistas femeninas. Se acercó más, mirando a derecha e izquierda, pero en ninguna parte pudo ver la chillona cubierta roja de *B&B* que Rocco había elegido porque era el color de la señal «stop», el único color que obligaba a todo el mundo a detenerse, salvo a los daltónicos. Y ella no era daltónica, pensó Maxi. ¿Acaso no habían repartido todavía la revista? Parecía imposible. Cuatro días era el tiempo que se calculaba para que todas las ciudades y todas las paradas de autobús del país recibieran sus ejemplares. Y era indudable que aquel puesto del Este tenía que tenerlos al mismo tiempo o antes, que cualquier otro.

¿Era posible, se preguntó, que el dueño de aquel importante punto de venta hubiese dejado de abrir los paquetes de *B&B*? ¿Tan atareado estaba con las revistas de gran demanda que no se había preocupado de desembalar las nuevas? *Monty*, con su sabiduría infinita, le había contado muchas historias terroríficas de ese estilo; y cuando ocurría esto, por la razón que fuese, uno podía darse por muerto. Tan muerto como los del cementerio. Por mucho cuidado con que se hubiesen previsto todos los detalles, el éxito, en el negocio editorial, dependía de la persona desconocida que abría el fardo de revistas, la caja de libros o el paquete de diarios, y los ponía a la venta. Si aquella persona tenía la gripe y había sido sustituida por otra de menos experiencia, uno estaba perdido. O si había tenido una pelea con su esposa y se había mostrado menos enérgico que de costumbre... *El maldito factor humano*, pensó Maxi, cada vez más agitada. Estas cosas deberían hacerse por ordenadores o por robots.

Incapaz de dominarse, se plantó delante del montón de *Cosmo*. Y se quedó boquiabierta, jadeó y pestañeó. Un alto montón de *The New York Review of Books* se hallaba a la derecha de *Cosmo*, que era donde debía estar *B&B*. ¡Tenía que haberlo sospechado! ¡Una estafa! Un bestial vendedor de periódicos neoyorkino, un intelectual de pega, con falsas pretensiones liberales, que probablemente tenía un hijo que escribía poesía o incluso intentaba ser crítico literario... ¡el muy bastardo le había usurpado su puesto! Ganando puntos con *NYRB* para su maldito engendro.

¡Tenía que aclararlo! Se abrió paso a viva fuerza hasta el centro sacrosanto del puesto de periódicos, chocando con los atareados dependientes que chocaban entre sí para dar cambio a los impacientes parroquianos.

—¿Dónde está el dueño? —preguntó, sin dirigirse a nadie en particular—. Díganme donde está el dueño, ¡y de prisa!

—No puede entrar aquí, señorita. Y el dueño soy yo. ¿Quiere usted salir?

El hombretón hizo un ademán, despidiéndola, y empezó a volverse. Nueva York estaba llena de muchachas hermosas y solitarias, de cabellos revueltos y agresivos ojos verdes.

—¡No me iré! —gritó Maxi, empujándole—. ¡Maldita sea! ¿Dónde ha puesto *B&B*? ¿Por qué no está al lado de *Cosmo*? Y no me diga que no la ha recibido, porque estoy segura de que...

—Sí. Sí, la recibí, pero no sé por qué, he vendido todos los ejemplares. He telefoneado al distribuidor para que envíe otros doscientos. Por consiguiente, no me culpe de nada, señora; le estoy guardando el sitio con ese periodicucho, y es una lástima.

—¿Se han vendido? —murmuró Maxi—. ¿La han comprado?

—No me miré así, señora. Estoy tan enterado como usted. Se han desvanecido. Nunca había visto cosa igual. ¡Eh, alto, señora! Ni siquiera sé quién es usted. Deje de besarme... Bueno, deje al menos de llorar sobre mi camisa... y de embadurnarla con el colorete y el lápiz de labios... Sí, de acuerdo, es extraño que yo no sea un robot.

Qué lástima que estuviese loca, con unas piernas como las suyas. Sí, eran unas piernas clásicas, como las de Marilyn y Rite y Cyd Charisse. ¡Y qué lástima que él fuese demasiado viejo para ella...! De todos modos, estaba estorbando allí en medio.

Pavka Mayer y Barney Shore apenas se conocían. Aunque hacía casi treinta y siete años que «Crescent» había sido la distribuidora nacional de «Amberville Publications», el elegante y refinado director artístico había tenido poco contacto con el tosco magnate cuyo principal material de lectura seguía siendo la *Racing Form*. Sin embargo, tres días después de que Maxi fuese al puesto de periódicos del Pan Am Building, Pavka Mayer fue invitado por Barney Shore a almorzar en «Le Veu d'Or», pequeño restaurante francés donde ambos se sentían como en su casa, un establecimiento que sin duda funcionaba ya antes de que ellos empezaran a dedicarse a sus negocios, un lugar tan distinguido como Pavka y tan eficiente como Barney, un restaurante excelente pero no de relumbrón, desconocido por quienes no fuesen neoyorquinos.

—Tenía que celebrar esto con alguien que sintiese lo mismo que yo —dijo Barney.

—Me alegro de que me llamase —asintió gravemente Pavka.

—Sólo ha pasado una semana, y la revista se vende ya en todas las ciudades importantes del país. Nunca se había visto cosa igual desde la publicación del primer número de *Life*. Mis ordenadores se vuelven locos. La guerra entre Fort Worth y Houston se agravó cuando las damas de Houston se dirigieron a Fort Worth y las de Fort Worth a Houston, en viajes de dos horas en automóvil, con la esperanza de encontrar algunos ejemplares en la ciudad adversaria. De nada sirvieron las propinas a los vendedores pues habían agotado las existencias. Y lo mismo ocurrió en Chicago, Los Ángeles, en San Diego, en Boston, en Milwaukee... En todas partes. Erré en mis cálculos; hubiese debido imprimir cinco o diez veces más ejemplares. Persuadimos a «Meredith/Burda» de que hicieran una reedición. Chillaron y protestaron tanto que tuvimos que pagarles el doble... Será mejor que conserve usted su ejemplar de la primera edición, pues será una pieza de coleccionista —dijo Barney Shore, con gran sonrisa.

—¿No tendrá usted algunos ejemplares sobrantes en su casa? —preguntó Pavka.

—Lo siento, pero mi esposa, muy amable, los regaló a sus amigas sin pedirme permiso, y no dejó ni uno... Faltó poco para que mis hijas la estrangulasen —respondió Barney, chascando la lengua con satisfacción.

Le encantaba seguir sus corazonadas, y Maxi le había traído siempre suerte.

—Temía que dijera eso. Las amigas de mi esposa nunca van a la compra, y cuando, al fin se resignaron a entrar en un supermercado, era demasiado tarde. Las chicas de mi oficina, que estaban demasiado hastiadas para interesarse por esto, que se pasan la vida metidas entre revistas, se turnan ahora para estar en el puesto de periódicos del edificio cuando llegue el próximo envío. ¿Cree usted que «Meredith/Burda» habrá tenido el acierto de reservar un paquete para nosotros?

La expresión entusiamada y triunfal de los ojos de Pavka desmentía el tono quejumbroso de su voz.

—Mi secretaria tuvo la intención de sustraer un ejemplar del portarrevistas de su peluquería; pero la dueña se lo había llevado a su casa y allí se había quedado. Dice que todas sus clientes son cleptómanas declaradas y que no disfrutarían tanto como ella con la revista. Bueno, Pavka, ya llegan nuestras bebidas.

Los dos hombres levantaron sus copas e hicieron chocar ligeramente sus bordes. Sus miradas se encontraron y, de pronto, se pusieron serios.

—Por Zachary Amberville —dijo Pavka.

—Por Zachary Amberville —repitió Barney Shore.

Rocco telefoneó a su secretaria:

—¿Dónde están Lefkowitz y Kelly? —preguntó.

—En el despacho de Mr. Lefkowitz. ¿Quiere que les llame?

—No, Miss Haft. Iré yo allí.

Sus asociados pelirrojos y de ojos azules acababan de volver de almorzar y todavía no se habían quitado los galeanes. Kelly, que dormía con un ejemplar de *Gentelman's Kuarterley* en su mesita de noche, llevaba un abrigo «Chesterfield» gris oscuro con solapas de terciopelo, hecho a la medida, y un sombrero de fieltro con el ala vuelta en un lado y bajada por delante y por detrás. Lefkowitz, que, a sus veintitantos años, no había podido sustraerse de la influencia de la película *Stavisky* de Belmondo, llevaba un Borsalino que, como solía recordar a Kelly, estaba confeccionado por Borsalino Giuseppe e Fratello de Alessandria, Italia, y no era uno de esos sombreros corrientes de fieltro y ala ancha. Si bajaba el ala en un lado era para que no le confundiesen con F. Scott Fitzgerald, y también lucía aún su impermeable reversible de *tweed* de Cesarini.

—¿Tenéis frío, muchachos —pregunto Rocco— o estáis ensayando una reposición de *The Siting*?

—¡Mira esto, Rocco! —dijo Lefkowitz, entusiasmado.

—Casi atropellamos a un par de mozas, pero conseguimos hacernos con un ejemplar —declaró triunfalmente Kelly—. Echa un vistazo. ¿Qué te parece? ¿No valía la pena exponerse a unos terribles arañazos?

Hicieron sitio a Rocco para que mirase mientras pasaban las hojas de *B&B,* con la aguda percepción de los hombres cuya vida era definida por la necesidad de vender a la gente cosas que ésta no se había dado cuenta de que necesitaba.

—Está bien —comentó Rocco.

—¿Bien? —gruñó Rap Kelly—. Gracias a Dios hicimos que estas páginas valiesen lo que cuestan. Y a Rocco sólo se le ocurre decir «está bien». ¿Detecto algo de celos, amigo?

—Vamos, Rap. ¿Por qué diablos piensas una cosa así? —preguntó Lefkowitz.

—Veamos las cosas como son, Rap, esta revista es algo muy especial. No he visto nada que pueda compararse con ella ni remotamente. Fijaos en el empleo de los blancos, en la tipografía, en las ilustraciones, en la composición... Tal vez penséis que lo único que sé hacer es conseguir nuevos negocios; pero no estoy ciego.

—He dicho que estaba bien —repitió Rocco con ardor, mirando las páginas que había compuesto para Maxi, páginas que nunca podría reconocer como suyas, a riesgo de parecer tonto de remate.

—He dicho que estaba bien, Rap. ¿Qué más quieres? —Se apresuró a ratificar Lefkowitz—. Escucha, Rap: cuando Rocco hacía revistas, era al menos tan bueno como el hombre que ha compuesto ésta, y todo el mundo lo sabe.

—Sí —dijo Kelly—. Si hay alguien que se acuerde.

Justin, que se estaba vistiendo de prisa, para asistir con horas de retraso, a la fiesta que daba Maxi en su oficina, como celebración del éxito del primer número, no oyó la primera llamada a la puerta de su modesto apartamento en una casa sin ascensor. La segunda llamada fue más fuerte, más apremiante.

—Abra a la Policía.

¿Qué diablos querrán?, pensó Justin, apresurándose a abrir la puerta. Dos hombres sencillamente vestidos estaban plantados ante él.

—¿Es usted Justin Amberville?

—Sí. ¿Por qué?

Le mostraron sus insignias.

—Policía de la ciudad de Nueva York. Tenemos una orden para registrar su apartamento.

—¿Un registro? ¿Para qué? ¿Qué sucede? —preguntó Justin sorprendido y cerrándoles rápidamente el paso.

Ellos, expertos, le empujaron a un lado, y cuando él los repelió con toda su fuerza, ambos agentes tuvieron que emplearse a fondo para inmovilizarlo contra la pared.

—Harry —dijo uno de ellos—, registra bien todo el lugar. Justin se las da de rudo y ofrece resistencia; por consiguiente tenemos que hacer una inspección que nunca pueda olvidar. Aquí está el mandamiento, pequeño Justin. Tranquilízate.

El tono desdeñoso con que pronunció su nombre era provocativo; pero al ver el papel, Justin se dio cuenta de que nada ganaría luchando con aquel hombre, sobre todo habida cuenta de que nada tenía que ocultar.

Acallado, de momento, por la incredulidad, silencioso como si estuviese soñando, observó cómo el primer policía registraba a toda prisa su cuarto de estar, rasgando los cojines del diván y los sillones, barriendo los libros de los estantes, arrancando los altavoces de su estéreo. Todavía inmóvil contra la pared, escuchó los ruidosos destrozos que se estaban produciendo en su dormitorio, hasta que Harry salió de él.

—Allí no hay nada, Danny, a menos que esté debajo del suelo. Probaré en la otra habitación.

—Es mi laboratorio. Lo que hay allí vale miles de dólares... Por el amor de Dios, tenga cuidado.

—Claro que sí, Justin. Para eso estamos aquí, para tener cuidado —se burló Harry.

Abrió la puerta del laboratorio, encendió la luz y empezó el registro, tirando violentamente al suelo todo lo que no le interesaba. Justin contempló cómo sus «Nikons» chocaban una a una contra las baldosas, haciéndose añicos sus objetivos. Al ser arrojada la tercera cámara, se desprendió de las garras de Danny en un rápido y ágil movimiento y corrió detrás de Harry, derribando con facilidad al fornido policía. Harry lanzó un gemido de dolor, y, durante un momento, no pudo moverse.

—¡Bastardo! —le escupió Justin, volviéndose en seguida para enfrentarse con Danny.

Lanzó una patada que le dio de lleno en el codo. La lucha que siguió fue breve, cruenta y brutal. Sin sus presas ilegales, los detectives se habrían encontrado tumbados en el suelo e incapaces de respirar; pero, en vez de esto, fue Justin quien quedó vencido, casi inconsciente, y esposado.

—Harry, te has olvidado de ese armarito —jadeó Danny, acariciándose el codo—. Este pequeño truhán debe tener la cosa en alguna parte.

El segundo agente, resoplando todavía por el daño que le había causado Justin, extrajo un montón de cajas del armario y revisó las fotografías archivadas en ellas. Abrió las fundas vacías de las cámaras y las tiró contrariado. Por último, descorrió la cremallera de la bolsa de lona que Justin había dejado allí después de su último viaje.

—Valía la pena —gruñó, levantando la bolsa y dejándola en el suelo para que el otro policía pudiese ver su contenido—. ¿Qué te parece, Danny? ¿Qué dices tú, Justin? ¿Qué dices, desgraciado? —dijo dándole una fuerte patada en las costillas—. Yo diría que hay unos tres kilos; todo el maldito bolsillo lateral está lleno de droga. Representa millones de pavos, vendida en la calle. Debió pensar que había encontrado el escondite perfecto. Demasiado visible para ser examinado, ¿no es verdad, Justin? Vamos Danny, yo le encerraré y le leeré la cartilla. Tú te quedarás abajo, mientras yo subo de nuevo en busca de la bolsa. Esto te va a pesar —amenazó mientras levantaba bruscamente a Justin, tirando de las esposas—. Vamos, Mr. Amberville; tenemos una cita en la ciudad.

Redactada la denuncia contra Justin, por posesión de cocaína, con presunta intención de venderla, y después de fotografiarle y de tomarle las huellas dactilares, le permitieron hacer una llamada telefónica. Asombrado, aturdido y maltrecho, apeló, por instinto, a la única persona a la que se atrevía a llamar. Marcó el número de Maxi.

Ésta, cuando sonó el teléfono, acababa de meter en la cama a la mareada Angelica. Se había sentado detrás de su mesa, muy cansada; pero tan eufórica y satisfecha, que no quería irse a dormir y poner fin a la celebración que se había prolongado hasta mucho después de terminar la cena.

—¡Justin! ¿Por qué no has venido a la fiesta? Estuvimos esperándote... ¿Qué? ¡¿Qué?! Es imposible... No lo comprendo... Desde luego, iré en seguida. ¡Dios mío, Justin! ¿Quieres que vaya con un médico? Entonces, ¿con un abogado? ¿No? ¿Estás seguro? Bien, bien. Te prometo que no diré nada a nadie. Llegaré lo antes posible... Sí, mi talonario de cheques. Manténte firme; salgo ahora mismo.

Eran más de las once cuando Maxi llegó a la Comisaría de Midtown North, un cuarto de hora después de salir de su apartamento. Un cuarto de hora de pesadilla, de angustiosas conjeturas, de calles obsesionantes atisbadas a través de la ventanilla del taxi; un cuarto de hora en el que se multiplicaron los elementos de terror de un mal sueño. Había ocurrido algo terrible, que no sabía muy bien de qué se trataba; pero que había temido desde hacía tiempo. Lo de menos era la detención de Justin; lo importante era el hecho de que, de algún modo, ella lo había esperado por razones que había evitado considerar. Era el tufillo nauseabundo de algo familiar, medio comprendido, medio sospechado; lo no visto por haber estado oculto, fuera del campo visual, detrás de puertas cerradas durante años; algo más espantoso que todo lo que ella había imaginado nunca a la luz del día. Sus ideas eran confusas, y no podía dominar sus escalofríos a pesar del abrigo de pieles. El talonario de cheques estaba en su bolso, como único punto sólido de referencia en todo el universo.

En la atestada y confusa Comisaría, Maxi localizó al fin al sargento de guardia.

—No, señora, no puede sacarle bajo fianza. No está aquí. Después de extenderse el atestado, fue llevado a Jefatura, en espera de comparecer ante el juez. El acusado habría tenido que llamar a su abogado, no a su hermana. ¿Cuál es la acusación? Aquí dice posesión de drogas, con sospecha de traficar con ellas. ¿Qué cantidad de droga? La suficiete, mucho más de la suficiente. Es cuanto me es posible decirle. No, desde luego no puede verle. No antes de que sea procesado. Y traiga consigo un abogado. ¿Qué dice usted? ¿Que él no quiere? Bueno, yo le aseguro, señora, que lo necesitará. Y mucho.

Después de otra media hora de buscar inútilmente a alguien que pudiese decirle algo más, le salió al paso un joven desconocido.

—¿Miss Amberville? Tengo entendido que su hermano ha sido detenido esta noche... —dijo en tono compasivo.

—¿Quién es usted? —preguntó Maxi.

—Tal vez pueda ayudarla. Le vi cuando lo trajeron. Sin duda necesitaba cuidados médicos, y pensé que usted debía saberlo.

—¿Y usted quién es?

—Por lo visto encontraron una gran cantidad de cocaína en su apartamento. Él sostuvo que no era suya, que debía pertenecer a otra persona. ¿Tiene usted idea de quién pudo ponerla allí? Podría ser alguna persona en la que él confiase, un amigo, un conocido...

—Márchese —chilló Maxi.

Bajó corriendo la escalera de la Comisaría, buscando, frenéticamente, un taxi. ¿Un amigo? ¿Un conocido? Alguien había escondido cocaína en aquel apartamento al que ella no había sido invitada y donde Justin guardaba su intimidad como si fuese un objeto frágil y precioso. ¡Oh, Justin! ¿A qué clase de gente llamas tú amigos? ¿Quién te conoce mejor que yo? Mi querido, mi pobre y perdido Justin... Yo me esforcé en no adivinarlo. ¿No querías tú, más que nada en el mundo, que ninguno de nosotros pudiese sospecharlo?

No había nada que hacer, pensó Maxi, descolgando el teléfono de su mesita de noche para llamar a Lily. Los únicos abogados que ella conocía estaban especializados en divorcios. Y Justin necesitaba los abogados mejores y más influyentes a quienes pudiese acudir «Amberville Publications». Además, tenía que informar a Lily con el mayor tacto posible, antes de que se enterase de la detención de Justin por los periódicos de mañana.

—Hola, madre.

—¿Tienes ideas de la hora que es, Maxime? —preguntó con voz soñolienta Lily.

—Sí, es más de medianoche. Siento mucho haber tenido que despertarte, pero ha ocurrido algo... No, nadie ha sufrido daño. Es otra cosa, madre. Justin ha sido detenido.

—Espera a que vaya a otro teléfono —murmuró Lily, y a los pocos segundos habló por otro aparato—. No quería despertar a Cutter. ¿Dónde está Justin ahora?

—En la cárcel. Le han llevado a la Jefatura de Policía.

—¿Por qué lo han detenido, Maxime? ¿Ha sido por..., por tratar de seducir a algún hombre? —preguntó Lily, en voz baja y aterrorizada.

—¡Por Dios, madre!

—Lo he temido desde hace mucho tiempo. ¿Ha sido esto, Maxime? Dímelo —suplicó Lily.

—No, madre, no es nada de eso. Es algún terrible error. Dicen que han encontrado cocaína en su apartamento. Sospechan que trafica con drogas. Y eso es imposible. Lo único que he podido averiguar es que él dijo que alguien había escondido la droga en su casa.

—Si él lo ha dicho, es verdad —afirmó Lily cuya voz era ya más tranquila—. Justin es incapaz de mentir. Y, desde luego, no es traficante de drogas. Telefonearé ahora mismo a Charlie Salomon. Él sabrá lo que hay que hacer. Sacaremos a Justin de la cárcel por la mañana.

—Madre, lo que más quería Justin era que nadie se enterase... ni sospechase. Pero había allí un reportero y me hizo una foto... Sabía lo de la droga.

—Tenemos que prepararnos para esto.

La voz grave y argentina de Lily no había tenido nunca un tono tan lastimero, ni siquiera cuando se compadecía de sí misma.

—¡Oh, madre, estoy tan preocupada por él! ¡Mi pobre, querido e inofensivo Justin! ¿Por qué tenía que ocurrirle una cosa así? —preguntó Maxi, y en seguida se dio cuenta de lo infantil que era su pregunta.

—Maxime, sé, desde hace tiempo, que algo de esto tenía que ocurrirle a Justin. No por culpa suya, querida, pero tenía que ocurrirle. Y ahora no te preocupes. Charlie Salomon es el mejor abogado de la ciudad y, gracias a Dios, Cutter está aquí para cuidar de todos nosotros. Buenas noches, Maxime y... gracias, querida. Gracias por tu ayuda.

Antes de ir a despertar a Cutter, Lily telefoneó a Charlie Salomon, principal asesor de «Amberville Publications»; éste se hallaba en su casa y estaba todavía viendo la televisión. En términos precisos, casi sin mostrar ninguna emoción, le contó lo ocurrido, en la medida que ella sabía, y quedó en encontrarse con él por la mañana en la Jefatura de Policía.

Después, ciñéndose su bata, salió despacio del cuarto de estar y se dirigió al dormitorio que compartía con su marido. Éste había tenido un día muy fatigoso y ella sabía que tenía que levantarse temprano para un desayuno de negocios; pero no podía demorar más tiempo el despertarle. Las seguridades que había dado a Maxi y la breve conversación sostenida con el abogado le hacían sentir la intensa necesidad de que Cutter la abrazase y le dijese que todo acabaría bien, que él la ayudaría, que no estaba sola.

Miró la cara dormida, tan distinguida en el sueño como cuando estaba despierto, pues el relajamiento de los finos músculos faciales hacía que no cambiase la fina y aristocrática línea de los huesos del cráneo. Sólo la severidad sombría y reflexiva, la eterna expresión de alerta del matador de toros, había desaparecido de su semblante. Lily suspiró, satisfecha en el fondo. Incluso en este momento de tristeza, temido desde hacía tiempo, se alegraba al mirarle.

Le pasó suavemente las puntas de los dedos por la frente. Él se volvió de lado para evitar el contacto, pero ella continuó hasta que Cutter se despertó, aturdido, de su profundo sueño

—¿Qué quieres, Lily? ¿Qué sucede? —murmuró, todavía medio dormido.

—Despierta querido. Te necesito.

—¿Estás enferma, Lily?

Se incorporó en la cama, alarmado.

—Estoy bien. Uno de mis hijos se halla en un apuro.

—Maxi. ¿Qué ha hecho esta vez?

—No; es Justin, nuestro hijo, Cutter. ¡Oh, Cutter, abrázame fuerte! Hace tiempo que lo temía, que lo temía mucho, y ahora ha sucedido.

Lily se arrojó en brazos de Cutter, como buscando seguridad en él. Cutter la estrechó, la besó en la cabeza y la consoló durante unos momentos; pero después la apartó lo bastante para poder verle la cara.

—Dime, Lily, ¿qué le ha pasado a Justin? Por el amor de Dios, dime qué le ha ocurrido.

—Ha sido detenido. La Policía registró su apartamento y encontró drogas... Cocaína. Se lo han llevado a la cárcel. Él telefoneó a Maxi, pero era demasiado tarde para poder hacer algo esta noche. He hablado ya con Charlie Salomon y lo sacará mañana temprano.

—Espera un momento. ¿Cuánta cocaína encontraron?

—Maxi no lo sabía, pues no quisieron decírselo; sólo le dijeron que era «bastante»... bastante para procesarle como presunto traficante.

—¡Dios mío! —Cutter saltó de la cama y se puso su albornoz—. ¡Santo Dios! ¡Como si ese muchacho no tuviese bastante dinero! ¿Cómo diablos ha podido ser tan estúpido? Sería capaz de estrangularle con mis propias manos... ¡Sospechoso de traficar con cocaína! ¡Un Amberville traficando con cocaína! ¿Tienes idea de la deshonra que esto significa? No podía caer más bajo...

—¡Espera! ¡Él no es culpable, Cutter! No es posible que lo sea. Justin no es malo, no es un delincuente. ¿Cómo has podido pensarlo? —defendió Lily jadeando indignada—. Alguien dejó la droga, la ocultó en su apartamento. Él no sabía que se encontraba allí. Maxi está segura de ello.

—¡Oh, Lily! ¿No podía ese imbécil inventar una mentira un poco más convincente?

—¿Crees que es una mentira? —preguntó Lily, alzando la voz.

—Justin nos ha ocultado siempre algo. Lo supe desde el primer momento. Nunca ha sido sincero conmigo, ni contigo, ni con nadie de la familia. Desaparece durante meses, sin decir a dónde va; tiene un apartamento que nunca hemos visitado; todo concuerda. Y ahora se nos viene encima toda esta porquería. Justin no es más que un puerco vagabundo rico cuyos dividendos y cuya renta no le bastan, y por eso vende cocaína a escondidas, y el muy imbécil se deja sorprender.

Lily miró a Cutter, que paseaba de un lado a otro por el dormitorio, arrojando cruelmente sus palabras como piedras a sus pies.

—Escúchame, Cutter —dijo ella esforzándose en hablar con la mayor tranquilidad posible—. Tú no conoces a Justin. A pesar de ello, tienes que comprender que es incapaz de hacer algo que perjudique a nadie, salvo a sí mismo. Por desgracia, conoce a gente dispuesta a ocultar drogas en su vivienda. Cuando me di cuenta de que los dos no os aveníais, de que no podíais intimar, de que no te esforzabas en conocer mejor a tu propio hijo, Cutter, pensé que era porque sabías, porque tenías la impresión, porque te dabas cuenta de..., que era homosexual. Y pensé también que tal vez te culpabas absurdamente de ello, que...

—¿Homosexual?

Hubo un momento de silencio total. La palabra pareció rebotar de una pared a otra del dormitorio. Cutter se quedó petrificado de incredulidad. Y Lily no podía comprender que fuese verdad que él no lo supiese, que no lo hubiera visto. Tal vez, por consideración a su hijo, no había intentado preguntarse el porqué del evasivo estilo de vida de Justin.

—No puede ser homosexual, Lily. Eso es imposible —dijo al fin Cutter en una seca negativa.

—Creíste que traficaba en cocaína. Lo creíste en seguida, sin hacer preguntas. ¿Por qué no puedes creer que es homosexual?

—¡Mi hijo un maricón! No, nunca. Si hubiese sido Toby... Pero un hijo mío, no. ¡Maldita sea, Lily! Yo nunca quise tenerlo; pero tú te empeñaste. Más le valdría no haber nacido.

—¿No haber nacido?

Lily miró fijamente a Cutter al repetir sus palabras, y él vio una cara que no había sospechado pudiese existir, una cara contraída, agresiva, el rostro de una mujer que mostraba al desnudo una emoción que él nunca había visto en ella.

Se acercó a su esposa y la abrazó con fuerza.

—Lily, Lily, amada mía, perdóname. No quise decir eso; no quise decirlo en absoluto. Me volví loco durante un instante... y es que siento... creo que es una fobia... por los homosexuales. Era una especie de reacción primitiva, y cuando dijiste que Justin lo era... no pude resistirlo. Parece una chifladura, Lily, pero tengo este problema y me avergüenzo de ello. No te censuro por estar indignada. Sabes que cuando la gente sufre una fuerte impresión puede decir cosas que no piensa. Me alegro de que tengamos un hijo, Lily; de veras, me alegro muchísimo. ¡Muchísimo, Lily! —se disculpó, mientras sentía que ella se relajaba en sus brazos y empezaba a llorar—. ¿Te sientes mejor, querida? ¡Te amo tanto! Por favor, dime que me perdonas. Mira, voy a preparar una bebida para los dos y después hablaremos de esto, de lo que podemos hacer para ayudar al pobre muchacho, de lo que puedo hacer por mi hijo.

Mientras bajaba la escalera para dirigirse al bar, Cutter se maldijo por su estupidez, por haberse ido de la lengua al hablar con su mujer. Su irritación no era excusa suficiente. Desde el momento en que había poseído por primera vez a Lily, la había acostumbrado a sentirse controlada, dominada, de manera que él pudiese marcarle cualquier camino que conviniese a sus propósitos. Para llevar a cabo su plan de terminar con «Amberville Publications», tenía que seguir gozando de toda la confianza de Lily, de toda su entrega. Había conseguido que dejase de publicar tres revistas, pero quedaban todavía otras siete que debían ser eliminadas por completo. Y casi lo había echado todo a perder. Pero esto no volvería a ocurrir, se juró, mientras llevaba los vasos al dormitorio. Aunque para ello tuviese que salir en defensa del culo de Justin, de ese enfermo y estúpido maricón. Siempre le había odiado, y ahora sabía la razón.

22

A la hora del desayuno, siempre hay embotellamiento de tráfico en Park y la Calle 71, pues la Policía permite que los coches aparquen en triple fila delante del «Regency Hotel», mientras los taxis, menos privilegiados, se ven obligados a pasar en fila india frente a este caro pero, en el fondo, poco exquisito hotel. Por razones confusas, su comedor se ha convertido en el lugar más popular de los hombres poderosos para hacer negocios mientras toman café y pastas secas. El «Plaza» está demasiado lejos, en la parte baja de la ciudad; el «Carlyle», demasiado lejos en la parte alta; el «Waldorf», demasiado hacia el Este, el «Plaza Athenée» es demasiado nuevo; por consiguiente, ha correspondido al «Regency» albergar a los Tische, los Rohayton, los Newhouse y los Sulberger, que suelen hacer más operaciones en el curso de una hora de desayuno que en todo el resto del día. Nunca se reúnen dos hombres para desayunar en el «Regency» con el único objeto de hacer su colación matutina, salvo que sean raros y despistados turistas que no pueden esperar a que les sirvan en sus habitaciones.

Cutter Amberville, gracias a sus continuas y adecuadas propinas (nunca excesivas para no dar la impresión de inseguridad, pero tampoco tan mezquinas que dejasen de impresionar), se había asegurado la segunda mesa de la derecha, frente a las ventanas de la Calle 71. Había elegido esta mesa tres años antes, cuando volvió por primera vez de Inglaterra, porque le permitía sentarse de espaldas a la pared. No comprendía a los hombres que preferían las mesas del centro, expuestos a todas las miradas. Evidentemente, sabían que serían observados, ya que un desayuno en el «Regency» era una declaración de que se llevaba algo entre manos, al menos en potencia; pero él se preguntaba: ¿por qué desviarse del camino para llamar la atención? Cutter se aseguró de llegar varios minutos antes que su invitado, Leonard Wilder, de la «United Broadcasting Company», estableciendo así el derecho tácito a iniciar la conversación. Concentró sus ideas sobre el hombre con quien iba a reunirse, borrando de su mente a Lily, que había salido ya para sacar a Justin de la cárcel.

Leonard Wilded era un hombre famoso por su impaciencia. Llevaba dos relojes y los observaba sin cesar. Por lo general, tenía dos desayunos de negocios cada mañana, uno a las ocho y el otro a las nueve, y nunca se preocupaba de comer. Hacía demasiado tiempo que era importante y podía permitirse prescindir de los ritos de la cortesía, pasos de baile en el mundo de los negocios. Se comentaba que su frase favorita era: «Deje a un lado la paja y vayamos al grano.»

Cutter se levantó cuando Wilder fue conducido a la mesa por el maître.

—Encantado de conocerle, Mr. Wilder —dijo Cutter, mientras se estrechaban la mano—. Le estoy muy agradecido por haber encontrado tiempo para desayunar conmigo, habiéndoselo pedido con tan poco tiempo de antelación. Mi esposa y yo vimos su *Ragtime Special* la noche pasada y ambos convinimos en que fue un programa excelente.

—No estuvo mal —respondió Wilder, con su estilo escueto e impaciente.

—Bien, ¿pedimos el desayuno?

Cutter estudió el menú, prestándole toda su atención.

—Henry —pidió—, yo empezaré con las fresas, y Mr. Wilder tomará... No, ¿nada para empezar? Después, el porridge inglés con nata. Veamos... Sí, yo tomaré los pastelillos de alforfón con tocino canadiense. Asegúrese de que el tocino sea fino y esté bien tostado, y recuerde al *chef* que los pastelillos tienen que estar recién hechos. Si yo estuviera en su lugar —dijo volviéndose a Wilder—, tomaría lo mismo. ¿No? Hacen una hornada todas las mañanas y después los ponen en una cámara de vapor para mantenerlos calientes... Pero entonces no son tan buenos y, por eso, el *chef* hace siempre una hornada especial para mí.

Wilder gruñó:

—Y café caliente, muy caliente —continuó diciendo Cutter—. Puede traerlo en seguida. ¿Qué quiere usted tomar, Mr. Wilder? ¿Café nada más? Sospecho que se debe a lo que tengo de occidental trasplantado; pero he descubierto que, después de un buen desayuno, puedo trabajar el doble antes del almuerzo que si tomase sólo una taza de café. ¿Seguro de que no quiere más? Está bien, Henry, sólo café para Mr. Wilder.

Leonard miró al esbelto talle de Cutter, el cual interceptó su mirada.

—Desayuna como un rico y cena como un pobre. Siempre he seguido este consejo. Sin embargo, la dieta no lo es todo; también hay que mantenerse en forma. Mi esposa y yo somos ardientes atletas de fin de semana y tenemos un gimnasio en nuestra casa para hacer ejercicio todos los días. ¿Qué ejercicio hace usted?

—Camino para ir al trabajo.

—Sí, caminar es muy bueno —convino Cutter—; pero me parece que no entra en juego todo el cuerpo, a menos que no se corra; y eso es imposible en esta ciudad, si uno no quiere exponerse a que le mate un conductor de taxi.

Se retrepó en la silla y bebió su café.

—Camarero —llamó—, no está bastante caliente. Por favor, ¿quiere traer otra cafetera y tazas limpias? Llévese también el café de Mr. Wilder. Está tibio.

Leonard Wilder apretó los dientes y consultó sus relojes. Cutter esperó tranquilo a que trajesen el café.

—Conocí a su hermano —dijo de pronto Leonard Wilder—. Un hombre maravilloso.

Cutter suspiró.

—Todos le echamos en falta. Fue una gran pérdida.

—Un hombre único. El mejor de la ciudad. ¿Se han puesto difíciles las cosas?

Cutter rió entre dientes.

—Bueno Mr. Wilder esto ocurre en las corporaciones de propiedad privada. Ambos conocemos muchos casos en el que el negocio se desintregó al morir el fundador. Pero, por suerte, «Amberville Publications» no se halla en esta situación. Henry, estas fresas no están maduras. Lléveselas, por favor, y tráigame una compota de frutas variadas. Esto es lo malo de las fresas fuera de temporada —dijo volviéndose de nuevo a Wilder—; nunca se puede estar seguro. Por lo general, las hay buenas de Argelia o de Israel en esta época del año; pero éstas no valían nada.

—Entonces, ¿marcha todo bien en «Amberville»?

—La realidad es que nuestros beneficios subirán mucho este año. A mi hermano le encantaba jugar con las revistas. Hacía tiempo que había perdido su interés por los balances. Su pasión era crear revistas y darles todo el tiempo necesario para que demostrasen su valía. Ya sabe usted lo costoso que puede ser esto. Y arriesgado. Cuando mi esposa, como accionista mayoritaria, me pidió que me encargase del negocio, decidí reducir las pérdidas al mínimo. Lamento haber tenido que tomar una decisión desagradable, pues a nadie le gusta perder su empleo, pero resultó acertada. Henry, puede llevarse la fruta. ¿Seguro que no quiere usted probar el porridge, Mr. Wilder? El de aquí es muy bueno. ¿No? Henry, trae otro plato de nata. En éste había poca.

Cutter atacó su porridge con entusiasmo, añadiendo al tazón humeante una buena cantidad de mantequilla y de azúcar.

—¿Ha dicho usted que aumentan las ganancias?

—Sin duda alguna. Todas nuestras revistas registran aumentos en los ingresos por publicidad y, como usted sabe, es lo que da dinero.

—El «aumento» puede significar cualquier cosa en una compañía de propiedad privada —dijo Wilder, reprimiendo su deseo de consultar sus relojes.

—No creo que sea indiscreción decírselo, Mr. Wilder. Estoy hablando de un catorce o un quince por ciento, quizá más.

—¡Hum! La cosa marcha.

—Sí, ha sido una experiencia bastante satisfactoria. Pero Lily, mi esposa, es británica y añora Inglaterra. Durante más de treinta años, ha tenido su residencia fija en Nueva York, salvo rápidos viajes a Europa cuando Zachary tenía que ir allí por asuntos de negocios. Todavía es joven y le gustaría pasar más tiempo en el extranjero. Cazar, ir al teatro y todo eso... Lily dice que tiene que haber más cosas en la vida, aparte del negocio de las revistas. ¿Está usted casado, Mr. Wilder?

—Llámame Leonard. Sí, llevo veinticinco años casado. ¿Has dicho el catorce o el quince por ciento, Cutter?

—Sí. Gracias, Henry. Esto tiene buen aspecto.

Leonard Wilder rebulló en su silla. Llegaría tarde a su desayuno de las nueve, y Cutter Amberville sólo había empezado con sus pastelillos de alforfón.

—¿Podríamos hablar de números redondos? —preguntó Wilder.

—¿Números redondos? —Cutter vertió un poco de jarabe de arce sobre los pastelillos—. Creo que nada lo impide. Tú tienes famas de discreto. Alrededor de ciento setenta millones de beneficio, sin deducir los impuestos.

—¿Alrededor? ¿En qué sentido? ¿Por encima o por debajo?

—No me gusta exagerar Leonard, pero puede llegar a ser una cifra más elevada. Todavía pueden recortarse algunos gastos superfluos.

—¿Está en venta el negocio, Cutter? ¿Ha sido ésta la razón de tu llamada?

—Sí. En realidad existe esta posibilidad. Como te he dicho, mi esposa ansía un cambio, y merece ver cumplidos todos sus deseos. Le he aconsejado que no se apresure, que se tome tiempo antes de llegar a una decisión; pero huele a primavera y ella siempre ha sido impulsiva.

—Así que el negocio está en venta.

—No sería lícito, hacer promesas... Pero podría estarlo. Es muy posible que lo esté. Al precio justo.

—Naturalmente.

—Tomemos como ejemplo a Bill Ziff y su compañía —dijo Cutter, entre dos bocados—. Hizo un trato muy interesante. Si me perdonas que mencione la competencia, Leonard, «CBS» le compró doce revistas por trescientos sesenta y dos millones de dólares, entre ellas *Popular Photography* y *Yachting*. Entonces vendió a Murdoch doce publicaciones de negocios, como *Aerospace Daily* y *Hotel and Resort Guide*, por otros trescientos cincuenta millones. Veinticuatro revistas en total. Ahora bien, confieso que nosotros sólo tenemos seis revistas que vender, pero cada una de ellas ocupa el primer lugar entre los de su género, es una revista clásica. Importantes todas ellas, Leonard. Podemos dejar de lado a *B&B*: es un experimento cuyo resultado se desconoce de momento. Pero las otras rinden más, mucho más, que las de Ziff. Por consiguiente, debes comprender que se trata de una suma muy cuantiosa, no muy alejada de los mil millones. Más café caliente, Henry, por favor.

—«UBC» no anda escasa de dinero, Cutter. Eso no es problema. ¿Has hablado de ello con alguien más? —preguntó Wilder, olvidando su otra cita.

—No. Todavía no. Lily me planteó esto hace pocas semanas, y no vi razón para darnos prisa. Me gusta conceder tiempo a las ideas para que maduren. Cada cosa a su tiempo, y los nabos en adviento.

—No me gusta andarme por las ramas, Cutter. El asunto me interesa. Hace años que estoy buscando un grupo importante de revistas. Siempre me gustó «Amberville». Tengo un comité ejecutivo de tres miembros. Puede representar a todo el consejo de administración. Sólo te pido una cosa: no hables de esto con nadie más antes de que volvamos a reunirnos.

—Me parece bien, sobre todo habida cuenta de que no tengo prisa. En realidad, faltan casi tres meses para la formulación de nuestro próximo estado de cuentas, y estoy tan seguro de que reflejará un avance interesante que preferiría esperar hasta entonces. Si Lily no ha cambiado de opinión, vuestros contables podrán poner manos a la obra y juzgar ellos mismos los valores.

—Tres meses... ¿Seguro que quieres esperar tanto tiempo? Podríamos empezar mucho antes.

—Estoy seguro, Leonard. Pero, mientras tanto, ¿por qué no vamos a cenar un día con nuestras esposas? Creo que te debo una comida decente. Te has perdido un desayuno formidable.

—¿Conoce esto alguien más? —preguntó receloso Toby a India, pasándole las puntas de los dedos por el vientre.

—¿No podrías ser más concreto? —preguntó ella a su vez, perezosamente.

Emergió del resplandeciente globo de alegría en que flotaba y sintió la complicada e irresistible impresión de dicha que experimentaba al escuchar su voz.

—Esta pequeña cicatriz, precisamente aquí, debajo del ombligo y a la derecha.

—Una operación de apendicitis cuando tenía ocho años. Ni siquiera Barbara Walters está enterada de esto. Además, nunca me lo preguntó.

—Es la centésima cosa que sé acerca de ti y que nadie más conoce. Tus orejas son cada una de distinto tamaño; tu nariz está desviada hacia la derecha, sólo un pelín; pero no se puede decir que sea recta; las pestañas del ojo izquierdo son menos espesas que las del derecho y, por consiguiente, tienes menos vello debajo del brazo izquierdo que debajo del derecho, por mucho que te afeites las axilas; y hay un pequeño lunar debajo del vello del pubis, a la izquierda...

—¡Toby!

—Supongo que tú no tienes la culpa, si no eres perfecta. Fuiste considerada como tal, pero podría llenar un libro con las cosas que he descubierto, y apenas he empezado a observar. En cuanto al sabor, permite que te diga, jovencita, que no sabes igual dos días seguidos. Al hombre le gusta un poco de coherencia en su mujer.

—¿Soy yo tu mujer? —preguntó India, sabiendo que no debía preguntarlo, pero incapaz de resistir la tentación.

—Mi mujer de este momento. La única mujer de este único momento. Pero tú sabes lo que siento... Nunca he...

—Ahórrate las palabras... Nunca te comprometiste. ¡Cobarde! ¡Repelente y tímido cobarde! Quisiera tener un penique por cada sinvergüenza del país que anda por ahí contando pelos del pubis sin comprometerse. ¿No te da vergüenza?

—Yo no conté tus pelos del pubis, sino los del sobaco.

—Viene a ser lo mismo, y tú lo sabes. ¿Cómo se meten las mujeres en esto? ¿Por qué se te permite hacer que yo te ame y te niegas después a corresponderme?

—Yo te correspondo —dijo Toby en voz baja—. Y tú lo sabes. Te amé desde el momento en que me echaste encima aquellas bebidas para llamar mi atención, hace cinco meses. Pero el compromiso es otra cosa.

—En mi país de origen, cuando dos personas se aman y no hay motivo para pensar que no sigan haciéndolo, esto conduce a un compromiso para cierta clase de convivencia permanente... llamada matrimonio —dijo India, con la terca insistencia que la había llevado a volar de Los Ángeles a Nueva York casi todos los fines de semana desde que había conocido a Toby.

Poco a poco, había trasladado la mitad de su guardarropa a los armarios de él, y ahora, incluso la cama en la que yacían estaba cubierta con sábanas «Porthault» planchadas por ella.

—«¿No es el matrimonio un interrogante abierto, cuando se alega, desde el principio del mundo, que los que están dentro de la institución quieren salirse de ella, y los que están fuera quieren entrar?»

India se incorporó enojada.

—¿Te atreves a citar a Emerson? ¿A mí? Yo inventé las citas de Emerson, canalla.

—«Por necesidad, por propensión y por deleite, todos citamos» —recitó Toby, con perfecta dignidad emersoniana.

—Esto es cosa de Maxi, tiene que ser cosa de Maxi. Ella te dijo que solía atormentarla con Emerson, ¿verdad?

—Puede que lo mencionara de pasada, como ejemplo de afecto entre niñas.

—Entonces, ¿habéis hablado de mí?

—Naturalmente. No sería propio del carácter de Maxi mantener un discreto silencio cuando su hermano está enamorado de su mejor amiga.

—¿Y qué piensa ella?

—Que soy yo quien tiene que decidir.

—¡Y es mi mejor amiga! —exclamó India con amargura.

Se sobresaltó al sonar el teléfono.

—No contestes —aconsejó ella.

—Podría ser uno de mis gerentes —suspiró Toby—. El negocio de los restaurantes nunca duerme.

Levantó el teléfono, colocado al lado de la cama, escuchó un momento y colgó, con brusco e irritado ademán.

—No era él, ¿verdad? —preguntó ansiosamente India.

—Temo que sí, querida. Era una vez más tu «más grande admirador». Y cambié mi número secreto el mes pasado.

—Lo siento, Toby. Ese tipo está chiflado. Me escribe tres veces a la semana y me llama por teléfono desde larga distancia. Mi secretaria siempre le dice que no puedo ponerme. Olvídalo; es el precio de la fama.

Toby desconectó el teléfono y se volvió de nuevo a India.

—Ahora escucha, amor mío. Tienes una facilidad extraordinaria y admirable para evitar enfrentarte con los hechos —dijo él, reanudando la conversación interrumpida—. Veamos las cosas como son. Soy ciego, y no podemos pretender lo contrario.

—En realidad, no eres ciego —dijo obstinadamente India—. Puedes ver. Tú mismo me dijiste que tu campo visual era de menos de cinco grados, y eso es algo.

—Menos de cinco grados, cuando el campo visual normal es de ciento cuarenta en cada ojo, y estoy captando solamente un poco aquí y un poco allí con los pocos conos que aún funcionan en mi retina. Todo está fragmentado; no hay nada, ni siquiera negro; una especie de destello vacilante, una realidad intermitente que no tiene color, ni fronteras, ni estabilidad, lo más probable es que vaya a peor. En todo caso, no mejorará. Es incurable; no hay esperanza.

—Pero tu habilidad dentro de la ceguera ¡todo lo que aprendiste en San Paul...! Puedes hacer muchas cosas, Toby, pues aprendiste mucho mientras podías ver... durante todos aquellos años de visión, más de veinticinco buenos años. Tú mismo me dijiste que tienes una enorme cantidad de claves visuales, miles de recuerdos que te ayudan a componer las imágenes, a reconocer las formas; no es como si fueses ciego de nacimiento. ¿Qué más da el porcentaje exacto, cuando puedes funcionar, cuando puedes trabajar? ¿Qué importa para nosotros dos, si nunca me has visto bien? Así, cuando yo envejezca y esté arrugada y pierda mi belleza, te importará un bledo. Tú no me quieres sólo porque soy hermosa. ¿Te das cuenta de lo mucho que esto significa? Aparte de Maxi, tú eres la única persona a quien conozco que, si siente algo por mí, no es por mi cara, la única persona en quien puedo confiar que me aprecia sin más razón que la de que soy quien soy. ¿No marca esto una diferencia para ti? ¿No crees que tiene sentido?

—Un sentido perfecto, hasta cierto punto. No creo que sea justo envolverte en mis problemas.

—¿Justo? Lo justo es tomar la felicidad que sabes que existe para ti, ahora, en este momento, sin hacer daño a nadie; la felicidad que encontrarás sólo con alargar la mano —dijo India, con voz temblorosa.

—Tienes una gran facilidad para simplificar las cosas, India mi dulce e imperfecta India. No puedo permitirte que elijas un hombre con mi defecto particular, porque es un defecto, digas lo que quieras, aunque, en este momento, estés convencida de que es como tú quieres verlo. No puedes saber lo que nos reserva el futuro, ni durante cuánto tiempo podré hacerte feliz.

—Sé que tú eres el hombre que quiero —dijo India, embellecida la voz por su intensa seguridad—, y sé que no voy a cambiar de idea.

—¿Puedo preguntarte qué tiene que decir la doctora Florence Florsheim acerca de nosotros? —solicitó Toby.

—No cambies de tema.

—Tiene que haber dicho algo, dentro o fuera del análisis.

—Opinó que no era recomendable hacer cambios importantes en la vida durante el proceso analítico. No dijo que no pudiese hacerlos; sólo que no eran recomendables.

—¿Eso fue todo?

—Sí, literalmente.

—Bueno, creo que tiene razón.

—¡Cáscaras! —gritó India, golpeando con el puño el pecho desnudo de Toby—. Sabía que ibas a decir eso. Te burlas continuamente de ella y, de pronto, cuando te conviene, decides darle la razón.

—El hecho de que sea tu psiquiatra no significa que tenga que estar siempre equivocada. ¡Eh! ¿Qué es esto que he encontrado? ¡Oh, oh, India! Pobrecilla, creo que empiezas a tener patas de gallo. No se notarán en la pantalla durante unos años, tal vez cinco, si te abstienes de sonreír durante ese tiempo. Deja que las bese, y todo irá bien.

—Eres un sádico de primera clase, Toby. ¿Sabes una cosa? Por primera vez, estoy absolutamente convencida de que Maxi y tú sois hermanos.

A las siete de la mañana del día siguiente, Charlie Salomon telefoneó a Lily para decirle que se encontrase con él en el juzgado. Había utilizado su gran influencia para que la vista de la causa de Justin se celebrase en cuanto llegara el juez.

—Iré contigo, querida —se ofreció Cutter—. Voy a cancelar mi cita para el desayuno.

—No; no creo que sea buena idea —replicó Lily—. No es que no quiera que tú estés allí; pero me parece que será mejor para Justin que tratemos esto... como si fuese un asunto sin importancia. De todos modos, le prometí a Maxi que, cuando él saliera de aquel horrible lugar, se lo comunicaría. La llamaré y le pediré que me acompañe.

—¿Maxi como apoyo moral?

—Bueno, ya sabes lo mucho que lo quiere.

—Está bien, Lily. Si crees que es lo mejor... Pero...

—Estoy segura. Te telefonearé en cuanto regrese a casa.

Lily recogió a Maxi camino del juzgado. Allí encontraron a Charlie Salomon y a dos jóvenes abogados de su bufete a los que había traído consigo. Cuando Justin fue introducido en la sala, esposado, Lily apretó con fuerza la mano de Maxi y bajó los ojos para que, si Justin miraba en aquella dirección, no viese que le observaba antes de que le quitasen las esposas. ¡Qué aspecto tan desafiador el suyo!, pensó Maxi. Tenía aquel aire amenazador de siempre, la cabeza inclinada con aquella agresividad característica en él, pero cojeaba ligeramente y, por mucho que se esforzase, no podía disimular los hematomas alrededor de los ojos, en la frente y en la barbilla, que era donde le habían atizado los policías. Los cabellos rubios estaban enmarañados en varios puntos. Maxi lanzó una mirada a su hermano y éste la captó. Cediendo a un impulso, ella le hizo un guiño y sonrió, del mismo modo que si recordase un viejo chiste; pero Justin miró hacia otro lado, como si no la conociese.

—El acusado es un hombre muy rico, señor —dijo el ayudante del fiscal del distrito—. Dos agentes encontraron en su poder casi tres quilos de cocaína. Y él opuso resistencia al ser detenido. Si es declarado culpable de traficar con esta droga, es indudable que será condenado a varios años de prisión. En tales circunstancias, lo más probable es que trate de salir del país antes de someterse a juicio. La acusación pública solicita una fianza de un millón de dólares.

Saca tu talonario de cheques, pensó Maxi. ¡Oh, Justin qué ingenuos fuimos los dos la noche pasada! El reportero que la había abordado estaba en la fila de detrás de ellos, garrapateando algo.

—Es una cifra exageradísima, señor —argulló Charlie Salomon—. Mi cliente no tiene antecedentes penales.

Después de unos minutos más de discusión, el juez resolvió:

—La fianza queda fijada en doscientos cincuenta mil dólares.

Justin fue esposado de nuevo y conducido a una celda del palacio de justicia, en espera de que llegase el dinero. Lily telefoneó al director de su Banco para que le enviase un cheque con un mensajero motorizado. Después de esperar una hora y cuarto, llegó por fin el cheque y fue entregado. El papeleo necesario para la puesta en libertad requirió otra media hora.

—Charlie, gracias por su ayuda —dijo Lily—. Ahora, creo que usted y sus colaboradores deberían marcharse. Máxime y yo acompañaremos a Justin.

—Pues yo creo que es mejor que me quede aquí con usted hasta que él salga. De todos modos, tengo que hablarle, Lily.

—Mañana, Charlie —ordenó Lily.

Los abogados se marcharon.

—Aquel reportero de la noche pasada ha vuelto, madre, y trae consigo un fotógrafo —advirtió Maxi.

—Justin es inocente, Maxime. Y si quieren tomar fotografías, nada podemos hacer para evitarlo.

—¿Tenemos que sonreír a la cámara, madre?

—¿Por qué no?

—Lo único que necesito es una ducha caliente y algo de comer —insistió Justin cuando Lily sugirió llamar al médico para que le examinase, no fuese que los golpes de los policías hubiesen causado alguna lesión seria en su cráneo.

Pero él se mostró inflexible y los tres Amberville volvieron a la casa grande de piedra gris, donde Lily hizo que se sentaran a la mesa del almuerzo y conversaran como si nada importante hubiese ocurrido. Incluso Maxi se sintió impresionada por el soberbio aplomo de su madre. Pero, sin mirar ni a ella ni a su hermano, percibió el dolor que embargaba sus almas. Cuando comían el cordero que siguió a la crema de espárragos, aumentó la tensión en la estancia, y fue creciendo con cada palabra evasiva que pronunciaban y, sobre todo, con las que se callaban. Los criados entraban y salían.

—Madre, ¿no podríamos prescindir del postre y tomar café los tres en tu cuarto de estar? —preguntó Maxi.

—Claro que sí, querida —respondió Lily, como si fuese la petición más normal del mundo

Subieron la escalera. Justin se movía con la contención del hombre que reserva todas sus facultades para la acción. Parecía tan alejado psíquicamente de su madre y de su hermana como el torero a quien visten el traje de luces antes de la corrida. Casi parecía que no estuviese allí, pensó Maxi.

—¿Azúcar? —preguntó Lily.

—Por favor —respondió él, tomando dos terrones con cuidado semejante al de un cardiocirujano al abrir la caja torácica.

—Mañana —dijo Lily, sin cambiar de tono— haré que Charlie Salomon busque los mejores abogados defensores. El hecho de que seas inocente no bastará para la defensa.

—Gracias, madre —dijo Justin, con la sombra de una sonrisa con la que parecía enviarla al diablo.

—Desde luego —dijo Lily nerviosa, jugando con el asa de la cafetera y trabándosele la lengua de un modo desacostumbrado en ella—, ya sabes que, sea cual fuere el estilo de vida que elijas, nada cambiará entre nosotros; que te querremos siempre... muchísimo... hagas lo que hagas.

—¿Mi estilo de vida? ¿Quieres decir que me querrías tanto si fuese vegetariano como si me valiese de los ordenadores para estafar al público? ¿Y qué dirías si me convirtiera en un asesino a sueldo? —la desafió Justin.

—¿De qué diablos estáis hablando? —les interrumpió Maxi—. No es el momento de hacer tantas preguntas, Justin. Sabemos que sólo hay una razón de que fuese encontrada cocaína en tu casa.

—Maxime... —le advirtió Lily.

—No podemos andar con rodeos, madre.

Maxi se levantó, tomó la taza de Justin y la dejó en una mesita auxiliar. Se arrodilló en el suelo al lado de él, le rodeó con sus brazos y le dio un sonoro beso en la mejilla.

—Mira, muchacho, tiene que haber un hombre que posee la llave de tu casa o que ha estado viviendo contigo, alguien que puso allí la droga sin decírtelo, un tipo con el que estás liado. ¿No podemos poner las cartas boca arriba, Justin, para que mi madre y yo dejemos de fingir que no sabemos que eres gay?

Justin se levantó de un salto y se acercó a la ventana sin decir palabra, volviéndoles la espalda. Maxi corrió tras él y le agarró por la cintura.

—*Gay*, Justin, o la palabra que prefieras. Mi madre y yo lo sabemos desde hace mucho tiempo. ¡Y nos importa un bledo! Vuelve y siéntate. Esto no es el fin del mundo. Ser gay es una cosa; ser estúpido es otra, y en ambos casos no es recomendable ir a la cárcel. Por consiguiente, ven y discutamos la cuestión con sensatez.

—Vosotras no sabéis nada. No podéis saber nada —dijo Justin en tono corrosivo, todavía de espaldas y agarrando el antepecho de la ventana.

Su actitud revelaba un desdén más fuerte que ningún otro sentimiento.

—Lo sabemos, querido —dijo Lily, ahora con voz más serena—. Lo sabemos desde hace años. Pero no vi ninguna razón para hablar de ello. Era tu vida privada... hasta ahora.

—Yo no tenía la menor idea de que nuestra madre lo hubiese notado. Hasta la noche pasada, cuando tuve que telefonearle —dijo Maxi, sin aflojar su abrazo—. Nadie, salvo los que te queremos mucho y te conocemos bien, y sabe Dios que por tu culpa son muy pocos, ha sospechado nada. Pero resulta difícil hablarte de esto a tu espalda. ¿Quieres volverte, por favor?

Le dio una serie de besos delicados en la nuca sujetándole con fuerza en todo momento.

—¿Quién crees que puso la droga en tu armario, Justin? Ésta es la cuestión, ¿no crees? —dijo Lily, en el mismo tono que habría empleado para preguntarle si debía despedir a un mayordomo de dedos rapaces.

Él se volvió al fin. Sólo dos manchas rojas sobre los salientes pómulos y el largo y fino músculo que temblaba en su cuello revelaban alguna emoción.

—No tengo la menor idea —dijo, en tono casi irónico, formal.

—Pero, ¿hay alguien, algún hombre, que puede entrar en tu casa cuando tú estás ausente? —insistió Maxi.

La cara de Justin se contrajo en un espasmo de vergüenza y de dolor que hizo que los ojos de Lily se llenasen de lágrimas.

—Sí.

Esta única palabra, pronunciada en voz baja, quedó flotando en el aire como un largo suspiro. Maxi se apresuró a romper el silencio que amenazaba con envolverles a todos.

—¿Crees que lo hizo él?

—No. No pudo ser él. En absoluto. Él no es así. Lo conocí al hacer unas fotos. Pero hemos... recibido a mucha gente; siempre venía alguien... Pudo ser cualquiera de ellos. Aquella bolsa de lona había estado allí, vacía, desde la última vez que volví a la ciudad.

Su voz era tan fría que ambas sintieron miedo.

—¿Sabes dónde está ahora? —preguntó Maxi—. ¿Cómo se llama?

—Se encuentra fuera de la ciudad —dijo Justin—. Tuvo que ser otra persona. Y su nombre no importa a nadie. Me niego a acusar a alguien en quien confío, sólo para demostrar mi inocencia. ¡Jesús, cuánto odio esta ciudad!

Maxi y Lily permanecieron sentadas en silencio cuando Justin hubo salido precipitadamente de la estancia.

—Gracias, Maxime. De no haber hablado tú con tanta claridad, creo que yo no habría conseguido que dijese nada. Pero debimos resultar crueles al acosarle de esta manera —dijo Lily—. Me siento avergonzada; no por él, sino por nosotras.

—¡Crueles! Sí, si le hubiésemos obligado a hablar por alguna razón que no fuese la de impedir que vaya a la cárcel. Pero en estas circunstancias, no, no ha sido una crueldad. Además, madre, debemos sentirnos aliviadas de que él sepa que le queremos como antes, que esto no establece ninguna diferencia. Hacía demasiado tiempo que guardaba él solo este secreto.

—Pero, Maxime, tú has visto su cara... parecía... ¡oh!, como si quisiera que se lo tragase la tierra, como si no creyese en nada ni en nadie en el mundo, y nunca pudiera ya creer. Ha estado siempre tan solo, tan apartado, y ha sido tan reservado... He estado preocupada por él desde el día en que nació; pero nunca pude penetrar en su interior.

—No ha sido culpa tuya, madre. Ni mía. Ni de Justin. La cosa es como es y tenemos que aceptarla. Es una realidad, y nada podría haberla cambiado.

—Quisiera poder creerlo —dijo Lily con tristeza.

—Madre, ¿crees que, en algún momento particular, cuando Justin era pequeño, habrías podido decirle: «mira, querido, cuando seas mayor sólo tendrás que querer tocar a las muchachas», de la misma manera que le enseñaste a portarse con urbanidad en la mesa?

Lily sonrió despacio, a regañadientes y con pesar.

—Habría sido demasiado bueno para ser verdad; pero la idea es maravillosa. Tienes una manera muy notable de ir directamente al grano, Maxime.

—Gracias, madre —dijo Maxi, casi con malicia—. Ahora tengo que ir corriendo a la oficina, pero, ¿qué vamos a hacer? ¿Cómo podemos ayudar a Justin?

—Voy a llamar ahora mismo a Charlie Salomon y decirle lo que Justin acaba de contarnos. Pero lo cierto es que lo que nos ha dicho sirve de poco a mi entender y, por otra parte, ¿no sería mejor silenciarlo? Deseo ante todo que esta parte de su vida no aparezca en los periódicos. El hombre que tiene la llave de su apartamento, las fiestas... Si al menos pudiésemos evitar eso...

—Todos los diarios del país publicarán el caso de la droga, madre. Y también el *Star* y el *Inquirer* y las revistas de actualidad. No creo que podamos impedir que los medios de difusión se ocupen de ello. Y sólo es cuestión de tiempo que descubran el resto de lo que Justin nos ha contado. Nada podemos hacer para protegerle. Sólo se necesitará una pista, una persona que hable con un reportero. Me parece que hay pocas esperanzas.

—Yo pensaba que... si él pudiese conservar este resto de dignidad... Le afecta tanto... —dijo Lily preocupada.

—No creo que debas ser optimista respecto a la vida privada de Justin. Lo más importante es demostrar su inocencia en el tráfico de drogas. A fin de cuentas, es un Amberville, y los medios de difusión se lanzarán sobre él con toda su fuerza.

Maxi se levantó para marcharse y Lily suspiró. Las dos mujeres se abrazaron, con cierta torpeza; pero con más calor del que cualquiera de ellas recordaba haber mostrado en muchos años. Lily, con un ademán familiar, apartó los cabellos de la frente de Maxi.

—Siempre mal peinada, ¿verdad, madre? —preguntó Maxi, torciendo el gesto.

—Lo malo, Maxime, es que siempre te precipitas en tus conclusiones. Estaba pensando que tu peinado es encantador. De otra manera no parecerías tú.

23

Mientras Maxi y Lily se despedían, Cutter se reunía en su oficina de Wall Street con Lewis Oxford, vicepresidente de asuntos financieros de «Amberville Publications». Cutter habría podido establecer sus oficinas en el «Amberville Building», pero consideraba conveniente obligar a los que trabajaban en las revistas a que caminasen un poco para visitarle. Además, esto le mantenía apartado de los que querían hablarle de asuntos sin importancia.

—Oxford, preferiría que dejase de hacer eso —le amonestó Cutter.

—Discúlpeme, Mr. Amberville. Pero me ayuda a reflexionar —respondio Lewis Oxford, dejando de mala gana el lápiz con que se había estado golpeando los dientes.

—No hay nada en que reflexionar. Las órdenes de mi esposa están bastante claras.

—Sí, perfectamente claras. Lo único que me preguntaba era si, disponer de seis meses, o incluso de un año no sería mejor para seguir sus instrucciones. Tres meses no son suficientes, y tendré que hacer muchas cabriolas.

—Le he dado tres meses, Oxford, y si no puede apañarse, encontraré alguien que pueda. No debe ignorar que es más piadoso cortar de un tajo el rabo de un perro que hacerlo poco a poco. Cada una de las revistas «Amberville» tiene una gruesa capa de grasa, y quiero que sea eliminada, empezando ahora mismo. Nuestra próxima declaración de ganancias debe reflejar este cambio. Según mis cálculos nuestros gastos de explotación pueden reducirse entre un diez y un trece por ciento. Tal vez más. Cuanto más, mejor.

Lewis Oxford sacudió la cabeza.

—Sigo creyendo que sería un error actuar con tanta prisa.

—A mí sólo me interesan los resultados, Oxford. Mrs. Amberville quiere que se rebaje en un grado la calidad del papel de cada una de las revistas. No más papel de veinte kilos para *Style*. Para venderla, no hace falta que se parezca a *Tom & Country*. Todo lo que se imprime en papel de dieciséis kilos se hará en el de trece y medio, cuando hayamos agotado el que tenemos en existencia. Para *T. V. Week* se empleará también el de trece y medio. ¿Entendido?

—Sí, Mr. Amberville.

—En cuanto a los gastos de cada revista, salarios de personal, honorarios de los articulistas y precios de las fotos, quiero ver resultados positivos. Mrs. Amberville desea que se aproveche todo el material de texto e ilustraciones que tengamos en nuestros archivos. Hay que consumir las existencias, Oxford. Dispone usted de material por valor de cientos de miles de dólares, que está perdiendo actualidad. Además, hay que prescindir de los escritores cotizados. Por ejemplo, ese artículo de Norman Mailer sobre «Corrupción en Miami», ¿puede darme usted una buena razón de que tengamos que pagar a Mailer, en vez de hacerlo a algún desconocido por un precio de ganga?

—Es un artículo de primera clase, Mr. Amberville, y atraería a lectores que, de lo contrario, no tendríamos.

—No necesitamos calidad literaria en una revista de televisión con siete millones de lectores. Emplear escritores de categoría es sólo muestra de egolatría editorial.

—Discúlpeme, señor, pero esto no sería oportuno. El director de *T. V. Week* está convencido de que Mailer y otros escritores famosos impresionarán a Madison Avenue. Ha contratado una serie de anuncios en *Adweek* y *Adverdising Age*...

—Anúlelos. Durante los tres próximos meses, «Amberville Publications» no hará publicidad. Hace casi cuarenta años que existimos y se nos conoce bien. Quiero que la publicidad y la propaganda sean cortadas de raíz.

—Sí, señor.

—Las facturas de los fotógrafos son insensatas, Oxford, insensatas.

—Es lo que cobran ahora todos los fotógrafos de primera clase, Mr. Amberville.

—Comunique el director de cada una de las revistas que debe dejar de valerse de los fotógrafos que han empleado durante años. Uno de los problemas de nuestros directores es que han dejado que los fotógrafos hiciesen el trabajo de creación que deberían realizar ellos mismos. Quiero que busquen nuevos fotógrafos, los menos caros que puedan encontrar, en particular mujeres, gente que trabajará más duro y mucho más barato. Otra cosa: el veinte por ciento de las páginas en color debe ser sustituido por blanco y negro. Si se emplean adecuadamente, pueden ser igual de eficaces. En cuanto a los honorarios de las modelos, nos están matando. Siempre que sea posible, quiero que se empleen personas conocidas, en lugar de modelos, pues éstas no cuestan nada.

—Debo oponerme a esto, Mr. Amberville. Hay un límite en las celebridades que se pueden emplear sin que las revistas empiecen a parecerse a *People*. Mr. Zachary Amberville nunca...

—No me interesa repetir el pasado, Oxford. Los lectores quieren ver personajes famosos, y nosotros les daremos lo que desean. Estoy muy preocupado por las ganancias del último trimestre. Tienen que aumentar, Oxford.

—Sí, señor.

—¿No proporcionan los anunciantes artículos e ilustraciones de balde, si se da una buena publicidad a sus productos? —preguntó Cutter.

—Se ha dado casos; pero no en «Amberville».

—Pues ahora se hará también aquí. Deje que paguen ellos, para cambiar. Y otra cosa: Fíjese en los gastos de viaje de nuestros representantes para la publicidad y las ventas. Son escandalosos. Cada representante debe saber que le estamos observando, y dígales a todos que esperamos una reducción en sus gastos del treinta y cinco por ciento.

—¡Caray, Mr. Amberville! Los representantes viven de esto, todo el mundo lo sabe.

—Son muy aficionados a la buena vida, Oxford. Los que no cambien de manera de actuar serán sustituidos. No deje de consignarlo en su notificación.

—Pero los representantes tienen que sostener relaciones...

La voz de Lewis Oxford se extinguió al ver pintarse el enojo en la cara de Cutter.

—«Amberville Publications» no es una bicoca, Oxford. Estos recortes hubiesen debido hacerse mucho tiempo atrás. Usted tiene la culpa de que las cosas hayan marchado de este modo. Y, si aprecia su empleo, no me diga que Mr. Zachary Amberville lo quiso así. Mi hermano era un gran director, Oxford, pero tiraba muchas cosas por la borda, como habíamos sospechado Mrs. Amberville y yo. ¿Tiene usted que hacer alguna sugerencia más, Oxford? ¿O cree que lo he dejado todo claro?

—Hay algunos detalles: las mesas que ocupamos en los banquetes del ramo, los almuerzos que ofrecemos a los mejores anunciantes y otras cosas parecidas.

—Eso puede continuar. Tienen poca importancia y quiero que nuestra presencia se mantenga en este nivel particular. No se preocupe, Oxford. Cuando aumenten nuestras ganacias, lo anunciaremos de modo que todo el mundo se entere. Dentro de tres meses.

Cutter esperó unos segundos, y Lewis Oxford, creyendo que la conversación había terminado, empezó a recoger sus papeles, disponiéndose a marcharse.

—Una cosa más, Oxford: *B&B*. ¿Cuánto dinero perdemos en ella todos los meses?

—Necesitaría tiempo para establecer las cifras exactas, Mr. Amberville. Pero transmitiré a Miss Amberville sus instrucciones para la reducción de los costos.

—No, no hace falta. ¿Cuánto tardará *B&B* en nivelar los gastos, suponiendo que todos los números se vendan como el primero?

—Temo que muchos meses. Como usted sabe, todos los comienzos cuestan dinero, señor. Es normal. Cuando se amortice la inversión las ganancias pueden ser enormes.

—Detén la publicación *B&B*, Oxford.

—¿Qué?

—¿No entiende lo que digo? Cancélela, elimínela. ¡Póngale fin! Se acabó *B&B*, Oxford. Ordene a la imprenta que no tiren más ejemplares. Haga saber a todos los acreedores que recibirán hasta el último centavo de lo que se les debe en la actualidad, pero que, en lo sucesivo, «Amberville Publications» no pagará una sola factura avalada por Miss Amberville. Adviérteselo, Oxford. Ni un centavo. Y despida a todo el personal, salvo a Miss Amberville. Ella no está en nómina.

—¡Pero la revista es un éxito, Mr. Amberville! ¡El mayor éxito desde *Cosmo*, *Playboy* o *Life*.

—Ha sido un experimento afortunado, Oxford. Pero no podemos permitirnos las pérdidas que se producirían el año próximo ni siquiera durante seis meses. No, si queremos aumentar nuestras ganacias hasta el nivel previsto. Tiene usted que reconocer que todo lo que ahorrásemos en lo demás sería absorbido por las pérdidas de *B&B*.

—Pues sí; ya había imaginado que estas pérdidas eran las que le inducían a tomar tan drásticas medidas.

—No imagine nunca, Oxford —dijo Cutter, sonriendo amablemente y levantándose para acompañar al hombre hasta la puerta—. No imagine nada en una compañía de propiedad privada.

Angelica estaba plantada en la Quinta Avenida, entre las Calles 56 y 57. Se hallaba triste, apoyada en un alto rótulo de metal que rezaba: «Prohibido aparcar», para dar más énfasis a la prohibición añadía: «Zona roja. Multa mínima, 100 $. Prohibición permanente.» Más allá del rótulo, sentados alrededor de la fuente del Steuben Glass Building, hallándose los habituales grupos de vagabundos, de borrachos y de turistas, muchos de ellos comiendo *falafel*, *schnitzel* o croquetas de pollo de los carritos estratégicamente emplazados. Había quienes sumergían los doloridos pies en el agua de la fuente, mientras otros estudiaban el contenido de las bolsas que acababan de llenar en las tiendas de la avenida. Era una rica versión amerciana de Calcuta.

El severo rótulo de prohibición de aparcar indicaba el lugar preferido de Elie para esperar a Maxi en su coche. El chófer había llegado a un acuerdo tácito con los guardias de la calle, según el cual arrancaba y se movía unos cuantos centímetros simbólicos cuando éstos aparecían. Pero aquella tarde se había retrasado, y Angelica observaba con impaciencia todos los coches que pasaban.

Por fin, el largo automóvil azul se detuvo y Maxi se apeó de él.

—¡Oh, no! —gimió, al ver a Angelica y el número del *New York Post* que ésta tenía abierto en la página que daba cuenta de la detención de Justin.

¿Cómo no se había dado cuenta de que Angelica podía leer la noticia en el periódico antes de que ella la informase? El almuerzo con Justin y Lily, seguido de unas horas de ajetreb en la oficina para recuperar el tiempo perdido por la mañana, había hecho que se olvidase de su hija.

—¡Mamá! —dijo Angélica, con voz lacrimosa.

—Todo eso es basura, hija mía. Una falsedad enorme. El tío Justin no tiene nada que ver con el tráfico de cocaína. No te inquietes por ello. Es inocente —dijo Maxi de un tirón.

—Sé que es inocente, mamá. Por el amor de Dios, no tienes que decírmelo. Pero, ¿cómo es posible que la abuela y tú estéis sonriendo en esta foto? Es lo que quiero saber. ¿Cómo pudisteis ser tan insensibles? Parecéis dos afectadas reinas de belleza: Miss Carolina del Norte y su encantadora madre. No lo entiendo.

—¿Qué cara crees que teníamos que poner? ¿De susto, de desconsuelo, de espanto?

—Un poco de frialdad no habría estado mal. Quiero decir que, a fin de cuentas, no debería emocionaros una patada en el culo. Al menos el tío Justin se comportó como era debido... Parece imponente, duro, severo, indiferente; como Sting, sí, exactamente como Sting.

—Angelica, creo que debería pensar en serio dedicarte a las relaciones públicas. Bueno, vayámonos a casa.

—¿Puedo tomar primero un *falafel*?

—Después no cenarás. Pero adelante; si eres capaz de pronunciarlo, también serás capaz de digerirlo —declaró Maxi demasiado fatigada para discutir.

—Estás perdiendo tus dotes de mando —dijo, aliviada, Angelica—; pero no me extraña. Hoy he descubierto que Cyndy Lauper tiene treinta años. Es mayor que tú, Maxi.

—Por favor, un poco de respeto.

—Lo intentaré, pero no será fácil —dijo Angelica, sorbiendo su última lágrima.

Cyndi Lauper podía ser más vieja, pero mamá era mamá.

Rocco abrió el *Post* y levantó de pronto la cabeza. Angelo, el barbero de la planta baja del «St. Regis», que cortaba el pelo por cuarenta dólares a un círculo selecto, estuvo a punto de pincharle con las tijeras, aunque sus reflejos estaban condicionados por las extrañas reacciones de los ejecutivos en continua tensión.

—¡Eh, Rocco! ¿Quiere que le corte una oreja?

—Tengo que telefonear. No hace falta que termine.

Rocco se levantó y empezó a quitarse los trapos.

—¡Señor! Estoy en la mitad. No puede marcharse así.

—¡Vaya si puedo!

Alisándose los cabellos, Rocco subió corriendo la escalera. Todas las cabinas telefónicas del vestíbulo se hallaban ocupadas. Salió a toda prisa del hotel y vio que, aunque pudiese tomar un taxi, éste quedaría retenido por el intenso tráfico de la tarde. ¿Dónde podría encontrar un teléfono? Todas las cabinas de la calle estaban permanentemente averiadas, pues alguien las destrozaba en cuanto eran reparadas. La oficina se encontraba demasiado lejos. ¡Angelo! Volvió corriendo al hotel, bajó de tres en tres los peldaños de la escalera y, sin pedir permiso, se apoderó del teléfono particular de Angelo. El barbero, que era capaz de conseguir habitación sin reserva previa en el «Hotel du Cap» de Antibes para los presidentes de las más grandes compañías en la semana de más trajín del año, se limitó a arquear una ceja. Rocco estaba chalado; pero daba gusto cortarle el cabello. Unos cabellos del Viejo País, espesos, rizados, sanos, que le durarían hasta que ya no los necesitase.

—Maxi, acabo de leer lo de Justin. ¿Qué puedo hacer para ayudarle?

—No lo sé. Mi madre está movilizando a los mejores juristas; pero Justin no tiene la menor idea de cómo fue la cocaína a parar allí. Por lo visto, ha recibido a mucha gente... e insiste en que pudo ser cualquiera entre docenas de visitantes. Confesó que había un hombre que tenía la llave de su casa; pero lo único que nos explicó es que lo había conocido en una sesión fotográfica y que no podía ser el culpable.

—¿Por qué?

—Por lo visto es demasiado perfecto para una cosa así —dijo secamente Maxi—. Y Justin se negó a darnos el nombre de tan santo varón. Además, ese maravilloso ser humano está fuera de la ciudad.

—¿No tienes ninguna pista?

—Esto es precisamente lo que me he estado preguntando. En las primeras fotos de trajes de baño que tomó Justin para mí, empleó a veinticuatro modelos masculinos. Después hizo una serie denominada «Armarios de celebridades o efectos positivos del desorden creador». Al mes siguiente, Bill Blass nos mostró treinta maneras diferentes de aprovechar un jersey viejo... Ahora estoy mirando las fotografías.

—¿Veinticuatro modelos masculinos? Todos de la misma agencia?

—No; Julie los contrató en cuatro empresas diferentes, o quizás en cinco.

—Mira, busca las facturas. Tienen que estar en tu oficina. Dámelas y haré unas cuantas llamadas telefónicas. Si descubro algo, te lo haré saber.

—Las buscaré ahora mismo.

—Bastará con que me las des mañana temprano. Tendré que hablar con las personas en sus oficinas; no las llamaré a sus casas.

—Te las enviaré a primera hora. Escucha, Rocco, eres muy amable, y te lo agradezco; te estoy profundamente agradecida —dijo Maxi—. Nunca lo olvidaré.

—¡Qué diablos! —cortó Rocco, haciendo caso omiso de la emoción de Maxi—. Ya sabes que siempre he apreciado a Justin. ¡Pobre bastardo! ¿Cómo lo ha tomado Angelica? —preguntó, con súbita ansiedad.

—A su manera.

—¿Qué quieres decir?

—Si alguien sobrevive a esto, será mi hija —declaró Maxi, sorbiendo por la nariz.

—No la comprendes —dijo Rocco—. Mi hija es una muchacha muy sensible.

—Supongo que Angelica tiene unos sentimientos tan delicados que no alcanzo a comprenderlos.

—Exacto. Probablemente padece un trauma que no puedes reconocer, ni mucho menos, combatir.

—Rocco, tengo una idea. ¿Quieres que le diga a Elie que la lleve a tu casa? Podríais ir por ahí a cenar esta noche y le ayudarías a vencer la impresión.

—¡Hum! Bueno. La verdad es que tengo una cita. Claro que Angelica podría venir con nosotros, digo yo... O tal vez no sería buena idea. No, pensándolo bien, creo que no lo sería. Angelica va a pasar el fin de semana conmigo. Entonces, hablaremos de esto.

—Gracias de todos modos, Rocco.

Maxi colgó despacio y miró a su alrededor, buscando algo que arrojar contra la pared, algo que se rompiese en mil pedazos y armase un ruido infernal. Pero no demasiado valioso. Aquel miserable patán no se lo merecía.

—Sue, soy Rocco Cipriani.

—¡Oh! Hola, Mr. Cipriani. ¿En qué puedo servirle? —preguntó ella con voz cantarina.

—Quisiera saber algo acerca de cuatro de sus muchachos —dijo Rocco en tono ligero.

Sue era quien mejor conocía a los modelos en su agencia.

—Desde luego. ¿Cuáles de nuestros magníficos muchachos le interesan?

—Se lo diré dentro de un momento. Es una cuestión un poco delicada, Sue; pero estoy seguro de que comprenderá que a veces tengo que hacer... bueno, preguntas un tanto difíciles.

—Para esto estoy aquí —declaró Sue con desenvoltura.

Rocco le dio los nombres de los modelos de su agencia que habían estado en la sesión de fotografía de trajes de baño y añadió, como si le estuviese preguntando la medida del tórax:

—Me gustaría saber si uno o más de ellos consumen cocaína.

—¿Es una acusación, Mr. Cipriani? —preguntó Sue, después de una pausa.

—No, Sue, nada de eso. No tiene qué alarmarse. Pero pensé que, si alguien hubiese tenido dificultades con sus muchachos, si hubiese habido alguna queja, usted habría sido la primera en enterarse.

—Usted, Mr. Cipriani, sabe tan bien como yo que el modelo que se droga dura poco. Si recibimos quejas fundadas de alguien, lo despedimos.

El tono alegre de su voz se había extinguido por completo, sustituido por la firmeza a la que debía su poder en la profesión.

—Estoy seguro de ello. Por otra parte, Sue, no es imposible esquivar algunas quejas cuando uno es muy apreciado. Un modelo muy solicitado podría cometer un asesinato y seguir de rositas. Cuanto más tratándose de un pecadillo.

—Aquí, no —insistió ella—. Esto no es Hollywood.

—Su gente es especial, Sue, todos lo sabemos —dijo suavemente Rocco, recreándose en el cumplido—. También quisiera averiguar si alguno de los chicos que me interesan se da la gran vida, gasta más dinero del que puede ganar con su oficio.

—Todavía no comprendo a dónde quiere usted ir a parar —dijo ella, esforzándose en borrar el tono defensivo de su voz.

—Se lo diré de otra manera —prosiguió melosamente Rocco—. Mi instinto me dice que, entre los modelos masculinos de esta ciudad, hay algunos que consumen mucha cocaína o que trafican con ella, o ambas cosas a la vez. Sea como fuere, necesito con urgencia esta información.

—No puede ser ningún modelo de esta agencia, Mr. Cipriani. En absoluto.

—Tal vez no. Sin duda está usted en lo cierto. Pero algo se está cociendo. También quisiera sugerirle, en interés de todas las agencias de modelos, que les sería útil hacer una labor de policía por su cuenta. Llámelo una acción prepolicial, Sue, pues, si no consigo esos nombres especiales, temo que la Policía se lanzará en masa sobre todas las agencias de la ciudad y las registrará de arriba a abajo —dijo Rocco—. Puede contar con ello —concluyó; siempre con tono suave.

—Haré cuanto pueda para servirle —dijo Sue—. Preguntaré, se lo aseguro.

—Hágame este pequeño favor. A propósito, he estado comprobando los contratos de «CL&K» con su agencia el año pasado. Por cuatrocientos mil dólares, ¿no? Bueno, en realidad, creo que fue un poco más. Ustedes saben mucho. Realmente, saben elegir. Adiós, Sue, y si por casualidad se entera de algo, hágamelo saber en seguida. Lo hará, ¿verdad?

—Desde luego, Mr. Cipriani.

—Digamos a las tres o las cuatro de esta tarde, antes de que se cierren las oficinas. Y lo que busco realmente, Sue, es un traficante, no un consumidor de tres al cuarto. Sé que es usted demasiado inteligente para no haberlo advertido. No me interesan los drogadictos corrientes; pero quiero saber sus nombres... por si acaso.

—¿Por si acaso?

—Así es. Un traficante y las personas a quienes vende la mercancía. Esto es lo que busco, Sue. Y conviene que lo encuentre. Todos estamos igualmente interesados, ¿no? Espero sus noticias, cualesquiera que sean.

Y Rocco acentuó la sonrisa que se reflejaba en su voz.

—Desde luego. Puede contar con ello. Sea lo que sea. Y gracias por llamar, Mr. Cipriani.

—Siempre es agradable hablar con usted —dijo Rocco cortés—. Un traficante, Sue, y la gente a quien vende la droga.

Rocco invirtió la mañana en hacer cuatro llamadas telefónicas similares a las otras cuatro agencias que habían suministrado los modelos para el artículo sobre los trajes de baño. Todas ellas trabajaban mucho para «CL&K». Recibió las mismas respuestas negativas; pero, a las cinco de la tarde, tenía una lista de nombres más larga de lo que había previsto. Y, en las cinco agencias, un buen número de inquietos ejecutivos celebraban consultas entre bastidores. Estas cosas sólo podían ocurrir en otras agencias, se decían. No podían perder a «CL&K» como cliente; pero tampoco podían permitir un escándalo en el negocio de modelos. Habían dado a Rocco todos los nombres que pudieron sonsacar, con halagos o amenazas a sus modelos varones y a los representantes de éstos, así como los de aquellos sobre los que ellos mismos tenían vagas sospechas. Pero, ¿qué había querido decir Cipriani con el término «acción prepolicial»? ¿Y por qué se había mostrado tan desacostumbradamente amable, tan terriblemente suave?

Dos días después, Rocco telefoneó a Maxi en su oficina.

—Justin está fuera de sospecha, Maxi. Pensé que te gustaría saberlo. Se han retirado todas las acusaciones contra él.

—¡Rocco! ¿Estás seguro? ¿Estás absolutamente seguro?

—Acaba de llamarme Charlie Salomon. Y me lo ha confirmado.

—¿Qué hiciste? ¿Cómo lo has conseguido?

Estaba tan excitada que casi se le cayó el teléfono de la mano.

—¡Oh! Sólo hice algunas preguntas.

—No me vuelvas loca, Rocco. ¡Caray! Eres maravilloso...

—Basta, Maxi. En realidad, resultó fácil. Pedí unos cuantos nombres, me los dieron, me imaginé quién era el hombre fundándome en tu lista y le di el nombre a Salomon, además de los de algunos que habían estado comprando droga al amigo de Justin y que fueron... convencidos, premiados por sus agencias, a declarar contra él... Nada que no hubiese podido hacer un detective privado si se hubiese tomado el trabajo de mirar.

—Eres increíble, eres maravilloso... ¿Quién era él?

—Un guapo mozo llamado Jon, un traficante de poca categoría que fue sorprendido haciendo negocios con un pez mucho más gordo de Florida. Trató de salir de apuros cargándole el muerto a Justin. Desgraciadamente para éste, dejó la mercancía en su casa. En el fondo, es un mal bicho. Como diría Angelica, sufre un grave problema de actitud. En todo caso, los polis consiguieron pillarle. Un trabajo relativamente fácil desde el momento en que supieron quién era, o al menos así me lo imagino.

—¿Por qué tengo la impresión de que me ocultas algo?

—Siempre has sido desconfiada. Lástima que Justin no lo fuese también. La cuestión es que el caso ha terminado, y me alegro de ello. Adiós, Maxi.

—¡Espera, Rocco! No cuelgues. Deja que te dé las gracias —suplicó Maxi—. No sabes lo que esto significa para mí. Estoy... no sé cómo decirlo...

Hablaba atropelladamente, afanosa de mostrarle su gratitud. Parecía casi infantil en su exagerada alegría y su exaltado agradecimiento.

—Vamos, cálmate. Lo hice por Angelica y por Justin. Y por tu madre, desde luego. Salomon la está llamando ahora. Justin estará en la oficina el lunes, haciendo su trabajo acostumbrado. Me pidió que te lo dijese.

—¿Cuándo hablaste con él? —preguntó Maxi con incredulidad.

—Hace unos minutos. Pensé que debía ser el primero en enterarse de la buena noticia.

—¿Y qué dijo él?

—No mucho. Se sintió aliviado, naturalmente, pero no quería creer que hubiese sido Jon el que le comprometiera. Se había hecho muchas ilusiones sobre ese canalla. Tu hermano es uno de los últimos grandes románticos. Por consiguiente, si yo estuviese en tu lugar, procuraría no hacer el papel de Mary Tyler Moore y no me mostraría emocionada cuando él se presente al trabajo. Trata de portarte con naturalidad, de demostrarle que esto no es el fin del mundo. Facilítale las cosas al pobre bastardo.

—Lo haré lo mejor que pueda —dijo Maxi a media voz.

—Procura no ser demasiado sensiblera. ¿De acuerdo?

—Está bien, Rocco. Así lo haré —dijo Maxi buscando algo lo bastante resistente para pulverizarlo bajo los tacones de diez centímetros de sus nuevos zapatos «Mario Valentine»—. Ha sido estupendo. Lo has hecho muy bien. La familia aprecia tus esfuerzos a nuestro favor, y habrá un pavo para ti en tu cesta de Navidad, querido.

Bueno, pensó Maxi, bueno; probablemente se había expresado como si él fuese Supermán y ella Lois Lane, atada a la vía del ferrocarril. Tal vez había dejado que su gozo le hiciese perder el control; pero, ¿no resultaba normal mostrarse agradecida? ¿Cómo era posible que un hombre, incluso tan correoso y gruñón como Rocco Cipriani, rechazase las muestras de gratitud? ¿Cómo podía ser tan despreciable?, se preguntó furiosa, sentada en medio de la cama, apoyada la barbilla sobre las manos cruzadas, con los codos sobre las rodillas, sin moverse, rumiando, como una masa sólida de resentimiento. Él no perdía nunca la oportunidad de hacer que se sintiese mentalmente inferior, incluso cuando realizaba una buena acción. En realidad, la había acusado de insensibilidad, le había dicho cómo tenía que tratar a Justin, como si temiera que lo hiciese con torpeza. Siempre había tenido aquel fondo de arrogancia, aquella inflexible veta de pura vanidad que le hacía pensar que su camino era el único recto. Se consideraba el centro del universo. Nunca le había ocurrido nada que le hiciese pensar que no era más que un lindo mentecato con cierta habilidad con los lápices. Humildad. Rocco necesitaba aprender humildad. Dijo esta palabra en voz alta, saboreándola, gustando su dulzura. Pero, a diferencia de él, Maxi no era una persona cerrada de mollera, mezquina y gruñona. Se sentía feliz al ver que el padre de su hija sabía portarse bien en un momento de crisis. Había prestado un gran servicio a la familia Amberville y sería recompensado por ello, tanto si quería como si no. Recompensado con esplendidez. ¡Aunque esto le pusiese enfermo!

Súbitamente jubilosa, Maxi cogió su siempre presente bloc amarillo y empezó a tomar notas. Primero, un «Alfa-Romeo Spider» convertible. ¿Qué importaba que no pudiese encontrar un lugar donde aparcarlo y que un coche como aquél fuese un desafío para los vándalos? Eligiría el color que primero encontrara; aunque preferiría el negro, porque era en el que más se notaba el polvo. Después, aquel juego de vasos de vino de cristal antiguo y delicadamente tallados que había visto en «James Robinson». Costaban tres mil dólares y tenían que ser lavados a mano, a poder ser en un fregadero forrado de caucho, y secados con exquisito cuidado. Lo más probable era que él los rompiera todos en seis meses. ¿Qué más? ¿Por qué no un juego completo de maletas de antílope de «Loewe»? Los fabricantes españoles de artículos de cuero tenían una tienda en la planta baja del edificio y ella había mirado siempre ávidamente las blandas maletas de color gris pálido ribeteadas de rojo oscuro; pero eran demasiado frágiles para viajar en avión; se estropearían en la primera ocasión. El maletín más pequeño costaba casi seiscientos dólares, y tal vez podría él conservarlo decentemente durante un tiempo. ¡Ah! Ya lo tengo: aquel magnífico juego de café de plata de ley «Art-Deco» de «Puiforcat». ¿Qué importaba que costase cuarenta mil dólares? Tenía que mantenerse siempre limpio para que hiciese efecto, como todas las piezas de plata. Pero era una buena idea.

¿Y unos ponies de polo? No, decidió Maxi a su pesar. Sólo costaban diez mil dólares cada uno. E, incluso Rocco, por muy poco refinado que fuese, se daría cuenta de que eran inadecuados. Necesitaban un mozo de cuadra, boxes y una alimentación cuidada. O tenía que hacerse ella cargo de todo, o no podía regalárselos. Además, sabía que él no montaba. Sería delicioso ofrecerle un pequeño *Learjet 23*; pero trescientos mil dólares eran una suma un poco exagerada para indicar su eterna gratitud. Sin embargo, faltaba algo en la lista. Era mezquina. ¿Por qué no un par de pasajes para un largo crucero por el Caribe? Sería una buena terapia para un maníaco del trabajo como Rocco. Tal vez dos... no, tres. Tres docenas de aquellas toallas de baño con flecos que había visto en «Barney's» la última vez que estuvo allí de compras. De color beige, por supuesto, o mejor completamente blancas. De ninguna manera un color femenino. Si lo buscaba bien, quizá podría encontrar en alguna parte una lavadora manual especial. Y, para demostrar que sólo albergaba generosidad sincera en su corazón, una caja de «Glenfiddich», su marca favorita de whisky de pura malta. Esto le sorprendería agradablemente, pensó Maxi. Lo que en realidad le habría gustado regalarle era una carpeta de dibujos de Leonardo da Vinci. Reflejaría más que nada el alcance de su pequeño talento. Pero la reina de Inglaterra había acaparado los mejores y la «Morgan Library» tenía casi todo el resto.

Llamaron a la puerta y entró Angelica.

—¿Por qué no estás con tu padre? —preguntó Maxi, sorprendida, pues aquel fin de semana tenía que estar con Rocco—. ¡No me digas que te ha dejado plantada!

—No, Maxi. Sabes que nunca lo haría. Ha pillado un terrible resfriado. Acaba de telefonear y me ha dicho que estaba seguro de que era contagioso, con abundancia de microbios, y que te preguntara si podíais cambiar el fin de semana.

—Desde luego —respondió Maxi, y Angelica pareció más contristada que antes—. ¿No quieres tú?

—Bueno, en realidad la Tropa había proyectado algo especial para hoy, porque un montón de chicos están en casa para las vacaciones de primavera, y no quisiera perdérmelo. Quiero decir que es para este fin de semana, no para el próximo, y en todo caso quisiera disponer de algún tiempo para divertirme un poco, ¿sabes? Nada inconveniente, mamá, sólo una pequeña juerga con los míos.

—Suena a violación y pillaje —dijo Maxi levantándose los cabellos sobre la nuca—. ¿Una juerga?

—Quiero decir —explicó Angelica con dignidad— una tarde en el circo seguida de un atracón de pizza o, como dirías tú, un buen rato en compañía de agradables damitas y caballeros, con refrescos incluidos.

—Hágase tu voluntad —le dijo Maxi.

Tenía una confianza absoluta en la Tropa y en sus actividades. Angelica desapareció saltando alborotada de gozo, libre de unos padres acosados por la culpa y que se metían demasiado en su vida privada para compensarla de los efectos de su divorcio. ¿Acaso no sabían que todo el mundo se divorcia más pronto o más tarde?

Maxi empezó a vestirse para ir a comprar los regalos de gratitud para Rocco. Tal vez estaría todavía enfermo en casa cuando se los llevasen. Un fuerte enfriamiento podía durar una semana. ¿Vacaciones de primavera? ¿No había dicho algo Angelica sobre vacaciones de primavera? Miró por la ventana del cuarto de baño y comprobó que la primavera había llegado sin previo aviso a Central Park. Por sorpresa, de la noche a la mañana, como lo había hecho en *Mary Poppins*. Un resfriado y vacaciones de primavera. ¿Cómo no se había dado cuenta antes? La maligna fiebre del heno de los Cipriani le había atacado, y Rocco aferrándose terco a sus tradiciones, se había negado a confesarlo, insistiendo, como hacía todos los años, en que era inconcebible que padeciese de una dolencia tan poco varonil, ya que ningún Cipriani la había sufrido a lo largo de la historia. ¿Cómo pudiste pillar la fiebre del heno en Venecia?, le había preguntado Maxi una vez, muchos años atrás. Y ahora sintió que la pregunta seguía siendo oportuna.

De pie y mondándose de risa, envuelta en su camisa de seda de color de espliego pálido, y a punto de meter un pie en la pernera derecha de unos panties de seda negra con mariposas bordadas, le asaltó un impulso amable, caritativo, salido del fondo del corazón. Correría a casa de Rocco, para consolarlo en su aflicción, como una enfermera en su forma más sublime. En realidad, como un ángel de piedad.

Sabía el lugar donde guardaba Angelica la llave del apartamento de su padre y conocía también el tratamiento de la fiebre del heno. Hay algunas cosas que nunca se olvidan. Durante el trayecto, Maxi especuló sobre el apartamento de Rocco. Éste vivía a menos de tres manzanas de distancia, en un dúplex de Central Park South, pero nunca había querido pedir a Angelica que se lo describiese. Recordaba el antiguo deseo de Rocco de encontrar un lugar monástico, austero y tranquilo, propio de un monje japonés. Tal vez había llegado a dominar ahora la escuela minimalista de decoración, eliminando todo lo que hacía habitable una casa y gastándose el dinero en detalles de fanático que nadie más advertiría. O quizá se había decidido por los incómodos sillones «Mackintosh» y las baldosas blancas y negras de los años treinta, que eran feas desde el principio y que no había mejorado con el tiempo, a pesar de su pregonado chic André Putman. Tal vez había invertido mucho en objetos industriales, tuberías de acero y luces de neón, y dormía en una estera sobre el suelo. Pero todo esto había quedado *démodé*. También era posible que se hubiese inclinado por el estilo Santa Fe Calvin Clein, una pesadilla tomada de Georgia O'Keeffe, con tres piedras importantes en el manto de la chimenea, cuya mágica disposición no debía cambiarse nunca; paredes de adobe en las que el yeso se desconchaba, y un cacto perfecto muriendo lentamente. O quizá sólo vivía como la mitad de los *snobs* del diseño que ella conocía, entre paredes completamente blancas y con muebles fastidiosos y caros de «Mies an Breuer», realzados con los obligatorios «Frank Stellas» y «Roy Lichtensteins». Era demasiado esperar que hubiese vuelto a los atroces años cincuenta y a los contrachapados laminados. Probablemente, como la mayoría de los viejos solterones, tendría su casa hecha un lío.

Maxi, sin hacer ruido, empleó la llave de Angelica para abrir la puerta de la entrada. El recibidor era muy amplio, observó con desaprobación. Le pareció insólito en él que hubiese empleado un fino y viejo parquet, que resplandecía con un tono dorado. Y qué extraño lugar para colocar un torso de Venus de Maillot, de tamaño natural, como una presencia poderosa y de un brillo sombrío que resaltaba magníficamente contra las mágicas e irisadas figuraciones de los dos grandes «Helen Frankenthalers» en las paredes opuestas. No había muebles, observó, a excepción de una soberbia mesa Regencia adosada a la tercera pared, toda curvas y tallas e indiscutiblemente auténtica a sus ojos de experta. Bueno, no es tan difícil comprar buenas obras de arte si se tiene dinero, pensó, cerrando la puerta a su espalda, y desaprobó en teoría la escuela de decoración de las galerías de arte. Después escuchó, por si oía algún sonido de vida en el apartamento, pero no oyó nada. Entró cautelosamente en el cuarto de estar. Bueno, Rocco se había aficionado sin duda a un lujo que parecía haber sido implantado con deliciosa incongruencia en un viejo granero del campo en vez de en una casa de Central Park South. La luz del sol penetraba en la alta habitación y convertía las paredes revestidas de paneles en una fuente sutil de información sobre las cosas bellas que puede grabar el tiempo en la madera. Mullidos y suaves sofás tapizados de terciopelo gris y separados por una mesa «Parsons» de roja laca china, se daban la espalda en el centro de la larga estancia, frente a las grandes chimeneas instaladas en los testeros laterales. Antiguas telas de cachemira de tonos bizcocho, rojo y coral, cubrían los elegantísimos sillones Regencia, y aquí y allá, sobre el suelo de ladrillos, hallábanse desparramadas alfombras chinas de seda, de colores raros que reflejaban la luz del sol.

Maxi, desdeñosa, frunció la nariz. La pieza más valiosa de la estancia era sin duda la escultura egipcia que ella había regalado a Rocco la primera Navidad que habían pasado juntos; era la primera época tolemaica y pertenecía a una estatua de Isis de casi un metro de altura, hecha de cuarcita roja. Podían verse todos los detalles de su cuerpo, pues la diosa egipcia llevaba prendas más finas que cualquier creación de Bob Mackie, y esta Isis tenía los senos y el ombligo más deliciosos del mundo, casi tanto como los de ella, pero le faltaba la cabeza. Y la Venus de Maillol no tenía brazos. Por lo visto, a Rocco le gustaba la compañía de mujeres que careciesen de parte de su anatomía.

Se sobresaltó al oír un fuerte estornudo y una sonrisa ilusionada torció su boca calculadora, convirtiéndola en un arma peligrosa; aquella sonrisa particular que ni siquiera Maxi era lo bastante vanidosa para saber que enloquecía a los hombres.

Sin hacer ruido, subió la escalera, en dirección al lugar del que procedía el estornudo. Escuchó también un juramento con una cara fea e hinchada, como una de las peores caricaturas de W. C. Fields.

La puerta del dormitorio de Rocco estaba entreabierta. En el interior, vio oscuridad, casi negrura. Sin duda había corrido las cortinas y se había enterrado debajo de todas las mantas y colchas que poseía. A nadie asustaban tanto los resfriados como a Rocco Cipriani. Bed Dennis Brady los trataba alternando tequila con ponches calientes, y Laddie, conde de Kirkgordon, hacía caso omiso de todos los que no llegasen a pulmonía. Era cosa del tiempo atmosférico, explicaba. Sus antepasados habían padecido *siempre* resfriados, y lo que Bonnie Prince Charlie podía soportar, también podía soportarlo él.

Maxi tosió ligeramente para avisar a Rocco. Habría sido absurdo provocarle un paro cardíaco, si había venido para que se sintiese mejor.

—Angelica, te dije que no te acercases a mí.

—Soy yo —le tranquilizó Maxi—. Angelica estaba tan preocupada por tu salud que se empeñó en que viniese a asegurarme de que no necesitas un médico.

—Lárgate —gruñó él, estornudando deliberadamente en dirección a ella.

Lo único que Maxi podría ver era un bulto sombrío que parecía sacado de una novela de Dickens.

—Vamos, Rocco —dijo en tono apaciguador—, te estás compadeciendo inútilmente. No hace falta que te portes como si estuvieses a las puertas de la muerte, sólo porque tienes un pequeño resfriado.

—Adelante, ríete si quieres, pero vete de mi casa.

—¿No estás un poco paranoico? ¿Por qué habría de reírme viendo sufrir a un ser humano y, en particular, al padre de mi hija? Sólo he venido para tranquilizar a Angelica. Sin embargo —dijo alegremente Maxi, descorriendo las cortinas—, ya que estoy aquí, haré lo que pueda para que estés más cómodo.

—No quiero estar cómodo. ¡Quiero estar solo! ¡Y a oscuras!

—Algo muy típico; todo el mundo sabe lo mucho que gozan los hombres sufriendo. Apuesto a que ni siquiera te has tomado vitamina C —dijo Maxi, observando los gigantescos ramos de forsitias que surgían de un soberbio jarrón florentino colocado sobre la mesita de noche.

Mayólica renacentista, si no se equivocaba. Aquélla era la causa del resfriado, aunque él no lo habría creído nunca.

—La vitamina C es un camelo. No hay pruebas de su eficacia —gruñó, arropándose y tratando de cubrirse la cabeza con una almohada.

—No lo sabemos de fijo, ¿verdad? E incluso tú sabes que necesitas líquidos. Voy a prepararte una naranjada fresca y la pondré aquí para que la tomes cuando te apetezca.

—Déjame en paz. No quiero naranjada. ¡Fuera! ¡Fuera!

Maxi desapareció, cerrando la puerta, antes de que él pudiese levantarse para echarla a viva fuerza. Había traído una bolsa de naranjas de su casa, previendo esta necesidad típicamente masculina. Los hombres, según sabía por experiencia, nunca tenían naranjas al alcance de la mano. Limones, sí; manzanas algunas veces; pero naranjas, nunca. Bajó de puntillas la escalera y encontró la cocina. Vio en seguida que era cuatro veces más grande que la suya y mucho más alegre. Desde luego, no tenía vistas sobre el World Trade Center, se dijo mientras exprimía las naranjas; pero sí un pulcro fogón de hierro forjado con ocho fuegos, un suelo pavimentado de mármol, una enorme mesa de madera, que parecía holandesa, y un frigorífico de color bronce con muchas botellas de champaña. Registró el interior. Como había supuesto, también había muchas botellas de vodka, todas ellas enfriadas hasta el punto de que el líquido, espeso y glacial, se deslizase por la garganta como el beso de un iceberg amigo. Después de pensarlo bien, añadió tres cuartos de botella a la jarra de zumo de naranja y probó la mezcla. Nadie hubiera dicho que hubiese vodka allí, tan dulce era la fruta. Metió la jarra en el frigorífico para que se enfriase y fue en busca del armario de la ropa blanca. Nada como unas sábanas limpias para que un enfermo se sienta mejor. ¡Bien! India no era la única persona refinada en lo tocante a la ropa blanca. Rocco tenía todo lo que podía comprarse en «Pratesi», una lencería blanquísima con cenefas geométricas de colores pardo oscuro, azul marido y púrpura. Rocco sabía cuidarse. «Pratesi» podía ser aún más caro que «Porthault» aunque si uno volaba a Milán en busca de ello, el viaje valía la pena por sí solo. Recogió puro algodón egipcio por valor de miles de dólares, volvió a la cocina para recuperar el zumo de naranja y coger un vaso grande. Subió de nuevo la escalera.

Abrió de nuevo la puerta haciendo ruido. Como había previsto, Rocco dormía profundamente. Hurgó debajo de las sábanas y encontró el dedo gordo del pie de Rocco. Era la manera más suave de despertarle. Tiró ligeramente del dedo hasta que él se movió, y siguió tirando hasta que sacó la cabeza de debajo de la almohada.

—Hora de tomar zumo de fruta —dijo cantando al estilo de Julie Andrews.

—Que me aspen si lo creo —gimió él, estornudando con todas sus fuerzas.

Ella le dio un «Kleenex» limpio y un vaso llevo de zumo de naranja, sosteniéndolo con dignidad impersonal. Él bebió a largos tragos y murmuró algo que podía interpretarse como «gracias». Maxi llenó otro vaso y se lo puso en la mano.

—Estás deshidratado. Y esto puede ser peligroso —le advirtió.

—Luego. Déjalo ahí. Y vete.

—Me iré, pero cuando hayas terminado —le prometió ella.

Rocco bebió de prisa, sólo para demostrar lo mucho que deseaba que se marchase, y después se reclinó en la almohada y cerró los ojos. Maxi esperó unos minutos a que el vodka surtiese su efecto calmante sobre el sistema nervioso.

—¿Rocco?

—Dime.

—¿Te encuentras mejor?

—Tal vez. Un poco.

—Si es así, te aconsejo que tomes una buena ducha. Mientras tanto, te arreglaré la cama.

—¡Una ducha! Estás loca. Un cambio de temperatura en estas condiciones podría matarme. Podría matarme.

—No la tomes caliente, sino de la misma temperatura que hay en la habitación. Te garantizo que después te sentirás mucho mejor.

—¿Seguro?

—Seguro. ¿Y te gustarían unas sábanas limpias, frescas y deliciosas...?

—No veo ningún mal en ello. Y ya que estás aquí... Pero, ¿te irás después? ¿Me lo prometes?

Diez minutos después, volvió Rocco y encontró el dormitorio vacío, sólo con la luz suficiente para que viese la cama recién hecha, con el embozo muy alto, como a él le gustaba. Lanzando un suspiro de alivio, se metió entre las benditas sábanas y se estiró, gruñendo satisfecho.

—¡Ah!

Se levantó de un salto. Acababa de tocar algo vivo con el pie.

—¡Por el amor de Dios, soy yo! —murmuró Maxi—. Creí que me habías visto. Perdona.

—¿Qué estás haciendo en mi cama?

—He debido quedarme dormida. Es una cama tan grande que cuesta mucho hacerla, y es fatigoso andar a su alrededor.

—Estás desnuda —observó él.

—¿De veras? —preguntó ella con voz soñolienta.

—Sí.

—¡Hum...! ¡Qué raro! —bostezó—. Debí imaginarme que estaba en casa. Disculpa.

—No vuelvas a asustarme. No me gusta que me asusten.

—Claro que no —murmuró Maxi, con acento maternal, haciendo que apoyase la cabeza sobre sus maravillosos senos, que eran como frutas de los dioses caldeadas por el sol—. Claro, claro, mi pobrecito Rocco. Es terrible estar resfriado.

—Puedo contagiártelo —suspiró él besando uno de los pezones.

—No tengas miedo; nunca me has contagiado tus catarros.

La besó en el hombro y en un punto sensible de la nuca, muy especial, donde, si no le engañaba la memoria, le gustaba mucho que le besaran.

La memoria no le engañó. Primero con gran dulzura, y pronto de modo irresistible, fue acudiendo el recuerdo de tiempos pasados, con la ayuda de los hábiles labios y miembros de Maxi.

Horas después, cuando empezaba a anochecer, Rocco se despertó un poco mareado y con una fuerte sensación de inquietud. Algo había ocurrido. Pero no sabía qué. Ignoraba cuándo y cómo; pero algo había sucedido. Instintivamente, exploró la cama con cautela. Estaba vacía. Sin embargo, había algo que no concordaba. Encendió la luz de la mesita de noche y miró a su alrededor. No vio a nadie. Saltó de la cama y escuchó. Supo en seguida que estaba completamente solo. Entonces, ¿por qué se sentía tan inquieto? Volvió a acostarse y miró al techo. Recobró la memoria. ¡Dios mío! ¡No! ¡La muy zorra! Su memoria se aclaró aún más, revelándole los detalles. No una vez, ni dos, sino tres veces. Lo sabía. Ella estaba tratando de matarle. Tres veces seguidas. ¿Acaso se imaginaba que era un ardiente muchacho de catorce años? Lo había violado, ésta era la verdad. ¿Era acaso, un tormento sexual? ¿Quién podía quejarse por ser violado tres veces en una tarde? Se dio cuenta, con irritación, de que estaba sonriendo como un imbécil. Y empezó a golpear la almohada hasta que las plumas salieron volando. Era muy propio de ella aprovecharse de un enfermo. Sí, era una vampiresa. Aquella viciosa, imperdonable, cruel, marrullera y malvada criatura, sabía perfectamente que cuando estaba resfriado se excitaba con más facilidad.

—Pero lo cierto es —dijo en voz alta— que ya no estornudo.

24

—Maxi, ¿puedes venir un momento a mi despacho? —preguntó *Monty*, asiéndola de un brazo—. El tuyo es un manicomio, y tenemos que hablar.

Era la primera hora de la mañana del lunes 15 de abril, y Maxi había empezado a trabajar en las correcciones definitivas de las galeradas del número de setiembre de *B&B*, que entraría en Prensa dentro de una semana. El artículo que había escrito Joan Rivers, titulado: «La verdad es que me gusta volver a estar gorda... algunas veces», necesitaba más ilustraciones, y el de Dan Rather, «Nadie sabe lo tímido que soy», se había convertido en una columna regular, con celebridades discutiendo los terrores de la adolescencia, que seguían padeciendo. «Las mentiras necesarias: por qué no debes sentirte nunca culpable», de Billy Graham, había hecho que llegaran tantas cartas de lectoras que hubo que insertar, en la sección correspondiente, muchas más de las previstas. Y el artículo mensual para setiembre de «Me gustaría ser», según el cual Johnny Carson deseaba ser Woody Allen y Elizabeth Taylor prefería tener el aspecto de Brooke Shields. Peor aún, algo en el «ritmo» del número, que pendía página por página en las paredes de su despacho, parecía algo discordante a los ojos de Maxi.

—¿No podría ser después del almuerzo, *Monty*? —suplicó—. Esto es urgente.

—Ahora, por favor.

Maxi había aprendido a no discutir con *Monty* cuando éste decía algo en ese tono enfáticamente sereno. Le precedió, pues, en dirección a su despacho, ubicado en un rincón lejano del local adicional que había alquilado después del éxito del primer número. Pasó por delante de la blanca oficina de Julie, donde su directora de modas estaba hablando por teléfono. Desde que había aparecido en los periódicos la historia que relacionaba a Jon con Justin, Julie trataba de evitar a Maxi, pero ésta había percibido su disimulada angustia y adivinado en seguida la causa.

Sentía una intensa simpatía por Julie; pero expresarla sería lo mismo que decir que sabía por qué estaba su amiga tan dolida. Maxi consideró que era mejor dejarla en paz durante un tiempo. En definitiva, el tiempo cura las heridas, pensó, mientras recorría el atestado pasillo y correspondía a los saludos. Era un viejo cliché, un pobre consuelo, pero era verdad. Si hubiese descubierto que Rocco era gay cuando ella trabajaba en *Savoir Vivre*, ¿cuánto habría tardado en hacerle cambiar? ¿Seis meses? No. Más. ¿Un año? Probablemente más. Sus reflexiones fueron interrumpidas por *Monty* que, después de entrar ella, cerró la puerta y se apoyó en ésta para que nadie más pudiese entrar.

—Lewis Oxford acaba de telefonearme. Tiene que haberse vuelto loco, aunque parecía expresarse con cordura. Me ha dicho que debía comunicarnos que «Amberville Publications» cancela *B&B*. Todo el personal será despedido al terminar la jornada de trabajo. Ha notificado ya a «Meredith/Burda» que «Amberville» no autorizará ningún pago por la impresión del número de setiembre. Y están llamando a todos nuestros proveedores para decirles que no nos concendan ningún crédito. Dice cumplir órdenes directas de Cutter Amberville, el cual actúa en nombre de tu madre.

—Ella no puede hacer eso. Tiene que ser un error —dijo Maxi, con la anestésica frialdad de la impresión.

—¿Cuándo hablaste con ella por última vez?

—La semana pasada, cuando Justin fue puesto en libertad. Nunca había sido tan buena nuestra relación. Esto no es más que un truco de Cutter, *Monty*. Está ensayando alguna táctica nueva que no podré comprender hasta que hable con mi madre. No hagas nada acerca de este absurdo hasta que yo vaya a verla; siempre está en casa por la mañana. Y mantén cerrado el pico.

—Desde luego. Pero no me preocupa el impresor. Si perdemos el tiempo con las prensas, si nos han sustituido ya para la próxima semana, no podrá aparecer el número con puntualidad, aunque consigas arreglar las cosas. La imprenta distribuye el tiempo con meses de antelación.

—Telefonea a Mike Muller, el encargado de «Burda», y dile que yo garantizo personalmente el pago. Yo, Maxime Amberville.

—Lo haré —dijo *Monty*.

Pareció que iba a preguntar más cosas. Pero Maxi salió apresuradamente del despacho y corrió hacia el lugar donde Elie la estaba esperando.

Se abalanzó sobre Lily, que estaba conferenciando con su cocinero acerca de una cena.

—Madre, tenemos que hablar ahora mismo.

—Maxime, estuve tratando de llamarte durante todo el fin de semana. Luego terminaremos de confeccionar el menú, Jean-Philippe. ¿Dónde estabas, Maxime? Me hallaba ansiosa de hablar contigo.

—Ausente —respondió mecánicamente Maxi—. Madre, Lewis Oxford acaba de decirme que ya no tendremos más crédito, que *B&B* se ha acabado.

—¡Oh, querida! Eso era lo que yo no quería que ocurriese. ¡Oxford es un estúpido! Advertí a Cutter que deseaba celebrar antes una reunión contigo, con Toby y con Justin; pero es evidente que Oxford olvidó comunicar conmigo para asegurarse de que se había celebrado.

—¿Qué quiere decir «en primer lugar»? ¿Por qué deseas hablar con nosotros tres? ¿Qué tiene esto que ver con *B&B*?

—Deja de gritar, Maxime. Yo pretendía que las cosas sucediesen de un modo tranquilo. Pero todo se ha echado a perder —gimió Lily acongojada.

—Vas a hacer que me vuelva loca, madre. ¿De qué diablos estás hablando?

—Comprendo que estés trastornada, querida, al haberte enterado de este modo. Yo quería decíroslo a los tres al mismo tiempo.

Hizo una breve pausa y después prosiguió, resuelta:

—He decidido vender «Amberville Publications» a la «United Broadcasting Corporation». Y veo que se ha hecho de la peor manera posible.

Lily estrujó una rosa que había en un cuenco de plata.

—¡Madre! Me importa un comino el modo de llevar a cabo esta decisión. ¿Cómo puedes vender? Yo... yo no entiendo nada de lo que estás diciendo. ¿Vender nuestro negocio? ¿Vender el negocio de mi padre? ¿Vender «Amberville»? Es... es... No puedes hacerlo... Es... inconcebible.

Maxi se sentó delante de su madre; las piernas no la sostenían y se le encogió el corazón al ver la terca expresión del semblante de Lily, sólo preocupado por la manera en que había de presentar una decisión que Maxi veía con toda claridad que ya había sido tomada.

—Bueno, Maxime, escucha y deja de decir lo primero que se te ocurre. Esto no es inconcebible. Es lógico. Desde que murió tu padre, la compañía se encontró sin su fundador. Ha seguido funcionando por su propio impulso; pero este impulso no puede durar eternamente. «UBC» está interesada en comprar la empresa y Cutter cree que dentro de tres meses, cuando se realice la venta, el precio habrá subido a... unos mil millones de dólares. Se trata de una oportunidad que tal vez no vuelva a presentarse nunca, y es evidente que tengo que aprovecharla. Maxime, tú, Toby y Justin recibiréis cien millones de dólares cada uno. No hay manera de que ninguno de vosotros podáis realizar vuestro diez por ciento a menos que yo venda. Pero ésta no es la única razón de que lo haga.

—Madre...

—No, *espera*, Maxime; no me interrumpas hasta que haya terminado. Yo no puedo dirigir una empresa editorial; Cutter no quiere asumir esta responsabilidad, y no se lo reprocho. Es evidente que Toby tiene su propia vida y Justin la suya; y aunque tú te diviertas con tu juego de publicar una revista, salta a la vista que no estás hecha para dirigir una gran empresa. Si hay que acabar vendiendo la Compañía, éste es el momento. Sé que *B&B* está teniendo éxito; pero no puedes dejar de reconocer que nos cuesta una fortuna. Cutter tuvo que decirme, a pesar suyo, la cantidad de dinero que *B&B* pierde todos los meses, y me quedé horrorizada. Es un juguete demasiado caro incluso para ti, Maxime, y «UBC» comprará «Amberville» sobre la base de un balance que Cutter considera muy poco seductor, si tu revista sigue publicándose.

—Entonces, ¿llamó Oxford por orden tuya?

—Sí, desde luego; pero yo había pretendido explicároslo todo antes de que os enteraseis por él. Nadie, salvo la familia tiene que hallarse enterada de la venta antes de que ésta se haya realizado. Lamento mucho la impresión que esto te ha causado. Si hubiese podido comunicar contigo durante el fin de semana...

—Estaba ausente —repitió Maxi—. ¿No comprendes, madre, que una revista nueva pierde siempre dinero, por muy grande que sea su éxito, hasta que empieza a tener ingresos suficientes de los anunciantes? Casi renuncié literalmente a los anuncios para sacar la revista a la calle, y el coste de impresión del número es superior a lo que puede obtenerse con la venta.

—Supongo que fue una inteligente maniobra tuya; aunque no soy quién para juzgarlo... Pero me parece que corriste a sabiendas un gran riesgo. En fin, esto no importa, Maxime, ya que era yo quien debía tomar la decisión de vender, y la he tomado. Cutter me orienta sobre la manera de llevar los negocios «Amberville» hasta que la venta sea oficial, y se muestra inflexible en la necesidad de cancelar cuanto antes la publicación de *B&B*. Siento darte este disgusto, querida...

—Este disgusto —repitió Maxi con gran tristeza.

El abismo entre lo que sentía ella y lo que sentía su madre por *B&B* era tan grande que ni las palabras ni el énfasis que se pusiera en ellas podían salvarlo. Dijese lo que dijese, nunca convencería a Lily de que *B&B* no era un juguete, sino el único tributo que podía rendir a Zachary Amberville y al gran amor que sentía por él.

—Bueno, sé que te has divertido mucho y estoy orgullosa de lo bien que se ha vendido tu revista, pero es evidente que no lo habrías conseguido sin emplear el dinero de la compañía, ¿verdad? —siguió diciendo Lily.

—No; en realidad, no habría podido. En modo alguno —confesó Maxi.

—Entonces, lo comprendes, ¿verdad? No es una verdadera revista, querida. Ha sido subvencionada y no rinde nada por sí misma.

—No, en esto te equivocas, madre. Es una verdadera revista. Millones de mujeres pagan todos los meses un dólar cincuenta por ella. Tengo un personal formidable que pone el corazón en *B&B*. Existe, crece de un modo extraordinario, el número de setiembre tiene trescientas cinco páginas, está lleno de anuncios, de fotografías y de artículos. Recibimos miles de cartas de nuestras lectoras. Es tan real como cualquier otra revista. Lo único que sucede es que todavía es muy joven —dijo Maxi con ardor.

Lily rió con indulgencia.

—Maxime, Maxime, me complace ver que tienes apego a algo durante tanto tiempo. Si viviese tu padre, estaría entusiasmado; pero tienes que aceptar la realidad de la venta de «Amberville». Es lo mejor para nuestros intereses.

—Escucha, madre. Si antes de que se realice la venta puedo demostrarte que «Amberville Publications» no pierde dinero por culpa de *B&B*, que la compañía vale tanto como valdría sin *B&B*, ¿reconsiderarás tu decisión? —preguntó pausadamente Maxi.

—En primer lugar, no sabes lo que piensan Toby y Justin. Te he dicho lo que pensamos Cutter y yo. No, Maxime, no puedo prometértelo.

—No te pido que me «prometas» reconsiderarlo ahora. Pero, si, antes de que pasen los tres meses, acudo a ti y te ruego que vuelvas a pensarlo... —dijo Maxi en tono suplicante.

—Temo que también te responderé que no, querida. Aunque, desde luego, siempre puedes venir a preguntarme —dijo amablemente Lily.

Le costaba dar una negativa rotunda a Maxime, cuando su interés era tan evidente y se comportaba de un modo tan razonable. Nada perdía con dejar que le «preguntase» de nuevo, ya que era seguro que no podía realizar el milagro de publicar la revista sin dinero. Y si no se empeñaba en que su hija aceptase su decisión en aquel mismo momento, pondría fin a la inquietante entrevista de una manera mucho más rápida y agradable. Y le quedaría tiempo para terminar, antes del almuerzo, la confección del menú que proyectaba para la fiesta de la noche.

—¿A dónde vamos ahora? —preguntó Elie.

—Al «Amberville Building» —respondió Maxi.

Tenía que hablar con Pavka. Era la única persona a la que podía acudir en busca de consejo. En las oficinas de *B&B*, todos la buscarían para que les orientase; pero ella misma necesitaba ayuda más que nunca. Rezó para que él estuviese en su despacho y no se encontrara disfrutando de uno de esos largos almuerzos que, en el campo editorial son más frecuentes que en Hollywood. Tenía que conversar con Pavka antes de hablar con sus contables sobre la manera de conseguir el dinero necesario para que *B&B* siguiese adelante.

Se detuvo delante de la mesa de la secretaria de Pavka y preguntó ansiosa:

—¿Está en casa?

—Se halla en el despacho de su padre —respondió la secretaria, y Maxi se dio cuenta de que estaba intrigada—. Se encuentra allí desde. hace más de media hora y me ha dicho que no le pasara ninguna llamada. Aunque, desde luego, la recibirá a usted... Llamaré a la puerta...

Pero, antes de que se levantara, Maxi ya se había ido y se dirigía trotando por el pasillo hacia la puerta del despacho que nadie había utilizado ni cambiado desde la muerte de Zachary Amberville.

—¿Pavka? —preguntó en voz baja.

Él se hallaba vuelto de espaldas, plantado detrás de una de las ventanas, con la cabeza gacha y apoyándose con ambas manos en el antepecho, en actitud de impotencia, una actitud en que ella jamás le había visto. Se volvió. Aquella expresión divertida y sabia que Maxi estaba acostumbrada a observar en su despierto y distinguido semblante, había desaparecido, sustituida por una gravedad que concordaba con la suya y por algo que identificó como profundo pesar. Sin embargo, no podía haberse enterado aún de la proyectada venta. Lily había dicho que, de momento, sólo debía saberlo la familia.

—Tienes que haber recibido también una de estas comunicaciones —dijo Pavka, tendiéndole una hoja de papel, y sin saludarla siquiera.

—No, nadie me ha comunicado nada... por escrito ¿No vas a darme un beso?

—¿Un beso? —dijo distraído—. ¿Es que no te lo he dado?

La besó ligeramente, no con su acostumbrada manera afectuosa. Por primera vez desde que había ido a ver a Lily, sintió Maxi verdadero terror.

—Lee esto —dijo él, entregándole el memorándum de la oficina del vicepresidente de asuntos financieros.

En él figuraban todos los cambios y recortes que Cutter había explicado a Oxford. Se habían enviado copias a los directores, a los gerentes, y a los directores artísticos de las seis publicaciones «Amberville». Maxi lo leyó en silencio. No decía nada sobre la venta de la compañía.

—Voy a dimitir —dijo bruscamente Pavka—. No tengo poder para impedir estas medidas; pero me niego a que mi nombre esté relacionado con ellas. Emplear los escritores y los fotógrafos más baratos que podamos encontrar; reducir el número de las páginas en color; valernos de gente conocida en lugar de emplear modelos; aceptar artículos editoriales de los anunciantes para su propia publicidad; usar papel de calidad inferior y consumir todo lo que tenemos en inventario, incluidos los muchos proyectos que no eran lo bastante buenos para nuestra categoría. Este memorándum es infame, Maxi. ¡Infame!

Temblaba de ira y de frustración.

—Por favor, Pavka, siéntate y hablemos —le suplicó Maxi, olvidando *B&B* ante las atrocidades que acaba de leer.

Se dejaron caer en sendos sillones de cuero, los que estaban delante de la mesa de Zachary Amberville, y guardaron silencio. A pesar de su enojo y de su preocupación, advirtieron, al dejar de hablar, que algo sucedía en el despacho. Lo percibieron en seguida. Dentro de la estancia proseguía alguna actividad que no requería presencia humana, algo vivo, poderoso y alegre, impreso en las paredes; el recuerdo de Zachary Amberville, que flotaba en el aire, enérgico y entusiasta como la última vez que lo habían visto. Pavka y Maxi suspiraron profundamente y, por primera vez, sonrieron. Sin embargo, no hablaron aún, sino que miraron alrededor del grande y siempre desordenado despacho de paredes revestidas con paneles de madera, de las que pendían los originales de algunas de las más famosas cubiertas e ilustraciones publicadas por Zachary en el curso de los años y aquí y allí, fotografías firmadas de presidentes de los Estados Unidos, de escritores, fotógrafos e ilustradores. No había ninguna fotografía del propio Zachary Amberville. No obstante, el recuerdo de su animada, divertida y vibrante voz parecía resonar en la estancia; estaban presentes su afán de perfección, su risa franca, sus exclamaciones de aprobación cuando un colaborador hacía una buena sugerencia. La energía desbordada, el ardor ferviente que había prodigado en cada número de sus revistas, no se habían extinguido.

—Pavka —dijo Maxi—, ¿estoy en lo cierto al pensar que el precio que se paga por una compañía depende de sus ganancias en el momento de la venta?

—Así suele ser. ¿Por qué lo preguntas?

—Si tú dimitieses —prosiguió Maxi, sin responder—; pero las revistas siguieran publicándose incorporando todos los cambios que ha ordenado Oxford, ¿cuánto tardarían las economías en producir una ganancia?

—Se reflejaría en el próximo balance, dentro de tres meses. Pero, Maxi, no hay que hablar de esto. Las revistas se producirán a un costo menor; pero no serán las mismas. Nosotros lo notaríamos inmediatamente al trabajar en los nuevos números y, con el tiempo, nuestras lectoras advertirían también la diferencia, por mucha habilidad que tuviéramos. Tal vez no sabrían definir lo que estuviera mal en *Seven Days*, en *Indoors* y en las otras publicaciones; pero no esperarían el número siguiente con tanto interés, no lo leerían con la misma satisfacción y, al cabo de un año, más o menos, o aceptarían las revistas menos buenas y más baratas que antes, como tantas cosas son aceptadas por los consumidores o dejarían de comprarlas. Nosotros buscamos siempre el más alto nivel posible de calidad; pero este memorándum suprime el concepto de elevada calidad y escupe sobre él.

—Mi madre pretende vender «Amberville Publications», y se tasará en virtud de las ganancias que se reflejen en el próximo balance —explicó Maxi con voz apagada.

—¡Ah! —exclamó Pavka, con un suspiro que era un mundo de tristeza y desilusión—. Esto lo explica todo. Debí haberlo adivinado. He

sido un imbécil al no pensar en ello. Es la única explicación posible de
la destrucción de la obra de tu padre. Sin embargo, me sorprende que
ella lo haga de esta manera. Las revistas podrían venderse como son
ahora, intactas y magníficas. Entonces no sería vergonzoso venderlas,
si ella ha decidido hacerlo.

—Pero por menos dinero, ¿no?

—Sí, desde luego por menos dinero; pero el suficiente para que
cualquier familia pudiese vivir hasta el final de los tiempos —repuso
él con amargura—. Presentaré mi dimisión antes de una hora. Supongo
que otros muchos también dimitirán. Me he encerrado aquí para librarme de sus indignadas llamadas telefónicas. No se dan cuenta de
que yo no puedo luchar contra lo que está ocurriendo. Muy pronto, los
directores que conocieron mejor y durante más tiempo a tu padre, las
personas clave, se negarán a participar en esto, si es que no han tomado
ya esta decisión. Además, saben muy bien que se verán en la calle después de la venta. Los nuevos propietarios, sean quienes fueren, cambia-
rán las revistas a su antojo y querrán tener su propia gente. Dentro de
unos años, nadie se acordará de que este grupo de revistas fue un día
«Amberville Publications», aunque llevarán probablemente los mismos
nombres. Es lo único que se vende ahora: nombres famosos.

—¿Cómo puedes estar tan seguro de que los nuevos propietarios no
querrán conservar las personas que hicieron grandes nuestras revistas?

—Tal vez lo intenten, Maxi. Tal vez quieran mostrarse prudentes. Pero
los buenos directores tienen que gastar dinero, y este memorándum lo
hace imposible. Cuando se vende una compañía que ha sido creada por
un solo hombre, pierde el corazón, el alma si lo prefieres, el espíritu
del fundador, pues la visión de aquel hombre único no puede conser-
varse. Mira, esto se refleja en este memorándum con toda claridad. Tu
madre me horroriza, Maxi, me horroriza. Mientras vivió «Amberville
Publications», tu padre vivió también.

Sacudió la cabeza, con un sentimiento mucho más profundo que la
simple tristeza, al pensar en el entusiasmo con que él y Zachary Amberville se habían embarcado en su aventura editorial hacía casi cuarenta años.

Maxi se levantó despacio, se acercó a la mesa de su padre y se sentó
en el sillón que nadie, salvo él, había usado jamás. Dio vueltas en su
mente a todo lo que su madre había dicho. El futuro de *B&B* era sólo
una pequeña parte del rompecabezas. Lo que se estaba produciendo era
el deliberado desmembramiento de la obra de Zachary Amberville, una
obra que había continuado después de su muerte, que había vivido y
prosperado durante un año y podía prolongarse indefinidamente con el
grupo de personas fieles que habían rodeado al fundador. Seis revistas
extraordinariamente prósperas e influyentes iban a ser abaratadas, de-
gradadas y vendidas después sin necesidad. Se estaba destruyendo toda
una vida, la de su padre. Los dividendos producidos por «Amberville

Publications» habían permitido a su familia vivir con lujo y así habría continuado siendo mientras hubiera gente que supiese leer.

Cutter. Sólo había una persona a quien pudiese interesar derribar el monumento a la memoria de su padre, que era «Amberville Publications». Cutter. Lo que Maxi sabía o había observado sobre Cutter, todo lo que sentía y le decía su instinto, cuanto Toby, Justin y ella habían sentido por aquel hermano menor de su padre que se había casado con su madre, se condensaba en una nube, la cual empezaba a tomar forma, a solidificarse en un odio terrible. Una gran envidia. La envidia es tan poderosa como el odio. Primero, había tomado a la esposa de su hermano. Después, estranguló las últimas creaciones de Zachary Amberville, aquellas tres revistas que no habían alcanzado aún el auge de las otras. Y ahora estaba destripando a los poderosos gigantes y vendiéndolos lo más de prisa posible. Sólo la envidia podía explicar sus acciones. La muerte de Zachary le había dado la oportunidad de mutilar primero y traicionar después la obra de una vida que él no habría podido nunca igualar.

Pero ella no permitiría que lo hiciese.

—Pavka, no dimitas —pidió Maxi—. Por favor, hazlo por mí, no dimitas. Voy a luchar para impedir esta venta. Creo que puedo influir en mi madre para que no la realice. Si tú consigues que todos se calmen y trabajen durante los tres próximos meses, realizando estos cambios infernales con la mayor lentitud y astucia posibles recortando aquí y allá pero no lo bastante para comprometer seriamente los números de octubre y de noviembre, arrastrando los pies si face falta, haciendo que Oxford os ponga contra la pared, encargando artículos y fotografías a los mejores, como siempre. Si puedes hacer esto, Pavka, voy a luchar contra Cutter.

—¿Cutter?

—Lo que está ocurriendo no ha sido idea de mi madre, Pavka. Es Cutter quien se lo ha metido en la cabeza, te lo aseguro. Esto no habría ocurrido nunca sin su influencia.

Pavka se acercó a la mesa y observó a Maxi con gravedad, sin la coqueta familiaridad y mutua simpatía que había caracterizado siempre su relación. Ella estaba sentada donde nunca había visto a nadie, salvo a Zachary Amberville, con irreflexiva tranquilidad, con aplomo, como ejercitando un derecho de posesión. En circunstancias normales, no se habría atrevido a ocupar aquel sillón; sin embargo, ahora lo había hecho de modo subsconsciente. Y hablaba con una firmeza, una inteligencia, una fría decisión y una fuerza que él nunca había imaginado que pudiese tener. No era la muchacha a la que había observado durante tanto tiempo revoloteando para divertirse, viviendo como si su existencia fuese una gigantesca copa de helados de brillantes colores, a cada uno de los cuales daba un lengüetazo antes de tirarlo para probar otro. Se dio cuenta de que había visto pocas veces a Maxi después de su regreso.

En los meses transcurridos desde aquella sorprendente junta del consejo de dirección, había cambiado mucho. Pensó, no que hubiese envejecido, no; la palabra no era ésa. Había madurado. Maxi Amberville se había convertido en una auténtica mujer.

—¿Por qué vas a luchar contra Cutter? Si dejas las cosas como están, lo único que puede suceder es que seas más rica de lo que eres —dijo Pavka.

Había una advertencia en el tono de su voz. Maxi, a pesar de haber crecido, no podía medir aún sus fuerzas con Cutter, habida cuenta de que éste dominaba a Lily.

—Sé que lo detestas —continuó Pavka—, pero eso no es motivo para que te enzarces en un combate contra él dentro de la sociedad.

—No es una venganza personal, Pavka. Lo hago por mi padre —dijo sencillamente Maxi—. Lo hago porque le quería más que a nadie en el mundo y ésta es la única manera de demostrar lo mucho que significaba... que significa... para mí.

—Si es así, querida, haré todo lo que pueda. Por mi amigo y por tu padre.

Maxi había telefoneado a sus contables desde el despacho de Pavka, y tenía concertada una cita con Lestar Maypole, de «Maypole y Maypole», el cual había actuado como su contable particular desde los días en que ella pudo disponer de sus fondos. Mientras conducía su coche hacia el centro de la ciudad, pensó en el dinero. No era asunto en el que acostumbrara a perder mucho tiempo. Le resultaba tan familiar como sus propios sentidos, lo daba por sabido como su tacto o su olfato. Su madre había hablado de cien millones de dólares, pero Maxi no comprendía para qué deseaba aquella suma, si siempre había tenido todo lo que quería. No podía entenderlo. Sólo le crearía problemas. Su riqueza le resultaba tan natural como los dedos de sus manos y sus pies. Cien millones de dólares sería como tener dos cabezas.

Había nacido rica, pensó, mientras el automóvil se deslizaba entre el tráfico como una larga serpiente azul, se había criado rica; y, cuando había sido pobre, o había vivido como una pobre, durante su matrimonio con Rocco, esto no le había gustado en absoluto y resolvió dejarlo. Fue como quitarse unos zapatos incómodos, usados sólo durante una excursión inevitable. Había salido de la pobreza para volver a la comodidad de una riqueza que la había estado esperando todo el tiempo. Desde luego, el temprano matrimonio y la joven maternidad la habían librado de verse atrapada en el mundo de las muchachas ricas, en la estupidez de las «debutantes» y los cazadores de fortunas, o en la evidente solución de un sólido enlace con alguien adecuado, seguido de una acumulación de casas de campo, perros y caballos. En vez de esto, pensaba, había caído en el grupo de las que, en algunas películas nocturnas, llamaban «herederas alocadas».

B&B le había enseñado lo que costaba financiar una revista; pero no había influido en sus gastos privados habituales. Personas anónimas de la oficina de Lester Maypole pagaban todas sus facturas y, como no había recibido ninguna queja de ellas podía presumir que había dinero más que suficiente para sostener su estilo de vida: para pagar los gastos del apartamento, los viajes, los servidores que cocinaban, lavaban la ropa y fregaban el suelo y conducían al coche; el garaje, los proveedores que abastecían su despensa para los festines, los floristas que enviaban ramos dos veces a la semana para todas sus habitaciones, los vestidos que llevaba cada temporada y sustituía después; los jarrones y las joyas que no había tenido tiempo de aumentar desde que había empezado con *B&B*. En cuanto a Angelica, Rocco pagaba la mitad de su ropa y de los gastos del colegio, porque se había empeñado en ello; de manera que Angelica era uno de los artículos menos caros de su vida, algo intermedio entre la comida y las flores; pero mucho más necesario que la primera y mucho más hermoso que las segundas. Desde luego, estaban sus colecciones, recordó Maxi: las antigüedades, los preciosos cofrecillos, la plata vieja; tantas cosas exquisitas, que había tenido que ponerlas en depósito al trasladarse a la Trump Tower desde su antigua casa de las Sesenta Este.

¿Qué hacían los contables con el dinero que había recibido y no gastado?, se preguntó. ¿Lo reinvertían en acciones y obligaciones? ¿Lo arriesgaban en la bolsa o compraban los títulos más seguros? No entendía de esas cosas, ni tenía necesidad de preocuparse por ellas. Para eso le pagaba a Maypole. Pero era lógico que tuviese montones de dinero. Y todo el mundo sabía que, cuando se tiene dinero, se puede conseguir más.

Lester Maypole miró a Maxi como si fuese una mezcla de sirena e hipogrifo, una criatura mitológica que se había materializado en su despacho, con una lista de preguntas que habrían sido perfectamente razonables de no haber sido por un hecho: Maxime Amberville había vivido siempre de sus enormes rentas, de los intereses de sus fondos y de los dividendos de «Amberville» sin sobrepasarlos; pero agotándolos. Y ella parecía no haberse dado cuenta de ello, aunque constaba al pie de cada cuenta mensual que le había sido enviada.

—Pero ustedes nunca me avisaron, Mr. Maypole —protestó Maxi, con incredulidad y empezando a enojarse.

—Nosotros somos contables, no tutores, Miss Amberville. Nos limitamos a ingresar su dinero y pagar sus facturas. No tuvimos nunca motivos para pensar que no sabía que gastaba hasta el límite, ni teníamos por qué avisarle mientras no sobrepasara éste. Si hubiera mostrado interés en invertir, le habríamos dicho que no tenía dinero para ello. Desde luego, sus objetos de arte, su apartamento y sus joyas son partidas de su activo; pero en cuanto a lo demás...

Agitó la mano en expresivo ademán.

—Me lo he pateado.

—No sea demasiado dura consigo misma. A fin de cuentas, se gastó casi tres millones de dólares en amueblar el castillo de Kirkgordon...

—Laddie Kirkgordon lo había vendido prácticamente todo, para pagar el impuesto de sucesiones... Pensé que era lo menos que podía hacer... Y no tenía calefacción central —explicó Maxi, recordando aquellos frenéticos años entre blasones.

—Y, en Montecarlo, le robaron sus perlas..., dos veces. Eran collares de doble hilera, y no los tenía asegurados. Y ambas veces los sustituyó.

—En realidad, no fue en Montecarlo. Allí la Policía es muy eficaz. Fueron piratas en alta mar... o al menos me lo parecieron. Y no había podido asegurarlas. La esposa de Bad Dennis Brady aunque lo fuese por poco tiempo, era considerada, y con toda la razón, un riesgo demasiado grande... Pero una chica tiene que tener sus perlas de boda —dijo, indignada, Maxi.

Al fin y al cabo, habría sido peor si se hubiera tratado de brillantes.

—Aparte de esto, paga usted el máximo de impuestos, da grandes cantidades para obras de caridad y ha perdido varias veces pequeñas fortunas en los casinos —dijo Maypole.

Tosió con cierto aire casi de censura.

—Jugar es muy divertido —le explicó Maxi—; pero nadie que esté en su sano juicio espera ganar.

—Sí, eso es lo que yo creo —dijo suavemente Lester Maypole.

—¿Se ha ido todo?

—Yo no me expresaría así. Es usted una joven muy rica. Posee el diez por ciento de una gran compañía. ¿Por qué no gastarse su dinero?

—Patearlo —repitió Maxi furiosa.

—Habría podido acudir a alguien especializado en administración de bienes.

—Pero ahora es demasiado tarde, ¿verdad?

—En lo referente al pasado, creo que sí; pero todavía tiene lo suficiente en su cuenta para aguantar hasta que se repartan en junio los dividendos anuales, a menos que haya comprado algo que yo ignore.

—¿A cuánto ascenderán los dividendos? —preguntó ella, sintiendo renacer sus esperanzas.

—Eso dependerá de su madre. La persona que tiene el control de una compañía fija los dividendos que considera justos.

—¿Podría hacer usted un cálculo aproximado de los de este año, Mr. Maypole? Pero no; dejemos esto. ¿Qué me dice de mi diez por ciento en «Amberville»? Deseo pedir un crédito máximo, con esta garantía.

—Las acciones no pueden venderse a nadie, salvo a su madre —dijo Lester Maypole.

Sin duda ella debía saberlo.

—Pero son acciones —replicó Maxi furiosa, pues tenía la impresión de que Maypole gozaba torturándola.

—No puede ofrecerlas como garantía, Miss Amberville. No le darían ni un penique.

—¿Quiere usted decir que es como si no existiesen? ¿Que no cuentan para nada?

—Por favor, Miss Amberville, no se excite. Existen, cuentan, y le pertenecen. Pero no puede pedir dinero prestado sobre ellas, porque no puede venderlas a un extraño.

—¿Me está diciendo que no dispongo de ningún dinero?

—Si quiere expresarlo en esos términos, sí. De momento, no dispone usted de dinero... en efectivo.

—Gracias, Mr. Maypole.

Maxi se marchó con la velocidad de un rayo, dejando a Lester Maypole sudoroso y asustado. No parecía comprender la diferencia entre dinero y liquidez, y él, por una vez lo había olvidado también. Miró su cartera. Veinticuatro dólares. Telefoneó a su secretaria.

—Linda —dijo, latiéndole ridículamente el corazón—, tráigame en seguida mi cartera de inversiones. Y vaya después al Banco con un cheque. No; sólo quiero algún dinero en billetes de a cinco. Y de prisa.

Maxi se abrió paso entre la multitud que estaba escuchando a un pianista y un violinista que tocaban *Alice Blue Gown* en el vestíbulo de la «Trump Tower». No reparó en el surtidor, de dos metros y medio que fluía en la más alta de sus tres velocidades, ni en las paredes y el suelo de color salmón; ni en el mármol de «Creccia Perniche», que presentaba las tonalidades de la piel del mango, ni echó una mirada siquiera a las palmeras enanas y a los enamorados que se besaban en las escaleras mecánicas. Tomó el primer ascensor de la derecha y subió a las oficinas de administración del edificio.

—Louise —preguntó a la amable rubia que era vicepresidente de Trump—, ¿podría hipotecar mi apartamento?

Louise Sunshine no pareció sorprendida. Años de trabajo con el inquieto e imprevisible Donald Trump la habían inmunizado contra toda clase de emociones.

—A los miembros de la junta no les gusta que se graven los apartamentos, Maxi. Pero, ¿qué te pasa, muchacha? ¿Quieres comprar el Pentágono?

—Más o menos. ¿Está Donald visible?

—Para ti, siempre. Déjame sólo comprobar que no está telefoneando.

Maxi esperó impaciente. Al mirar por la ventana sintió que le daba un salto el corazón. Allí, pero a un nivel mucho más bajo que el que ella veía desde su planta sesenta y tres, estaba el panorama que tanto amaba, la vista inventada para llevar a la gente a extremos de adoración o de odio, la panorámica de una ciudad que afectaba a todos en lo más íntimo. Como una afrenta o como un desafío; pero siempre como algo que no podía mirarse con indiferencia. Nueva York no era tan sólo una ciudad; era un lugar que uno tenía que poseer o arrojar de su pensamiento. Y desde ningún otro sitio podía parecer tan conmovedoramente hermosa, como la encarnación de un sueño, más que una realidad.

—Puedes pasar —dijo Louise Sunshine, sobresaltándola.

Donald Trump, el brillante, ambicioso y joven agente de la propiedad inmobiliaria, cuya seductora naturalidad tenía que ser reconocida incluso por sus enemigos, se levantó para saludar a Maxi.

—Hola, guapa. ¿Tienes algún problema?

—Necesito dinero con urgencia.

—Esto ocurre en las mejores familias —comentó él sonriendo.

—¿Puedes vender mi apartamento, Donald? ¿Esta semana?

—Espera un momento, Maxi. ¿Estás segura de que quieres hacerlo? —preguntó poniéndose, de pronto, muy serio—. Siempre he tenido una lista de personas deseosas de comprar tu apartamento. Después del mío, es el más grande y el mejor de toda la torre; pero si te desprendes de él, no volverás a recobrarlo. Y nunca habrá otro que se le pueda comparar. Es una «L» y una «H» juntas, casi cuatrocientos metros cuadrados.

Su preocupación era sincera. La cantidad de transacciones de que eran objeto los apartamentos del edificio podía considerarse normal; pero solían ser objeto de ella los que habían sido comprados como inversión. Maxi, que apreciaba su apartamento tanto como él apreciaba el suyo, como una parte de sí misma, como una extensión de su capacidad para toda la vida, nunca querría venderlo, a menos que se hallase en un grave apuro y no tuviese nada más para sacrificar.

—¿Puedes prometerme que tendré el dinero esta semana?

—Maxi, ¿cuánto dinero necesitas exactamente? Tal vez haya otro camino...

—No sé el importe exacto; como mínimo, seis millones de dólares; tal vez más.

—¿Tanto? ¿Y lo necesitas en seguida?

El hombre reflexionó un momento y después dijo:

—No, no hay otro camino. Mira, necesitaré algún tiempo para encontrar el comprador que te ofrezca las mejores condiciones posibles; pero, si quieres cederme a mí el apartamento, te extenderé un cheque por los seis millones. Después, si puedo venderlo por más, y espero que podré, te daré el resto cuando se cierre el trato.

—¿Dónde tengo que firmar? —preguntó Maxi.

—Sólo espero que lo que te propones valga la pena, sea lo que fuere

—dijo él, moviendo la cabeza mientras sacaba un talonario de cheques de un cajón de la mesa.

—Vale la pena intentarlo, Donald, aunque no consiga triunfar. Dame la pluma, ¡maldita sea! Y dame también un «kleenex».

25

En una ocasión, después de dos horas de mirar intensamente, Maxi se encontró en el fondo de la enorme segunda planta del Louvre, el más grande museo de pinturas del mundo. Se había sentido abrumada por aquella sobrecarga visual desconcertante. Sabía que, si veía otra obra maestra, nunca volvería a entrar en un museo; pero más de trescientos metros la separaban de la salida. Había resuelto el problema desandando el camino con toda la rapidez que le permitían sus fatigados pies, y con la cabeza agachada de modo que sólo podía ver el suelo. Ni siquiera el borde de un marco entraba en su visión periférica. Y así pasó por delante de la Victoria de Samotracia y, sin tropiezos, descendió la escalera de mármol hasta la salida.

De la misma manera, cruzó ahora su apartamento, su ex apartamento, y se encaminó derecha al teléfono que había junto a su cama (todavía era su cama). Gestionó que un experto de «Sotheby's» fuese lo antes posible a su casa para hacer inventario de todas las cosas de valor que poseía, incluidos los objetos depositados en otras partes y sacarlas a subasta con urgencia. Ahora, pensó mientras colgaba el teléfono, se hallaba sentada en su ex cama, pues estaba segura de obtener un buen precio por aquel *lit à la Polonaise* del siglo XVIII, de manera tallada y dorada, con su *puff* original de seda bordada. ¿Estaba también sentada sobre su ex colchón? Lo más probable es que así fuera, pensó, aunque no sabía de fijo si había visto subastar alguna vez un colchón junto con la cama a la que pertenecía. Era mejor no saberlo.

—¡Maxi! ¿Dónde estás? —gritó una voz.

—Estoy aquí, en el dormitorio —respondió, súbitamente incapaz de decir *mi* dormitorio.

Angelica, sofocada por las aventuras del día, apareció en el umbral.

—¿Has abrazado hoy a mamá? —le preguntó Maxi, con voz débil.

—No me parece que necesites un abrazo —observó Angelica, acercándose a ella con cautela—, sino más bien cuidados intensivos. Tal vez una transfusión. Has estado trabajando demasiado.

—Prueba con el abrazo —le aconsejó Maxi.

Angelica la agarró con sus fuertes y atléticos brazos, la levantó del suelo, le hizo dar varias vueltas y después se arrojó sobre la cama sin soltar a su madre.

—¿Te sientes mejor? —preguntó con ansiedad, mirando fijamente a Maxi con sus ojos sinceros e indefensos.

—Mucho mejor. Gracias, querida. Tengo que decirte algo desagradable.

—¡Estás enferma! —dijo Angelica alarmada, incorporándose de un salto.

—No, ¡maldita sea! No estoy enferma. Me encuentro perfectamente. Pero he tenido que vender el apartamento. Ya no podremos seguir viviendo aquí.

—¿Me juras que no estás enferma?

—Sí, te lo juro. ¿Por qué tengo que jurar para que me creas?

—Por mi cabeza.

—Juro por tu cabeza que tu madre está completamente sana. ¿Satisfecha?

—Sí. Y ahora dime, ¿por qué has vendido el apartamento? —preguntó Angelica, sumamente aliviada.

—Es una larga y complicada historia; pero, en resumen, necesito el dinero.

Angelica frunció el ceño en un intento de comprender unas palabras que nunca había oído en labios de su madre.

—¿Para comprar algo? —preguntó al fin.

—Sí... y no.

—Mamá —dijo Angelica con tono paciente—, creo que deberías contarme toda la historia, por larga que sea. Soy lo bastante mayor para entenderla.

Cuando Maxi terminó su relato, se hizo un silencio mientras Angelica consideraba la situación.

—A mi modo de ver —dijo después—, hiciste lo que tenías que hacer. Esto es como la vida real. Bueno... *es* la vida real. Interesante. No muy divertido; pero excitante. Ahora el problema es dónde vamos a vivir. Yo elegiría Columbus Avenue, porque allí es donde ocurre la cosa, pero sé que a ti no te gustaría. Y además tendríamos que vivir del aire, del cielo, ¿verdad? Entonces, ¿por qué no invitarnos a la casa del tío Toby? No nos costará nada; él tiene varias habitaciones sobrantes y la comida será estupenda. Creo que se alegrará de tener compañía. Y otra cosa: todos los días al salir del colegio, podré ir a *B&B* y trabajar en lo que sea, llevar paquetes, enviar cartas por correo o ayudar en el departamento de arte.

—¡No te acerques al departamento de arte!

—¿Qué hay allí? ¿Serpientes? Está bien, no lo haré, pero no existe ninguna razón que me impida echar una mano, ¿no es cierto?

—Ninguna.

Maxi miró el mojado pañuelo de Donald Trump, pues éste no llevaba nunca cosas tan vulgares como un «kleenex», y se lo llevó con disimulo a los ojos lacrimosos.

—Tercera y última cosa, y no me importa que censures mi lenguaje —declaró Angelica—. En mi sincera opinión, mamá, Cutter es un tío mierda.

Maxi miró a su alrededor y se preguntó qué era lo que le parecía familiar en el ambiente. Angelica y ella habían sido recibidas inmediatamente y de buen grado en casa de Toby; pero habían tenido que meterse en dos pequeñas habitaciones del cuarto y último piso del largo, pero estrecho, edificio de piedra. La primera planta estaba ocupada por la piscina y la cocina; la segunda era toda ella un gran cuarto de estar. En la tercera, se hallaban los dominios de Toby. Maxi esperaba que les diese el dormitorio sobrante, situado junto al de su hermano; pero esto fue antes de descubrir que India y Toby vivían juntos en fines de semana alternos. Los armarios estaban llenos de ropa de India y, ¡quién lo habría pensado!, incluso de sábanas de ésta. Por nada del mundo quería Maxi estar en el mismo piso que una pareja delicadamente empeñada en construir un nido. En realidad, si hubiese sabido que India pasaba tanto tiempo en Nueva York, no habría acudido a Toby en absoluto; pero, después de haberlo hecho, éste insistió en que se instalase allí con Angelica.

¿Tenía la impresión de que se había convertido en su carabina?, se preguntó. No, eran demasiado mayores para esto. ¡Un campamento de verano! Sí. Sentía como si Angelica y ella estuviesen juntas en un campamento de verano, desarraigadas de su ambiente familiar y durmiendo en un lugar extraño, con sólo unos pocos animales de trapo de Angelica, sus libros de texto y algunas de las fotografías enmarcadas de Maxi, para darles cierto sentido de familiaridad. Su propia ropa pendía de las fastidiosas perchas de metal, que había tenido que comprar porque los armarios no eran lo bastante grandes. Sí, una mezcla de campamento de verano y pequeña y colmada sala de exposición de un diseñador, decidió.

Menos mal que había comprado toda su ropa de primavera y de verano antes de que se produjese el desastre, pensó Maxi, mirando las cargadas perchas. Necesitaba presentarse como rica, poderosa y despreocupada, en los almuerzos diarios con que trataba de atraer a los posibles anunciantes. Pero, por fortuna, los encargados de relaciones públicas de la mayoría de las empresas de trajes confeccionados, llevaban «personalmente» los modelos a las oficinas de las directoras femeninas de muchas revistas, para que éstas eligiesen entre ellos, a precio de mayorista, desde luego. Aquella noche podía estar tranquila, pensó mientras se ponía los pantalones bombachos de casimir de color marfil de Zoran y el jersey con cuello en forma de barca, también de casimir y seda del mismo color, ambas prendas tres veces demasiado caras y, como era de rigor, unas tres tallas más grandes. El casimir era tan reconfortante como la leche materna y mucho más fácil de obtener, reflexionó Maxi mientras ataba los cordones de sus zapatos de lona. No deseaba que el lluvioso tiempo de abril se convirtiese en una templada primavera. Si podía, llevaría seis prendas de casimir al mismo tiempo hasta que hubiese ganado su batalla contra Cutter.

Bajó la escalera y se detuvo delante de la entrada de la cocina-comedor donde, se hallaba Toby muy atareado. Oyó que éste decía:

—Es una empanada de carne, y podrías considerarte afortunado si te ofrecían algo tan complicado incluso en la mesa de un *chef*.

¿Estaba Toby hablando solo, en plena juventud? Había supuesto que comerían juntos los dos, ya que Angelica estaba con Rocco y que India se hallaba en Hollywood. Maxi miró con curiosidad la gran habitación de doble uso. Una serie de raídas prendas de cuero, desparramadas en la cocina, le informó inmediatamente de la presencia de Justin.

Maxi saltó con alegría sobre él, pues había estado tan ocupada trabajando con *Monty* en los presupuestos de los futuros números de *B&B* que no había visto a Justin en muchos días.

—Quise darte una sorpresa —dijo Toby, satisfecho del éxito de su invitación.

—¿Tienes a alguien más guardado en la manga? —le preguntó Maxi.

—No, sólo seremos nosotros tres. Creo que nunca hemos comido juntos desde que éramos pequeños —observó Toby—. Desde que me fui a la Universidad y tú te casaste, siempre había por medio otras personas, por lo general alguno de tus maridos. Ésta será una velada para personas adultas y cultivadas, que gustan de la empanada de carne y tienen cierto interés común especial.

—¿Cuál? —preguntó Maxi.

—El futuro de «Amberville Publications» —respondió Justin—. No supondrás que sólo te preocupa a ti, ¿verdad?

—Claro que no.

—Nunca nos pediste ayuda, *Goldilocks* —dijo muy serio Toby—. ¿No crees que debías haberlo hecho, antes de vender tu apartamento y de despojarte de todo lo que tenías?

—No, creo que no —replicó Maxi—. Es una lucha que he emprendido por propia voluntad. Incluso no estoy muy segura de que os satisfaga que triunfe. Tal vez prefiráis tener el dinero que os corresponderá si se realiza la venta. En realidad, es esto lo que debía haberos preguntado.

—Pero no lo hiciste. Y ambos estamos amoscados, por decirlo en términos suaves. Esta cena ha sido premeditada, por si no te habías dado cuenta —dijo alegremente Toby, rociando la empanada de carne con salsa de tomate crudo y albahaca.

—Empezaba a sospecharlo. Así pues, ¿no os importaría que mamá vendiese la Compañía? ¿Queréis que renuncie, que termine con *B&B*, que deje de armar jaleo y que actúe como si todo me pareciese bien?

—Toby, ¿te has dado cuenta de que Maxi tiende a las reacciones exageradas? —preguntó Justin.

—Ya que has suscitado la cuestión, yo creo que lo malo de Maxi es, más bien, que se precipite al sacar conclusiones —respondió Toby.

—Para ser más exacto, podrías decir —sugirió Justin— que lo malo de Maxi es que salta por la borda sin mirar a su alrededor para ver si hay un salvavidas a bordo.

—No, no es exactamente eso. Lo malo de Maxi es que cree ser el general De Gaulle. *L'etat c'est moi*, ya sabes. «Amberville» *c'est elle*, o algo parecido.

—No fue De Gaulle quien dijo eso, sino Luis XIV —le corrigió Justin—. También él tendía a la grandiosidad; pero se le podía perdonar porque fue mucho antes de la Revolución. En cambio no se le puede perdonar a Maxi.

—Me parece que no sois tan graciosos como os imagináis —dijo contrariada ella.

—Lo malo de Maxi es que no sabe cuándo la gente está tratando de prestarle dinero —dijo Toby.

—Oh, conque se trata de esto. Por nada del mundo os lo pediría a ninguno de los dos. Tenéis vuestras propias vidas, vuestros intereses son distintos. ¿Por qué habría de esperar que me prestaseis dinero para algo que decidí yo sola? Mantener mi revista a flote hasta que pueda navegar por sí misma es un problema personal, y el dinero tiene que proceder de mí.

—Yo trabajo para *B&B*. ¿No me da esto voz y voto? —preguntó Justin.

—Mira, Justin, sé que no te gusta realizar fotografías para revistas y que sólo lo haces por complacerme. Es la mayor contribución que podía esperar de ti, y me doy cuenta de lo mucho que te cuesta permanecer atado de esta manera —dijo gravemente Maxi—. Por consiguiente, no esperes que además te pida un préstamo.

—Y yo, ¿qué? Soy tu hermano mayor, *Goldilocks*. Podías haber acudido a mí —insistió Toby.

—Nunca te han interesado en absoluto las revistas —replicó Maxi—. No me convencerás de que ahora te importan mucho. No, Toby, la criatura es mía. No sería justo comprometeros a vosotros. Espero que seáis lo bastante sensatos para comprenderlo. Por una vez en la historia, quiero triunfar en algo con mis propias fuerzas. He viajado de balde por la vida y no he sacado gran provecho de ello. ¡Esta vez es diferente!

—Bravo, bravo —la animó Justin, con una mirada de reojo, cariñosa, irónica y sorprendida.

—Lo malo de Maxi —siguió diciendo ella— es que siempre está hambrienta, siempre necesita comer. Es un fastidio. Se vuelve loca cuando tiene hambre; por consiguiene, no os metáis en mis negocios, muchachos. ¿Cuándo estará a punto esa encomiada y probablemente demasiado cocida empanada de carne?

—Tal vez debías haber aceptado su dinero —dijo obstinadamente *Monty*, por tercera vez, mientras observaba cómo firmaba Maxi unos cheques—. O al menos podías haberle preguntado en qué cantidad estaban pensando.

Maxi sacudió la cabeza. No podía explicar a *Monty* que Lily proyectaba vender toda la compañía. Por tanto, no podía hablarle de la esperanza que había puesto en la supervivencia de *B&B*, de la posibilidad de que Lily cambiase de idea. Sabía que era una posibilidad muy remota; pero era la única que tenía. Si ahora se permitía dudar de sí misma, todo estaría perdido sin remedio. Cambió de tema para apartar a *Monty* de su interés por el dinero de su hermano.

—*Monty*, nuestras cifras de circulación del último mes se elevaron a cuatro millones de ejemplares. Si podemos mantener este número cuando terminen los contratos de publicidad por seis meses, podremos renovarlos a un precio mucho más alto. ¿No es así?

—Sí, siempre que todos tus anunciantes estén dispuestos a aceptar los aumentos que piensas pedirles, lo cual no puede darse por seguro, y será mejor que no cuentes con ello. Al fin y cabo, todavía no sabes exactamente quiénes son esos cuatro millones de damas, cuáles son sus edades y sus ingresos. *Demografía*, Maxi, demografía. Madison Avenue compra un público específico con necesidades específicas. Pero presumiendo que los anunciantes renueven sus contratos, empezarás a ver la luz del día con el séptimo número. Actualmente, cada ejemplar que vendemos a un dólar cincuenta, nos cuesta dos dólares y cinco centavos, sin incluir el dinero que pone Barney Shore para los espacios en los puestos. Tu éxito es tan formidable que pierdes cincuenta y cinco centavos al mes, multiplicados por cuatro millones.

—Dos millones doscientos mil dólares al mes —resumió Maxi alzando tanto las cejas que desaparecieron debajo de su revuelto flequillo—. Y tienen que salir otros tres números... Lo cual significa más de siete millones de dólares. Sin embargo, la situación no es tan mala como la del Departamento de Defensa. Espero que mi subasta vaya bien.

—No trates de aumentar la circulación —le advirtió *Monty*—. Hay éxitos que matan.

—No te preocupes. Dime: ¿es éste el único negocio del mundo en que el producto cuesta más al fabricante de lo que paga la persona que lo compra?

—¿Has oído hablar del cine? —preguntó tristemente *Monty*—. ¿Del teatro? ¿Del ballet, la ópera o los conciertos? ¿De los espectáculos de televisión que no funcionan?

—¿Estamos, pues, en un negocio de espectáculo?

—Exacto —dijo reflexivamente *Monty*.

—Si tú tuvieses dinero, ¿lo pondrías en un negocio de espectáculo?

—No —gimió *Monty*—. Negocio y espectáculo son dos palabras muy feas.

—Si no te animas, te despediré —le amenazó Maxi, y él le hizo una mueca que quería ser una sonrisa—. Deberíamos rezar para que no suban los precios del papel, de la imprenta y de la distribución —concluyó con aire meditabundo.

—Y para que Barney Shore no se muera —apostilló *Monty*.

—Espero que puedas correr más que yo, bastardo —exclamó Maxi, cargando sobre él con el dedo levantado—. ¡Allá voy!

—Francamente, Maxi, creo que estás majareta, obsesionada, fuera de tus cabales —dijo India, deshaciendo las nueve maletas que había traído para una estancia de una semana—. Si alguien quisiera comprar mi negocio familiar y esto significase que iba a tener más dinero que nunca, no me perdería la ocasión. Ni siquiera puedes estar segura de que tu padre no hubiese vendido si «UBC» le hiciera una buena oferta.

—Él tenía solamente sesenta y un años cuando murió. Estoy segura de que nunca habría vendido ni se habría retirado. ¿Qué habría hecho durante el resto de su vida? Vivía para sus revistas. Éstas eran su ancla, y él era la mía. ¿No lo comprendes?

—¿Y te identificas tú con él? ¿Una especie de transferencia?

—Supongo que una persona como tú necesita expresarlo en esa jerga particular y específica. Ya veo que lo has comentado con la doctora Florence Florsheim.

—Naturalmente —dijo India, con toda dignidad—. Procuro no hablar de ti; pero me resulta cada vez más difícil desde que conocí a Toby.

—¿Y qué dijo la buena mujer?

—Que tal vez no querías cien millones de dólares.

—¡Oh! Entonces ha empezado a formarse opiniones, ¿no?

—Sobre otras personas, sí. A fin de cuenta, es humana. Pero no las tiene acerca de mí, o al menos no me las dice con claridad. Deja que yo saque mis propias conclusiones.

—India, ¿te sorprendería saber que tiene razón? Yo no quiero cien millones de dólares.

—¿Por qué?

—Desde que te convertiste en una estrella de cine, te has estado quejando de que ser una belleza famosa es una lata. ¿Cuántas mujeres conoces que comprenderían este problema y te compadecerían? Siempre te lamentas de que la composición especial de tus cromosomas te ha convertido en una especie de monstruo; de que los desconocidos conciben toda clase de ideas ilusorias acerca de ti, debido al sesgo particular de tus pómulos, el tamaño y el color de tus ojos; de que millones de personas construyan sueños imposibles sobre tus frágiles y pequeños hombros, fundándolos en la forma de tu barbilla, en el tamaño de tu nariz, en el color de tus cabellos y Dios sabe en qué más. Dice que nadie puede ver «tu yo verdadero», salvo una amiga como yo, o Toby, que es ciego, o tu analista, a quien le importa un bledo. Te quejas de que intimidas a la gente, sólo a causa de un accidente de nacimiento; de que hacen que te vuelvas tímida, porque sabes lo que están pensando; de que no puedes ser amiga de otras mujeres, porque te envidian; de que tu belleza llama la desagradable atención de toda clase de pelotilleros morbosos, tipos como ese que no para de telefonearte y de escribirte cartas horribles. A propósito, ¿todavía los tienes?

—Desgraciadamente, sí. Por favor, no lo menciones delante de Toby, pero mi fan me ha telefoneado hoy aquí y se está volviendo más loco por momentos. Pero no hablemos de él. Y, además, ¿qué tienen que ver los tipos raros con el dinero?

—El dinero suscita la misma clase de fantasías, pero peores. Creía que eras más lista, India. La gente se enteraría de la venta por los periódicos; siempre que se vende una compañía privada, las páginas financieras difunden la noticia y ésta se filtra a la Prensa corriente... Y yo no volvería a parecer jamás un ser humano. Sería una de esas mujeres inmensamente ricas de cuyas fortunas se ocupan las revistas, y desaparecerían todas las probabilidades que aún me quedan de llevar una vida normal. Ya es bastante mala mi situación actual. Cuando me presentan a alguien, veo cómo se le dilatan las pupilas, como si yo brillase en la oscuridad, como si tuviese un halo o una aureola. No pueden verme sin ello; se refleja en todas las palabras que pronuncian y hace que se callen y escuchen cuando hago la más trivial observación. El dinero es algo bueno; pero es también una sólida barrera que te impide vincularte al resto de la raza humana.

Maxi suspiró y enroscó su mechón blanco en una especie de tirabuzón.

—Hay veces, sobre todo cuando estoy en la oficina, en que sólo soy una más de la pandilla, y eso es la gloria. Desde luego, ser una Amberville significa ser rica; pero nadie sabe exactamente *cuánto*. Este detalle, esta cifra, este valor en dólares, es lo que saca de quicio a los americanos. Y no sólo a los americanos. A todo el mundo. Les vuelve locos. Y si esto sería malo para mí, sería peor aún para Angelica, porque yo soy una persona hecha y derecha, sé más o menos quiénes son mis amigos; pero Angelica correría un gran riesgo, sería objeto de las miradas de todos en cuanto se hiciera mayor. Ahora aún es niña.

—Puede que sea normal; pero ya no es una niña —dijo India—. La vi esta mañana, y no me lo pareció.

—Tiene poco más de doce años —declaró Maxi, a la defensiva.

—Cuando se va para los trece, hay que estar alerta. ¡Las hormonas hacen de las suyas! Será rica y terriblemente hermosa. Esa chica ha heredado la belleza de Rocco. Tú eres también muy bonita, Maxi, aunque tengas casi treinta años —dijo India, dirigiéndole una larga, profesional y crítica mirada—, pero no puedes compararte con Angelica. No lo tomes a mal.

—No lo tomo a mal, mujer. A fin de cuentas, sólo me casé con Rocco por lo guapo que era.

—Si no recuerdo mal, hubo algo más que eso.

—Lo peor de las viejas amigas es que no tienen el acierto de olvidar las cosas. Rocco fue siempre un miserable cascarrabias, que empeora con los años. Tiene tantos defectos que es difícil saber cuál es el peor. Aunque me parece que es su ingratitud. Le curé el resfriado y ni siquiera me ha telefoneado para darme las gracias.

—¿Sabes curar los resfriados?· Esto puede ser muy importante, ya que la ciencia lo está buscando desde hace años —comentó India con incredulidad.

—Sólo algunos enfriamientos de cabeza. Además, estuve a punto de enviarle un montón de regalos, por algo que hizo él por Justin. No lo hice porque entonces se me acabó el dinero; pero vale la intención. Tiene un carácter odioso.

—A mí siempre me gustó Rocco —declaró resueltamente India—. Al menos, debe ser todavía bueno de mirar.

—Supongo que algunas personas pueden pensarlo; pero eso no durará mucho; la atracción de la belleza no dura, ya lo sabes —dijo Maxi—. Ni siquiera la tuya —añadió en tono compasivo.

—Dime, Maxi, ¿cómo anda tu vida sexual? —preguntó India, sin que sus ojos turquesa mostrasen la menor perturbación—. Parece que algo te reconcome. Observo en ti una sensibilidad exagerada y cierta irritabilidad. Como te conozco, sé que tiene que ser otro hombre.

—¡Bah! ¿Quién tiene tiempo para el sexo? Me he olvidado de él. Cuando una mujer está tan atareada como yo, los apetitos sexuales desaparecen. Y no los echo en falta.

—Entonces es eso, falta de libido. Por otra parte, es la única cosa en que puedo pensar para sacarte de apuros. Recuerda que juraste no volver a casarte.

—¿Con quién habría de casarme? Y sobre todo, ¿por qué habría de casarme? ¿Quién fue el que dijo «Yo he sido un hombre y he sido una mujer y tiene que haber algo mejor»? Es lo que siento acerca del matrimonio.

—Creo que te equivocas. ¿No fue Tallulah Bankhead quien dijo «he *tenido* un hombre y he *tenido* una mujer y tiene que haber algo mejor»?

—Lo mismo da —repuso Maxi—. Ya sabes lo que quiero decir.

—En realidad, no. Me parece que el matrimonio es lo que más deseo en el mundo —dijo melancólicamente India.

—Como no lo has probado, es natural que te tiente. En todo caso, Toby es cien veces superior a cualquiera de mis maridos. La cuestión es que lo convenzas.

—Esto haría que fuésemos cuñadas y no sé si podría soportar tu actual visión pesimista del mundo. Anímate. Si *B&B* se cae en pedazos y acabas siendo terrible y ridículamente rica, puedes entregarlo todo para obras de caridad. O podrías iniciar tu propio culto. Podrías comprar el Getty... No, no tendrías bastante para eso. Bueno, podrías comprar un estudio de cine y perder todo tu dinero más de prisa de lo que te imaginas.

—¿Por qué no escribes una novela titulada *Consejo no pedido*? O tal vez otra titulada *¿Yo también hago ventanas?* —sugirió Maxi, pellizcando la famosa nariz de India—. Aprecio tus ideas y tus comentarios; pero, como puedes ver, estoy ya en el negocio de espectáculos.

Ray Lefkowitz y Ray Kelly, los socios de Rocco, almorzaban juntos en el «Perigord Park», comiendo huevas de sábalo y escuchando disimuladamente a Maxi, que se hallaba en la mesa contigua trabajando al anunciante más importante por cuenta de «Seagram». Su voz que llegaba hasta ellos, era tan potente como una dosis de nitroglicerina subiendo por la espina dorsal de un hombre, condescendiente, afable pero práctica, sin pasar nunca a lo peligrosamente seductor.

—Por fin tenemos la estadística, George —dijo Maxi—. Tú eres uno de los primeros en saberlo —su tono era casi clandestino, y sin embargo, ingenuo—. Naturalmente, se necesitó tiempo para clasificarlas; pero nuestros cuatro millones de lectores son, por lo general, esposas y madres que trabajan. Nuestra lectora tiene entre diecinueve y cuarenta y cuatro años, y el año pasado ganó personalmente más de veintiséis mil dólares, que es aproximadamente el veintidós por ciento de lo que ganan en conjunto todas las mujeres de América. Y no es abstemia, George. Compra *B&B* porque hace que se sienta bien, esto ya lo sabes. Pero, ¿sabías que el setenta por ciento de nuestras lectoras toman una copa mientras están leyendo *B&B*? Tal vez descansando de su trabajo, o bien esperando sentadas a que lleguen sus hombres; o quizás al tiempo que hacen la comida. Todavía no tenemos cifras sobre esto, pero no tardarán en llegar. Sencillamente, *B&B* no es el tipo de revista que se lee cuando se está a dieta y se ha decidido suprimir el vino y el licor. Nuestra lectora se preocupa mucho de pasarlo bien. Es de las que gustan de las celebraciones... y si no tiene nada que celebrar, decide celebrarlo de todas maneras.

—¿Estás segura de que no es alcohólica, Maxi? —preguntó George.

Maxi se volvió ligeramente hacia él, moviéndose sólo lo necesario, con el mínimo y eficaz movimiento de la mujer que sabe que tiene las mejores piernas, la mejor postura para hacer resaltar los mejores senos, y las mejores hombreras y el mejor corte de pelo de todas las presentes en la estancia.

—Para ser un hombre tan atractivo, tienes un delicioso sentido del humor —dijo Maxi.

Puso en su lisonja la maliciosa ironía necesaria para que él durante toda la noche, se preguntase qué era lo que había pretendido decir exactamente.

—Muchos hombres —prosiguió ella— por lo demás atractivos, carecen de humor, se toman todo demasiado en serio.

—Sé lo que quieres decir —le aseguró George, pedaleando debajo de la mesa.

¿Adónde quería exactamente ir a parar?

—Una estadística interesante —siguió diciendo él—. Muy interesante. Cuatro millones de mujeres, todas ellas bebiendo y leyendo *B&B*.

—Yo no he dicho esto, George. Sólo el setenta por ciento de mis cuatro millones de lectoras beben *mientras* leen *B&B*. Las demás hacen otras cosas. Beben después. Por esto tengo tantos clientes fabricantes de licores que quieren comprar la contraportada para todo el año próximo.

En la mesa contigua, los dos hombres se miraron con una expresión que era un estudio de deliberada indiferencia.

—No podría salirse con la suya, Kelly —murmuró Lefkowitz—. George no se lo tragará. Nadie se tragaría una mentira tan manifiesta.

—¿Quieres apostar algo? —susurró Kelly.

—Desde luego, no. Pero fíjate en ella. Es deliciosa.

—A fin de cuentas, ¿qué le cuesta a él? No va a gastar su propio dinero —comentó Kelly, echándose a reír.

—¿De dónde crees que saca ella sus estadísticas?

—¿De *Pravda*?

—Son más exactas. Mira, vamos a hacer una buena obra —propuso Lefkowitz—. Rocco se ha mostrado últimamente muy poco creador. Sólo hemos conseguido dos nuevos clientes desde que empezó a publicarse la revista de Maxi. Sí, cada uno de ellos representa unos veinticinco millones al año, pero sigo creyendo que algo le preocupa. No me sorprendería que tuviese que ver con el éxito de *B&B*. ¿Sabes lo que es tener una ex esposa que se mete en negocios?

—Dímelo. No, no me lo digas, porque lo sé —rectificó rápidamente Kelly.

—Seamos buenos con ella.

—Rocco dijo que no debíamos darle el trato de nación favorecida.

—Sólo he dicho buenos —puntualizó Man Ray Lefkowitz—, sin exagerar.

Pagaron su cuenta y se levantaron para marcharse, pasando junto a la mesa de Maxi al dirigirse a la puerta.

—No la había visto, Miss Amberville —dijo Kelly—. ¡Oh! Hola, George, eres un hombre afortunado. ¿Tratando de anticiparte a los demás anunciantes? Eres muy malo, pero no te censuro. Supongo que pagarás el almuerzo. ¿Puedo decirle, Miss Amberville, que estamos muy satisfechos con nuestros anuncios en *B&B*? Los mejores negocios que hicimos jamás.

—Un momento, Kelly —dijo Lefkowitz, que veía, sin sorprenderse, que Kelly le había relegado al papel de malo—. Sólo un momento. Creo que *B&B* nos debe un favor. Nosotros compramos espacios antes de que se publicase el primer número. Con esto le mostramos confianza al arriesgarnos de buen grado en una revista nueva. Creo que, en lo concerniente a los precios de publicidad en proyecto, deberíamos conseguir alguna ventaja, no sé cual, pero alguna, ¡maldita sea! No sugiero que podamos renovar los bajos precios iniciales..., pero creo que merecemos un trato de favor. Al fin y al cabo, Miss Amberville es casi un miembro de la familia.

—Muchachos, pueden estar tranquilos —dijo suavemente Maxi—. Partiré la diferencia... en un contrato. Díganle a Rocco que por nada del mundo voy a regalar esta vez los espacios destinados a publicidad. Supongo que él les dijo que me apretasen.

—No dijo exactamente esto —replicó tímidamente Kelly.

—No, Rocco siempre habla de usted con respeto —dijo delicadamente Lefkowitz—. Comentó que era el momento de comprar, si usted vendía, pero que no daba nada por hecho sólo porque... bueno, por mor de los viejos tiempos.

—¿Dónde están las nieves del ayer? —preguntó Maxi.

—¿Pensáis sentaros a nuestra mesa o quedaros plantados ahí? —preguntó George, con irritación—. Estoy tratando de hacer un pequeño negocio. Volveremos a vernos, ¿eh?

—Espero que tu subasta se realice pronto —dijo *Monty*, a finales de mayo, observando cómo firmaba Maxi unos cheques—. Mañana podría ser un buen día. Hoy sería mejor.

—No será exactamente mañana —dijo Maxi, en tono deliberadamente casual—. Yo pensé que lo único que tenía que hacer era llamar por teléfono para que se hiciese en seguida, como una almoneda corriente aunque de calidad. Pero no, «Sotheby's» me dice que las joyas no pueden venderse hasta su próxima subasta de joyería, en otoño; que ahora no es la temporada, que no hay bastantes personas ricas en la ciudad, que es demasiado pronto para que puedan comprarse regalos para la Navidad, y otras mil razones tontas. Y mis colecciones son demasiado variadas: Los cuadros tienen que esperar hasta el momento adecuado para una gran venta de pinturas; los cofres rendirían poco si no se incluyesen en una subasta importante de cofres. Es un fastidio. Casi lo único que pueden vender en junio son los muebles. La preparación de una subasta es una especie de arte, y se niegan a actuar de prisa. Por lo visto, no tengo lo suficiente de cada cosa para que hagan diversas subastas específicas. Y no venderán todos mis bienes al mismo tiempo, aunque me caiga muerta, lo cual supongo que daría a las cosas cierto *cachet* y produciría más dinero.

Maxi se encogió de hombros; como si fuese un problema insignificante.

—¡Junio! ¿No vas a conseguir más dinero hasta entonces?

—Ya lo sabía. ¡Y quién puede averiguar cuánto será, después de cobrar ellos su comisión! El apartamento era lo más valioso, y Donald sólo ha podido venderlo por un poco menos de los seis millones que me dio. Le devolví la diferencia. Esto tuvo algo que ver con el alza del dólar. Casi la mitad de Trump Tower es propiedad de extranjeros, y no quisieron gastar dólares el mes pasado. Trata de comprender la economía... y perderás el tiempo.

—Estamos... con el agua al cuello, Maxi.

—El ochenta y cinco por ciento, o más, de los anunciantes han renovado sus contratos a los nuevos precios.

—Algunos de ellos no empezarán a regir hasta julio, y muchos, hasta agosto o setiembre.

—¿Por qué no pedimos un crédito a un Banco, a base del aumento de las tarifas de publicidad? Todos nuestros anunciantes son empresas importantes. Su dinero es seguro. No, *Monty*, no me digas que no podemos. Ya lo sé... porque lo he intentado.

—Si pudiese, yo te lo prestaría todo; pero, por desgracia, no soy un Banco.

Monty suspiró, como si estuviese a punto de ser embalsamado. Después, dijo:

—¿No crees que ha llegado el momento de pedir al personal que acepte una rebaja de los sueldos?

—Aunque trabajasen de balde, sus salarios no son más que una gota de agua comparados con los otros gastos. Y si cundía el rumor en Madison Avenue, la gente podría pensar que estamos en apuros y empezarían a rescindir los contratos de publicidad. No, no hay que prescindir de nada: ni del almuerzo gratuito, ni de la calidad de los fotógrafos, ni de las sumas que pagamos a los escritores célebres. Sería fatal. Nos hundiremos con honra o sobreviviremos con honra; pero no en la mediocridad.

Maxi terminó de firmar los cheques con una rúbrica soberbia y sonrió a *Monty* con tanta animación que éste decidió no saltar por la ventana.

El sol de mayo parecía caer como gotas de agua sobre sus brillantes, oscuros y revueltos cabellos cuando ella se movía, aunque estaba agotando su último millón, Maxi no quería que _Monty_ se enterase de lo desesperada que estaba hasta que fuese absolutamente necesario. Cada número de _B&B_ que se vendía le demostraba que había tenido razón al pensar en la necesidad de una revista que prescindiese, en sus temas, del eterno sentimiento de depresión, culpabilidad y angustia de las mujeres.

—Confiésalo, _Monty_, ¿no crees que tiene cierta gracia estar sobre el cortante filo? —preguntó riendo Maxi, y sus ojos eran tan verdes que él parpadeó.

—¿De qué? —preguntó _Monty_, casi sonriendo a su vez.

—De la quiebra.

Una semana después, en los primeros días de junio, Maxi se hallaba sentada a solas en la cocina de Toby, ante las sobras de la comida. Todo el mundo había salido, animado por proyectos primaverales; pero ella se sentía agotada y odiaba encontrarse sola. Durante la jornada de trabajo, conseguía dar la impresión de una directora confiada; sin embargo, cada día se sentía más abrumada por la angustia, cuando no había nadie delante. Por primera vez desde que había empezado su lucha contra Cutter, se preguntó si no era ridículamente quijotesca, si no había iniciado un combate que no podría terminar, una guerra cuyas dimensiones no había previsto cuando fue a ver a Cutter para tratar de persuadirle. Después de todo, ¿quién la había nombrado fiduciaria de la herencia de su padre? Éste había dejado el control a su madre. Significaba esto que había querido que los deseos de Lily fuesen estrictamente respetados, aunque representase la destrucción de «Amberville Publications»? ¿Por qué era ella, Maxi, la única de la familia que sabía, o creía saber, como si lo oyese de los propios labios de Zachary Amberville, que había que hacer todo lo posible para que se mantuviesen las revistas? Sí, tuvo con su padre una intimidad especial que ni siquiera los hijos varones habían compartido. Él había sido la única persona en el mundo que siempre tuvo fe en ella, que la había defendido, a pesar de todas sus veleidades; pero, ¿autorizaba esto a suponer que ella era capaz de saber ahora lo que él habría querido?

La única persona a quien podía confiar una parte de sus preocupaciones era Pavka, y le había visto aquel día durante el almuerzo. Desde el principio, resolvió encontrarse con él al menos una vez a la semana, para saber lo que sucedía en las demás publicaciones «Amberville». El cuadro que le presentaba era cada vez peor. Para conservar la alta calidad de las revistas durante los meses siguientes a la orden de Cutter, realizó todas las astutas, ingeniosas y expertas maniobras que podía llevar a cabo gracias a su gran saber y a su enorme paciencia. Sin embargo, la mitad de las cosas que intentó hacer habrían sido detectadas y contrarrestadas por Lewis Oxford, el cual se mantenía en contacto diario con Cutter. Solamente la promesa que había hecho a Maxi de no presentar la dimisión, hacía que Pavka continuase un trabajo que ya no podía controlar. Maxi, que sabía lo cerca que se hallaba del fin, sentía remordimientos por la lucha que le imponía. Pero ninguno de los dos actuaba por motivos egoístas o ambiciosos; lo hacían por la memoria de Zachary Amberville.

Aquello ya no podía durar mucho, se decía Maxi. Si se realizaba la venta a «UBC» sería a finales de junio, cuando se conociesen las ganancias del trimestre. La lucha sólo podía durar otro mes. Cuando terminase junio, quizá no tuviera dinero para llevar el número a la Prensa. Todo dependería de la subasta de sus muebles, que estaba señalada para la semana próxima. Si el resultado fuese muy bueno, podría salir del apuro, por el momento. Y si estaba segura de poder publicar el próximo número, estaría en condiciones de pedir a Lily que reconsiderase su decisión.

Aquella tarde había decidido quitar sus joyas y sus preciosos cofrecillos de las lentas y cuidadosas manos de «Sotheby's» y venderlas ella misma a quien quisiera comprarlas. O empeñarlas, si no podía venderlas, aunque no sabía de dónde sacaría tiempo para hacerlo. Ni siquiera sabía cómo ni dónde se empeñaban las cosas. Si hubiese comprado fincas, en vez de bellos juguetes... Si hubiese llevado perlas falsas... Si hubiese invertido su dinero en títulos seguros, en lugar de comprar muebles antiguos de valor incierto en el mercado... Si no hubiese instalado la calefacción central en el *Castillo del Pavor*, resignándose a morir de frío... Si hubiese actuado como la hormiga de la fábula, guardando provisiones para el invierno, en vez de hacer como la irreflexiva cigarra... Si al menos... Si al menos no se hubiese comportado como quien era, pensó furiosa. Pero ya era demasiado tarde; sus reflexiones resultaban inútiles. Sonó el timbre de la puerta, interrumpiendo la revisión de su vana vida.

—¡Justin! ¡Cuánto me alegra que hayas venido! Puedo ofrecerte *pâté*, de todas clases, recetas originales y todavía sin nombre, confeccionadas por Toby. Aún no había empezado a comer; pasa y pondré otro plato en la mesa de la cocina.

Justin la siguió, se sentó y aceptó únicamente un vaso de vino.

—¿Qué noticias hay del frente? —preguntó.

—No estamos haciendo prisioneros.

—Es lo que he oído, lo que se dice por ahí.

—¿Y qué comenta la gente? —preguntó Maxi, frunciendo el entrecejo.

—Oh; muchas cosas; desde rumores de venta, que pueden haber sido propagados por «UBC», hasta indignadas negativas. Todo lo que puedas decir lo han dicho ya. Confusión en las filas, desorganización, oscuridad al mediodía. Escucha, no quiero que pienses que estoy evitando el momento decisivo; pero tengo que salir de Nueva York. Es una ciudad infernal. No puedo con ella, Maxi. No me es posible soportar esas piedras un día más, ahora que el tiempo es tan hermoso. Hay otros muchos lugares a los que quiero ir. Lugares mejores. Voy a echarme al campo, pequeña, antes de que empiece el monzón. Me gusta Gershwin, muchacha, pero odio Nueva York en junio.

Trataba de expresarse con tono ligero; pero su expresión era mordaz.

—Sé lo que sientes, y te aseguro que lo comprendo. Pero sé que volverás, más pronto o más tarde.

—Faltaré a tu cumpleaños.

—¿Y qué, querido? Nunca estás el día de mi cumpleaños. No te inquietes, no te guardo rencor por ello. Sí, estás preocupado porque voy a a cumplir treinta años; te imaginas que empezaré a ir cuesta abajo o algo así. ¿Verdad que piensas eso? ¡Oh, Justin! ¿Qué son treinta años? ¿Qué son cuarenta? Gracias a Dios, Betty Friedan está magnífica a los cuarenta años.

—Gloria Steinem —la corrigió Justin.

—¿Lo ves? No importa. Yo tengo otras cosas en las que pensar, puedes creerme.

—De todos modos, ¡qué diablos!, quería hacerte un regalo de cumpleaños anticipado, para mitigar el dolor de despedirte de tus escandalosos, picarescos y lúbricos veinte.

Sin darle importancia, Justin sacó un papel del bolsillo, y lo dejó sobre la mesa. Maxi no lo cogió.

—¿Desde cuándo —preguntó— das cheques a tu hermana?

—Desde que es lo bastante mayor para saber lo que tiene que hacer con ellos —respondió Justin.

Con delicadeza depositó el cheque en el plato vacío de Maxi. Ésta miró hacia abajo y leyó la cifra. Era suficiente para seguir publicando *B&B* hasta que cobrase los nuevos anuncios que había contratado. Era bastante para salvar la revista.

—¿No te dije que no tomaría dinero prestado por ti? No puedo ni quiero hacerlo —le recordó ella con gravedad, levantando el cheque y empujándolo sobre la mesa—. Tengo que solucionar esto yo sola.

—No seas tan orgullosa, Maxi. Tú, Toby y yo somos orgullosos, sin duda por influencia de nuestra madre. Pero voy a preguntarte una cosa: si nuestro padre hubiese tenido dificultades de dinero en una revista en la que creía, ¿no habría hecho para salvarla cualquier cosa que no fuese ilegítima? No te dejes llevar por el orgullo, Maxi. Además, esto es un regalo, no un préstamo. Un regalo que no tienes que devolver. No tienes que hacer otra cosa que decir: «Gracias, Justin.»

—Pero, ¿por qué? No lo comprendo.

—Porque es la única manera que tengo de participar en la lucha. Todos estamos metidos en esto, somos una familia y hemos de defender su nombre. ¡Y yo tengo que participar en ello! Zachary Amberville era también mi padre, Maxi. Tú no eres la única que lo quería, ¿sabes? Si no triunfas, al menos no tendré remordimientos por no haber hecho todo lo que podía, ¡Deja que te ayude! Lo hago por todos nosotros. Por favor

Maxi, acéptalo —suplicó, mostrando una emoción que ella nunca había visto en su irónico, remoto y reservado semblante.

Maxi cogió de nuevo el cheque, con la misma expectación y excitación con que habría presenciado la llegada de un cometa.

—¡Cracias, querido Justin! Y ya que te sientes tan generoso, ¿podrías prestarme diez dólares hasta el día de la paga?

26

—Cutter, ¿de veras no puedes ir al Canadá sin mí? —preguntó Lily—. Al menos hemos cenado tres veces con Leonard y Gerry Wilder desde que os conocisteis. ¿No es cortesía suficiente incluso tratándose de una transacción importante? ¿Por qué es necesaria mi presencia en este viaje?

—Pensé que simpatizabas con Gerry.

—Sí, es una mujer muy agradable; pero, ¿no te das cuenta de que esta excursión de fin de semana con ellos para contemplar los bosques que posee la Compañía tendría para mí recuerdos dolorosos?

Hubo un cambio en la expresión de Cutter. Bajo la capa de su cultivado y casi absoluto atractivo, pareció que se estaba fraguando una firme resolución.

—Querida, ¿no crees que eres un poco inconsecuente al cambiar de idea en el último momento? El hecho de que Zachary muriese en Canadá no debería impedirte visitar ese lugar. Tú nunca estuviste allí, y has vivido todos estos años en la casa que compartiste con él, sin que te resultase demasiado doloroso. Entonces, ¿por qué, ahora te importa eso tanto? Sabes que he proyectado este viaje durante semanas. Gerry cuenta con tu compañía mientras Leonard y yo inspeccionamos los bosques.

—¡Oh! —se lamentó Lily—. Esto es el cuento de nunca acabar.

—Es un fin de semana que consolidará nuestra relación mejor de lo que podrían hacerlo un número infinito de cenas en Nueva York —le explicó Cutter—. Cuando, dentro de dos semanas, llegue el momento de sentarnos a hablar de negocios en «UBC», mi relación personal con Leonard tendrá mucha importancia. Él no lo reconocería, ni siquiera se daría cuenta pero yo sé que es verdad. ¡Y es tanto lo que depende de ti! Tú eres la estrella de nuestro pequeño grupo. Eres la dueña de «Amberville»; yo sólo hablo en tu nombre. Sé buena chica, querida. Tu presencia es muy importante en este juego. Recuerda que ningún trato queda cerrado hasta que se firman los documentos.

Lily suspiró. Quería acabar de una vez con esta difícil y prolongada venta. Estaba cansada de que la mirasen como un símbolo del derecho de propiedad, harta de tener que vigilarse con los ojos de su mente, que eran los jueces más severos de todos; siempre alerta a la posición que le señalaba Cutter en el centro del escenario de «Amberville Publications», representando el papel de magnífica solista. Sabía que Gerry Wilder, por agradable que se mostrase, se sentía un poco atemorizada por ella, tan impresionada como se sentiría un miembro de un *corps de ballet* por la primera bailarina. Sin embargo, estaba acostumbrada a soportar aquel protagonismo, que antaño había ambicionado más que nada. Y Cutter estaba empeñado en que participase en aquel fin de semana.

—Está bien, iré. ¿Necesitaré un abrigo grueso o bastarán unos cuantos jerséis?

—Trae todo lo que creas que necesitas. Iremos en el reactor de la compañía «UBC»; por consiguiente, el equipaje no será problema.

—Bueno, ya es algo. Iré a decirle a mi doncella lo que tiene que poner en las maletas.

El interior del reactor de «UBC» estaba dispuesto de manera que no pareciese una sala de juntas volante. Era posible mantener conversaciones privadas en ambos extremos de la cabina. Cutter y Leonard Wilder estaban hablando mientras sus esposas charlaban en la parte delantera.

—Ese bosque de miles de acres, fue una de las últimas cosas que compró mi hermano antes de morir —dijo Cutter—. Pensaba que cuanto más se independizase «Amberville» de los fabricantes de papel, tanto mejor sería. Creo que después habría comprado una imprenta y, más tarde, un negocio de distribución. Es algo que «UBC» tendría que considerar.

—Cada cosa a su tiempo —rió Leonard—. Y ya que hablamos de considerar, he estado pensando mucho en *B&B*. Cuando nos reunimos por primera vez, sólo hablamos de las revistas sólidamente establecidas. Yo no daba a *B&B* otro mes de vida. Pero después, ese retoño experimental empezó a fascinarme. Al principio creí que reduciría las ganancias de la empresa; después vi las cifras de circulación, a pesar de las cuales continuaban las pérdidas. Por último, empecé a preguntarme si deberíamos poner dinero en ella o suprimirla. ¿Alguna sugerencia, Cutter?

—Leonard, yo mismo me he preguntado todas esas cosas y muchísimas más. Intervine personalmente en la revista, para ponerla a punto, y te prometo que conseguí hacerle salvar el bache. Fue un desafío que acepté personalmente. Pero todavía está por decir la última palabra. Como hago en todos los nuevos proyectos, dejé que llegase aquí, sin pronunciarme. Mantiene a nuestra gente alerta y esto es bueno para la compañía.

—Oí hablar a la hija de Lily en el banquete de las Mujeres Editoras, y me impresionó mucho. ¿Estará ella incluida en la transacción?

—Maxi es un caso raro. Lo lleva en la sangre. Tendrás que tratar directamente con ella, Leonard. Yo no puedo hablar en su nombre... No estoy convencido de que siga interesada en esto a largo plazo. Sin embargo, ¿quién sabe?

—¿No alterarán sus pérdidas el cuadro de vuestras ganancias?

—Menos de lo que puedes imaginarte. He controlado personalmente a Maxi y creo que te verás agradablemente sorprendido. Estoy satisfecho con el balance de «Amberville». Y creo que también tú lo estarás.

—Los números lo dirán, ¿verdad? —dijo estirándose satisfecho—. Es estupendo alejarse de la ciudad. Nunca he estado en las tierras salvajes del Canadá.

—Tenemos agua corriente para las personas importantes.

—Me lo imaginaba.

—Leonard y yo no hemos tenido hijos —dijo Gerry Wilder a Lily, como le repetía cada vez que hablaban—. Te envidio mucho. Y no sólo tienes tres hijos, sino incluso una nieta. Debes sentirte muy orgullosa.

—Sí... Pero, hace poco, comencé a llegar a una conclusión: no puedo atribuirme el mérito cuando se portan bien y, por tanto, no me censuro cuando se muestran... difíciles. Tardé años en comprenderlo. Siempre había pensado que tenían que ser perfectos y que, si no lo eran, eso significaba que yo tampoco era perfecta. Bueno, no lo soy y ellos no lo son. Sólo somos humanos.

Gerry Wilder trató de disimular su asombro. Nunca había oído a Lily hablar de sí misma con tanta franqueza. Aprovechó la oportunidad para ahondar más en el carácter de aquella mujer cuya gran belleza y esmerada educación habían hecho siempre que la mayoría de las mujeres de Nueva York la considerasen como alejada.

—¿Tienes preferencia por alguno de tus hijos?

Lily sonrió al oír la pregunta. Sólo una mujer sin hijos podía imaginar que pudiese contestarla con facilidad, o incluso responder a ella. Dio la respuesta más fácil y satisfactoria:

—Son diferentes, y prefiero a cada uno de un modo diferente.

—Debe ser maravilloso tener una hija —murmuró Gerry con tono triste.

—En realidad, ahora me siento más optimista que antes en lo concerniente a Maxime —dijo Lily, sorprendida de sus propias palabras.

—¿Optimista? —preguntó, intrigada, Gerry Wilder.

—¡Oh! —dijo Lily, riéndose de su impulsiva observación—. Ha tenido tres maridos, ¿sabes? Lo cual es un poco preocupante para una madre. Por fin parece haber sentado la cabeza. Y por suerte, no ha vuelto a casarse.

—¡Oh, sí! Leonard me llevó al banquete de las Mujeres Editoras, y me pareció que era maravillosa. Una mujer de negocios. Su combinación de inteligencia y belleza nos dejó impresionados. Y me encanta su revista. Incluso voy a comprarla, porque no puedo esperar a leerla en la peluquería. Hace que me sienta... bueno, contenta de mí misma. Supongo que te la muestra antes de publicarla cada mes, ¿no?

—La verdad es que se muestra muy reservada a este respecto. También yo tengo que ir al puesto de periódicos a comprarla.

—¡No me digas! —exclamó Gerry, que nada sabía del mundo editorial.

A fin de cuentas, Lily Amberville era dueña de la compañía. Era de suponer que le mostraba con anticipación cada número. Ahora parecía que sabía tan poco de su negocio como Gerry de los pilotos de la próxima temporada. Leonard no dejaba que los viese, para que no adquiriese el hábito de compararlos con «Masterpiece Theater». Pero ella no era dueña de «UBC».

Pronto aterrizó el pequeño reactor en la pista que había sido construida en el bosque. Los pasajeros bajaron del avión, poniéndose los gruesos abrigos que habían traído consigo. El día era claro y ventoso; pero todavía muy frío en aquella parte de norte de Ontario. Un hombre alto, y visiblemente joven, a pesar de su barba roja, les estaba esperando con un jeep nuevo. Se acercó tímidamente al grupo.

—¿Mr. Amberville? —preguntó, con una mirada interrogadora.

—Yo soy Mr. Amberville —respondió Cutter—. Tú debes ser Bob Davies. Te pareces a tu padre.

—Te presento a Mrs. Amberville y a nuestros invitados, Mr. y Mrs. Wilder. Bob está empezando a aprender el oficio, Leonard. Su padre era el encargado de esto; pero se retiró el año pasado y se marchó a Florida. Tú acabas de terminar tus estudios, ¿verdad, Bob? ¿Cómo está tu padre?

—Muy bien, señor. Gracias. ¿Por qué no suben al jeep mientras yo cargo las maletas? No me gusta hacerles esperar con este viento. Hay un trayecto de casi media hora hasta la casa de los invitados.

Leonard Wilder subió de mala gana al jeep cerrado. Le habría gustado echar un trago mientras contemplaba los verdes e imponentes árboles que, como el mar, tenían el poder de impresionar a un hombre de le ciudad. Los programas de televisión nunca habían podido causarle una sensación tan fuerte como estar en contacto con el mundo real, con cosas en pleno crecimiento. Esta particular y sorprendente partida del activo de «Amberville Publications» sería su feudo privado, decidió. La próxima vez que volase hasta aquí lo haría como anfitrión, no como invitado. Dejaría que Gerry decorase la casa de los invitados, fuese cual fuese su estado, para que dejara de quejarse de que él la apartaba de los pilotos. No quería darse cuenta de que era una suerte que lo hiciese.

El mismo sábado que Cutter y Lily volaron hacia el Norte, Toby e India se vestían en Nueva York para asistir al estreno en Broadway de una comedia que había escrito Sam Shepard, primer actor de la última película de India. Habían invitado para que fueran con ellos, a Angelica y a Maxi; pero ésta había prometido pasar aquella velada con Julie, que estaba armando un jaleo alarmante, al insistir en una creciente convicción de que una revista que opinaba que las mujeres debían seguir siendo como eran no necesitaba en absoluto una directora de modas, sino más bien una fregona permanente. Al encontrarse con una entrada de más, le dijeron a Angelica que podía ir con un amigo, con tal de que la muchacha se vistiese de manera adecuada a un importante acontecimiento teatral, que sin duda atraería a la acostumbrada multitud de curiosos, así como a un tropel de fotógrafos.

India se cambió con impaciencia de vestido en el último momento. Había caído en la trampa de aquella primavera al comprar una serie de trajes estampados que parecían deliciosos en las perchas, pero que convertían a sus usuarias en ambulantes sofás ingleses.

—Estas rosas como coles quedan mejor en un cojín que sobre el cuerpo —se dijo India en voz alta, revolviendo sus armarios y sacando un pijama de noche de seda verde Nilo, de «Saint-Laurent», ceñido a la cintura por una cinta de un rosa muy pálido, y un brillante impermeable rosa de seda, haciendo juego; pero que no podía utilizarse si parecía que iba a llover.

—Ha llegado el amigo de Angelica; he oído el timbre de la puerta —dijo Toby.

—¿Qué te parezco? —preguntó India.

—Acércate más. Sí... eres como el cielo de Noruega entre la puesta y la salida del sol, en una noche de verano.

—¿Cómo lo has sabido?

—Por el sonido de la tela, por el color que percibo en el túnel diminuto, por el murmullo de tus pasos, por tu olor, por el tono de tu voz. A propósito, cuando bajemos, procura no decir lo primero que se te ocurra acerca del amigo de Angelica.

—No seas misterioso, Toby. Acabas de oír la voz de ella ¿verdad?

—Sí. Este murciélago tiene un oído supersensible. Levanta la cabeza. Lápiz labial —dijo después de tocarle la boca—. De todas maneras voy a besarte. Pero la pintura no se correrá; también estoy especializado en besos supersensibles, ultrasónicos, de rayo láser.

—Adelante, estropéame el maquillaje —le invitó ella—. De no ser así, ¿cómo sabré que me has tocado?

—Lo sabrás... Lo sabes, ¿no? Oh, sí, lo sabes. Vamos, o llegaremos tarde.

Bajaron juntos al cuarto de estar, donde Angelica les estaba esperando.

—¡Oh, qué rosas tan hermosas, Angelica! —dijo automáticamente India.

Y era verdad, aunque lo había dicho con pasmada sorpresa. El vestido de Angelica era como un jardín que acabase de florecer.

—Gracias, madrina —respondió muy seria—. Os presento a Henry Eagleson, un amigo del colegio. Mi madrina, India West, y mi tío Toby.

—¿Cómo están ustedes? —saludó el joven.

—Baloncesto —dijo tontamente India—. Debes jugar al baloncesto.

—Es el chico más alto del octavo curso, madrina —informó Angelica, con un tono de triunfo en su trémula voz.

—¿Base? —preguntó Toby.

—Sí, señor. Pero si dejo de crecer, tendré que retirarme.

—¿Cuántos años tienes? —se atrevió por fin a preguntar India.

—Catorce, señora.

—¿Por qué habías de dejar de crecer a los catorce años —preguntó Toby.

—Ya mido más de un metro ochenta de estatura, señor. Algún día tendré que pararme; al menos, así lo espero.

—No tienes por qué pararte —dijo Angelica, interviniendo en un tema que a nada comprometía—. Puedes seguir creciendo hasta los veintiuno o los veintidós años, ¿no? ¿Qué piensas tú, tío Toby?

—¿Por qué no esperáis a verlo? ¿Y por qué no nos llamas India y Toby, Henry?

—De acuerdo, si vosotros me llamáis *Dunk. Chip* sabe que todo el mundo me llama *Dunk;* pero esta noche le da por ser cortés o algo parecido. ¿Qué te pasa, *Chip?*

—No le pasa nada —se apresuró a terciar India—. *Chip* fue educada por una madre muy anticuada, ¿sabes, *Dunk?* De la vieja escuela. De la *vieille* Nueva York.

—Puntillosa, ¿eh? Mi madre también es así. Pensé que esta noche le daba un ataque, antes de salir yo de casa. Hizo que me cambiase tres veces la corbata y dos los calcetines. «Escucha, mamá —le dije—, el hecho de que sea mi primera cita no quiere decir que tengas que ponerte nerviosa.» A veces no entiendo a los padres. Suelo comprenderlos; pero no siempre.

—Mi madre era también así cuando tuve mi primera cita —dijo Angelica—. ¿No es verdad, madrina?

Miró implorante a India.

—Es verdad, ahijada. Pensé que se ponía verde. ¿O fue morada? Pero de esto hace mucho tiempo. ¿No es cierto, Toby?

—Años, tiene que hacer muchos años, tantos que casi no puedo recordarlo. ¿Nos vamos? Se está haciendo tarde.

Aquella noche habían tomado prestado, el automóvil de Maxi, el cual se había salvado de ser vendido porque era el único medio práctico de circular por Nueva York. Nunca se encontraban taxis libres a la hora del almuerzo, en las proximidades de *B&B*, y Maxi tenía que darse prisa para ir a almorzar a la parte residencial de la ciudad y volver al trabajo. Además, el automóvil azul era parte esencial de su imagen de triunfadora indiscutible.

Elie introdujo a Angelica y a su primer acompañante en el gran coche, sin cambiar en absoluto de expresión. A juzgar por su solemnidad, habrían podido ser un duque y una duquesa camino de la iglesia. Era imposible saber lo que Miss Angelica pensaba de esto, se dijo. Suponía que tenía que empezar alguna vez a tener sus aventuras; pero, ¿con un gigante? Tal vez éste era más joven de lo que parecía. Al menos tenía quienes la vigilasen, aunque en su opinión, Miss West y Mr. Amberville estaban demasiado enamorados para reparar en alguien aparte de sí mismos. Una familia *terrible*, pensó, suspirando satisfecho.

Había una gran muchedumbre delante del teatro.

—No haría esto para nadie que no fuese Sam —confesó India—. Procuraré olvidarme de todo hasta que estemos dentro del teatro. No me sueltes el brazo Toby, porque entraré a toda prisa como si nadie me observase. ¿De acuerdo?

—De acuerdo. *Chip* puede corresponder a los saludos. A ver si puedes dejarnos delante del teatro, Elie.

—Sí, Mr. Amberville —respondió Elie.

Decirle esta tontería demostraba que no estaba acostumbrado a los servicios de un buen chófer. ¿Dónde se imaginaba que iba a dejarles? ¿En mitad de la manzana?

Angelica y *Dunk* se apearon los primeros. Dos jóvenes desconocidos, altos y magníficos, que fueron observados por la multitud y olvidados en seguida como si no existiesen. Después se apeó Toby y esperó a India.

Al cruzar la entrada del teatro, brillaron tantos *flashes* combinados con las luces de la televisión local, que India quedó cegada. Fue aclamada por muchas voces, pero ella las ignoró deliberadamente.

—India, India, traigo algo para ti —gritó alguien, cuyas palabras quedaron casi perdidas en el alboroto causado por su aparición.

Ella siguió andando; pero Toby le soltó inmediatamente el brazo, giró en dirección a aquella voz, se lanzó entre la muchedumbre como un jugador de rugby y derribó a un hombre sobre la calzada. Durante un instante, lucharon frenéticamente. Antes de que la gente empezase a chillar, se oyó un disparo y un gruñido. Como en movimiento retardado, Toby siguió luchando con el hombre sobre el pavimento, mientras la multitud desordenada, se agolpaba a su alrededor con creciente nerviosismo. Pero inútilmente. Empleando toda su fuerza para sujetar al hombre, Toby le abrió los dedos hasta que la pistola cayó de su mano. Entonces, India se volvió y gritó. Todo había ocurrido tan de prisa, que pareció que había terminado antes de empezar. Sólo la roja sangre arterial que brotaba del brazo de Toby era real. La sangre y la pistola cargada que *Dunk* recogió y retuvo hasta que la entregó a un policía.

—¿Cómo lo supiste? ¿Cómo te diste cuenta? —preguntó India, llorando y apretando la mano de Toby mientras la ambulancia rodaba por las calles.

—Reconocí su voz; supe en seguida que era ese loco que no para de telefonearte. Pensé que, fuese lo que fuese, no querrías nada de él.

Toby estaba todavía conmocionado y parecía no advertir al hombre de la ambulancia que trataba de detener la hemorragia.

—Iba a matarme. Sabía que estaba loco, pero nunca pensé que tratara de asesinarme.

—Nadie va hacerte daño mientras yo esté a tu lado.

—¿Cómo supiste dónde estaba? ¡Oh, Toby! ¿Cómo lo supiste?

—Con un sentido de orientación adquirido con la práctica. A veces resulta útil...

—Señora, ¿quiere usted dejar de hablar? Estoy tratando de atender a este hombre hasta que lleguemos al hospital. Guarde las preguntas para luego... ¡Oh, oh! ¡India West! ¿Podría darme un autógrafo cuando lleguemos allí? Es para mi esposa... Yo no la molestaría en un momento como éste; pero ella es una *fan*, una apasionada *fan* de usted.

Lily se habría contentado con pasar la mañana en las proximidades de la casa de invitados; pero Gerry estaba ansiosa de ver mejor el bosque circundante.

—¿Quieres que vayamos a caballo? —propuso Lily.

—Los caballos me horrorizan. ¿No podríamos pedir a ese amable joven que nos lleve a dar una vuelta en su jeep? —preguntó Gerry.

—¿Por qué no? Cutter hizo que se quedase aquí por si lo necesitábamos.

Pronto estuvieron en el jeep con Bob Davies, el cual había vencido su primer ataque de timidez ante los visitantes de la ciudad. Lily no tardó en darse cuenta de que el silencio no era una de las virtudes de aquel hombre de los bosques. Resultaba imposible hacerle callar sin mostrarse excesivamente ruda, y él las obsequió con relatos de los pueblos de los alrededores de aquellos bosques salvajes, donde los trabajadores locales se emborrachaban como cubas los sábados por la noche y las luchas a puñetazos eran la apoteosis normal de la velada.

—¡Dios mío! —dijo Gerry, fascinada por este rudo aspecto de sus nuevos dominios—. ¿Has participado tú en alguna pelea, Bob?

—No, Mrs. Wilder. Mientras estudié en el Instituto, mi padre no me permitió acercarme a ninguno de aquellos bares. Después me alejé de este lugar a fin de asistir a la Escuela Forestal, y por último volví directamente aquí para trabajar. Fue cuando él se retiró súbitamente. Un pariente del que nunca había oído hablar se murió de repente y le dejó el dinero necesario para comprar una casita en Florida, lo cual había sido siempre el sueño de mi madre, que aborrecía el frío. Conque hicieron sus bártulos y se marcharon. Mi padre tiene ahora un pequeño negocio de alquiler de barcas, y viven felices como recién casados. Mr. Amberville dejó que me encargase de todo, sin preguntarme siquiera. Y se lo agradecí muchísimo. Ésta es la primera vez que he tenido el placer de conocer a alguien de la familia Amberville. Los antiguos propietarios venían a menudo por aquí; traían amigos en las temporadas de caza y de pesca, montaban a caballo, se daban grandes banquetes y lo pasaban en grande. ¿Cree usted, Mrs. Amberville, que volverán a menudo ahora que han visto la finca?

—No tengo la menor idea —dijo fríamente Lily.

—Parece maravilloso —observó Gerry, pensativa.

Lily comprendió que Gerry estaba pensando que, cuando se hiciese el trato, Leonard y ella empezarían en seguida a recibir allí a sus amigos. Sintió una fuerte punzada de enojo, como si el visible interés de Gerry como propietaria fuese un ataque a su propio territorio. Sin embargo, cuando «UBC» comprase Amberville, nada de esto le pertenecería ya. Por consiguiente, ¿por qué no aceptarlo? ¿Qué diablos le importaba?

El jeep rodaba lentamente por el camino, a la sombra de los grandes y espesos árboles. Era un día soleado y la luz se filtraba por todos los huecos que les dejaba la fronda.

—Mira, Lily, hay un claro allí delante. ¿Por qué no nos apeamos y damos un paseíto en aquella dirección? —propuso Gerry—. Sería una lástima no hacer algo de ejercicio.

—¿Puedes detenerte un momento, Bob? Vamos a pasear un poco —accedió Lily.

—Muy bien, Mrs. Amberville —respondió frenando con cuidado.

Saltó de su asiento y ayudó a los demás a apearse.

—Será mejor que las acompañe, señoras —sugirió—. Hay un barranco en el borde de aquel claro.

—No es necesario, Bob —cortó con sequedad Lily, que quería librarse por un rato de escuchar la historia de la vida del muchacho.

Éste las dejó marchar de mala gana, y las dos mujeres caminaron animadas por el sendero durante un trecho, aspirando el aire perfumado por los pinos. Cuando llegaron al herboso claro, se encontraron con que casi hacía demasiado calor a causa del sol. Se quitaron los abrigos y estuvieron unos minutos sentadas sobre la hierba, disfrutando del silencio y de la paz de aquel momento.

—Vayamos a ver el barranco —sugirió Gerry, brillándole los ojos.

Nunca había sido dueña de un barranco y quería contemplarlo. Era una característica del lugar, como los caballos y el lago que tenía fama de tener muchos peces ansiosos de ser pescados. El propio aire parecía formar parte del inventario, como la hierba, los senderos y la casa de los invitados. El bosque le importaba poco, salvo como telón de fondo de sus futuras fiestas.

—Yo prefiero quedarme, si no te importa —respondió Lily, que estaba un poco fatigada por la compañía de Gerry Wilder—. Estoy un poco cansada. Pero tú puedes ir. Te esperaré.

—¿No te molesta?

—En absoluto.

Gerry se alejó y Lily se olvidó de ella, quedándose casi dormida. De pronto, oyó un grito agudo:

—¡Oh, Dios mío!

Abrió los ojos y vio a cierta distancia a Gerry, que retrocedía rápidamente sobre la hierba.

—¡Lily! Hay un precipicio terrible. No puedes imaginártelo. ¡No es un barranco! Parece la entrada del infierno... Rocas dentadas y una espantosa pared vertical... Y no te das cuenta de que está allí hasta que llegas casi al borde. ¡Por el amor de Dios! Estos lugares tendrían que estar señalizados. Deberían poner barandillas.

«Bueno, vosotros las pondréis», murmuró Lily para sí.

—Vuelve, Gerry —dijo en voz alta—. Subamos al jeep. Debe ser casi la hora de almorzar.

En cuanto emprendieron el regreso a la casa de los invitados, Gerry dijo:

—Bob, creo que es muy peligroso que ese barranco carezca de protecciones. ¿Por qué no tiene una baranda?

—Hay muchos barrancos así, Mrs. Wilder. Aquí debió producirse un terremoto hace tiempo. Existen docenas de precipicios como ése; aunque ninguno tan cerca de la casa de los invitados. Todos los que trabajan en estos bosques los conocen. Sólo sorprenden a los forasteros. Por eso les advertí. En realidad..., bueno, no es una historia apta para señoras... Ocurrió poco antes de que los antiguos propietarios vendiesen la finca. Mi padre me la contó, pero confidencialmente...

—¡Oh, vamos, Bob! —pidió ansiosamente Gerry.

Quería saberlo todo acerca de su futuro juguete, y si había un misterio local, tanto mejor.

—Bueno... no sé si...

Saltaba a la vista que se perecía por contarles la historia.

—¿Qué importa que seamos mujeres, Bob? ¡Cuéntanoslo! —insistió Gerry.

—Pues verán, mi padre solía pilotar una avioneta, como hace el nuevo piloto que lleva a sus maridos por ahí. Un día la tomó para ir con urgencia a un campamento situado al otro lado del bosque. Un leñador había sufrido un grave accidente y tenía que ser recogido y llevado a toda prisa al hospital. El caso es que vio a dos hombres, que, como ustedes, procedían de la ciudad. Nunca me dijo quiénes eran, sólo me contó que iban a caballo. Se apearon de sus monturas en el claro que hemos dejado atrás y debieron de enzarzarse en alguna disputa a la manera de nuestros muchachos los sábados por la noche, pues se liaron a puñetazos. Uno de ellos debió descargar un fuerte golpe, porque el otro terminó en el fondo de aquel barranco.

—¿Y qué hizo tu padre? —preguntó Gerry con ansiedad.

—No podía detenerse, pues no había espacio suficiente para aterrizar y, por otra parte, le preocupaba más el leñador herido. De todos modos, sabía que el accidente se había producido muy cerca de la casa de los invitados y pensó que el otro hombre volvería al galope a pedir ayuda. Pero cuando volvió aquí, un día más tarde, todavía no habían encontrado al desgraciado en el barranco. Todo el mundo se hallaba confuso, y salieron patrullas de salvamento en todas direcciones, menos en la adecuada. Nadie parecía llevar el mando ni saber lo que pasaba. Mi padre se puso como un loco de atar. Les condujo inmediatamente al barranco, pero era... Bueno, era demasiado tarde. El visitante de la ciudad estaba muerto. Nadie supo jamás si murió de la caída o de estar toda la noche a la intemperie. Cuando ocurrió aquello, la temperatura estaba por debajo de cero. Sea como fuere...

—¡Para el coche! —chilló Gerry.

Lily se había desmayado y desplomado sobre el costado del vehículo, y Gerry tenía que emplear toda su fuerza para impedir que se cayese al camino.

Sin hacer ruido, Cutter abrió la puerta del dormitorio principal de la casa de los invitados. Gerry Wilder sólo había dicho que Lily había sufrido un breve desvanecimiento durante el trayecto, mareada sin duda por el joven latoso que conducía el jeep y no paraba de hablar, sin dejarles un momento para disfrutar de aquel día tan magnífico. Lily no había dicho nada, no había bajado a almorzar y seguía en su habitación.

—No he querido molestarla —explicó Gerry—. Pidió insistentemente que la dejásemos sola. Me alegro mucho de que hayas vuelto, porque no me atrevía a ir a ver cómo se encontraba.

Cutter miró a su alrededor en la habitación. Lily no estaba en ninguna de las dos camas gemelas. Las cortinas se hallaban corridas, y la estancia, casi a oscuras.

—¿Lily? —llamó.

Pero no obtuvo respuesta.

Entró en la habitación y cerró la puerta a su espalda. Tal vez estaba en el cuarto de baño. Dio varios pasos antes de verla, sentada en una silla junto a la ventana y mirándole.

—¿Lily? —repitió.

De pronto, ella encendió una lámpara de pie. La Lily que vio ahora no se parecía en nada a la que había visto hasta entonces: era una mujer fea, de cara contraída en una malévola mueca de odio bajo los cabellos de Lily, que vestía la ropa de Lily y le miraba con ojos salvajes y feroces.

—Tú mataste a Zachary —jadeó, con voz ronca y extraña—. Tú le asesinaste.

Cutter se acercó de un salto, le tapó la boca con una mano y, con la otra, le sujetó a la espalda los agitados brazos.

—¡Estás loca! ¿Qué te pasa? Calla, Lily, o tendré que hacerte daño —silbó a su oído, recordando que los Wilder ocupaban el dormitorio contiguo—. Tranquilízate, ¿quieres?

Ella consiguió morderle la palma de la mano y él le dio una bofetada con todas sus fuerzas. Lily se tambaleó y se desplomó en la silla.

—Bueno —dijo Cutter—, ¿qué diablos significa todo esto? Si hubiese sabido que ibas a trastornarte tanto, no te habría traído al Canadá.

—Tienes razón, no habrías debido hacerlo.

Su ataque de nervios había cesado; pero Lily hablaba con la misma voz, seca y quebrada por las lágrimas; la voz de una vieja.

—Ahora sé cómo murió Zachary.

—¡Por el amor de Dios! *Siempre* has sabido cómo murió. Salió a dar un largo paseo a caballo, sin conocer el terreno, y cayó en un barranco. Nunca hubo la menor duda acerca de ello.

—Pero tú estabas *allí*, Cutter. Tú le arrojaste al barranco y le dejaste morir.

Su voz parecía venir ahora de muy lejos, de la cabeza de un muerto, apagada y sin vida.

—Esto es lo más…, lo más insensato que has dicho jamás. Tienes que haber sufrido una fuerte impresión. ¿Fuiste como una imbécil a visitar el lugar del accidente? Por el amor de Dios, ¿has hecho eso?

—Puedes gritar cuanto quieras, Cutter. Me da lo mismo. Bob Davies contó la historia. Ahora comprendo por qué se retiró su padre a los cuarenta y siete años. Sé quién le dio el dinero para ir a Florida. Sólo un hombre vio lo ocurrido; pero era tan locuaz como su hijo. Gerry y yo lo oímos todo. Dos hombres en el claro, dos hombres que se apearon de sus caballos, dos hombres que disputaron, uno que era golpeado, ¿o empujado?, y caía en el barranco, y el otro que volvía a casa y *no* enviaba una patrulla en busca de su hermano. Con una temperatura bajo cero. Y estando el barranco tan cerca de la casa. Debiste sentir terror cuando volvió Davies al día siguiente y te comunicó que había visto lo sucedido. Pero no te libraste de él con bastante rapidez, Cutter. Se lo contó a su hijo y lo repetirá ante los tribunales. Yo me cuidaré de que lo haga.

—¡No puedes creer semejante historia Lily! Ese muchacho no para de contar cosas absurdas, mentiras…

—¿Quieres que telefonee a su padre en Florida? Es una llamada a corta distancia. Lo confesará todo cuando le diga que fue encubridor de un asesinato —desafió Lily descolgando el teléfono—. Tengo su número.

Se lo pedí a Bob cuando Gerry no estaba escuchando. Le dije que quería decirle lo amable y servicial que era su hijo.

—¡Espera! Cuelga el teléfono. Puedo explicarte...

—No, no creo que puedas.

La voz de Lily hizo que Cutter temblase de miedo; pero ella colgó el teléfono y él lanzó un profundo suspiro.

—Algo ocurrió aquel día, Lily. Yo esperaba que nunca lo supieses. Yo *estaba* con Zachary cuando cayó al barranco. Tuvimos unas disputa, *pero fue un accidente*, Lily, ¡un accidente!

—¿Y por qué no enviaste un equipo de salvamento? —preguntó, implacable, Lily.

—Todavía no lo comprendo. Estaba demasiado aturdido, Lily. No recuerdo lo que ocurrió en las horas que siguieron al suceso. Estaba loco de dolor. Miré desde el borde del precipicio y tuve la seguridad de que estaba muerto. Aunque le hubiesen encontrado en seguida, habría sido igual. Volví luego aquí y mi mente se oscureció del todo. Nada podía hacer. Mi hermano estaba muerto... Mi hermano... No podía creerlo. Por eso tuve que alejar a Davies... Sobornarle, sí. Sabía que nadie creería lo que había ocurrido en realidad. Pero tú, Lily, ¡tú tienes que creerme! Sabes que nunca habría hecho daño a Zachary deliberadamente. ¿Por qué tenía que hacerlo? ¿Por qué? Habría sido absurdo. Confiesa que habría sido absurdo. Una insensatez.

Cutter se interrumpió, escrutando la cara de ella con ojos suplicantes.

—¿Por qué os peleasteis? —preguntó Lily.

—Por ti. No sé qué le dio aquella idea, ni por qué escogió aquel momento particular para suscitarla, Lily; pero sospechaba de nosotros. Se puso violento. Se volvió loco. Me acusó de haber sido tu amante cuando éramos jóvenes. Dijo que empezaba a pensar que Justin era hijo mío y no suyo. No puedo imaginarme qué le hizo descubrir nuestro secreto después de tantos años; pero no podía correr el riesgo de reaccionar como si no estuviese insultándote. Le largué aquel puñetazo por ti, Lily. Precisamente por ser tan impropio de mí, pensé que era la única manera de demostrar a Zachary lo equivocado que estaba. Lo hice para protegerte. Lo hice por tu bien, querida. Si no lo hubiese hecho, ¡quién sabe lo que habría ocurrido! ¡Qué os habría hecho, a ti y a Justin! Confieso que lo hice, pero fue por ti, sólo por ti, Lily.

—No puedes dejar de mentir, ¿verdad, Cutter?

—¿Mentir? ¿Qué otra cosa habría podido inducirme a pelearme con mi propio hermano, Lily?

—Yo le confesé lo nuestro hace trece años. Desde entonces lo supo todo acerca de ti, de mí y de Justin. Zachary y yo hicimos las paces. Yo quería comenzar de nuevo nuestra vida o terminar para siempre. Por consiguiente, se lo conté todo. Todo. Y él me perdonó sin reservas, Cutter. Siempre había querido a Justin como a hijo suyo y siguió queriéndole hasta el día en que tú le mataste. Estaba dolido; pero él tampoco había sido un santo. Nos arreglamos, pues, y reanudamos juntos una vida apacible. Tú eres la última persona en el mundo a quien él habría confesado que lo sabía todo.

Lily se había expresado con voz cansada y apagada; pero su tono era irrefutable. La verdad se manifestaba en cada palabra. Cutter se volvió de espaldas.

—No importa cuáles fuesen tus razones para matar a mi marido. Todas se derivaban del odio y de la envidia. Por esto hiciste que me enamorase de ti; para quitarle algo que era suyo. Entonces yo fui casi tan mala como tú. Pero no soy una asesina. Ni una embustera, aunque entonces lo fuese.

—Lily...

—Ni una palabra más. Se acabaron las mentiras. Me marcharé ahora mismo, volveré a Nueva York. Puedes decirles a los Wilder lo que quieras. En cuanto haya aterrizado, enviaré el avión a buscarles. La larga y falsa historia ha terminado. Zachary Amberville fue asesinado por su hermano. Yo conozco la verdad. Nadie más la sabrá. No trataré de castigarte, Cutter. No serviría de nada. No vale la pena. A menos que...

—¿Qué? —preguntó Cutter, incapaz de creer que ella hablase en serio.

—A menos que algún día trates de ponerte de nuevo en contacto con algún miembro de la familia Amberville. Si lo haces, te llevaré ante los tribunales. Lo juro por todo lo que más quiero.

—Espera, detente... —dijo él.

Pero ella se había marchado ya.

Marchado, comprendió él al fin. Para siempre.

27

Durante el último año, siempre que Maxi cruzaba el vestíbulo de Amberville Building, lo hacía a toda prisa. Hoy lo recorrió despacio, con tiempo más que suficiente para inspeccionar de mala gana los gigantescos helechos que crecían bajo las luces especiales que les daban vida, con muchos minutos para mofarse de las vigorosas piñas, para contar con desdén las filas de altas palmeras y reflexionar sobre el verdor de la América corporativa. ¿Qué les pasaba a los padres de su Manhattan, que permitían que un número creciente de constructores redujesen la cantidad de luz de sol que llegaba a las calles, para garantizar que los nuevos y cada vez más altos edificios tuviesen un mayor espacio verde en su interior? A vestíbulos más verdes, calles más oscuras, se dijo, dándose cuenta de que su estado de ánimo se debía al temor con que acudía a la cita de Lily, una cita a la que llegaba antes de la hora, debido a la suprema habilidad de Elie como conductor. Sin embargo, aunque hubiese llegado puntual, aunque se hubiese retrasado, lo que era inconcebible, el resultado de la entrevista había sido decidido de antemano, pensó mientras tomaba el ascensor para subir a la planta de la dirección.

—Mrs. Amberville la está esperando en el despacho de Mr. Amberville —le dijo la recepcionista en cuanto la vio.

Un tratamiento digno, pensó Maxi, respaldada por la autoridad de Zachary Amberville. Las buenas noticias no venían envueltas en semejante exhibición de mando legítimo, de jurisdicción absoluta.

Entró. El pródigo sol podía entrar allí, al fin, y juguetear; desde la ventana podían contemplarse los dos ríos que ceñían Manhattan como los brazos de un amante gigantesco, uno más oscuro que otro; pero ambos corriendo hacia el océano. Miró a su alrededor, deslumbrada de pronto, y no pudo distinguir la presencia de su madre hasta que sus ojos se habituaron a la luz. Lily estaba sentada en el peldaño inferior de una escalera de la biblioteca y tenía en las manos un volumen en-

cuadernado de ejemplares de *Seven Days* de los años sesenta, abierto
por las páginas ilustradas referentes a la campaña Kennedy-Nixon, con
imágenes tomadas por los muchos fotógrafos de «Amberville» que siguieron paso a paso aquel drama nacional. Dejó el pesado libro al acercarse Maxi y levantó la cabeza para mirarla; su serena belleza, que
parecía bañada en luz de luna, y su intensamente estudiada elegancia
no habían cambiado. Sin embargo, la piel tenía un aspecto marchito
alrededor de los ojos, algo que Maxi no había visto hasta entonces, como
si una flor hubiese perdido su frescura de la noche a la mañana y pen-
diese flácida, cansada y mustia.

—¿Quién optó a la vicepresidencia con Nixon? —preguntó Lily.

—Que me aspen si lo sé —repuso Maxi.

No podía recordarlo, salvo que no era Spiro Agnew. ¿O tal vez sí?

—Tampoco yo lo sé, Maxime.

—Esto me consuela... ¿Qué tal tu fin de semana? —añadió, ya que
una charla insustancial parecía ocupar el primer lugar en el orden
del día.

—Interesante. ¿Y el tuyo?

—Horrible. ¡Pobre Toby! Todavía estoy impresionada —declaró Maxi.

—Ayer fui a verle a su casa; pero tú no habías vuelto todavía con
Angelica. Gracias a Dios, quedará como nuevo cuando cicatrice la herida. Y ahora dime: ¿quién es *Dunk* y qué es un Dunk?

—El primer amigo de Angelica. Tiene catorce años, es muy cortés
y come tanto como todo el ejército de Napoleón. Aunque emplea muy
buenos modales en la mesa.

—Toby e India hablaron bien de él.

—Angelica no es su hija. *Dunk* hará bien en tratarla como es debido
—dijo Maxi en tono belicoso y apretando los puños.

—¿Y si no?

—Haré que Rocco le ajuste las cuentas. Imagínate, Angelica dirigiéndose furtivamente a su primera cita cuando sabía perfectamente que yo
no estaría en casa. Nunca se habría atrevido a hacer una cosa así a su
padre. Todavía estoy echando chispas.

—Tu defecto, Maxime, es que te olvidas de cuando eras joven —dijo
Lily, rebatiendo la objeción.

—¡Madre! ¡Todavía no tengo treinta años! Me faltan unas semanas.
Y no empecé a citarme con muchachos hasta que tuve... dieciséis.

—Sí; pero cuando lo hiciste...

—Lo recuerdo, y eso es lo que me preocupa.

—Angelica es muy diferente. Es sensata y está muy equilibrada. Si
yo me hallase en tu lugar, no me inquietaría por ella.

—Gracias —dijo Maxi con dignidad, negándose a picar el anzuelo.

No tenía intención de defender su personalidad de adolescente. Si
Lily seguía considerándola de esta manera, no había nada que hacer.

—Desde luego —prosiguió Lily—. cambiará en muchos sentidos con el paso del tiempo. Todas lo hacemos, todas hemos de hacerlo, ¿verdad? Pero Angelica tiene muy formado su carácter. Casi puedo imaginar cómo será dentro de diez años, a diferencia de lo que me ocurrió contigo, Maxime. Nunca podía estar segura de lo que iba a sucederte. Eras una niña bastante difícil, ¿sabes?, pero no tenía idea de que serías una flor tardía.

—¿Una flor tardía? ¿Qué quieres decir con eso?

—No te pongas a la defensiva, Maxime. Trato de explicarte que no alcanzaste todo tu potencial..., no has empezado a desarrollar todas tus posibilidades..., hasta hace muy poco.

La voz de Lily era tan neutra como el agua clara y tan difícil de interpretar como una noche sin estrellas.

—¿Debo esperar que vas a decirme algo desagradable después de estas gentiles palabras? —preguntó Maxi.

Apenas escuchaba a Lily, enfurecida por haber sido definida como «niña difícil» y por la comparación implícita con Angelica, que se había librado de ser juzgada por su cariñosa abuela.

Y no era que Angelica no fuese ideal. O poco menos.

—Si te sentaras, Maxime, podríamos discutir esto con más comodidad —observó Lily, sentándose en uno de los sillones que había delante de la mesa.

Maxi, que se había mantenido de pie durante toda la conversación, se acercó a la mesa y se sentó automáticamente en el sillón de su padre, el mismo sillón en el que se había sentado cuando pidió a Pavka que no dimitiese. Lily permitió que se hiciese un breve silencio.

—¿Te sientes cómoda ahí? —preguntó al fin a Maxi.

—¡Oh, lo siento!

Maxi, confusa, se levantó de forma brusca.

—Lo hice sin darme cuenta —se disculpó.

—Lo sé. Lo comprendo perfectamente.

Lily le sonrió sin querer.

—Ese sillón —dijo— ha estado vacío tanto tiempo... Casi pareces hecha a su medida.

—¡Madre!

¿Qué significaba aquel juego del gato y el ratón?, se preguntó, desconcertada, Maxi.

—Te dije que ya no te acuerdas de lo que es ser joven, realmente joven, Maxime. También yo me olvido. Pero a veces soy lo bastante inteligente para recordarlo. Tu padre era más joven de lo que eres tú ahora cuando fundó sus primeras revistas. Tú tienes la edad que tenía él cuando le conocí. Y has fundado ya una revista y conseguido un ruidoso éxito con ella, si prescindimos de tus métodos financieros nada tradicionales. ¿Por qué no habrías de ser capaz de encargarte de las otras..., con la ayuda de todas las personas que las han estado dirigiendo desde que murió tu padre? Es decir, si quieres hacerlo.

—¿Encargarme de las otras? Pero..., pero yo nunca he pedido eso, nunca soñé..., tal cosa —balbució palideciendo, Maxi.

—Creo que te darás cuenta de que, si no vendo «Amberville», alguien de la familia debe tomar el mando, ¿no? Y tú eres la única que puede hacerlo. ¿No crees? Por fin, después de tanto tiempo, incluso yo lo he visto con claridad. Soy flor tardía...

—¿No vas a vender?

—¿Pensabas que iba a hacerte venir aquí para decirte que vendía? Dios mío, Maxime, no habría hecho una cosa tan cruel. Te lo habría dicho, pero no aquí, no en el despacho de tu padre. Muchas veces pienso que no me comprendes en absoluto.

Lily suspiró, afligida.

—Pero no hablemos de esto... —continuó Lily—. Es un problema que nunca resolveremos y que no ha de influir en tu respuesta. ¿Deseas encargarte de ello? ¿Quieres ser editora de todas las revistas?

—Pero..., no lo comprendo... ¿Qué dirá Cutter?

El tono normalmente vivo y escéptico de Maxi se había disipado, tan desconcertada se sentía por la sorpresa.

—Él nunca tendrá nada que ver en el gobierno de las revistas de tu padre. Nunca. Se ha... ido. Le he despedido. Pienso divorciarme de él. Su futuro no me interesa. Ninguna de nosotras volverá a verle jamás y confío en que nunca tengamos que hablar de él, jamás volveremos a mencionar su nombre.

Al pronunciar estas bruscas y cortas frases de absoluto destierro, la tersa limpidez de la voz de Lily se vio turbada, por primera vez en el recuerdo de Maxi, por torbellinos de cruda emoción.

Se hizo otro silencio. Las dos mujeres no se miraron, pero, entre las motas de polvo que danzaban en el aire rayado por el sol, se hicieron preguntas, que se negaron a responder, retirándolas y enterrándolas para siempre.

Lily pensó que, de todos los raros lujos que el dinero de Zachary Amberville le había prodigado durante toda su vida, este poder de arrojar a Cutter de su existencia era el más valioso, el más necesario. El mismo poder le permitía imponer silencio a sus hijos, no tener que darles explicaciones. Pero lo único que el dinero no podía comprar, lo único que el dinero no podía eliminar, era su propio conocimiento de la clase de hombre que era Cutter. ¿Cómo podía haberle elegido? ¿Dónde empezaba su propia culpa? ¿Hasta qué punto había sido responsable de la embrollada historia? ¿Por qué había conservado aquella salvaje relación irracional, negándose a cambiar sus tercas fantasías sobre él, por muy a menudo que la hubiese defraudado? ¿Cuánta había sido exactamente la maldad de aquel hombre? ¿La había amado en realidad? Y lo que era peor, ¿cómo podía ser posible que siguiese importándole? De una cosa estaba segura: en cierto modo, ella era tan culpable como él en todo, salvo en un aspecto vital: Cutter no había dejado morir a Zachary por causa de ella, y este hecho tendría que afrontarlo, por muy duras que fuesen las preguntas que la atormentaban.

—Bueno, Maxime —preguntó de nuevo—, ¿quieres desempeñar este trabajo?

Maxi tenía ahora la cabeza tan ligera como si acabase de subir de pronto a la cumbre de una montaña y aspirase profundamente el tenue y estimulante aire de las alturas. Sólo veía la inmensa tentación deslumbradora, la grandeza del horizonte, el panorama infinito que se desplegaba ante ella. Permaneció así un momento, fascinada, y entonces se obligó a volver a las cosas prácticas, a la realidad de aquel despacho, tratando de verse en él todos los días, tomando decisiones, resolviendo problemas y asumiendo las responsabilidades que caerían sobre la persona que estuviese al frente de «Amberville Publications». Comprendió de pronto que no podía saber de antemano lo que sería aquello. Cuando sin saber lo que hacía, le pidió a Cutter que le diese aquel pobre y viejo periodicucho llamado *Trimming Trades Monthly*, ¿tenía idea de lo que sería editar realmente *B&B* un mes tras otro? ¿*Editora*? ¿Jefe de la compañía?

—¡Oh, sí, madre! ¡Lo quiero! —exclamó, de todo corazón.

Lo quería y sabía que su padre lo habría querido para ella.

—Está bien. Me alegro, Maxime. Me alegro mucho. No te habría ofrecido este trabajo si no hubiese creído que podías hacerlo —dijo pausadamente Lily, con profundo acento de ternura—. La venta fue siempre posible, sigue siendo posible. Pero me gustaría conservar «Amberville Publications» en nuestra familia. En una ocasión me dijeron que había sacrificado mi vida a la compañía, que me había visto privada de mi libertad al ayudar cuando pude a tu padre mientras él dirigió las revistas. Creía en esta interpretación de mi vida. Pensaba que me habían quitado mis derechos de nacimiento, sea lo que sea lo que esto significa.

Se interrumpió un momento, como preguntándose sobre el significado de los «derechos de nacimiento».

—Mi padre creía en ti —dijo Maxi— o no habría dejado que controlases su negocio. Nunca lo habría hecho, si no hubiese pensado que podías asumir esta responsabilidad.

—No sé lo que valgo, Maxime, pero he pensado mucho durante los últimos días, más que muchísimos años, y ahora sé que las revistas han enriquecido mi vida. Ser parte de ellas se ha convertido en parte de mi ser, una parte tan importante que me impide venderlas a unos extraños, verlas salir del control de los Amberville. Estoy orgullosa de las revistas, Maxime, y quiero que sean mejores de lo que fueron jamás...

—¡Madre! —exclamó Maxi—. ¿Tienes idea de...?

—Claro que la tengo, y más que una idea. He pasado la mañana con Pavka. Sé lo que se ha estado realizando a mis espaldas. Pero esto ha terminado de una vez para siempre. Todas aquellas órdenes vergonzosas han sido revocadas. No se han dado otras. Antes quería saber lo que tú decidirías. Desde ahora, la única persona que dará órdenes serás tú. Pavka te orientará. Supongo que tendrás que ganarte el apoyo del antiguo consejo de dirección. Es posible que no busques a alguno de sus miembros. Yo no intervendré; pero siempre podrás emplearme..., para decorar escaparates. Lo hago muy bien.

—¡No digas eso! —protestó Maxi—. ¡Tú renunciaste a una gran carrera como primera bailarina! ¡Oh, madre... podrías haberlo sido!

—No se sabe —murmuró Lily, con débil y misteriosa sonrisa—. No se sabe. Nunca lo sabré. Seguramente era ésta la cuestión.

Sacudió la cabeza y regresó del pasado.

—Sin embargo —dijo—, como decoradora de escaparates era la mejor y pienso seguir siéndolo. Todo escaparate necesita una decoración para ser algo más que un desnudo trozo de cristal. Nunca menosprecies el poder de esta decoración.

Lily hablaba como una mujer práctica; pero había una expresión perceptiva en el óvalo perfecto de su cara, y una mirada experta y pesarosa en sus ojos, entre verdes, azules y grises, una mirada que contenía toda la perspicacia que había ocultado siempre, la que compartía ahora con su hija, a la cual brindaba su confianza por primera vez en sus vidas.

—Angelica me dijo una .vez que papá había dicho que era el único de la familia con condiciones de editor —confesó Maxi.

—En esto se equivocaba... Zachary Amberville también podía equivocarse. Yo me equivoco en muchas ocasiones —dijo Lily, con una suave sonrisa en la que se mezclaba el alivio con un atisbo de burla de sí misma.

—Lo malo, madre, es que siempre tienés que decir la última palabra en todas las cuestiones —dijo Maxi.

—Como tú.

—Como yo. Exactamente como yo. Vamos, madre, dame un beso.

—Toby —preguntó Maxi—, ¿te dolería que Angelica y yo nos marchásemos de tu ático? Ahora que tengo un trabajo seguro y un salario fijo, puedo permitirme pagar un alquiler. No una vivienda de lujo; pero sí un poco más grande. Mayor espacio para armarios, una habitación más amplia para Angelica, sitio para poner mis pocas chucherías.

—¿Pocas? Nunca has tenido «poco» de nada —replicó Toby.

—Pues ahora lo tendré —insistió Maxi—. ¿Sabes que no vendí nada en subasta? Ni siquiera los muebles han sido vendidos todavía. He decidido conservar sólo las cosas que más me gustan. Ahora que me he acostumbrado a vivir sin todos aquellos objetos, trataré de dar a mi casa un aspecto más sobrio... Únicamente un par de piezas maravillosas, elegidas para que resalten en el espacio que habrá de rodearlas. Desde luego, necesitaré un verdadero experto en iluminación...

—Por favor, no me hables de tus planes de decoración —le suplicó Toby—. ¿No tienes a Ludwig y a Bizet para discutirlos con ellos? Creía que habían decorado todas tus casas.

—Solían hacerlo; pero tengo la impresión de que necesito un cambio.

—¿Crees que es sensato emprender un trabajo en el que vas a emplear toda tu vida y tratar de decorar un nuevo apartamento al mismo tiempo?

—Dicho así, no —respondió Maxi.

Toby estaba reclinado en su sillón Eames predilecto, con los pies levantados y el brazo suspendido en un cabestrillo bordado que India había confeccionado con una de sus sagradas fundas de almohada, blandiendo desaforadamente un par de tijeras mientras Maxi ofrecía en vano uno de los pañuelos que llenaban un cajón.

—En cualquier caso —continuó Maxi—, tenemos que trasladarnos, ahora que ha pasado la emergencia. Angelica lo siente muchísimo. Le encanta estar aquí y la Tropa disfruta mucho en tu piscina.

—Habría sido mejor que hubiesen traído sus toallas; pero nunca se acordaban —dijo reflexivamente Toby.

Maxi hizo caso omiso de la observación.

—En realidad, tampoco yo quisiera trasladarme. Aquí se está muy bien y las sobras son todavía mejores que las comidas. Tienes razón en lo del trabajo. Ni siquiera dispondré de tiempo para buscar el apartamento que más me convenga. No tendré tiempo para nada hasta que logre dominar mi oficio. He de ir temprano a la oficina, quedarme hasta muy tarde, trabajar los fines de semana y...

—No seas tonta. Estás sufriendo un ataque —la interrumpió Toby—. Un ataque de estupidez. Esto les ocurre a las personas que se enfrentan con grandes cambios en su vida, sobre todo a las personas que, como tú, quieren sempre todo o nada, no aceptan compromisos ni términos medios, no hacen las cosas poco a poco y a su tiempo. Ahora lo que te impulsa es tu carrera. Antes era tu afán de divertirte, lo cual quiere decir que, si trabajas, tiene que ser un trabajo obsesivo que no te deje tiempo para nada más.

—Pero resulta que mi carrera obsesiva, como la llamas delicadamente, es también la diversión más maravillosa del mundo —farfulló, ofendida, Maxi—. Tu análisis es prematuro... indignante.

—¿Puedo recordarte —dijo Toby— que todavía no has cumplido los treinta años?

—¿Por qué elige todo el mundo este momento para recordarme mi edad?

—Treinta años —siguió diciendo Toby—, la flor de la vida. Si no me engaña el recuerdo de tu escandaloso pasado, necesitas normalmente la compañía de un macho.

—De un hombre —gruñó Maxi.

—Hablas como papá —chilló Angelica desde su sitio en el suelo a los pies de Maxi—. Es como cuando él dice «mujeres», en el mismo tono desdeñoso. Ni siquiera sale ya con ninguna. ¿Recuerdas aquella chica que yo solía decirle que olía a vainilla? Bueno, desapareció hace meses, y en realidad no era tan mala si no te importaban los olores extraños. Y aquella otra tan bonita sobre la que le dije una vez que sabía instintivamente que era una mala pieza, hace un siglo que no la ha llamado, y la verdad es que no era tan mala, aunque no fuese mi tipo. Y había otras muchas que le iban detrás porque ha triunfado en sus negocios, al menos ésta era mi opinión..., o a las que sólo les atraía por su buena presencia. Damitas superficiales. Yo le decía siempre a papá lo que pensaba de ellas, para que no le pillasen desprevenido... Bueno, ahora no ve a ninguna. Me pregunto si le habré creado algún complejo.

—La adolescencia —dijo reflexivamente India— fue inventada por un psicólogo llamado G. Stanley Hall en un libro que escribió en 1905. Hace ochenta años, Angelica, cuando aún no se sabía nada de la adolescencia, alguien te habría puesto de cara a la pared o te habría hecho escribir cien veces en la pizarra algo como «No me meteré en la vida amorosa de mi padre». Tal vez te habría puesto incluso a pan y agua. O te habría encerrado en el cuarto oscuro. No sé qué castigo te hubiera parecido peor.

—Yo no me meto en su vida, sólo hago observaciones. Si él no me hubiese prestado atención, como suelen hacer los padres, no le habría afectado en absoluto. Y «la vida amorosa» es una expresión muy anticuada. Él se limitaba a salir con ellas.

—Salir —gruñó Toby—. Esta palabra se emplea ahora para designar toda clase de relaciones, desde las casuales hasta las que se contraen con vistas al matrimonio. Precisamente ayer, una de tus cotillas me dijo que Julie Jacobson salía con ese joven director artístico de *B&B*. ¿Quiere esto decir cada noche, cada dos noches o dos veces a la semana? No sé qué maldito imbécil inventaría ese desacertado y perverso empleo de la palabra.

—Bueno, quienquiera que lo hiciese, yo no sé nada de Julie y Brick Greenfield; pero sé que lo único que hacía papá eran salidas casuales —le respondió Angelica, mientras Maxi e India intercambiaban miradas de preocupación—. No era como si les hubiese salvado la vida y estuviese enamorado en serio, como lo estás tú de India. Pero ahora tengo que vestirme. *Dunk* vendrá a buscarme dentro de media hora. Vamos a una reposición de *Cumbres borrascosas*.

—Te ayudaré a vestirte —se apresuró a decir Maxi, prescindiendo de la sorpresa de Angelica.

—Por el amor de Dios, que sé vestirme sola.

—Bueno, tú lo hiciste, ¿sabes? —dijo India después de una pausa.

—Ya me lo has dicho otras veces. Pero, ¿acaso el hecho de haberte salvado la vida me convierte en tu esclavo?

—Si fueses chino y me hubieses salvado la vida, me lo deberías todo, porque serías responsable de mí, o algo por el estilo.

—Yo no soy chino.

—No, tú eres miembro de pleno derecho de los Heridos que Corren —dijo India, con irritación—. Voy a hacer mis bártulos. Estoy harta de no ser apreciada.

—¿Qué diablos es eso de los «Heridos que Corren»? ¿Qué significa?

—Ya sabes lo que son los heridos ambulantes: soldados que han resultado heridos pero no tienen que ser sacados del campo de batalla. Tú eres diferente: estás herido, pero corres para escapar, corres en círculos insensatos, corres tanto que no sientes el dolor o te crees que no existe. Yo pensaba que eras diferente. Pareces haberte resignado a la ceguera, y puedes hacer más que la mayoría de los hombres que ven. Y siempre serás capaz de hacer más. La ceguera es finita... No va a hacerse peor. Pero tú has decidido aislarte del resto de la vida. Tal vez de la parte más dura. La parte humana, esa parte en la que yo intervengo. ¡Ya no me interesan tus razones! Lo único que me interesa son las consecuencias de haberme enamorado de ti. Sin esperanza. No estoy dispuesta a aguantarlo más. No voy a convertirme, a mi vez, en una Herida que Corre.

—¿La doctora Florsheim?

—Hace meses que no la veo. Mi análisis ha terminado. Te dejo, Toby. Para bien.

—¡Eh, espera un momento!

—¿Qué quieres ahora? —preguntó India desde el umbral.

—¿Te llevas tus sábanas?

—Desde luego.

—¿Y tus fundas de almohada? ¿Y todos tus pequeños cojines festoneados?

—¿A qué viene esto? —se impacientó India—. El hecho de que haya terminado mi análisis no quiere decir que tenga que renunciar a mi ropa de cama. Una cosa no tiene nada que ver con la otra.

—No creo que me sintiese cómodo en lo sucesivo durmiendo entre unas sábanas sin planchar y sin bordados hechos a mano —dijo sonriendo Toby.

—¿Eh?

El corazón de India empezó a latir tan fuerte que pensó que incluso un hombre que no fuese ciego podría oírlo.

—Hagamos un trato. Nos casaremos y yo tendré la custodia de tu baúl de la esperanza.

—¿Mi baúl de la esperanza? ¿Quieres decir de mi ropa blanca? —preguntó India, acercándose lenta y precavidamente a él, para no revelar el súbito tumulto en que se debatía.

—¿No son la misma cosa?

—No lo creo. Claro que no. El baúl de la esperanza. ¡Vaya una idea!
—exclamó India, en tono ofendido y en la mejor actuación de su breve
pero gloriosa carrera.

—Bueno, casémonos y durmamos entre tus sábanas.

—¿Es ésta tu manera de hacer una declaración?

Casi consiguió un tono burlón, pero fracasó.

—Sí.

—¿No sabes hacerlo mejor?

—Te salvé la vida, ¿no?

—No puedes emplear esta frase eternamente, Toby Amberville —murmuró ella.

Toby se levantó de su sillón, se acercó a India y, con el brazo ileso,
la estrechó con fuerza sobre su pecho.

—Si hubiese un páramo cerca de aquí, te llevaría a él, te cubriría de
brezos y te diría lo mucho que te amo, Cathy... pero sólo está Central
Park. Te amo, Cathy, y quiero vivir contigo para siempre, tener una
docena de hijos y sacar el mayor provecho de mi vida.

—*¡Heathcliffe!*

—¿Eso quiere decir que sí?

—Tendré que llamar primero a mi agente; pero..., creo que podremos
llegar a un arreglo.

Dos semanas después, en San Francisco, la secretaria de Jumbo
Booker dijo a éste por el teléfono interior:

—Es Mr. Amberville, que llama desde Nueva York. ¿Se lo paso?

A Jumbo no le sorprendió la llamada. La había estado esperando
desde que oyó la noticia de que Cutter había salido de «Amberville Publications». Durante los dos años transcurridos después de que Cutter
dejara su empleo en «Booker, Smity y Jameson», empresa de la que
Jumbo era ahora presidente, no había perdido el contacto con su ex
empleado de altos vuelos. Sin embargo, la extraordinaria noticia de la
inesperada, brusca e inexplicada salida de Cutter del mundo editorial
había llegado a él a través de los rumores sociales, unos rumores tan
ciertos como los que habían circulado sobre las hazañas sexuales de
Cutter durante su matrimonio.

Jumbo sabía perfectamente que Cutter no había logrado encontrar
otro empleo de la Banca de inversiones. Sostuvo una docena de entre-
vistas para conseguir un puesto de trabajo; pero ninguna dio resultado.
Y Jumbo sabía la razón, aunque Cutter la ignorase. Un tercer rumor
había operado lentamente en los más altos niveles de la sociedad de
San Francisco, y muchas personas influyentes se fueron dando cuenta
de que Candice Amberville se había suicidado. Algunas de ellas habían
adivinado el motivo, y los rumores fueron volando como flechas hasta
Manhattan; unos rumores que quedarían encerrados dentro de un pe-

queño grupo y que nunca pasarían más allá de determinado círculo; unos rumores tan impresionantes, tan viles, que hacían que quienes los oían no quisieran tener nunca nada que ver con Cutter Amberville.

A Jumbo Booker, siempre afanoso de superioridad, ya no le interesaba hacer favores a su antiguo compañero de habitación. Lamentaba haber conocido a aquel hombre, haber tenido alguna relación con él. Era vergonzoso, peor que vergonzoso. Era degradante haber sido su amigo.

—Dígale que no puedo responder a su llamada, Miss Johnson —dijo Jumbo a su secretaria.

—¿Cuándo le digo que puede llamarle?

—Dígale que no lo haga —respondió Jumbo.

—No comprendo, Mr. Booker. ¿Quiere usted decir que estará ausente todo el día?

—No, quiero decir que no hablaré con él por teléfono ahora ni nunca. Ni por teléfono, ni personalmente. Que quede esto bien claro, Miss Johnson.

—¡Oh! —exclamó ella como una tonta, asombrada y sin saber qué hacer.

—No le importe mostrarse ruda. Limítese a repetir lo que acabo de decirle y después cuelgue el teléfono. No espere respuesta.

—¡Mr. Booker!

—Y si vuelve a llamar, dígale lo mismo, en cualquier circunstancia.

—Sí, Mr. Booker, lo recordaré.

—Gracias, Miss Johnson.

Cutter colgó lentamente el teléfono. A pesar de todas las humillaciones sufridas en los días pasados, se había abstenido hasta entonces de llamar a Jumbo Booker. Siempre había contado con Jumbo. Estaba seguro de que le recibiría de buen grado, si no para desempeñar su anterior empleo, sí para tener otro igualmente bueno. Él había hecho ganar dinero a «Booker, Smit y Jameson» durante los años que había estado con ellos, y siempre había tenido a Jumbo en el bolsillo; pero se había cansado de ser protegido por alguien a quien conocía desde hacía tanto tiempo. Después de haber mandado y dirigido en «Amberville Publications», prefería tratar con extraños a acudir a Jumbo con el sombrero en la mano. Jumbo, aquel hombre inepto, fastidioso y engreído, que se había aprovechado de él durante tanto tiempo; Jumbo, que lo tenía todo solamente porque había nacido rico; Jumbo, que ni siquiera ahora tenía agallas para insultarle y había hecho que su secretaria le insultase por él.

Cutter se tumbó en la cama de su habitación de hotel. Desde luego, toda la culpa era de Zachary, como siempre lo había sido. En primer lugar, Zachary había tenido la culpa de que él se marchase a San Francisco; Zachary había sido la causa de que se casase con Lily; Zachary había dado lugar a que hubiese tenido que casarse con Candice. Si Zachary no se hubiera mostrado tan insoportablemente comprensivo y tolerante, tan asquerosamente impasible ante las revelaciones sobre Lily y Justin, no se habría sentido impulsado a golpearle y a dejarle morir. Sí, dejarle morir, porque no había otra manera de librarse de él, ni le era posible existir mientras él estuviese vivo.

Justin. Acababa de leer, en la columna de sociedad de un periódico del día anterior, que Justin había regresado a Nueva York para hacer las fotos de la boda de Toby con aquella actriz. ¿Qué había escrito el reportero sobre él? «Un Lord Snowden americano fotografía la boda del año», o algo parecido. Justin, el hijo que Lily adoraba. Justin, que no sabía que su verdadero padre no había muerto. Justin, que le debía la vida.

Una hora después, Justin abrió la puerta y vio a Cutter plantado allí, tan seguro como si hubiese sido el invitado más esperado en una fiesta. Retrocedió y Cutter aprovechó este movimiento para entrar en el cuarto de estar y cerrar la puerta a su espalda.

—Hola, Justin —dijo, tendiéndole una mano.

Justin retrocedió otro paso.

—Está bien, Justin, comprendo tu hostilidad, puedes creerlo. Sé lo que ha pasado desde que tuve aquella disputa con tu madre... Ella no ha querido volver a verme, probablemente os ha estado contando mentiras sobre mí, envenenando la mente de sus hijos contra mí; pero no es suya la culpa, Justin. Sufrió una fuerte impresión, un trauma grave, por las mentiras que oyó cuando estuvo en el Canadá.

Justin permanecía inmóvil, sin mirarle.

—Decidí que debía mantenerme apartado de ella el tiempo suficiente para que se diese cuenta de que nada de lo que había oído resistiría cualquier examen lógico, e incluso una investigación. Dios sabe que habría podido hacerla, si hubiese querido. Ahora escucha, Justin, he venido a hablar contigo porque creo que eres el más sensato de los hijos de Lily, y estoy preocupado por ella.

Justin dio otro paso atrás, sin decir palabra.

—Está bien, si no quieres hablar de esto, yo sí quiero. Creo que es demasiado importante para que dejemos que las cosas sigan como están. Esta separación de tu madre es tan mala para ella como para mí. Lily me quiere mucho, Justin, y yo la quiero más de lo que ella se imagina. Si podemos hacer que lo comprenda, tendremos un futuro largo y feliz. Sé que ella dijo que no quería volver a verme, pero también sé, porque conozco a mi mujer, que ahora lamenta su precipitación. Sin embargo, como es tan orgullosa, no será ella quien dé el primer paso. Por eso he venido a verte. Tú eres la única persona a quien escuchará con el corazón abierto.

Justin se volvió y miró por la ventana, tensos los hombros por el esfuerzo que estaba haciendo para no decir nada a Cutter, para no reconocer en modo alguno su presencia.

—Considera la situación, Justin. ¿No se va a encontrar tu madre terriblemente sola sin mí? Nunca pudo vivir sin un hombre que la guiase, que se preocupara por su felicidad, que la protegiese. En cuanto murió mi hermano, se volvió a mí porque le era necesario, porque su soledad era horrible, y esto me partió el corazón. Nunca le fallé, ni un solo instante.

Dio un paso en dirección a la ventana, péro se detuvo al ver cómo se esforzaba Justin para dominar su esbelto y vigoroso cuerpo.

—Mira, Justin, tú nunca estás en la ciudad más de unas pocas semanas seguidas. Toby va a casarse y probablemente se irá a California, y sabes que Maxi estará muy ocupada dirigiendo la compañía... ¿Quién tendrá tiempo para Lily, si yo no estoy a su lado? Justin, he venido a pedirte que hagas algo, no por mí, sino por tu madre. Quiero que vayas a verla y le pidas que hable conmigo... Sólo que hable conmigo.

Justin se alejó de la ventana, cogió una cámara, se sentó y empezó a examinarla con gran atención.

—No te reprocho que me respondas con el silencio, Justin. Por alguna razón, nunca hemos podido sostener una relación amable, afectuosa; pero hubiésemos debido ser amigos desde hace mucho tiempo... Más que amigos.

Cutter se había plantado delante de Justin y le hablaba pausadamente, como el que quiere domesticar a un animal salvaje.

—Tengo derecho a venir aquí y hablar contigo, Justin. Nunca habría venido a turbar tu intimidad si no hubiese tenido este derecho. Nunca te habría dicho lo que voy a decirte si no pensara que ha llegado el momento de que conozcas la verdad, de que sepas por qué me creo autorizado a pedirte que hagas por mí y por tu madre algo que no pediría a nadie más de la familia. No, no sacudas la cabeza, Justin, no te niegues a escucharme, no me excluyas de tu vida.

La voz de Cutter tenía ahora un tono suplicante. Justin siguió sentado en silencio, mirando solamente la cámara, apelando a su adiestramiento en las artes marciales para permanecer absolutamente inmóvil.

—Justin... Esto no es fácil de decir. Sé lo mucho que quieres a tu madre. Es una mujer a la que es imposible no querer. Hace muchos años, cuando los dos éramos muy jóvenes, pues sólo teníamos veinticuatro años, menos de lo que tú tienes ahora, nos enamoramos.

Justin dejó caer la cámara que tenía en las manos, se levantó y se volvió de cara a la pared, como un preso en una celda.

—Nos quisimos, nos quisimos todo lo que un hombre y una mujer pueden quererse, y tuvimos un hijo... Tú, Justin. Tú eres hijo mío.

—Lo sé —dijo Justin con voz seca y monótona.

—¿Qué? ¿Te lo dijo Lily?

—Leí la carta que le escribiste cuando la abandonaste para marcharte a California. Y lo deduje de la fecha de la carta y del día en que yo había nacido. Entonces yo no era más que un chiquillo; buscaba cosas en su mesa escritorio, como suelen hacer los niños, y encontré la carta, escondida allí. La leí y volví a dejarla en su sitio. Probablemente, sigue allí todavía.

—Pero... si lo sabes... Si lo has sabido siempre... ¿cómo has podido... guardar el secreto?

Justin se volvió en redondo y se dirigió a la puerta. Por fin levantó los ojos para mirar a Cutter.

—Zachary Amberville era mi padre. Era el único padre a quien yo quería, el único padre que tuve jamás. Todavía sigue siendo mi padre, y siempre lo será. Vete, por favor.

—¡Justin! ¡Sabes la verdad y ni siquiera te atreves a negarla! La sangre es la sangre. ¡Yo soy tu padre, Justin! Y estoy vivo... Por el amor de Dios, ¿no significa esto nada para ti?

—Vete de aquí. Márchate.

Justin abrió la puerta e indicó la salida con mano temblorosa. Despacio, a regañadientes, Cutter se dirigió a la puerta y, cuando estuvo junto a Justin, vaciló. De pronto, jugando su última carta, abrazó a su hijo.

—¡No!

Con movimiento instintivo, rápido y enérgico, Justin se apartó y, empleando toda su terrible fuerza, golpeó con el canto de las manos aquellos brazos que trataban de sujetarle. Cutter se tambaleó hacia atrás, con los fracturados antebrazos colgando inertes, incapaz de recobrar el equilibrio.

Mientras rodaba por la alta y empinada escalera, chillando de dolor, una puerta se cerró con cerrojo encima de él.

28

Unos días después, cuando mayor era la excitación con motivo de la boda de Toby e India, que debía celebrarse la semana siguiente, Maxi salió de casa de Toby sin que nadie lo advirtiese. India, Angelica y Lily estaban demasiado enfrescadas discutiendo lo que iban a ponerse, que no notaron su desaparición después dc la cena. Toby se había refugiado en uno de sus restaurantes para eludir el jaleo.

Maxi vestía unos viejos pantalones tejanos y una sencilla camiseta de manga corta. Calzaba sandalias sin tacón y no se había maquillado. Un alma sublime, dispuesta para el combate. Se detuvo una vez antes de llegar a su destino y se presentó, al fin, en el apartamento de Rocco, llevando cuidadosamente un gran paquete plano.

—¿Qué hay en esa caja? —preguntó Rocco, receloso, al abrir la puerta y entrar ella corriendo en la habitación—. ¿Y cómo se te ha ocurrido venir de esta manera? Las neoyorquinas suelen telefonear antes.

—Tenía que huir de casa de Toby... Se están volviendo locas hablando de encajes antiguos, de zapatos blancos de satén y de todas estas tonterías... Las bodas parecen hacer perder el juicio incluso a las mujeres sensatas. Y pensé que, ya que tú estabas en casa, pues Angelica me dijo que te encontrarías aquí esta noche, no te importaría que viniese y hablásemos de algunas cosas. Por ejemplo de su relación con *Dunk*. Quiero decir, Rocco, que va a aceptar un puesto de acomodador. ¿Te imaginas?

—No me parece un trabajo adecuado para toda la vida.

Rocco olfateó el aire.

—¿Es eso una pizza? —preguntó.

—Una pizza pequeña —repuso Maxi—. Pensé que tal vez tendrías hambre. ¿Quieres que la ponga en el horno?

—¿Cómo es? —se interesó Rocco.

—De esas que tienen de todo. ¿Crees que hubiese podido traértela de otra clase, Rocco? —dijo Maxi casi ofendida.

Sus ojos verdes, sus cejas rectas y oscuras, incluso su labio superior en forma de arco, expresaron un inocente reproche.

—No, supongo que no. Siempre fuiste experta en pizzas. Una artista consumada. A propósito, te felicito. Te felicito sinceramente. Creo que serás una gran editora. En serio. Necesitabas algo adecuado en lo que desfogar tu energía, y al fin lo has encontrado. Me alegro por ti, Maxi. Lo harás muy bien. Pero no trates de confeccionar otra maqueta tú sola.

—Gracias —dijo modestamente Maxi—. ¿Quieres que comamos la pizza antes de que se enfríe?

—Ya veo que tendremos que repartírnosla —comentó Rocco encogiéndose de hombros—. En tal caso, creo que es mejor no recalentarla. El queso se pondría viscoso y la corteza se secaría demasiado. Lo cierto es que no he cenado. Estaba demasiado atareado.

Rocco preparó con destreza la mesa de la cocina y cortó dos grandes trozos de la enorme pizza. Durante un rato, comieron con el devoto y ávido silencio que exige una buena pizza, guardando prudentemente las cortezas para más tarde, cuando no quedase nada más, pues Rocco Cipriani no dejaba nunca nada de una pizza, aunque fuese defectuosa, y ésta estaba riquísima. La acompañaron con cerveza, bebida directamente de la botella, y el montón de servilletas de papel, que se hallaba en el centro de la mesa, mermó con rapidez.

—Con las pizzas ocurre algo muy curioso —comentó Roco—. Uno siente que el estómago le da las gracias al resto del cuerpo. No son como la comida corriente; parecen más bien una unión. Supongo que es como un alimento espiritual..., aunque éstos no me han producido efecto.

—A mí me lo producen los perros calientes —dijo Maxi, con aire soñador—. Con toneladas de mostaza amarilla, aquellos panecillos blandos y aquella tibia salchicha rosada... No hay nada que los pueda igualar.

—Tal vez es una diferencia religiosa.

—La infancia. Todo tiene que ver con la infancia. Al menos, así lo creo —replicó Maxi.

—¿Qué opinas de la sopa? —preguntó Rocco muy serio.

—¿La sopa? Nada tengo contra ella; pero no es mi comida predilecta.

—Si estuvieses enferma o acatarrada, o necesitases algo reconfortante... —insistió Rocco.

—Y no hubiese una gota de alcohol a mi alcance...

—Exacto... Si por alguna razón misteriosa no pudieses disponer de ningún licor, ¿te inclinarías por la sopa?

—Solamente si fuese de lata —dijo con aplomo Maxi—. Tendría que salir directamente de una lata, no ser de esas que se hacen en casa y que tanto se recomiendan. Son demasiado europeas.

—Tengo ganas de comer sopa —cantó desafinadamente Rocco, con la tonada de *Tengo ganas de amar*—. Sólo porque estás cerca de mí, querida. Y, cuando estás cerca de mí, tengo ganas de comer sopa.

—¿Cuál es el acompañamiento? —preguntó Maxi, percibiendo la creación de un anuncio comercial.

Rocco nunca solía cantar en la cocina.

—Amantes, toda clase de amantes, de todas las edades, formas y tamaños, blancos, negros, amarillos, morenos, rojos, extraterrestres, animales... Tres segundos para cada pareja, besándose, abrasándose, acariciándose, con Julio Iglesias cantando la letra.

—¿Ves el producto? —preguntó Maxi.

—Nunca. El anuncio es para la «American Soup Canning Association». Duración, un minuto. ¿Te gusta?

—Creo que es magnífico. Pero sin Julio... Me gusta pero su inglés no es convincente. ¿Qué te parecería Kenny Rogers? No, demasiado del Oeste. Es una balada y *Ol' Blue Eyes* es demasiado conocida... por no hablar de lo que él cobraría... Ya lo sé: ¿Tony Bennett?

—¡Perfecto! Romántico, cálido, familiar... Perfecto. ¿De modo que te gusta la idea? ¿Te gusta de veras?

—Haría que me metiese en la cocina, como después de un lavado de cerebro, abriese una lata de cualquier clase de sopa, la calentase y la comiese sin darme cuenta —le aseguró Maxi, dándole el último trozo de pizza y todas las cortezas.

—Estuve trabajando en esto —dijo Rocco, entre dos bocados—. No estaba seguro de si la sopa gustaba realmente a la gente o si sólo la tomaban porque creían que les sentaba bien.

—¿Qué le importa eso a la «Soup Canning Association»?

—Tengo que sentir el anuncio comercial para que me salga bien. Y mi madre hacía siempre su propia sopa. No nos dejaba probar la enlatada. Por consiguiente, no podía fiarme de mi gusto a este respecto.

—Tu madre hacía una sopa deliciosa. Una vez me dio la receta de la sopa de pollo. Lo malo era que, para ello, tenía que comprar un pollo entero y un jarrete de ternera. Demasiado para mí. Por consiguiente, fui y compré una «Campbell's» —recordó Maxi con tristeza.

—Bueno, después de todo, sólo tenías dieciocho años. ¿O eran diecisiete? Nunca estuve absolutamente seguro.

—Creo que yo tampoco lo estaba. De cualquier modo, sigo sin saber cocinar.

—Mi madre no sabría dirigir una empresa editorial. Cada cual a lo suyo —dijo imparcialmente Rocco, poniendo los platos en el fregadero y buscando otras dos botellas de cerveza—. Pero ¡caray!, ella elaboraba también su propio vino... Yo tengo problemas con el «Gallo»; pero lo resolveré. Por suerte, mamá no sabía hacer cerveza, ni coches, ni jabón. Pasemos al cuarto de estar. ¿Qué tienes que decirme de *Dunk*?

Cuando Angelica lo trajo aquí para presentármelo, me pareció un buen chico. Creo que no está en peligro de ser seducida por él.

—Probablemente no. Mi madre dijo que Angelica es una adolescente distinta y mucho más sensata de lo que era yo. Puedo estar tranquila.

—¿Te habrías dejado tú seducir por él cuando tenías doce años? —preguntó Rocco, plantándose detrás de la ventana y contemplando Central Park, que se extendía delante de él.

—Claro que no. Te estaba esperando a ti.

Una sencilla declaración, hecha con mucho arte.

—¿Y no te habrías besado siquiera con él? *Dunk* es un muchacho muy atractivo.

—Yo nunca me besé con los chicos —respondió Maxi.

Observó en los cristales de las ventanas el reflejo de la elegante e iluminada habitación, la Isis suspendida en el aire, eternamente noble; la majestuosa grupa del caballo de la Dinastía Han visible sobre una mesa.

—Tú fuiste el primero a quien besé —añadió, después de una pausa.

Pestañeó furiosamente; pero evitó mirarle.

—¡Oh!

—Tú siempre lo supiste.

—No, no lo sabía. Pensé que tenías experiencia... No verdadera experiencia, pues eras virgen; pero sí alguna. Eras muy ardiente, como solíamos decir en mi viejo barrio.

—Pura comedia —confesó Maxi, agachando la encantadora cabeza.

—No. Eras ardiente —insistió Rocco.

—La experiencia..., era una comedia. El calor..., me lo dabas tú.

Levantó la cabeza y fijó en él su mirada verde y maliciosa, ligeramente entreabiertos sus labios de hechicera, súbitamente infantil, misteriosa, como si todos los minutos de sus respectivos pasados hubiesen sido borrados, como si se encontrasen por primera vez.

—¡Oh! Bueno, gracias.

—Rocco...

—No. Maxi. Rotundamente, ¡no!

—¿No? ¿Cómo sabes lo que iba a decir? —preguntó Maxi, con aire digno—. ¿Cómo puedes decir que no cuando ni siquiera sabes que fuese a decir algo que necesitase respuesta?

—He aprendido con los años. Cuando te plantas en mi puerta, llevando virtualmente la misma ropa que aquel verano en que nos conocimos, lo bastante joven para atrapar a cualquiera y con una belleza que es casi un delito, excepto para alguien que te conozca tan bien como yo, y además me traes una pizza, con todos los ingredientes, y te muestras interesada y solícita respecto a mi anuncio de la sopa, ¿crees sinceramente que yo no voy a saber que estás tratando de sacar algo de mí? Vamos, Maxi, confiésalo.

—¿No crees que el carácter de la gente puede cambiar con la edad? —preguntó ella, en tono reposado, jugueteando con su mechón blanco—.

¿No se te ocurre pensar que podría buscar tan sólo una mejor relación con el padre de mi hija, un intercambio amistoso entre dos adultos, una tregua en la hostilidad que se ha producido entre nosotros? ¿Un nuevo comienzo, Rocco, de manera que, aparte de Angelica y de nuestro mutuo amor por ella, podamos coexistir en la misma ciudad, en términos amables y considerados? ¿Por qué tengo que haber venido forzosamente con otras intenciones?

—Veamos las cosas como son, Maxi. ¿Quién me chantajeó, maliciosamente, para que le hiciese la maqueta de *B&B*? ¿Quién me emborrachó cuando estaba acatarrado y me violó tres veces?

—¡Eso es absurdo!

—Tal vez no pueda probarlo, pero yo lo sé muy bien. Tú nunca te presentas a menos que quieras algo. ¿Qué es esta vez? Espera, deja que lo adivine. Pavka va a retirarse dentro de unos años y quieres que me prepare para sustituirle. Es eso, ¿verdad? En realidad, podría hacerlo, pero significaría trabajar para ti, por mucha libertad que me dieses. Por consiguiente, no lo haré. En modo alguno. ¿Qué otra cosa podría ser? Tal vez...

—¡Rocco! Tienes toda la razón. Soy una tramposa. Me he pasado toda la vida tratando de conseguir cosas manipulando a la gente. En particular a los hombres. Miento..., un poco. Enredo..., algo. Juego..., sin exagerar. Y a veces tengo mal genio.

—Eso es difícil de creer —gruñó él.

—Pero, en el fondo, soy buena persona, Rocco, y, además, he cambiado. He aprendido que puedo conseguir lo que quiera siendo despabilada y trabajando mucho. Lo confieso: la pizza fue un truco. Los pantalones tejanos son un truco. Quiero algo.

Maxi se enfrentó con él, que seguía plantado, pero indefenso, y le miró fijamente a los ojos, resuelta, decidida, apasionada.

—Te quiero a ti, Rocco. Quiero que vuelvas a amarme.

—¿Por qué? —preguntó Rocco con obstinación, resistiendo el deseo de envolverla en un abrazo de indecible ternura.

—Porque nunca he sido capaz de dejar de quererte. Lo he intentado con todas mis fuerzas, de todas las maneras, en todos los lugares y con toda clase de hombres; pero no dio resultado. Tengo mis defectos y los reconozco..., cuando no me queda más remedio. Pero también tengo mis virtudes. La fidelidad es una de ellas. La fidelidad a los sentimientos. He tratado de ser infiel, y esto no ha cambiado lo que siento por ti. Si te hubiese conocido siendo mayor, no me habría parecido tan imposible vivir de tu salario, no habría cometido todos mis estúpidos e irreflexivos errores de niña rica. Habría cometido otros, pero no imperdonables. Habría comprendido mejor tu orgullo. Nos habríamos entendido bien. Lo sé. Todavía estaríamos casados. Por favor, Rocco, querido Rocco, dame otra oportunidad. Te amo tanto que no puedo soportarlo.

Él la miró, impasible, con una larga y lenta mirada que confirmó todo lo que ya sabía sobre aquella fantástica criatura a la que no había podido olvidar, a la que no había conseguido sustituir desde el día que él había roto su matrimonio. Ella le dejó incapacitado para querer a otras mujeres, desde luego deliberadamente. Cuando uno se enamoraba plenamente de Maxi, estaba perdido, pensó. Lo sabía. Pero, en el fondo, ella era una buena chica. Siempre había sido de buena pasta. Seguro que le plantearía problemas; pero ninguno que él no pudiese resolver. Y, además, no debía engañarse, la adoraba. Adoraba a aquella pequeña zorra. Se había sentido *morir* cada vez que se había casado con aquellos desgraciados. No había otra mujer para él. Nunca la había habido y nunca la habría.

—Está bien. Me parece justo.

—¿Me darás otra oportunidad? —murmuró Maxi, con los ojos llenos de lágrimas.

—¿Por qué hacer las cosas a medias? Casémonos de nuevo. No es porque no te ame locamente. Nos casaremos cuando quieras, y Angelica y tú podéis venir aquí a vivir conmigo, pues hay espacio de sobra. Una boda sencilla, sin oropeles, ni encajes heredados.

—Sin oropeles —prometió Maxi—. No es como si me casara con otro hombre.

—Vas a casarte conmigo, esta vez para siempre, ¡caray! Con el mismo hombre con quien empezaste —declaró autoritariamente Rocco.

—Exacto. Así se lo diré a India. No con otro hombre —murmuró Maxi.

—¿A India? ¿No vas a decírselo antes a Angelica?

—¿Angelica? ¡Oh, sí! Claro que se lo diré primero a ella... Pero, ¿me equivoco al pensar que, de algún modo, fue ella quien tramó todo esto? Mi madre va a llevarla a Venecia y a Inglaterra después de la boda de Toby. Pero no sé por qué tenemos que esperar nosotros un momento más —dijo Maxi, arrimándose a Rocco y ofreciéndole los labios.

—Todavía tienes que volver a casa de Toby a recoger tus cosas. No puedes trasladarte aquí en tejanos y camiseta —murmuró Rocco, meciéndola en sus brazos.

La levantó con impaciencia y empezó a subirla escaleras arriba.

—A fin de cuentas, tienes que ir mañana a trabajar, mi pequeña Maxi, mi pequeña editora.

—No te preocupes —le aseguró Maxi, besándole—. Elie está esperando abajo en el coche, con todo mi equipaje.

Este libro se imprimió en
HUROPE, S. A.
Recaredo, 2
Barcelona